# 《历史研究》五十年总目

张永攀　舒建军　编

 社会科学文献出版社
SOCIAL SCIENCES ACADEMIC PRESS (CHINA)

**图书在版编目（CIP）数据**

《历史研究》五十年总目/张永攀,舒建军编. - 北京：
社会科学文献出版社,2006.4
ISBN 7 - 80230 - 026 - 6

Ⅰ.历...　Ⅱ.①张...②舒...　Ⅲ.①史学 - 文集
②史学 - 专题目录　Ⅳ.①K0 - 53②Z88；K0

中国版本图书馆 CIP 数据核字(2006)第 019590 号

本丛书得到香港金城营造王锦辉
慈善教育基金会资助，谨此致谢！

# 目 录

凡 例 ……………………………………………… 1

## 编 年 目 录

1954 年 …………………… 1

1955 年 …………………… 4

1956 年 …………………… 6

1957 年 …………………… 12

1958 年 …………………… 18

1959 年 …………………… 24

1960 年 …………………… 30

1961 年 …………………… 32

1962 年 …………………… 36

1963 年 …………………… 39

1964 年 …………………… 42

1965 年 …………………… 45

1966 年 …………………… 47

1974 年 …………………… 50

1975 年 …………………… 51

1976 年 …………………… 58

1977 年 …………………… 65

1978 年 …………………… 71

1979 年 …………………… 78

1980 年 …………………… 84

1981 年 …………………… 89

1982 年 …………………… 94

1983 年 …………………… 99

1984 年 …………………… 104

1985 年 …………………… 108

1986 年 …………………… 112

# 作者索引

# 分类索引

一　历史学的理论、历史与方法…………………… 393

二　中国古代史…………………………………… 405

　　（一）先秦……………………………………… 405

　　（二）秦汉……………………………………… 414

　　（三）魏晋南北朝……………………………… 421

　　（四）隋唐五代………………………………… 425

　　（五）宋辽金元………………………………… 433

　　（六）明清……………………………………… 441

　　（七）其他……………………………………… 452

三　中国近、当代史……………………………… 454

　　（一）政治……………………………………… 454

　　（二）经济……………………………………… 465

　　（三）军事……………………………………… 470

　　（四）思想文化与学术………………………… 472

　　（五）社会……………………………………… 476

　　（六）中外关系………………………………… 479

　　（七）人物……………………………………… 486

　　（八）其他……………………………………… 498

四　世界史………………………………………… 499

# 凡 例

一、为检阅《历史研究》五十年来所刊学术成果，方便读者检索，特编辑本目录。

二、本目录收录范围自《历史研究》1954年2月创刊至2003年第6期，共286期。收录论文3149条（含学术综述、读史札记等），书评308条，其他类400条。共3857条。

三、本目录分为编年目录、作者索引、分类索引三个单元。

四、各单元编排方式如下：

1. 编年目录：按年度分期编排。

2. 作者索引：按作者（包括全部署名作者）姓氏笔画顺序排列，不分文章体裁；以外文署名的作者以字母顺序为序，排列于中文作者索引之后；集体作者及未署名者列入"其他"项下；同一作者收录多篇时，按发表时间先后顺序排列。

3. 分类索引：依据论文内容分为：历史学的理论、历史与方法，中国古代史，中国近、当代史，世界史，述评、动态，图书评介，其他（未分类文章）七大类。

中国古代史分类为：先秦、秦汉、魏晋南北朝、隋唐五代、宋元辽金、明清、其他。

中国近、当代史分类为：政治、军事、经济、思想文化与学术、社会、中外关系、人物、其他。

世界史分类为：古代史、中世纪史、近代史、现代史、其

他。

　　五、各单元著录项目如下：

　　1. 编年目录：出版年月与期数、篇名、作者。

　　2. 作者索引：笔画、作者、篇名、出版年与期数。

　　3. 分类索引：类别、篇名、作者、出版年与期数。

编　者

# 编 年 目 录

## 1954 年第 1 期

开展历史研究，迎接文化建设高潮
  ——为《历史研究》发刊而作      郭沫若
中国近代历史的分期问题      胡 绳
中国封建社会土地所有制形式的问题
  ——中国封建社会发展规律商兑之一      侯外庐
记唐代之李武韦杨婚姻集团      陈寅恪
论元末农民起义的社会背景      王崇武
屈原生年月日的推算问题      浦江清
寿县出土楚器铭文研究      朱德熙
元代畏兀儿文契约二种      冯家昇

## 1954 年第 2 期

南诏史略论      向 达
南诏统治者蒙氏家族族系新证      刘尧汉
俄国一九〇五年革命对中国的影响      荣孟源
美帝国主义攫占三都澳的阴谋与所谓"海军借款"      孙毓棠
中国工农红军长征概述      缪楚黄
嵇康集考      鲁 迅遗稿

论韩愈　　　　　　　　　　　　　　　　　　　　　陈寅恪

关涉周代史实的铭文五篇　　　　　　　　　　　　　杨树达

汉代"亭"与"乡""里"不同性质不同行政系统说

　　——"十里一亭……十亭一乡"辨正　　　　　王毓铨

关于范文澜中国通史简编修订本第一册座谈会的记录

　　　　　　　北京大学历史系中国古代史教研室

记新发现的"湘江评论"　　　　　　　　　　　　　方　回

记巩珍西洋番国志　　　　　　　　　　　　　　　　方　回

一九○五年四月中国工人反抗帝国主义资本家的斗争　邵循正

彭湃烈士与一九一九年五月七日中国留日学生东京

　　示威游行运动　　　　　　　　　　　　　　　方　回

莫高窟记（敦煌史料之一）　　　　　　　　　　　　王重民

## 1954 年第 3 期

论社会主义在中国的传播　　　　　　　　　　　　　黎　澍

试论中国自秦汉时成为统一国家的原因　　　　　　　范文澜

侈靡篇的研究　　　　　　　　　　　　　　　　　　郭沫若

魏晋玄学中的社会政治思想和它的政治背景　汤用彤　任继愈

南朝的屯、邸、别墅及山泽占领　　　　　　　　　　唐长孺

论诸葛亮　　　　　　　　　　　　　　　　　　　　周一良

金田起义事实考　　　　　　　　　　　　　　　　　罗尔纲

介绍金承化著美国侵朝史　　　　　　　　　　　　　丁名楠

## 1954 年第 4 期

关于两汉的官私奴婢问题　　　　　　　　　　　　　翦伯赞

中国纸和造纸法输入印度的时间和地点问题　　　　　季羡林

辛亥革命前五十年间外国侵略者和中国买办化军阀

　　官僚势力的关系　　　　　　　　　　　　　　邵循正

唐代租庸调法的研究 　　　　　　　　　　　　　　邓广铭
论元末农民起义的发展蜕变及其在历史上所起的
　进步作用 　　　　　　　　　　　　　　　　　　王崇武
范长生与巴氏据蜀的关系 　　　　　　　　　　　　唐长孺
关于美国简明史的几点意见 　　　　　　　　　　　程秋原

## 1954 年第 5 期

中日甲午战争前外国资本在中国经营的近代工业 　　孙毓棠
论东捻军的抗清斗争 　　　　　　　　　　　　　　江 地
说秦汉到明末官手工业和封建制度的关系 　　白寿彝　王毓铨
论匈奴部落国家的奴隶制 　　　　　　　　　　　　马长寿
俄国人第一次环球航行与中国 　　　　　　　　　　丁则良

## 1954 年第 6 期

中国近代历史的分期问题的商榷 　　　　　　　　　孙守任
戊戌变法与日本 　　　　　　　　　　　　　　　　沈镜如
一九○五年至一九○七年第一次俄国革命的国际意义
　　　　　　　〔苏联〕安·米·潘克拉托娃院士
与范文澜同志论划分中国奴隶社会与封建社会的标准
　问题 　　　　　　　　　　　　　　　　　　　吴大琨
读范著中国通史简编修订本第一册 　　　　　　　　赵光贤
关于范著中国通史简编修订本第一册的几点意见 　　王玉哲
论周代社会史料的运用问题 　　　　　　　　　　　岑仲勉
西周文中的殷人身分 　　　　　　　　　　　　　　陈梦家
耐林觥金文说 　　　　　　　　　　　　　　　　　杨树达
圭田辨 　　　　　　　　　　　　　　　　　　　　周谷城

## 1955 年第 1 期

一九○五年俄国革命和中国　　　　　　　　　　　　　黎　澍
关于两汉社会性质问题的探讨　　　王思治　杜文凯　王汝丰
关于西周的社会性质问题　　　　　　　　　　　　　　王承祒
论汉民族的形成　　　　　　　　　　　　　　　　　　曾文经
论武周的社会基础　　　　　　　　　　　　　　　　　胡如雷
殷代农作施肥说　　　　　　　　　　　　　　　　　　胡厚宣
释"不玄冥"　　　　　　　　　　　　　　　　　　　杨向奎
对范文澜中国通史简编修订本第一编的意见　　　中山大学历史系

## 1955 年第 2 期

西洋"汉学"与胡适　　　　　　　　　　　　　　　　周一良
清除胡适思想在历史考据中的恶劣影响　　　　　　　　田余庆
对于中国近代历史分期问题的意见　　　　　　　　　　金冲及
商殷与夏周的年代问题　　　　　　　　　　　　　　　陈梦家
论西汉的土地占有形态　　　　　　　　　　　　　　　贺昌群
旧中国发行公债史的研究　　　　　　　　　　　　　　千家驹

## 1955 年第 3 期

声讨胡风反革命集团　　　　　　　　　　历史研究编辑委员会
看看胡适的"历史的态度"和"科学的方法"　　　　　范文澜
阶级斗争是历史发展的动力
　　——论胡适派反动的历史观及其流毒　　　　　　　蔡美彪
胡适不是研究历史，而是歪曲和捏造历史
　　——在批判胡适历史观点讨论会上的发言　　　　　梁从诫

明初社会生产力的发展　　　　　　　　　　　　　吴　晗
中国资本主义生产因素的萌芽及其增长　　　　　　尚　钺

## 1955 年第 4 期

中国科学院哲学社会科学学部报告　　　　　　　　潘梓年
批判胡适的多元历史观　　　　　　　　　　　　　嵇文甫
近代亚洲民族解放斗争的三次高涨与中国　　　　　丁则良
中国蚕丝输入印度问题的初步研究　　　　　　　　季羡林
试论汉民族的形成　　　　　　　　　　　　　　　张正明
论魏晋时代知识分子的思想分化及其社会根源　　　范　宁

## 1955 年第 5 期

从中国封建土地制度问题上看梁漱溟思想的反动本质　刘大年
论胡适在禅宗史研究中的谬误　　　　　　　　　　任继愈
关于西周社会性质的问题　　　　　　　　　　　　戚其章
租庸调与均田有无关系　　　　　　　　　　　　　岑仲勉
唐代的均田制与租庸调　　　　　　　　　　　　　韩国磐
唐代均田制研究　　　　　　　　　　　　　　　　胡如雷
拜上帝会成立前金田地区的阶级斗争

　　　　　　　　　　　　　广西省太平天国文史调查团

## 1955 年第 6 期

鲁迅和历史科学　　　　　　　　　　　　　　　　李瑞良
明末城市经济发展下的初期市民运动　　　　　　　刘　炎
明代的工匠制度　　　　　　　　　　　　　　　　陈诗启
从秦汉史料中看屯田采矿铸钱三种制度　　　　　　陈　直

东晋南北朝时期矿冶铸造业的恢复与发展　　　　林寿晋
《太史公行年考》有问题　　　　　　　　　　　郭沫若
司马迁生年为建元六年辨　　　　　　　　　　　李长之

## 1956 年第 1 期

"中国农村的社会主义高潮"序言　　　　　　　　毛泽东
批判梁漱溟反动的历史观点及其复古主义　　　　侯外庐
夏代和商代的奴隶制　　　　　　　　　　　　　束世澂
战国社会封建化过程　　　　　　　　　　　　　叶玉华
论"齐名要术"——我国现存最早的完整农书　　万国鼎

## 1956 年第 2 期

均田制度的产生及其破坏　　　　　　　　　　　唐长孺
汉代是奴隶社会还是封建社会?　　　　杨伟立 魏君弟
绍兴太平天国壁画调查记　　　　　　　　　　　罗尔纲
哈喇契丹说
　　——兼论拓拔改姓和元代清代的国号　　　　陈　述
封邑邦国方辨　　　　　　　　　　　　　　　　金兆梓

## 1956 年第 3 期

论新兴市民等级在太平天国革命中的作用　　　　郭毅生
明代后期一条鞭法的研究　　　　　　　　　　　田继周
鸦片战争前云南铜矿业中的资本主义萌芽　　　　王明伦
关于西周社会性质问题的讨论
　——答戚其章先生　　　　　　　　　　　　　吴大琨
一九二四年孙中山的北伐与广州商团事变　　　　徐嵩龄

读郭沫若先生"太史公行年考有问题"后　　　　　　　　王达津
对尚钺主编"中国历史纲要"的一些意见　贵阳师范学院历史系

## 1956 年第 4 期

关于中国资本主义萌芽问题的考察　　　　　　　　　　　黎　澍
论民族的定义及民族的实质　　　　　　　　　　　　　　魏明经
关于殷周土地所有制的问题　　　　　　　　　　　　　　斯维至
论南北朝时期炼钢技术的重要发明　　　　　　　　　　　杨　宽
"吕览"淈滩与"服赋"单阆"淮南"丙子之通考　　　刘　坦
略谈卜辞中"武丁诸父之称谓"及"殷代王位继承法"
　　——读陈梦家先生"甲骨断代学"四篇记　　　　　刘启益

## 1956 年第 5 期

有关中国古史分期的若干问题　　　　　　　　　　　　　杨向奎
从租佃制度与隶属农民的身分探讨古巴比伦社会的性质　童书业
汉代白虎观宗教会议与神学法典白虎通义
　　——兼论王充对白虎观神学的批判　　　　　　　　侯外庐
中国古代医学和哲学的关系
　　——从皇帝内经来看中国古代医学的科学成就　　　任继愈
中国农民战争和宗教的关系　　　　　　　　　　　　　孙祚民
十九世纪末帝国主义瓜分中国铁路利权的阴谋活动
　　（一八九八——八九九）　　　　　　　　　　　　胡　滨
南京如意里太平天国壁画考证　　　　　　　　　　　　罗尔纲

## 1956 年第 6 期

中国近代史的分期问题　　　　　　　　　　　　　　　戴　逸

批判胡适派对于世界史的反动唯心观点　　　　　　　齐思和

论殷代生产资料的所有制形式　　　　　　　　　　　朱本源

春秋战国时代的奴隶制　　　　　　　　　黄子通　夏甄陶

关于大顺军领袖李自成被害地点的考证　　　　　　金毓黻等

对"夏代和商代的奴隶制"一文的意见　　　　　　　许顺湛

## 1956 年第 7 期

先秦生产形态之探讨　　　　　　　　　　　　　　　尚　钺

西晋的土地和赋税制度　　　　　　　　　　　　　　王天奖

一八四八年巴黎无产阶级的六月起义　　　　　　　　杨立文

对黎澍同志"关于中国资本主义萌芽问题的考察"

　　一文的几点意见　　　　　　　　　　　　　　　韩大成

对"关于两汉社会性质问题的探讨"一文中所引

　　"史记"两"汉书"的解释的意见　　　　　　　李鼎芳

最近几年来历史科学的新成就　　　　　弗·尼·尼基甫洛夫

关于中国资本主义萌芽问题的讨论　　　　　　　　　杜　真

太平天国太阳河码头渡船规条碑跋　　　　　　　　　丁云青

中国人民大学第六次科学讨论会上关于"中国近代史

　　分期问题"的讨论　　　　　　　　　　　　　　杨遵道

北京大学科学讨论会中有关历史科学论文的讨论情况

　　　　　　　　　　　　　　　　　　北京大学历史系通讯员

北京师范大学第一次科学讨论会中关于历史科学论文的讨论　陈继民

山东大学历史科学论文的宣读讨论会　　　　　　　　洛　洋

四川大学科学讨论会关于历史科学论文的讨论　　　　嘉　弘

## 1956 年第 8 期

十七世纪至十九世纪中国帆船在东南亚洲航运和

　　商业上的地位　　　　　　　　　　　　　　　　田汝康

论中国封建制的形成及其法典化　　　　　　　　　侯外庐

论我国的"封建的土地国有制"　　　　　　　　　李　埏

从生产关系的基础看奴隶与农奴最根本的区别　　　董楚平

对杨向奎先生古史问题的几点意见　　　　　　　　张心澂

评"中国历史概要"　　　　王思治　林敦奎　贾　岩

中国自然科学史第一次科学讨论会　　　　　　　　　湖

教育部召开师范院校中国古代史及中世纪史

　教学大纲讨论会

复旦大学历史系的教学与科学研究概况　　　　　　戴学稷

中央民族学院一九五六年科学讨论会关于少数民族

　历史问题的讨论　　　　　　　　　　　　中央民族学院

## 1956 年第 9 期

美国资产阶级对日本的初期掠夺（一七九一——

　一八六六）　　　　　　　　　　　　　　　　邵鼎勋

试论曹魏屯田与西晋占田上的某些问题　　　　　　张维华

再论汉代是奴隶社会　　　　　　　　　　　　　　王思治

"商鞅变法"促进奴隶使用制度发展说

　——兼与叶玉华先生商榷　　　　　　　　　　罗祖基

从学术源流方面评杨荣国著"中国古代思想史"

　　　　　　　　　　　　　　　　李学勤　杨　超

古代云南用贝币的大概情形　　　　　　　　　　　李家瑞

慈禧太后摧残学生爱国运动的"懿旨"　　　　　　恭　轩

综合大学文史教学大纲审定会简况　　　　　　　　祚　新

山东大学历史系一九五六年上半年度的教学与科学

　研究工作　　　　　　　　　　　　　　　　　宋锡民

东北师范大学历史系教师的科学研究工作　　　　　姜德昌

调查、搜集有关中国近代资本主义萌芽资料的建议
　　（读者来信）

## 1956 年第 10 期

从万历到乾隆
　　——关于中国资本主义萌芽时期的一个论证　　　　　　邓　拓
论玄奘留学印度与有关中国佛教史上的一些问题　　　　　　石　峻
论不同国家从奴隶占有制向封建制过渡的几个共同的
　　规律性　　　　　　　　　　　　　弗·尼·尼基甫洛夫
“西伯利亚”名称的由来　　　　　　　　　　包尔汉　冯家昇
周都丰镐与金文中的莽京　　　　　　　　　　　　　　黄盛璋
读卿汝楫“美国侵华史”第二卷　　　　　　　　　　　余绳武
嘉靖甲寅倭变纪略　　　　　　　　　　　　　　　　　无　根
关于刘仪顺的史料　　　　　　　　　　　　　　　　　唐嘉弘
瓦德西拳乱笔记的译注问题　　　　　　　　　　　　　赵捷民
从民谣看太平天国的政策制度　　　　　　　　　　　　瞿静涵
苏联民族学近年来的成就　　　　　　　　　　　　　　林耀华
高师文史教学大纲讨论会关于历史科目教学大纲
　　讨论情况的简介　　　　　　　　　　　　　　　　陈继民
西北大学历史系科学研究动态　　　　　　　　　　　　文暖根

## 1956 年第 11 期

社会历史的研究怎样成为科学
　　——论现代中国资产阶级唯心主义历史学
　　　　在这个问题上的混乱观念　　　　　　　　　　　胡　绳
论孙中山的“民生主义”思想
　　——纪念中山先生九十生辰　　　　　　　　　　　李泽厚

从史料运用上略论两汉社会性质问题
　　——"关于两汉社会性质问题的探讨"读后评　　杜金铭
关于汉民族何时形成的一些问题的商榷　　章冠英
释"蔑历"　　赵光贤
关于宗族、宗部的商榷
　　——评"魏晋南北朝史论丛"　　贺昌群
评李亚农同志关于拓跋族社会历史的著作　　田　远
关于唐代均田制与租庸调法问题的讨论　　陈　质
南京大学历史系近况　　王　移
上海史学工作者座谈筹建历史研究所　　戴学稷
朝天围与文天祥　　刘佐泉
宋应星的"天工开物"
　　——"元素发现史"增释之一　　张资珙
太平天国壁画能画人物的一个佐证　　孔宪易
"□餘瑣闻"　　孔宪易

# 1956 年第 12 期

我们在研究古代史中所存在的一些问题
　　——评童书业著"从租佃制度与隶属农民的身分
　　　　探讨古巴比伦社会的性质"　　日　知
关于"管子""轻重"篇的著作年代问题　　马非百
对中国近代史分期问题的商榷　　王仁忱
对邹知白"李永和蓝朝鼎起义始末"一文的商榷及
　　补充　　李祖桓
第九次青年汉学家会议纪要　　翦伯赞
记南开大学第二次科学报告讨论会历史学分会情况　　陈　枏
中央民族学院研究部研究计划　　中央民族学院院刊编辑室
华东师范大学历史系教师科学研究概况　　陈善学

## 1957 年第 1 期

清代广东洋行制度的起源　　　　　　　　　　　　　　彭泽益

章炳麟与印度民族解放斗争
　　——兼论章氏对亚洲民族解放斗争的一些看法　　　丁则良

关于忠王李秀成自传原稿真伪问题的再商榷　　　　　　金毓黻

张献忠在蜀事迹考察　　　　　　　　　　　　　　　　孙次舟

对百年前上海是一片荒凉渔村说法的疑义　　　　　　　陈德昌

评中国历史纲要　　　　　　　　张我德　邓春阳　　何　志

对束著"洪秀全"一书的意见　　　　　　　　　　　　梁任葆

释"余一人"　　　　　　　　　　　　　　　　　　　胡厚宣

陶潜不为五斗米折腰新释　　　　　　　　　　　　　　缪　钺

李大钊轶文"此日"考　　　　　　　　　　　　　　　刘　堃

明政府镇压矿工起义告示牌的发现　　　　　　　　　　赵人俊

中山大学历史系一九五六年度的教学和科学研究工作　　李锦全

中山大学历史系三年级同学的生产实习情况　　　　　　李锦全

四川大学历史系关于中国古代史分期问题的讨论　　　　嘉　弘

## 1957 年第 2 期

孙中山的哲学思想及其同政治思想的联系　　　　　　　侯外庐

宋代雇佣关系的初步探索　　　　　　　　　　　　　　柯昌基

关于曹植的评价问题　　　　　　　　　　　　　　　　张德钧

两晋南北朝时期民族大变动中的廪君蛮　　　　　　　　章冠英

"七月"诗中的历法问题　　　　　　　　　　　　　　华钟彦

蛮书"河赕"小考　　　　　　　　　　　　　　　　　刘尧汉

汉代著名产铜地丹阳考　　　　　　　　　　　　　　　裘忱耀

西北大学历史系第二届科学讨论会　　　　　　　　　　文暖根

复旦大学历史系中国上古中古史教研组座谈"中国
　　古史分期"的一些意见　　　　　　　　　　　　　余　肖

## 1957 年第 3 期

关于太平天国革命特点的形成问题
　　——评郭毅生著论新兴市民等级在太平天国革命中的
　　　　作用　　　　　　　　　　　　　　　　　　刘佐泉

宋代户口　　　　　　　　　　　　　　　　　　　　袁　震

略论蒙古一九二一年的革命运动　　　　　　　　　　张　磊

朝鲜的古印刷　　　　　　　　　　　　　　　　　　张秀民

中国近代史分期问题的讨论（来稿摘要）
　　　　　　　章开沅　孙正容　李荣华　赵德馨　毛健予

关于"咸丰十年庚申大乱记"　　　　　　　　　　　王　二

与蔡牵活动有关的一个传说　　　　　　　　　　　　吕玉珊

福建师范学院第一次科学讨论会关于历史论文的讨论　习在榕

## 1957 年第 4 期

关于白族族源问题　　　　　　　　　　　　　　　　王叔武

试论宋元明三代棉纺织生产工具发展的历史过程　　　史宏达

"中国历史纲要"讨论会纪录
　　　　　　　　　　　北京大学历史系中国古代史教研室

爰田（辕田）解　　　　　　　　　　　　　　　　　王毓铨

读赵光贤先生"释蔑历"　　　　　　　　　　　　　于省吾

关于李秀自成自传原稿的真伪问题　　　　　　　　　孙观圻

太平天国北征将领林凤祥　　　　　　　　　　　　　蔡起贤

中央民族学院举行民族学对象、任务的报告讨论会     沈家驹

四川大学第二次科学讨论会历史系分会概况     嘉 弘

## 1957 年第 5 期

李大钊同志和五四时期马克思主义思想的宣传     李龙牧

试论一八五七——一八五九年印度大起义的起因、性质和
  影响     季羡林

关于一八五七年印度大起义中的封建势力和这次起义的
  性质问题

  ——兼评杜德同志对一八五七年印度大起义的性质的
    看法     丁则良

论西周是封建制社会

  ——兼论殷代社会性质     徐中舒

有关西周社会性质的几个问题     王玉哲

## 1957 年第 6 期

方以智——中国的百科全书派大哲学家（上篇）

  ——论启蒙学者方以智的悲剧生平及其唯物主义思想     侯外庐

从中世纪前期西欧的法律和君权说到日耳曼
  马克公社的残存     吴于廑

试论商鞅变法的性质     舟昭德

释汉简中有关汉代社会性质诸例     黄 烈

改正法国汉学家沙畹对印度出土汉文碑的误解     周达甫

十三行与屈大钧广州竹枝词     汪宗庵

"双林镇志"中的"兵燹记"     朱子爽

介绍国际历史科学委员会（简称国际史学会）     张芝联

一九五六——一九五七年法国高等学院所开的汉学
  课程一览     张芝联

外国新书介绍　　　　　　　　　　　齐思和　张芝联

武汉大学历史系一九五六年的教学与科学研究工作　　　李　涵

民族学在历史科学中的地位

　　——中央民族学院第二次民族学科学讨论会纪要　　陈雪白

# 1957 年第 7 期

方以智——中国的百科全书派大哲学家（下篇）　　　　侯外庐

论"资治通鉴"

　　——与聂崇岐、王崇武两先生商榷　　　　　　　　陈千钧

汉代奴隶制说的根本缺陷在那里？

　　——对"再论汉代是奴隶社会"一文的意见　　　　胡珠生

说贵田　　　　　　　　　　　　　　　　　　　　　胡厚宣

"伯尔尼游记"的再评价　　　　　　　　　　　　　　张荫桐

关于李文成起义的几个问题

　　——就正于范、尚、李三位先生　　　　　　　　　孔宪易

关于"新时代"和湖南自修大学　　　　　　　　　　　刘　埜

苏联史学界重新评价伊万四世的讨论　　　　　　　　　潘润涵

外国新书介绍　　　　　　　　　　　齐思和　袁　觉

中国史学会上海分会动态汇报　　　　　　　　　　　　学　稷

厦门大学历史系第二次科学讨论会　　　　　　　　　　粘尚友

# 1957 年第 8 期

太平天国革命的性质问题

　　——对郭毅生"论新兴市民等级在天平天国革命

　　　中的作用"一文的看法　　　　　　　　　　　　贾熟村

关于天平天国革命的性质问题

　　——兼评郭毅生"略论太平天国革命的性质"一文　袁定中

美日帝国主义在武装干涉苏维埃远东时期的矛盾和斗争
　　（一九一七——一九二二年）　　　　　　　　邵鼎勋
论宗法制与封建制的关系
　　——评黄子通"宗法制度与等级制度是不是封建
　　　　制度的特征？"　　　　　　　　　　　　童书业
读"有关西周社会性质的几个问题"后的意见　　　曾　庸
中国古代史分期问题的关键何在？　　　　　　　　日　知
评"中国历史概要"内"近代中国"部分　　　　　吴微心
"钦定士阶条例"逸文　　　　　　　　　　　　　张惠泉
迈进中的越南民主共和国的历史科学　　　　　　　陈玉龙
法国史学家整理法国外交部所藏有关中国和中法关系的
　　档案（一七三五——一九一〇）　　　　　　　张芝联
外国新书介绍　　　　　　　　　　　齐思和　　　张芝联
山东大学历史系中国古史分期问题的讨论　　　　　宋锡民

## 1957 年第 9 期

试论两汉时代的社会性质　　　　　　　　　　　　张恒寿
石达开回师广西的斗争及其和大成国的关系　　　　梁任葆
关于洪大全的历史问题　　　　　　　　　　　　　彭泽益
从王涣墓志解决了晚唐史一两个问题　　　　　　　岑仲勉
关于"天父诗"　　　　　　　　　　　　　　　　吴良祚
介绍"中国海关与中法战争"
　　——近代史工作者的一本重要参考书　　　　　张振鹍
战国策之古本与今本　　　　　　　　　　　　　　顾　刚
元代地契　　　　　　　　　　　　　　　　　　　施一揆
苏联和民主德国签订两国历史学家科学合作协定　　张芝联
关于中苏关系的一批新发现文件　　　　　　　　　罗荣渠
外国新书介绍　　　　　　　　　　　　　　　　　罗荣渠

# 1957 年第 10 期

学习先进理论、加强我们的思想战线
　　——为纪念苏联十月社会主义革命四十周年而作　　侯外庐
十月革命对中国革命的影响　　丁守和　殷叙彝　张伯昭
关于西周农业生产工具和生产技术的讨论　　杨　宽
关于"夏代和商代的奴隶制"一文所引用的甲骨文材料　赵锡元
明代苏松地区的官田与重赋问题　　周良霄
对于李蓝起义某些问题的商榷　　王文才　邹知白
对于"陶潜不为五斗米折腰新释"的商榷　张志明　缪　钺
释"执驹"　　杨向奎
长沙购书记
　　——关于"长沙文化书社"的资料　　王　火
介绍太平天国门牌的新史料　　刘永长
悼念苏联历史学家安娜·米哈伊洛夫娜·潘克拉托娃　张蓉初
外国新书介绍　　潘润涵

# 1957 年第 11 期

十月革命对中国先进分子的影响　　陈慧生
中俄两国人民友好关系三百年　　余元安
批判向达的反马克思主义的历史观点　胡厚宣　杨向奎
评向达的"唐代长安与西域文明"　　邓广铭
揭穿雷海宗反马克思主义的种种恶毒手法　　孙定国
批判荣孟源在对待史料上的恶劣作风　樊百川　贾维诚　李　瑚
试论清光绪末年的广西人民大起义　　来新夏
论新罗国家的社会经济结构的性质
　　——以 M·H·朴同志的论文为中心　　〔朝鲜〕韩吉彦

厦门大学历史系 一九五六——一九五七年的教学与科学
　　研究工作　　　　　　　　　　　　　　　　　　粘尚友
苏联历史学家对于拜占廷史研究的卓越贡献　　　　齐思和
潘克拉托娃主编："十九世纪俄国工人运动文献"
　　汇编介绍　　　　　　　　　　　　　　　　　　何肇发
介绍"苏联历史"杂志创刊号　　　　　　　　　　　潘润涵

## 1957 年第 12 期

再论十七至十九世纪中叶中国帆船业的发展　　　　田汝康
汉晋时期的"西南夷"　　　　　　　　　　　　　　尤　中
论中国和日本的史料对于研究苏联远东区自上古至十七世纪
　　历史的价值　〔苏联〕В·В·多马舍夫斯基　В·Г·谢班科夫
驳斥雷海宗反马克思主义反社会主义的谬论　　　　吴廷璆
揭穿荣孟源抄袭剽窃的丑恶面目　　　　　　　　　尚明轩
敦煌唐代差科簿考释　　　　　　　　　　　　　　王永兴
苏联"历史问题"杂志上对德国一九一八年十一月
　　革命问题的讨论　　　　　　　　　　　　　　潘润涵
朝鲜科学院历史科学研究动态　　　　　　　　　　李启烈
"巴黎的长裤汉"
　　——一七九三至九四年人民运动史资料（新书介绍）　张芝联
"历史研究"第四卷（1957 年）分类总目

## 1958 年第 1 期

关于尚钺同志为"明清社会经济形态的研究"一书
　　所写的序言　　　　　　　　　　　　　　　　刘大年
关于商代社会性质的讨论（对于省吾先生"从甲骨文
　　看商代社会性质"一文的意见）　　　　　　　唐　兰

驳马非百"关于管子轻重篇的著作年代问题"　　　　　容肇祖

对邓拓同志"从万历到乾隆"一文的商榷与补充

　　——并试论处理和运用实地调查材料的方法

　　　　　　　　　　　　汤明檖　李龙潜　张维熊

关于徐一夔"织工对"　　　　　　　　　　　　　　郑天挺

杰出的俄国汉学家——雅金夫·比丘林　〔苏联〕B·纳武莫夫

最近发现的马克思夫人和长女燕妮的一批信件　　　　张芝联

匈牙利哈玛塔教授"关于阿提拉时期匈人社会"的论文　齐思和

## 1958 年第 2 期

十月革命和中国工人运动　　　　　　　　　　　　　黎　澍

试论太平天国的土地制度　　　　　　　　　　　　　吴雁南

太平天国后期土地制度的实施问题　　　　　　　　　龙盛运

中世纪时期阿塞拜疆与中国的经济和文化关系

　　　　　　　　　　　　　　〔苏联〕A．C．B．寇瑟

周都丰镐位置商榷　　　　　　　　　　　　　　　　王世民

再论皮日休参加黄巢起义军的问题　　　　　　　　　缪　钺

李贽先世考　　　　　　　　　　　　　　　　　　　叶国庆

乾隆苏州元长吴三县"议定纸坊条议章程碑"　　　　刘永成

关于一八六〇年七月华尔攻陷松江的经过　　　　　　祁龙威

悼两位马克思主义历史学家　　　　　　　　　　　　张联芝

"苏俄与资本主义世界"　　　　　　　　　　　　　　马克垚

## 1958 年第 3 期

论阿古柏政权　　　　　　　　　　　　　　　　　　包尔汉

论突厥人和突厥汗国的社会变革（上）　　　　　　　马长寿

唐代均田制为闲手耕弃地说　　　　　　　　　　　　陈登原

太平天国杂税考　　　　　　　　　　　　　　　　　曹国祉

太平天国乡官的阶级成份　　　　　　　　　　　　　王天奖

由奴隶制向封建制过渡的一个实例　　　　　　　　　刘尧汉

一八八四年香港罢工运动　　　　　　　　　　　　　李明仁

义和团的前身是祖师会　　　　　　　　　　　　　　胡珠生

## 1958 年第 4 期

戊戌变法运动中康有为所提出的政治纲领　　　　　　刘仁达

论袁崇焕与东林党的关系　　　　　　　　　　　　　刘伯涵

曹魏屯田制述论　　　　　　　　　　　　　　　　　赵幼文

论突厥人和突厥汗国的社会变革（下）　　　　　　　马长寿

释初吉　　　　　　　　　　　　　　　　　　　　　黄盛璋

对苏州"织造经制记"碑文的看法　　　　　　　　　刘永成

苏联"世界文化史杂志"　　　　　　　　　　　　　张芝联

## 1958 年第 5 期

研究历史应当厚今薄古

　　　　　郭沫若　范文澜　陈　垣　侯外庐　吕振羽　刘大年

十七世纪前半期的中俄关系　　　　〔苏联〕Β.Γ.谢班科夫

中英两国最早的接触　　　　　　　　　　　　　　　张轶东

关于宋代以王小波李顺及张余等为首的农民起义的

　　几个问题　　　　　　　　　　　　　　　　　蒋逸人

对太平天国时代白齐文评价的商榷　　　　　　　　　马振文

马克思恩格斯著作集的出版　　　　　　　　　　　　杨戚理

一年来越南的史学研究工作　　　　　　　　　　　　何廷庆

印度尼西亚历史问题研究会议的召开　　　　　　　　荒　村

新编波兰史（四卷）　　　　　　　　　　　　　　　程人乾

## 1958 年第 6 期

甲午战争前三十年间反洋教运动　　　　　　　　李时岳
法国侵占下的阿尔及利亚（一八三〇——一九五七）　瞿象乾
赵匡胤论　　　　　　　　　　　　　　　　　　张家驹
评叶玉华先生的几篇文章　　　　　　　　　　　秦　翰
西晋李重驳恬和一事发生时间的商榷　　　　　　洪　序
关于乍浦镇江之役的旗军　　　　　　　　　　　高鸿志
升斗辨　　　　　　　　　　　　　　　　　　　贺昌群
中国共产党人领导举行的第一次"五一"劳动节
　　纪念大会　　　　　　　　　　　　　　　国
各国共产党和工人党党史研究所和委员会的国际会议　张芝联

## 1958 年第 7 期

从历史上看阿拉伯东方各国人民的解放斗争　　　　群　力
马克思和恩格斯反对机会主义的斗争　　　丁守和　殷叙彝
读"亚洲各国史纲要"　　　　　　　　　　　　亦　祥
对"中国历史纲要"元代部分的意见　　　　　　汪槐龄
列宁著作集的出版　　　　　　　　　　　　　　杨威理
用文物补正南诏及大理国的纪年　　　　　　　　李家瑞
科学院历史研究所第一所研究工作五年跃进规划的
　　制订　　　　　　　　　　　　　　历史一所情报小组
跃进中的科学院历史研究所第二所　　　　　　　郦家驹
科学院历史研究所第三所的跃进指标　　　　三所通讯小组
南京史料整理处对历史档案的搜集整理和利用　　王可风
介绍苏联新近出版的"历史科学"丛刊　　　　　克　凡
战后日本东方学研究概况　　　　　　　　　　　田　舍

## 1958 年第 8 期

中国第一个红色政权——海陆丰苏维埃　　　　　　杨丙昆

中国第一次革命战争时期的美日勾结

　　（一九二三——九二八）　　　　　　　　　邵鼎勋

关于巴中县苏维埃政府禁烟布告　　　　　　　　　黄自敬

"关于白族族源问题"质疑　　　　　　　　　　　　王　忠

关于"宋代户口"一文辽代部分的意见　　　　　　费国庆

关于汉代生产奴隶与生产力水平问题　　　　　　　冉昭德

驳唐兰先生"关于商代社会性质的讨论"　　　　　于省吾

中国人民大学中国历史教研室讨论科学研究工作

　　大跃进的情况　　　　　　　　　　　　　　　杨遵道

中国近代经济史资料丛刊的编纂　　　　　　　　　陈质之

"古代东方与希腊罗马古典时期的生产关系"　　　费　路

介绍波兰史学季刊"来自战场"　　　　　　　　　刘祖熙

## 1958 年第 9 期

戊戌时代的思想解放　　　　　　　　　　　　　　戴　逸

关于戊戌变法　　　　　　　　　　　　　　　　　刘仁达

第一次国内革命战争时期的广东农民运动　　　　　余炎光

批判吴枫的"隋唐五代史"　　　　　　　　　　　唐　星

评谢国桢著"南明史略"　　　　　　　　　　　　柳义南

解释几个有关行会的碑文　　　　　　　　　　　　刘永成

关于何心隐的著作　　　　　　　　　　　　　　　怀　辛

万紫千红，百花争妍　　　　　　　　　　　　　　吴维能等

敢想敢说，边干边学　　　　　　　　　　　　　　吴廷才

复旦大学历史系教学与科学研究的跃进　　　　　　陈匡时

关于苏联出版的"外交史"　　　　　　　　　　　克　凡
大字报集锦（11 则）　　　　历史研究所一、二、三所

## 1958 年第 10 期

唯物主义者王安石　　　　　　　　　侯外庐　邱汉生
试论明代后期农民阶级斗争的性质和特点　　　戎　笙
那拉氏反动的一生　　　　　　　　　　　　　袁定中
在第一国际时期马克思和恩格斯反对巴枯宁主义的斗争　杨威理
厦门大学历史系在跃进中　　　　　　　　　　李祖弼
良好的开端　　　　　　　　　　　南开大学历史系
中山大学历史系批判资产阶级学术思想的情况　李锦全
西北大学历史系整风运动后科学研究中的新气象　文暖根
介绍一部世界文化史巨著"西亚民族志"　　　田　舍

## 1958 年第 11 期

批判雷海宗反动的历史观点　　　　　　　　　戎　笙
驳向达、潘光旦关于土家族历史的谬说　　　　王　忠
"国史旧闻"应该批判　　　　　　　　　　　蔡美彪
关于朝鲜史的若干问题（评王辑五著"亚洲各国史纲要"
　　朝鲜部分）　　　　　　　　　　　　　李启烈
恽代英在五四运动期间的日记　　　　　　　　张岂之
中国与阿拉伯之间的历史关系　　〔阿联〕卡米勒尔·雅德
介绍"瓜分中国的斗争和美国的门户开放政策1895—
　　1900 年"　　　　　　　　　　　　　　杨诗浩
"敦煌资料"第一辑内容介绍　　历史研究所第一、二所第二组
在门头沟结合生产劳动进行历史研究的经验总结
　　　　　　　　　　　　　　　北京师大历史系

华东师范大学历史系科学研究在大跃进中　　　　华东师大历史系
吉林大学历史系学生在本省进行文物普查　　　　　　　柳春藩
第四次国际党史会议　　　　　　　　　　　　　　　　姜椿芳
第八届波兰历史学家代表大会　　　　　　　刘祖熙　程人乾

## 1958 年第 12 期

马克思主义在中国　　　　　　　　　　　　　　　　　姜椿芳
评尚钺同志关于明清社会经济结构的若干观点
　　　　　　　中国人民大学中国历史教研室近代现代史组
关于隋唐史研究中的一个理论问题
　　　——评陈寅恪先生的"种族—文化论"观点
　　　　　　　　北京大学历史系三年级三班研究小组
从对亚罗事件的分析看陈恭禄先生的历史观点　　　　　蒋孟引
批判陶希圣"前资本主义社会论"的反动观点　　　　孙家骧等
捷克斯洛伐克共和国建国四十周年　　〔捷〕尤利·克尔日热克
可耻的慕尼黑事件　　　　　　　　　　　　　　　　李学勤等
跃进中的华中师范学院历史系　　　　　　　　　　　汤建英等
南京大学历史系教学改革及科学研究的新途径　　　　　施一揆
介绍"苏联的中国学"杂志　　　　　　　　　　　　　克　凡
落花生并非"外来"　　　　　　　　　　　　　　　　徐守成
"历史研究"第五卷（1—12 期）分类总目

## 1959 年第 1 期

"战国策派"反动史学观点批判　　　　　　　　　　　袁英光
十九世纪末湖南的维新运动　　　　　　　　　　　　　邓潭洲
俄国民粹主义对同盟会的影响　　　　　　　　　　　　谭彼岸

红安县建苏社的发展史
　　　　　　　　华中师范学院工农业文化教育考察团历史系分团
华中师范学院历史系在红安调查工农文教事业的收获
　　　　　　　　华中师范学院工农业文化教育考察团历史系分团
中国与阿拉伯的医药交流　　　　　　　　　　　宋大仁
教育部和历史三所联名召开的中国现代史工作
　讨论会概况　　　　　　　　　　　　　　　孙思白
明清档案馆历史档案整理工作在大跃进中　　傅子凌　宋秀元

## 1959 年第 2 期

辛亥革命前后的中国工人运动　　　　　　　　　赵　亲
甲午战前中国农村手工棉纺织业的变化和资本主义
　生产的成长　　　　　　　　　　　　　　　陈诗启
宋代民营手工业的社会经济性质　　　　　　　　王方中
关于元代的驿传　　　　　　　　　　　　　　　潘念慈
批判钱穆的"国史大纲"　　　　　天津师范大学历史系
塔乌班什拉格教授和波兰的纸草学研究　　　　　克　凡
国外史学简讯（6 则）　　　　　　　　　　　　克　凡

## 1959 年第 3 期

中国的近代始于何时？　　　　　　　　　　　　黎　澍
关于中国奴隶制向封建制过渡的问题　　　　　　常　悟
十至十三世纪中国科学的主要成就　　　　　　　洪焕椿
葡萄牙殖民者侵占澳门前在中国的侵略活动　　　胡代聪
曹操年表　　　　　　　　　　　　　　　　　　江　耦
评傅衣凌著明清时代社会经济史研究论文集两种　胡　嘉
读"忠王李秀成自传原稿笺证"增订本　　　　　赵矢元

介绍西冈虎之助和服部之总监修的日本历史地图 　　田　舍
国外史学简讯（3 则）

## 1959 年第 4 期

五四新文化运动 　　　　　　　　　　　　　丁守和　殷叙彝
关于历史上的民族融合问题 　　　　　　　　　　　　吕振羽
中国封建社会前后期的农民战争及其纲领口号的发展 　　侯外庐
令彝考释中的几个问题 　　　　　　　　　　　　　　周　同
评李有义先生研究西藏的论著中有关历史部分 　　　　汪　钦
评"中国瓷器史论丛" 　　　　　　　　　　　　　　史学通
武汉大学历史系为编写地方党史进行调查研究

　　　　　　　　　　　　　　　　武汉大学历史系通讯组
苏联科学院历史科学学部科学研究计划（1959 年） 　　克　凡
社会主义国家历史学界的科学联系近况 　　　　　　　克　凡
匈牙利苏维埃共和国四十周年纪念学术报告会情况 　　姜椿芳

## 1959 年第 5 期

中央政府管理西藏地方的制度的发展 　　　　　　　　王　忠
帝国主义侵略中国领土西藏的罪恶历史 　　丁名楠　张振鹍
匈牙利苏维埃革命和中国人民的革命斗争 　　　　　　姜椿芳
从均田制到庄园经济的变化 　　　　　　　　　　　　韩国磐
读戴逸同志编著的"中国近代史稿"（第一卷） 　　　来新夏
评郑家相著"中国古代货币发展史" 　　　　　　　　朱　活
苏联中国学的发展和任务 　　　　　　　　　　　　　张　华
"第二次世界大战（1939—1945 年）" 　　　　　　　许　久

## 1959 年第 6 期

关于中国古史研究中的两个问题　　　　　　　　　　　郭沫若

五四时期的胡适其人　　　　　　　　　　　　　　　　张若达

"五四"时期李大钊同志反对资产阶级改良主义的斗争

　　　　　　　　　　　　　　　　　　　高全朴　张岂之

论黄巾农民起义的口号　　　　　　　　　　　　　　　贺昌群

唐代西藏马毬戏传入长安　　　　　　　　　　　　　　阴法鲁

明代军屯制度的历史渊源及其特点　　　　　　　　　　王毓铨

辛亥革命时期东三省革命与反革命的斗争　　　　　　　李时岳

对宋大仁先生"中国和阿拉伯的医疗交流"一文的意见

　　　　　　　　　　　　　　　　　　　　　　　　郭庆昌

关于中华民国工党的性质问题　　　　　　　　　　　　梁玉魁

武汉哲学社会科学研究所历史组的研究活动

　　　　　　　　　　　　武汉哲学社会科学研究所历史组

复旦大学历史系掀起了新的教学与科学研究高潮　　　　吴瑞武

苏联和德意志民主共和国历史学家对第二次世界大战

　历史的研究　　　　　　　　　　　　　　　　　　　朱忠武

苏联科学院东方学研究所和中国学研究所一年来的

　工作情况　　　　　　　　　　　　　　　　　　　　张　华

苏联"军事史杂志"创刊号　　　　　　　　　　　　　陈　敏

## 1959 年第 7 期

李贽的进步思想　　　　　　　　　　　　　侯外庐　邱汉生

有关中国资本主义萌芽问题的二三事　　　　　　　　　尚　钺

元朝中央政府是怎样管理西藏地方的　　　　　　　　　韩儒林

"关于元代的驿传"一文的资料问题　　　　陈得芝　施一揆

评"中国国家与法的历史参考书"第一分册　　　　　　缪文远

史记商兑录 李　笠

厦门大学等院校历史系的教学与研究 孔永松等

苏联史学界加强研究世界近代现代史 王　和

国外史学出版简讯 克　凡

## 1959 年第 8 期

李大钊与新文化运动 张俊彦

明代的军户 王毓铨

波兰人民共和国十五年来历史科学的成就

〔波兰〕然娜·柯尔曼诺娃

有关 1857—59 年印度民族起义的几个问题 汪　熙

再论康有为的"大同书" 汤志钧

介绍朝鲜两部历史新著 松　涛

评"中外历史年表" 杜汉鼎

辽代铁州地址考 宋延英

关于"波罗毯"一词的商榷 若　思

四川大学历史系调查革命史料 四川大学历史系调查队

广州哲学社会科学研究所历史研究室的科学研究活动 卢　权

吉林大学历史系科学研究近况 柳春藩

泉州海外交通史博物馆正式开幕 泉州海外交通史博物馆

国外史学简讯 剑　晨

## 1959 年第 9 期

吕才的唯物主义思想 侯外庐　赵纪彬

殷卜辞中的上帝和王帝（上） 胡厚宣

苏杭甬铁路借款和江浙人民的拒款运动 赵金钰

我不认为"天朝田亩制度"的性质是反动的 徐夕明

关于西藏史实的几个问题之商榷 一　厂

关于在 1924—1933 年期间德国人民支援中国革命的

　一些事实　　　　　　　　　　　　　　　　　　周允隆

罗马尼亚人民共和国历史科学的发展

　　　　　　　　　　　罗马尼亚人民共和国驻华大使馆新闻处

中山大学历史系争取以更多更好的科学研究成绩向

　国庆节献礼　　　　　　　　　　　　　　　　　刘玉遵

关于第二十五届国际东方学家代表大会　苏联驻华大使馆新闻处

介绍"1941—1945 年苏联伟大卫国战争史"　　　　孙剑晨

国外史学简讯（8 则）　　　　　　　　　　　　　克　凡

## 1959 年第 10 期

中华人民共和国的十年　　　　　　　　　　　　本刊编辑部

中国近代史研究的几个问题　　　　　　　　　　　刘大年

十六世纪中国的进步的哲学思潮概述　　　　　　　侯外庐

奴隶社会的阶级结构　　　　　　　　　　　　　　金景芳

殷卜辞中的上帝和王帝（下）　　　　　　　　　　胡厚宣

国内史学动态（2 则）　　　　　　　　　　　　马庆福等

国外史学简讯（8 则）　　　　　　　　　　　　　克　凡

## 1959 年第 11 期

学习列宁的伟大遗产　　　　　　　　　　　　　　殷世伦

论康有为"大同书"的思想实质　　　　　　　　　汤志钧

试论清代苏州手工业行会　　　　　　　　　　　　刘永成

试论"太平经"　　　　　　　　　　　　　　　　戎　笙

略论图腾与宗教起源和夏商图腾　　　　　　　　　于省吾

对"试述殷代的奴隶制度和国家的形成"一文的意见　赵锡元

国内史学动态（2 则）

国外史学动态（4 则）

## 1959 年第 12 期

论洪仁玕的资政新篇　　　　　　　　　　　　　　　李竞能

秦汉间个体小农的形成和发展　　　　　　　　　　　贺昌群

秦汉时期租佃关系的发生与发展　　　　　　　　　　驷　铁

读"中国近代史稿"（第一卷）　　　　　　　　　　赵德馨

评"景德镇陶瓷史稿"　　　　　　　　　　　　　　童书业

关于"道光洋艘征抚记"的作者问题　　　　　　　　姚薇元

关于"西域""回回"和"阿维森纳"问题　　　　　　宋大仁

国内史学动态

国外史学动态

"历史研究"第六卷（1959 年）分类总目

## 1960 年第 1～2 期

是马克思列宁主义还是私人科学？　　　　　　　　　黎　澍

论叶适思想　　　　　　　　　　　　　　　　　　　吕振羽

中华人民共和国成立十年来在解决国内民族问题方面的

　　成就　　　　　　　　　　　　　　　　　　　　常新民

第一次国内革命战争时期陈独秀的右倾机会主义剖析　陈哲夫

关于"天朝田亩制度"的几个问题　　　　　　　　　杜德凤

关于宋代的客户问题　　　　　　　　　　　　　　　华　山

日本维新时代美国的远东政策　　　　　　　　　　　邵鼎勋

楚王城　　　　　　　　　　　　　　　　　　　　　黄盛璋

关于中国封建土地所有制问题的讨论　　　　南开大学历史系

关于中国农民战争发展规律问题的一场热烈争论　天津师大历史系

国内史学动态（6 则）

国外史学动态（2 则）

## 1960 年第 3 期

"新冒出来"的史学体系还是"旧的传统史学体系"的
　　翻版？　　　　　　　　　　　　　　　　　翦伯赞
1937 年—1945 年间国民党统治区工人阶级的状况　　宫韵史
德国工人运动的传统　　　　　　　　　〔德〕〇·施律德尔
从春秋到明末的历法沿革　　　　　　　　　　　　钱宝琮
论肥水源与"江淮运河"　　　　　　　　　　　　刘彩玉
国内史学动态（1 则）
国外史学动态（5 则）

## 1960 年第 4 期

高举列宁主义旗帜，保卫历史科学的党性原则　　　师东明
为在历史科学中贯彻党的"百家争鸣"政策而斗争　　俞旦初
尚钺"有关中国资本主义萌芽问题的二三事"一文中的
　　二三谬误　　　　　　　　　　　　　　　　　孙文良
春秋战国时代的农村公社　　　　　　　　　　　　韩连琪
"道光洋艘征抚记"作者问题的再商榷　　　　　　师道刚
列宁著作中译文年表　　　　　　　　　　　　　　张允侯
国内史学动态（2 则）
国外史学动态（3 则）

## 1960 年第 5 期

历史科学必须在毛泽东思想的基础上前进
　　——纪念"关于正确处理人民内部矛盾的问题"
　　出版三周年　　　　　　　　　　　　　　　　吕振羽

为保卫历史科学的党性而斗争　　　　　　　　　　　　　田昌五

论孙中山革命思想的形成和兴中会的成立　　　金冲及　胡绳武

邵雍思想批判　　　　　　　　　　　　　　　　　　　　杨荣国

五一国际劳动节的起源、发展及其在中国的四十年　　　　宫韵史

马克思恩格斯论天地会　　　　　　　　　　　　　　　文　起

国内史学动态（2 则）

国外史学动态（4 则）

## 1960 年第 6 期

关于中国革命的发生和胜利的原因　　　　　　　　　　　黎　澍

论义和团反帝国主义斗争　　　　　　　　　　　　　　　史思群

一九○○年内蒙古西部地区各族人民的反帝斗争　　　　　戴学稷

关于封建土地所有制问题的商榷　　　　　　　　　　　　田泽滨

向中国封建土地国有制论者质疑　　　　　　　　　　　　唐陶华

关于封建社会土地制度的几个基本问题　　　　　　　　　束世澂

关于中国封建社会分期问题的讨论　　　　　　　　　　　史绍宾

关于中国封建社会农民革命战争问题的讨论　　　　　　　史绍宾

大丰殷铭制作的年代、地点与史实　　　　　　　　　　　黄盛璋

国内外史学动态（3 则）

## 1961 年第 1 期

毛泽东思想开辟了中国历史科学发展的道路　　　　　　　邓　拓

从对外关系看太平天国的悲剧

　　——纪念太平天国革命运动一百一十周年　　　　　　石力成

关于中国封建社会农民战争性质的商榷　　　　　　　　　白寿彝

关于中国封建土地所有制的形式问题　　　　　　蒙　默　孙达人

与束世澂先生商榷从奴隶制向封建制过渡的规律问题
　　　　　　　　　　　　　　　　　　辽宁大学历史系
明代中叶的雇佣劳动是资本主义性质的吗？　　　　罗耀九
悼念杜国庠同志　　　　　　　　　　　　　　　　侯外庐
广东历史学会 1960 年年会关于若干学术问题讨论
　意见的综述　　　　　　　　　　　　　　　广东历史学会
北京市历史学会成立　　　　　　　　　　　　　　梁英明
广西、南京等地史学界纪念太平天国起义一百一十周年
关于苏联苏维埃时期史学史分期问题的讨论　　　　陈启能
国外史学简讯（5 则）

# 1961 年第 2 期

中国革命夺取国家政权的过程
　　——纪念巴黎公社起义九十周年　　　　　　　吴　江
巴黎公社的原则是永存的　　　　　　　　　　　　刘宗绪
巴黎公社和国际主义　　　　　　　　　　　　　　张子凡
巴黎公社和马克思主义战略和策略思想的发展　　　李光灿
巴黎公社和法国社会各阶级　　　　　　　　　　　谢琏造
论世界历史发展的形势　　　　　　　　　　　　　周谷城
古代中国与尼泊尔的文化交流　　　　　　　　　　陈翰笙
论刘知几的学术思想
　　——纪念刘知几诞辰一千三百周年　　　　　　侯外庐
关于苏联历史科学的新工作　〔苏联〕谢尔盖·斯卡兹金
太平天国研究述评　　　　　　　　　　　　　　　靳一舟
国内史学动态（6 则）
国内史学动态（5 则）

# 1961 年第 3 期

反对放空炮 范文澜

论康熙 刘大年

试论殷商奴隶制向西周封建制的过渡问题

　　　　　　　　李　埏　朱惠荣　谭世遵　李鸿启

关于中国封建社会土地制度问题 杨向奎

唐代宗初年的江南农民起义 宁　可

我对于明代中叶以后雇佣劳动的再认识 傅衣凌

十九世纪中期在印度尼西亚的契约华工 朱杰勤

一九三一至一九四五年间日本帝国主义移民我国东北的

　　侵略活动 孔经纬

国内史学动态（17 则）

国外史学动态（7 则）

# 1961 年第 4 期

辛亥革命时期章炳麟的政治思想 胡绳武　金冲及

广学会的西学与维新派 何兆武

从宋代的商税和城市看中国封建社会的自然经济

　　　　　　　　　　　　　　　　　　蒙文通

井田新解并论周朝前期士农不分的含义 徐旭生

对中国农民战争史讨论中几个问题的商榷 蔡美彪

关于巴黎公社的几个问题

　　——与谢琏造同志商榷 关勋夏

岁、时起源初考 于省吾

国内史学动态（9 则）

国外史学动态（8 则）

# 1961 年第 5 期

辛亥革命与反满问题         刘大年

辛亥革命时期帝国主义列强的侵华政策   余绳武

论宋教仁           陈旭麓

论清代旗地的形成、演变及其性质    左云鹏

寇谦之的著作与思想     汤用彤 汤一介

关于中国农民战争史上几个问题的商榷   戎 笙

关于中国农民战争中皇权主义的问题   孙祚民

史诗"吉尔伽美什和阿伽"与军事民主问题  日 知

外国史学文摘（6 篇）

国内史学动态（4 则）

国外史学动态（5 则）

# 1961 年第 6 期

辛亥革命五十周年学术讨论会

辛亥革命五十周年学术讨论会开幕词    李 达

在辛亥革命五十周年学术讨论会上的讲话  吴玉章

辛亥革命五十周年学术讨论会讨论的一些问题

秦末农民起义的原因及其历史作用    贺昌群

鸦片战后十年间银贵钱贱波动下的中国经济与阶级关系 彭泽益

试论内蒙古四十年来两条道路的斗争   史 筠

王船山与李卓吾         嵇文甫

关于武则天统治末年的浮逃户     唐长孺

外国史学文摘（10 篇）

国内史学动态（10 则）

国外史学动态（8 则）

《历史研究》第八卷（1961 年）分类总目

# 1962 年第 1 期

关于中国封建社会形态的一些特点　　　　　　　　　胡如雷
十七世纪中国人民反抗荷兰侵略的斗争
　　——纪念郑成功收复台湾三百周年　　　　　　朱杰勤
孔子《春秋》　　　　　　　　　　　　　　　　　束世澂
论章炳麟思想的阶级性　　　　　　　　　　　　　蔡尚思
对中国封建社会"农民政权"性质问题的商榷　　　叶孝信
中国古代农民在革命战争中所建立的政权的性质问题　郑昌淦
关于古代中国与尼泊尔的文化交流　　　　　　　　黄盛璋
外国史学文摘（6 篇）
国内史学动态（5 则）
国外史学动态（6 则）

# 1962 年第 2 期

新中国的历史科学　　　　　　　　　　　　　　　刘大年
中国穆斯林的历史传统　　　　　　　　　　　　　白寿彝
论"五四"新文化运动及其统一战线　　　　　　　李龙牧
关于中国民族资本的原始积累问题　　　　　　　　从翰香
关于中国封建土地所有制讨论中的若干问题　　　　张恒寿
封建社会一定要从领主制开始吗？　　　　　　　　林甘泉
论两宋农民战争　　　　　　　　　　　　　　　　关履权
明末农民军"均田"口号质疑　　　　　　　　　　王守义
王船山的史学方法论　　　　　　　　　　　　　　嵇文甫
成吉思汗生年问题　　　　　　　　　　　　　　　邵循正
外国史学文摘（11 篇）

国内史学动态（7 则）

国外史学动态（8 则）

## 1962 年第 3 期

| | | |
|---|---|---|
| 论成吉思汗 | | 韩儒林 |
| 论黄兴 | 金冲及 | 胡绳武 |
| 谭嗣同思想述评 | | 张德钧 |
| 《急就篇》研究 | | 沈　元 |
| 中国手工业在外国资本主义侵入后的遭遇和命运 | | 樊百川 |
| 论汉晋南朝的封建庄园制度 | | 刘毓璜 |
| 中国封建社会"农民政权"的两重性及其向封建性 | | |
| 　政权转化的必然性 | | 戚立煌 |
| 有关明末清初农民起义作用资料的札记 | | 谢国桢 |
| 评《明代黄册制度》 | | 王思治 |
| 读《新中国的考古收获》 | | 史　明 |
| 国内史学动态（8 则） | | |
| 国外史学动态（11 则） | | |

## 1962 年第 4 期

| | |
|---|---|
| 关于成吉思汗 | 周良霄 |
| 《太平经》的作者和思想及其与黄巾和天师道的关系 | 熊德基 |
| 《尚书·大诰》今译（摘要） | 顾颉刚 |
| 五四运动是否就是新民主主义革命 | 朱务善 |
| 关于资本主义发生的历史和逻辑 | 吴传启 |
| 再论明朝万历年间雇佣劳动的性质 | 罗耀九 |
| 论清代雇佣劳动 | 刘永成 |
| 论西周的彻和庸 | 谷霁光 |

根据敦煌和吐鲁番发现的文件略谈有关唐代田制的
 几个问题         韩国磐
国内史学动态（8 则）
国外史学动态（10 则）

# 1962 年第 5 期

对我国藏族、维吾尔族和傣族部分地区解放前
 农奴制度的初步研究   林耀华 陈永龄 宋蜀华
           王辅仁集体讨论 宋蜀华执笔
论西夏的兴起            王 忠
魏源的变易思想和历史进化观点      吴 泽
从《尚书》研究论到《大诰》校译     平 心
论我国封建土地国有制的生产关系    戴园晨
东汉更役戍役制度的废止       贺昌群
明末均田口号质疑的质疑       刘重日
川江航权是怎样丧失的？       聂宝璋
文单国——老挝历史地理新探     黄盛璋
国内史学动态（11 则）
国外史学动态（9 则）

# 1962 年第 6 期

孙中山的民权主义          李光灿
辛亥革命前资产阶级革命派和改良派的斗争 张 枏 王忍之
五四时期的李大钊和陈独秀      彭 明
巴黎公社工资政策的研究      陈叔平
清入关前满洲族的社会性质     郑天挺

对唐至五代租佃契约经济内容的分析　　　　　　孙达人

明黔国公沐氏庄田考　　　　　　　　　　　　　王毓铨

关于土族的来源问题　　　　　　　　　　　　　陈玉书

从古文字学方面来评判清代文字、声韵、训诂之学

　　的得失　　　　　　　　　　　　　　　　　于省吾

汉晋过所通考　　　　　　　　　　　　　　　　陈　直

林文忠公家书考伪　　　　　　　　　　　　　　胡思庸

读《府兵制度考释》书后　　　　　　　　　　　何兹全

校对一条史料　　　　　　　　　　　　　　　　经君健

国内史学动态（10 则）

国外史学动态（7 则）

《历史研究》第 9 卷（1962 年）分类总目

## 1963 年第 1 期

由郑成功银币的发现说到郑氏经济政策的转变　　郭沫若

关于中国资本原始积累的几个问题　　　　　　　马伯煌

中国洋务运动与日本明治维新在经济发展上的比较

　　　　　　　　　　　　　黄逸峰　姜　铎

洪秀全和太平天国革命　　　　　　　　　　　　沈　元

中国封建土地所有制的形成　　　　　　　　　　林甘泉

唐末农民战争的历史作用　　　　　　　　　　　胡如雷

吐鲁番佃人文书里的唐代租佃关系　　　　　　　沙　知

《周易》史事索隐　　　　　　　　　　　　　　平　心

十九世纪盛行的契约华工制　　　　　　　　　　陈泽宪

## 1963 年第 2 期

再谈有关郑成功银币的一些问题　　　　　　　　郭沫若

柳宗元《天对》在中国唯物主义史上的科学地位
　　——兼看哲学党性原理的具体表现　　　　侯外庐 李学勤
南宋对金斗争中的几个问题　　　　　　　　　　　　邓广铭
从明代官营织造的经营方式看江南丝织业生产的性质

　　　　　　　　　　　　　　　　　　　　　　　　彭泽益
从轮船招商局看洋务派经济活动的历史作用　　　　　汪　熙
十九世纪下半纪中国的秘密会社　　　　　　　　　　王天奖
试论五四文化革命的分期及其前后期的转化　　　　　孙思白
为什么说五四运动是新民主主义革命的开始

　　　　　　　　　　　路尔铭　桑咸之　李义彬
从东非史上看中非关系　　　　　　　　　　　　　　张铁生
解放前凉山彝族社会性质研究述评　　　　　　　　　胡庆钧
论汉晋的氐羌和隋唐以后的羌族　　　　　　　　　　胡昭曦
关于"民族"一词的使用和译名的问题　　　　　　　林耀华

# 1963 年第 3 期

中国近代史诸问题　　　　　　　　　　　　　　　　刘大年
马克思主义阶级分析方法和历史研究
　　——评刘节《怎样研究历史才能为当前政治服务》　张玉楼
关于五四运动的几个问题　　　　　　　　　　　　　李龙牧
论太平天国和捻军起义的关系　　　　　　　　　　　江　地
论张謇的矛盾性格　　　　　　　　　　　　　　　　章开沅
论二王八司马政治革新的历史意义　　　　　　　　　王芸生
五胡汉化与五胡政权的关系　　　　　　　　　　　　黄　烈
战国秦汉时代纺织业技术的进步　　　　　　　　　　孙毓棠
清代旗地的性质及其变化　　　　　　　　　　　　　杨学琛
读《校对一条史料》　　　　　　　　　　　　　　　许大龄

# 1963 年第 4 期

论历史主义和阶级观点　　　　　　　　　　　　　　　　宁　可
评李秀成自述
　　——并同罗尔纲、梁岵庐、吕集义等先生商榷　　　　戚本禹
关于我写李秀成自述考证的几点说明　　　　　　　　　罗尔纲
关于中国封建社会后期经济发展的若干问题的考察　　　傅衣凌
清初至甲午战前东北官田旗地的经营和民佃以及
　　民地的发展　　　　　　　　　　　　　　　　　　　孔经纬
清代前期江南织造的研究　　　　　　　　　　　　　　彭泽益
魏源《海国图志》研究
　　——魏源史学研究之二　　　　　　　　吴　泽　黄丽镛
有关杜文秀对外关系的几个问题　　　　　　　　　　　田汝康
隋末奴军起义试探　　　　　　　　　　　　　　　　　姜伯勤
评《秦汉农民战争史》　　　　　　朱大昀　卢显宗　金自强
论《七略》在我国目录学史上的成就和影响　　　　　　王重民

# 1963 年第 5 期

评理查逊《西藏简史》关于明代西藏地方历史的谬说　　王　忠
关于《世界通史》（苏联科学院编）有关朝鲜的
　　叙述的严重错误　　　　〔朝鲜〕金锡亨　金熙一　孙英钟
第二次世界大战与非洲的觉醒　　　　　　　　　　　　顾章义
十九世纪外国在华银行势力的扩张及其对中国
　　通商口岸金融市场的控制　　　　　　　　　　　　汪敬虞
论清代前期的土地占有关系　　　　　　　　　　　　　李文治
明清时代佃农的农奴地位　　　　　　　　　　　　　　魏金玉
关于北魏均田制的实质　　　　　　　　　　　　　　　谭惠中

道教的起源和形成           喻松青
关于羌族古代史的几个问题         李绍明
悼嵇文甫同志            尹 达
嵇文甫同志简历

## 1963 年第 6 期

在历史研究中运用阶级观点和历史主义的问题

             关 锋 林聿时
中国封建社会内资本主义萌芽诸问题       从翰香
关于太平天国的土地政策         龙盛运
十九世纪后半期中国钱庄的买办化       张国辉
门罗主义的起源和实质
  ——美国早期扩张主义思想的发展     罗荣渠
唐代两税法研究           王仲荦
唐代庄园制度质疑          邓广铭
府兵制度化时期西魏北周社会的特殊矛盾及其解决
  ——兼论府兵的渊源和性质       朱维铮
景颇族农村公社土地制度的历史考察
  ——土地的村社公有制向私有制的过渡    朱家桢
《历史研究》1963 年分期总目

## 1964 年第 1 期

论中国近代史上的人民群众         刘大年
中国封建社会前期的不同哲学流派及其发展     侯外庐
论章炳麟的政治思想          赵金钰
中古人民友谊的发展     李希泌   徐楚影   陆宏基
英国封建土地所有制形成的过程        齐思和

试论魏末北镇镇民暴动的性质　　　　　　　唐长孺　黄惠贤
泰州学派的杰出思想家李贽　　　　　　　　　　　　丘汉生
论《战国策》的编写及有关苏秦诸问题　　　　　　　徐中舒
论春秋时代鲁国和晋国的社会特点兼及儒家和法家
　　产生的历史背景　　　　　　　　　　　　　　　应永深
略论唐代的"钱帛兼行"　　　　　　　　　　　　　李　埏

# 1964 年第 2 期

列宁和民族解放运动　　　　　　　　　　　　　　　丁守和
论清末的铁路风潮　　　　　　　　　　　　　　　　祁龙威
威尔逊与中国　　　　　　　　　　　　　　　　　　邓楚川
从美商旗昌轮船公司的创办与发展看买办的作用　　　聂宝璋
唐初政权与政争的性质问题
　　——唐初武德、贞观年间的阶级斗争与
　　　　统治阶级内部斗争　　　　　　　　　吴　泽　袁英光
关于北宋赋役制度的几个问题　　　　　　　　　　　孙毓棠
论唐宋封建庄园的特征
　　——与邓广铭同志商榷之一　　　　　　　　　　郑昌淦
关于封建土地所有制形式讨论中的几个问题　　　　　马克垚

# 1964 年第 3 期

论马克思主义的历史主义　　　　　　　　　　　　　宁　可
有关历史人物评价的几个问题　　　　　　　　　　　尚　钺
中国新民主主义革命时期的农民问题　　　　　　　　群　策
关于旧中国买办阶级的研究　　　　　　　　　　　　黄逸峰
中国近代煤矿企业中的官商关系与资本主义的
　　发生问题　　　　　　　　　　　　　　　　　　张国辉

周代土地制度和它的演变 何兹全

中国历代尺度概述 曾武秀

读《道藏》札记 汤用彤遗稿

悼念汤用彤先生 任继愈

郭沫若同志关于《资本论》一处译文的信

## 1964 年第 4 期

怎样对待李秀成的投降变节行为？ 戚本禹

忠王李秀成苦肉缓兵计考 罗尔纲

略论李秀成 苏寿桐 吴雁南

帝国主义对中国的侵略与中国人民反对

　帝国主义的斗争 刘大年

美国侵华"专使"顾盛在中国 陈 原

试论王船山思想的几个问题 曹道衡

李岩述论 曹贵林

评《魏晋南北朝隋初唐史》上册

　　　　黄 烈 高志辛 虞明英 周年昌

## 1964 年第 5～6 期

"苦肉缓兵计"是主观唯心主义的典型 李 侃

周谷城在中国历史方面贩卖了什么货色？ 史 青

驳所谓"局限性" 张 侠

关于中国封建社会阶级矛盾的一些问题

　——与胡如雷、蔡美彪同志商榷 唐宇元

评《〈急救篇〉研究》 孙 森

西方殖民者在河套鄂尔多斯等地的罪恶活动

　——帝国主义利用天主教侵略中国的一个实例 戴学稷

祠堂族长族权的形成及其作用试说 　　　　　　　　左云鹏

中国奴隶社会向封建社会转变时期的阶级斗争 　　　　周自强

明代水西彝族的奴隶制度 　　　　　　　　　　　　　胡庆钧

契丹的部落组织和国家的产生 　　　　　　　　　　　蔡美彪

# 1965 年第 1 期

试论编写和研究"四史"的重大意义

　　——编选《北京四史丛书》的几点体会　　　赵有福　黎　凯

"历史完形论"批判

　　——评周谷城先生的反动史学"理论"　　　　　　林　弘

论大顺政权的性质

　　——与孙祚民先生商榷　　　　　　　　　　　　　曹贵林

帝国主义侵略中国的一个重要支柱——买办阶级　　　　黄逸峰

十九世纪后期中国城市手工业商业行会的重建和作用　　彭泽益

试论隋和唐初的政权

　　——与吴泽、袁英光两同志商榷　　　　　　　　　齐陈骏

# 1965 年第 2 期

日本明治维新以来一条错误的外交路线　　　　　　　　王芸生

关于李秀成的战绩及评价问题　　　　　　　　　　　　余明侠

试论东晋末年农民起义的变质　　　　　　　　　　　　曹永年

一个贫农的经历

　　——唐家义翻身史

　　　　　　　　中共巢县县委宣传部编　安徽人民出版供稿

牟二黑血腥发家录

　　　　　　　中共栖霞县委宣传部编　山东人民出版社供稿

一九三五年上海白银风潮概述　　　　　　　　　　　　谢菊曾

有关氏族来源和形成的一些问题        黄  烈

鄂伦春族马匹私有制的产生与发展        蔡家麒

## 1965 年第 3 期

亚洲历史怎样评价？        刘大年

五卅运动中的大资产阶级        黄逸峰

五卅运动的历史意义和经验教训        齐  武

苦难的岁月

    ——一个妇女对旧社会的血泪控诉        张允侯

论谭嗣同        孙长江

原始佛教的历史起源问题        季羡林

论西汉的货币改制

    ——兼论西汉的"重农抑商"政策        李祖德

关于清代皇庄的几个问题        周远廉  杨学琛

## 1965 年第 4 期

人民战争胜利万岁

    ——纪念中国人民抗日战争胜利二十周年        林  彪

大地主卓廷懋家罪恶史

        中共灵璧县委宣传部编   安徽人民出版供稿

十九世纪外国侵华企业中的华商附股活动        汪敬虞

论秦末农民起义的历史根源和社会后果        田昌五

井田制的发生和发展        金景芳

元代农村社制研究        杨  讷

## 1965 年第 5 期

写群众的历史，为群众写历史        夏  芗

平家疃人民的革命斗争        汤钰卿  毕  克

国家主义派的形成及其在第一次国内革命战争时期的
　　反动活动　　　　　　　　　　　　　　　　　　李义彬
论"防鬼反为先"
　　——驳李秀成问题讨论中的几种论调
　　　　　　　　　　　　冯元魁　李茂高　沈渭滨
唐代汉藏两族人民的经济文化交流　　　　　　　王　忠
王船山历史观研究　　　　　　　　　　　　　　曹伯言
突厥法初探　　　　　　　　　　　　　　　　　蔡鸿生
评蒋孟引著《第二次鸦片战争》　　　　　　　　南　木
略评《南朝经济试探》　　　　　　　　　　　　张泽咸

## 1965 年第 6 期

评新编历史剧《海瑞罢官》　　　　　　　　　　姚文元
评价海瑞的根本分歧　　　　　　　　　　　　　张兆麟
为革命而研究历史　　　　　　　　　　　　　　戚本禹
再论不要美化封建反动文人
　　——评《金圣叹是封建反动文人吗?》　　　公　盾
中国封建社会的佃农有什么样的人身自由?
　　——与胡如雷同志商榷　　　　韩恒煜　李斌城
关于唐初政权性质的几个问题　　　　　　　　　梁森泰
试论汉魏西晋时期北方各族的内迁　　　　　　　吕名中
《蛮书校注》读后　　　　　　　　　　　　　　周维衍
《蛮书校注读后》识语　　　　　　　　　　　　向　达
《历史研究》1965 年分期总目

## 1966 年第 1 期

必须把史学革命进行到底　　　　　　　　　　　尹　达
田汉的《谢瑶环》是一棵大毒草　　　　　　　　云　松

史学工作者必须到工农群众中去 石 松

关于调查研究方法的几点体会 刘林元

论"王法" 白寿彝 何兹全 瞿林东

渤海湾西岸考古调查和海岸线变迁研究

天津市文化局考古发掘队

《"新边疆"是美帝国主义侵略扩张政策的产物》

一文读后 张小辰

## 1966 年第 2 期

《海瑞骂皇帝》和《海瑞罢官》是反党反社会主义的

两株大毒草 关 锋 林 杰

评吴晗的反党反社会主义反马克思主义的

历史人物评价 武任年

群众对吴晗反党反社会主义的立场和思想的批判

用毛泽东思想作武器,和一切反党反社会主义言行

斗争到底 北京新华印刷厂 李士仪

粉碎资本主义复辟阴谋

北京新华印刷厂铅印车间工人 卢永江

吴晗是胡适精心培养的接班人

北京新华印刷厂平印车间工人 张士忠

认清吴晗这个反面教员

北京新华印刷厂平印车间工人 田秀琴

吴晗讲的是黄世仁的话

北京市昌平县泰陵公社下口村大队党支部书记 杨德兴

与工农群众结合,批判吴晗的反动本质

北京大学历史系学生 佟伟华

吴晗的"古为今用"是反党反社会主义的借古非今

北京大学历史系研究生 赵春晨

吴晗所鼓吹的是反党反社会主义的"战斗精神"　　　　施　庆
历史的真实宣告"清官论"的破产　江西省赣州专区社联调查组
从汉初统治看"让步政策论"的破产　　　　　　　　　向东生

# 1966 年第 3 期

评"三家村"
　——《燕山夜话》《三家村札记》的反动本质　　　　姚文元
吴晗的反革命面目　　　　　　　　　　　　　　　　　刘大年
工农兵群众对吴晗反党反社会主义的立场和思想的批判
　贫下中农不许吴晗反党反社会主义
　　　　　　　北京市东升人民公社马甸生产队贫下中农
《海瑞骂皇帝》和《海瑞罢官》的反动实质是
　掩盖不了的　　　　　　解放军某部李显春　肖德恩　孙树岑
吴晗宣扬"清官"是"借古讽今"，诬蔑党的
　领导和国家干部　　　　　　　　　解放军某部　张声忠
扯下吴晗所吹捧的"清官"的脸谱　　解放军某部　王海良
我们决心和吴晗这种不拿枪的敌人斗争到底
　　　　　　　　　　　　　解放军某部李明臣　张亭连
要连根拔掉吴晗的"道德继承论"这株毒草
　　　　　　　　　　　　　　北京新华印刷厂　万道明
彻底粉碎吴晗反毛泽东思想的罪恶阴谋
　　　　　　　北京师范大学历史系五年级学生　宋瑞芝
吴晗所宣扬的"三勤"是他和党争夺青年的一张
　"王牌"　北京师范大学历史系四年级学生曹屯裕　肖祥明
坚决清除吴晗对我的严重毒害
　　　　　　　北京师范大学历史系四年级学生　吴荣政
有毒草就得进行斗争
　　　　　　　北京丰盛学校一部初中三年级学生　王　垠
吴晗是一个披着羊皮的"狼外婆"
　　　　　　　北京丰盛学校一部高中三年级学生　王丽勤

复古主义是资本主义复辟的思想武器

　　——批判吴晗的反动历史观

　　　　　　　　北京师范学院历史系学术批判小组

评注吴晗胡适通信

# 1974 年第 1 期

为巩固无产阶级专政而研究历史（短评）
在斗争中培养壮大工农兵理论队伍　　　　　　本刊评论员
全局在胸　胜利在握

　　——学习《关于平津战役的作战方针》　　　竞　军
集中优势兵力打歼灭战

　　——学习《中国革命战争的战略问题》的

　　　　一点体会　　　　　解放军某部政委　张　明
农民战争的伟大历史作用

　　——学习《中国革命和中国共产党》的一点体会　梁　效
农民反孔斗争史话　　　天津市宝坻县小靳庄大队理论小组
劳动人民反抗斗争和儒法斗争的关系（座谈会报导）　石　言
论张良政治立场的转变　　　　　　　　　　　康　立
桑弘羊的哲学思想　　　　　　　　　　　　杨荣国
诸葛亮和法家路线　　　　　　　　　　　　周一良
从《论语》地位的演变看批孔斗争的长期性

　　　　　　　　　　　上钢五厂工人理论小组
曾国藩的《家书》与林彪的"教子经"　天津车站工人理论小组
长沙马王堆三号汉墓出土帛书简介　　　　　　洪　楼
论曹操的法治路线　　　　安徽师范大学中文系写作组
曹袁斗争和世家大族　　　　　　　　　　　田余庆
反霸斗争的锐利思想武器

　　——学习列宁关于帝国主义的论述

　　　　北京二七机车车辆厂工人理论组　北京大学历史系批判组

驳谎言制造者
　　——关于中苏边界的若干问题　　　　　　　　　　　　　　史宇新
"新土地的开发者"，还是入侵中国的强盗？　　　　谭其骧　田汝康
历史的见证
　　——明代奴儿干永宁寺碑文考释　　　　　　　　　　　　　钟民岩
七里营人民公社的诞生　　　　　　　　　《七里营人民公社史》编写组

# 1975 年第 1 期

必须加强无产阶级对资产阶级的专政
　　——读《国家与革命》　　　　　　　　　　　　　　　　　哲　军
党的基本路线是我们的生命线
　　——学习《中华人民共和国宪法》的体会　　　　　　　　　吕　斌
决定性的历史转变
　　——纪念遵义会议四十周年　　　　　　　　　　　　昆　骏　时　达
剖析林彪"六个战术原则"的反动本质　　　　　　　　　　　沈　思
农民反孔斗争史话（续完）　　天津市宝坻县小靳庄大队理论小组
孔府的族权统治　　　　　　　　　　　　　　　　　　　　鲍雨立
蒋介石是祸国殃民的大儒　　　　　北京市北郊木材厂曲阜师范学院
　　　　　　　　　　　　　　北京师范大学党史系、历史系大批判组
论陈胜吴广农民大起义的历史功勋　　　　　　　　　　　　梁　效
晁错抗击匈奴的战略思想　　　　　　　　　解放军某部九连理论组
驳荀况为儒家说　　　　　　　　　　　　　　　　吉林大学劲云戈
《十大经》》初论　　　　　　　　　　　　　　　　高　亨　董治安
统一是中国历史发展的主流　　　　　　　　　　　　　　　田志松
不断加强各族人民的团结
　　　　　　　克尤木·买提尼牙孜　木　海　买买提朱玛
为维护祖国的统一和各民族的团结而战斗　　　　　　　　加　央
论曹操法家路线的形成　　　　　　　　　　　　　　　　唐长孺

曹操法家路线形成的历史条件

　　　　　　　北京市总会工人理论小组　刘　光

对曹操屯田的几点看法　　　首钢机械厂工人历史研究小组

　　　　　　　　　　　　　　北京师范学院　高　军

沙皇俄国从不改变的目的——世界霸权　　　　　史　兵

沙皇俄国海上霸权主义的彻底破产　　　　　　　唐　思

一九二九至三三年资本主义世界经济危机　　子　愚　为　民

凯恩斯主义（资料）　　　　　　　　　　　　　柏　劲

新生和巨变

　　——《上海南京路史话》片断　　《上海南京路史话》编写组

## 1975 年第 2 期

论对资产阶级的全面专政　　　　　　　　　　　张春桥

论林彪反党集团的社会基础　　　　　　　　　　姚文元

必须限制资产阶级法权

　　——学习《哥达纲领批判》的一点体会

　　　　　　　　　　　　北京市总工会工人理论小组

　　　　　　　　　　　　北京师范学院工人理论学习小组

列宁在十月革命后限制资产阶级法权的斗争　　　红　宣

不断巩固农村社会主义阵地

　　　　　　北京市大兴县红星公社　大白楼大队理论小组

回顾塔山阻击战　　　广州部队某部"塔山英雄团"

《孙膑兵法》初探　　　　　　　　　　　　　　詹立波

论战国时代齐国复辟的历史教训　　　　　　　　杨　宽

"言谈者必轨于法"

　　——韩非关于在意识形态领域里的法治思想　　靳　南

西汉王朝同刘濞等复辟势力的斗争　　　　　　　史　众

论李商隐的《无题》诗　　　　　　　　　梁　效　闻　军

"永贞革新"与《封建论》　　　　　　　　　　　　汤　啸

明代广西大藤峡瑶族人民的反孔斗争

　　　　　　　　　　广西马山县古零公社莫世祥

民族团结是革命胜利的保证

　　——十九世纪中叶云南李文学起义的历史经验

　　　　　　　　　　　云南省历史研究所

历史真相不容歪曲

　　——关于《中俄尼布楚条约》的几个问题　　钟　锷

清入关前对东北的统一

　　——驳苏修篡改中俄东段边界史的谎言　　　纪　平

昨天与今天　　　　　　　　　　　　　　　　　史　星

从经济危机的不断深化看资本主义制度的必然灭亡　南　景

"子系中山狼，得志便猖狂"　　　　　　　　　　石　言

货币的出现与原始社会公有制的瓦解　　　　　　柏　经

## 1975 年第 3 期

真假马克思主义的试金石

　　——国际共产主义运动史上围绕无产阶级专政

　　问题的斗争（一）　　　　　中共天津市委党校理论组

无产阶级专政是我们传家的法宝

　　——《马克思、恩格斯、列宁论无产阶级专政》

　　语录的历史背景　　　　南京化学工业公司工人理论小组

了解一点社会发展史　北京光学仪器厂、北京仪器厂工人理论组

　　　　　　　　　北京师范大学政治教育系政治经济学组

井冈山精神永放光芒

　　　　　　　井冈山原暴动队长　邹文楷　红军女战士　马夏姬

发扬"穷棒子"精神　坚定地走社会主义道路

　　——河北省遵化县西辅村村史片断

　　　　　　　　　北京师范学院《西铺村史》编写组

等级制度与林彪复辟资本主义的阴谋　　　　　　　梁　效

秦和汉初的地主阶级政权与封建所有制　　　守　纲　李石叔

英国资产阶级革命与土地所有制的变革

　　　　　　　　　武汉大学历史系世界史教研室

　　　　　　　　　　武汉港务局工人理论小组

韩非对《老子》思想的批判改造

　　　　上钢五厂第二中心试验室工人理论组　复旦大学延风

《十大经》的思想和时代　　　　　　　　　　　　康　立

道家与西汉儒法斗争　　　　　　　　　　　　　　澜　思

戳穿"董永行孝"的骗局　　　　湖北孝感县老屋公社理论小组

　　　　　　　　　华中师范学院历史系大批判组

太平天国关于团结问题的历史经验　　　　　　　　洪　城

柳条边的历史和苏修的谬论　　　　　　　　　　　纪　实

沙俄的侵华工具——俄国东正教布道团　　　　　　方　秀

中国古代史讲座：第一讲　漫长的、无阶级的原始社会

　　　　　　　大连红旗造船厂动力科历史研究组

第二讲　奴隶社会的形成和发展——夏、商、西周

　　　　　　　中国人民解放军河北省承德军分区理论组

"安乐窝"呆不得

　　——读樊哙谏刘邦"出舍"　　　　门登凯　宋志复

# 1975 年第 4 期

真假马克思主义的试金石

　　——国际共产主义运动史上围绕无产阶级专政问题的

　　斗争（二）　　　　　　中共天津市委党校理论组

苏修是怎样变社会主义所有制为资本主义所有制的

　　　　　　　　　　　　　靳久廉　南　景

法家路线和汉初的安定局面　　　　　　　　齐亮晓

论诸葛亮安定南中　　　　　　　　　云南大学　马　曜

游侠批判　　　　　　　　　　　　　　　　　李思延

发扬南泥湾精神 把革命工作做到底　中共八四八七〇部队委员会

淮河今昔　　　　　　　　　　　　　《淮河新篇》编写组

我国古代石油、天然气的开发与儒法斗争

　　　　　石油化工科学研究院综合所一室理论小组

发展经济　巩固政权

　　——读晁错《论贵粟疏》

　　　　　中国人民解放军五二八七五部队理论小组

试论先秦法家的战备思想　　　　　　　　　　洪　城

铜墙铁壁

　　——记焦庄户地道战

　　　　　北京市顺义县人民武装部　北京师范大学中共党史系

王阳明的反革命两手及其"心"学

　　——揭露王阳明镇压广西瑶、壮族人民起义的

　　　罪恶面目　　　　　　　　　　　　　庄　宁

资产阶级与孔孟之道　　　　　　　　　　　　田　力

雅克萨战争是中国抗击沙俄侵略的正义战争

　　——驳苏修歪曲雅克萨战争性质的谬论　　群　哲

涅维尔斯科依——十九世纪中叶沙俄侵略

　　黑龙江地区的急先锋　　　　　　　志　力　钟　锷

八路兵马总指挥王聪儿（农民起义女英雄小传）　石　力

中国古代史讲座：第三讲 奴隶制向封建制过渡的

　　大变革时期——春秋、战国

　　　　　上海市重型机械制造公司工人历史研究小组

谈周亚夫治军　　　　　　　　　　　　　　　石　言

宰予并非孔门叛逆者　　　　　　　　　　　吴汝煜

是"咎亡"不是"咎在"

　　——关于《订孔》一九〇五年版中的一个错字　靳　砺

# 1975 年第 5 期

鲁迅对《水浒》的评论

利用《水浒》识别投降派      洪广思

《水浒》为什么这样塑造宋江      柏 青

反贪官不反皇帝只能是投降      石 言

"替天行道"是对农民革命的反动

     复旦大学历史系学员   石源华   马俊民   韩明华

     上海工具厂   胡申生

"仕途捷径"析      闻 军

中国共产党是抗日战争的领导者

  ——兼批林彪一篇投降主义的反党文章      柯 史

回顾中央红军长征在川南的革命事迹      宜 军

金沙水拍云崖暖

  ——记中央红军巧渡金沙江时遵纪爱民的事迹

     云南省楚雄军分区   郑 轩

略谈钟相杨么农民起义的革命纲领

     开封制药厂   开封师范学院宋史组

明末南方的"佃变"、"奴变"      傅衣凌

洋务运动与洋奴哲学      梁 效

评孔教会      夏良才   王学庄   吕景琳

大俄罗斯沙文主义的活标本

  ——评齐赫文斯基主编的《中国近代史》      宋 斌

无耻的背叛

  ——斥齐赫文斯基之流对义和团运动的诽谤      石 岚

沙皇俄国和两次海牙国际和平会议      石立唢

拿破仑帝国是法国资产阶级革命的最后阶段      李元明

《拿破仑法典》与法国资本主义所有制的巩固和发展

薛　实

中国古代史讲座：第四讲　统一的中央集权封建国家的
　　建立和巩固——秦、西汉

铁道部南口机车车辆机械厂工人理论组

北京大学历史系中国古代史教研组

# 1975 年第 6 期

始终坚持对资产阶级的全面专政
　　——学习列宁关于巩固无产阶级专政的理论和实践的
　　　　体会　　　海军某部　隋　斌　北京大学　哲　军
农民革命与投降主义路线　　　　　林甘泉　宋家钰　胡一雅
农民起义的光辉历史不容歪曲　　中共梁山县委《水浒》评论组
《水浒》的成书及其社会背景　　胡念贻　陈毓罴　徐公悖
长征的胜利是毛主席革命路线的壮丽凯歌　　　　　林　田
纪律是执行路线的保证　　　　　　　　　　　　　武尔洪
坚持团结　反对分裂
　　——批判张国焘右倾分裂主义路线　　　陇军　时达
陈独秀的投降主义与马日事变

湖南省哲学社会科学研究所现代史组
论战国时期的食封贵族　　　　　　　　　工岩　南谷
革命就是解放生产力
　　——读《商君书》札记　　　　　　　　　　　柏　青
戚继光的治军思想　　　　　　　　　　　　　　洪　城
古老黄河展新容　　　　　　　　　　　　　　　黄　伟
沙皇俄国对巴尔干的侵略扩张　　　　　史兵　葆斌
第一次世界大战前大国在巴尔干的争霸

甘　力　铁人传　海　陆

中国古代史讲座：第五讲　封建社会缓慢、曲折发展的
　　时期——东汉、三国、两晋南北朝

天津站业余大学南站车间历史班<br>南开大学历史系中国古代史组

# 1976 年第 1 期

词二首　　　　　　　　　　　　　　　　　　　　　　毛泽东
在继续革命的道路上奋勇登攀
　　——学习毛主席的词《水调歌头·重上井冈山》　　洪　城
不可抗拒的革命洪流
　　——学习毛主席的词《念奴娇·鸟儿问答》
北京部队炮兵　葆　斌　而　练
教育革命的方向不容篡改　　　　　北京大学、清华大学大批判组
回击科技界的右倾翻案风
北京大学、清华大学大批判组
要继续批孔　　　　　　　　　　　　　　　　　　　　李　成
不要忘记马克思主义的最起码的常识
　　——学习列宁对布哈林折衷主义的批判
北京大学历史系世界史专业二年级工农兵学员
做坚定的新生事物的促进派
　　——学习列宁《伟大的创举》等著作的体会
北京大学　郑　群
满腔热情地支持革命的新生事物
　　——学习马克思对待巴黎公社的态度
首钢石景山钢铁公司炼钢厂工人理论组
巴黎公社的可耻叛徒
　　——评苏修对巴黎公社历史经验的歪曲　　曹特金　张宏儒

在史学革命的道路上胜利前进

　教育战线今胜昔

　　——北大历史系以阶级斗争为纲，广泛发动群众，

　　　回击右倾翻案风　　　　　《人民日报》通讯员记者

世上无难事　只要肯登攀

　　　　　　　上海重型机械制造公司工人历史研究小组

研究儒法斗争和整个阶级斗争的历史 占领史学阵地

　　　　　　　天津车站工人　薛清泉　杜玉书　聂紫霞

把颠倒了的历史再颠倒过来

　　　　　　中国人民解放军河北省承德军分区理论组

　喜谈史学战线的新变化　　　　　　　　　唐长孺

反对投降派的锐利武器

　　——学习《无产阶级革命和叛徒考茨基》的体会

　　　　　　　　　　　　北京汽修五厂历史研究小组

划清两种界限 坚持继续革命

　　——从《水浒》谈农民革命问题　　　　田昌五

略论洪秀全的农民革命路线　　　　　　　钟纪周

太平天国与天地会

　　——谈金田起义时期的两条路线斗争

　　　　　　　　广西桂平金田公社贫下中农理论组

李秀成——修正主义和投降派的一面镜子　张海鹏

大寨在斗争中成长　　　　　昔阳县大寨史编写组

林祥谦烈士传　　　　福建师范大学历史系理论组

中国古代史讲座：第六讲 封建社会的高度发展

　和经济文化的繁荣——隋、唐

　　　　　　　　北京市顺义县天竺公社理论组

　　　　　　　　北京师范大学历史系

# 1976 年第 2 期

中央中央关于华国锋同志任中共中央第一副主席、
国务院总理的决议

中共中央关于撤销邓小平党内外一切职务的决议

阶级斗争是纲 其余都是目 ....................................... 靳　南

决不能同妄图勾销阶级斗争的人一道走

北京师范大学历史系七四级工农兵学员

世界史组教师

从我国农业合作化的历史 看唯生产力论的破产

石　伟

一所崭新的社会主义大学

——朝阳农学院简史 .............................. 朝农简史编写组

孔丘是个阴谋家 ................................................. 李思延

中庸之道与折中主义 ............................................. 杨宪邦

"法令滋彰"还是"法物滋彰"?

——读帛书本《老子》札记 ........................... 砺　冰

"文景之治"辨 ....................................... 南京师范学院　康　民

太平天国后期的反投降反分裂斗争

江苏清江棉纺织厂织布乙班员青年理论小组

中国资本家是怎样起家的？ ....................................... 朱光熙

谎言改变不了历史

——驳苏修篡改我国准噶尔部历史的无耻谰言

内蒙古大学蒙古史研究室

清朝政府平定准噶尔部叛乱与抵御沙俄侵略的斗争 ......... 庆　思

霸权主义的"杰作"

——评莫斯科出版的《中国近代史》 ..................... 吴寅年

中国古代史讲座：第七讲 封建社会的继续发展和统一的
　　多民族国家的进一步形成——宋、辽、金、元
　　　　　　　　　上海第五钢铁厂工人理论学习小组

## 1976 年第 3 期

文化大革命永放光芒
　　——纪念中共中央一九六六年五月十六日《通知》十周年
　　　　　　《人民日报》、《红旗》杂志、《解放军报》编辑部
文化大革命是阶级斗争　　　　　　　　　　　　　昆　骏
资产阶级民主派为什么会变成走资派？　　　　　　燕　霄
论鲁迅世界观的伟大转变　　　　　　　　　　　　张　琢
鲁迅论"无名氏"　　　　　　许怀中　孙腾芳　刘再复
江西共产主义劳动大学在斗争中前进　　江西共大简史编写组
秦始皇时期的社会经济　　　　　　　　曹永年　孟广耀
《南郡守腾文书》与秦的法治路线　　　　　　　　石　言
历代关于商鞅变法的两派论争　　　　　　　　　　洪善思
政治谣言与篡权复辟　　　　　　　　国营七〇〇厂工人理论组
关于"永贞革新"的提法　　　　　　　内蒙古自治区　杨　汰
明末李自成起义军中的两条路线　　曹贵林　沈定平　何龄修
三十六棚工人的抗俄斗争
　　——哈尔滨车辆工厂厂史片断
　　　　　　　　　　　　哈尔滨车辆工厂厂史编写组
　　　　　　　　　　　　哈尔滨师范学院历史系写作组
尚贤堂与孔孟之道　　　　　　　李宗一　曾业英　郑则民
法国近代史上肯定和否定雅各宾专政的斗争　　　　施　进
革命是历史的火车头
　　——学习《一八四八年至一八五〇年的
　　法兰西阶级斗争》　　　　　　　　　　　　田　军

从英国皇家学会的早期历史看自然科学领域的
　阶级斗争　　　　　　　　　　　　　　　赵红州
沙俄对我国西部地区的早期侵略　　　　　　希　达
中国古代史讲座：第八讲　封建社会的衰落
　和资本主义的萌芽——明、清　中国历史博物馆明清组

# 1976 年第 4 期

在斗争中建设党
　　　　　《人民日报》、《红旗》杂志、《解放军报》社论
反修防修的锐利武器
　　——学习主席关于社会主义教育运动的一个批示　方　道
不斗争就不能进步
　　——学习党内两条路线斗争史　　　　　　洪　城
"以其昏昏 使人昭昭"　（小资料）
第二次国内革命战争时期鲁迅在文化战线上的
　斗争　　　　　　　　　　　　文学研究所近代文学组
第二国际的投降主义　　　　北京第二机床厂工人理论组
　　　　　　　　　　　法学研究所　华志石　黎　先
一个投降派的典型——汪精卫　　　丁贤俊　闻少华
试论原始公社末期土地私有制的发展　　　满都尔图
论孔丘的反动"仁学"　　　　曲阜师范学院大批判组
从我国古代神话探索天文学的起源　　　　郑文光
中国古代对陨石的记载和认识　　　　　　黄时鉴
从英美烟公司看帝国主义的经济侵略　　　汪　熙
马尾船政局早期工人的生活与斗争
　　　　　　　　　　　福建师范大学历史系理论组
中俄《瑷珲条约》与苏修霸权逻辑　　　　钟　锷
沙皇俄国对罗马尼亚的侵略扩张
　与比萨拉比亚问题　　　　　　　　　　陆象淦

沙皇俄国是三次瓜分波兰的罪魁　　　　　　　　史　兵　葆　斌

波兰抗俄民族英雄——科希秋什科　　　　　　　　　　　程人乾

# 1976 年第 5 期

中国共产党中央委员会 中华人民共和国全国人民代表大会常务
　委员会 中华人民共和国国务院 中国共产党中央军事委员会告
　全党全军全国各族人民书

在伟大的领袖和导师毛泽东主席追悼大会上中国共产党中央委员
　会第一副主席、国务院总理华国锋同志致悼词

中国共产党中央委员会 中华人民共和国全国人民代表大会常务
　委员会 中华人民共和国国务院 中国共产党中央军事委员会 关
　于建立伟大的领袖和导师毛泽东主席纪念堂的决定

中共中央关于出版《毛泽东选集》和筹备出版《毛泽东全集》
　的决定

亿万人民的共同心愿

　　　　　　　　《人民日报》、《红旗》杂志、《解放军报》社论

毛主席啊，我们世世代代怀念您！

　继承主席志　紧握农奴戟　　　韶山大队老自卫队员钟青生

　永远高举毛主席亲手点燃的革命火炬

　　　　　　　　　　　　　　井冈山老暴动队长　邹文楷

　　　　　　　　　　　　　　　　红军女战士　马夏姬

　跟着毛主席走，就是胜利

　　　　　　　　红军战士、原遵义军分区某部副支队长吴义生

　毛主席是我们的大救星　　　中共枣园大队支部书记　雷治富

　　　　　　　　　　　　　　副书记张步文　委员陈有马

　让毛主席升起的红旗永远飘扬　　　　　　天安门前警卫连

　在斗争中努力学习马列著作和毛主席著作　　　本刊评论员

井冈山道路永放光芒

    ——学习《井冈山的斗争》等光辉著作　　　丁守和　陈铁健

从民主革命转变到社会主义革命的伟大纲领

    ——学习《在中国共产党第七届中央委员会第二次

        全体会议上的报告》　　　　　　　　　　纪　志

具有世界历史意义的伟大贡献

    ——学习毛泽东关于无产阶级专政下继续革命的理论　洪　城

坚定不移地走自力更生奋发图强的道路

    —— 大连机车车辆工工厂简史　大连机车车辆厂厂史编写组

论洋务派与洋奴哲学　　　　　　　　　　　　　　　　张国辉

是谁发明了造纸法　　　　上海市造纸木材工业公司工人写作组

唐山震区人民永远怀念毛主席

                开滦煤矿唐山矿　五二八五六部队

我国古代对地震的认识和地震史上两条路线的斗争　　　严敦杰

历史的巨轮决不停息

    ——学习鲁迅对革命事业的坚定信心　　　再　赴　张　哲

鲁迅战斗在广州　　　　　　　　　　　　　　　　瀚　若

工人贵族是无产阶级队伍中的蛀虫

    ——19 世纪中叶英国工联主义对工人运动的

        危害　　　　　　　天津港务局轮驳公司工人理论组

           北京大学历史系世界史专业七三级工农兵学员

血腥的征服

    ——驳苏修所谓“中亚自愿归并俄国”的谬论　　　刘存宽

希特勒德国的崛起和第二次世界大战的爆发　　　　　施鉴思

## 1976 年第 6 期

伟大的革命斗争产生伟大的领袖　　　　　　　　　本刊编辑部

《历史研究》的遭遇和"四人帮"利用历史反党的

　　阴谋　　　　　　　　　　　　　　　　本刊编辑部

痛打落水狗梁效、罗思鼎　　　　　　　　本刊编辑部

史学领域的阶级斗争与"四人帮"的反革命复辟野心

　　　　　　　　　　　历史研究所《中国史稿》编写组

评"四人帮"歪曲秦汉之际阶级斗争历史的

　　奇谈怪论　　　　李祖德　周年昌　朱大渭　谢桂华

评"四人帮"的假批孔　　　　　　　　　　庞　朴

从狄克到"四人帮"的狗头军师　　　　　　何其芳

法学家说的历史演变　　　　　　　　　　吴　江

李贽与《水浒》　　　　　　　　　　　　靳岱同

三大法宝是夺取革命胜利的主要武器

　　——学习《〈共产党人〉发刊词》　　丁守和　陈铁健

毛主席的无产阶级革命路线是我军的生命线

　　——学习《中国革命战争的战略问题》　　詹立波

第一次国内革命战争时期的湖南农民运动

　　　　　　　　湖南省哲学社会科学研究所现代史组

沙皇俄国的欧洲政策　　　　　　　　　　李元明

资本主义发展史上最黑暗的一章

　　——西方殖民者奴役和贩卖黑人的血腥罪行

　　　　　　五二九七七部队理论组　南开大学美国史研究室

## 1977 年第 1 期

伟大的战士，火热的斗争

　　——回忆周恩来总理在西安事变到抗战胜利期间

　　　　国共斗争几次重大事件中的光辉事迹　　颜太龙

周恩来同志的早期革命活动　　　丁江海　刘仙元　廖永武

把"四人帮"杂志《学习与批判》押上审判台

　　——清算《学习与批判》攻击周总理的罪行　　陈　中

"四人帮"反革命丑史的可耻辩护

    ——评康立的《论张良政治立场的转变》    谷　斯

驳"四人帮"在农民战争问题上的反马克思主义谬论    诸葛计

评《论"黔首"》    刘斯奋

辛亥革命是儒法斗争吗？    樊百川

论荀况对儒家思想的批判继承    孔　繁

释"僇力本业，耕织致粟帛多者复其身"    杨际平

学习鲁迅在斗争中改造世界观    五一一六七部队  林文森

向资产者发射的最厉害的炮弹

    ——纪念《资本论》第一卷问世一百一十周年

                  厦门大学经济系  王锦涛

彼得一世的对外侵略扩张    彤　心　史　兵

老沙皇侵略我国西藏的罪行是掩盖不住的    李绍明

殖民主义海盗哥伦布    严中平

## 1977 年第 2 期

只有社会主义能够救中国

    ——学习《毛泽东选集》第五卷关于农业合作化

      问题的光辉论述    苏　星

"四人帮"对中国历史学的大破坏

    ——评所谓研究儒法斗争史的骗局    黎　澍

"四人帮"在史学领域招摇的一面霸旗

    ——评罗思鼎《论秦汉之际的阶级斗争》    刘泽华　王连升

历史唯心主义的标本

    ——评《儒法斗争史概况》    北京大学哲学系中国哲学史组

复辟狂唱出的"反复辟"高调

    ——批判梁效、康立歪曲西汉历史的谬论

                  北京市财贸干校理论组

覆灭前的哀鸣
　　——评梁效《论李商隐的〈无题〉诗》　　　　谢　宏
秦末农民大起义的原因何在?　　　　　　　　　　高小斯
一个不折不扣的历史反革命
　　——张春桥三十年代反动文章剖析　　王保生　张大明
论严复　　　　　　　　　　　　　　　　　　　李泽厚
"盗跖"考辨　　　　　　　　　　　　　　　　　邬　蒙
"四·一二"反革命叛变与资产阶级　　　　　　　谟　研
一场惊心动魄的搏斗
　　——列宁病重期间和逝世以后斯大林为首的
　　　　　联共党中央同托洛茨基派
　　　　　篡党夺权阴谋活动的斗争　　　北京部队炮兵理论组
引用资料要准确　　　　　　　　　广州合金钢厂　程耀明
光辉的斗争篇章
　　——罗马尼亚独立一百周年　　　　　　　　陆象淦
罗马尼亚史学界迎接祖国独立一百周年　　　　　水　金
墨西哥帝国的被征服　　　　　　　　　　　　　严中平

## 1977 年第 3 期

捧读《毛泽东选集》第五卷
　　——调寄《沁园春》　　　　　　　　　　　郭沫若
无产阶级专政下继续革命的指路明灯
　　——纪念毛主席光辉著作《关于正确处理人民内部
　　　　　矛盾的问题》发表二十周年　　　　　廖盖隆
我国资本主义工商业的社会主义改造
　　——学习《毛泽东选集》第五卷的有关光辉论述　朱光熙
伟大的会师　　　　　　　　　　　　　　　　　何长工
跟随朱总司令的片断回忆　　　　　　　　　　　李树槐

回忆朱总司令 　　　　　　　　　　　　　　　　何其芳

忆董老 　　　　　　　　　　　　　　　　　　　许涤新

一桩异乎寻常的反党事件

　　——评"四人帮"伪造党史的罪恶活动 　　　　陈铁健

"古为帮用"的恶劣表演

　　——清算《学习与批判》利用历史反党的罪行

　　　　　　　　　　　　复旦大学　樊树志　王庆余

《孙子兵法》评介 　　　　　　　　　　　　　　郭化若

董仲舒的儒法合流的政治思想 　　　　　　　　　钟肇鹏

一个反法的"法家"——王夫之 　　　　　　　　张岂之

中国近代"儒法斗争"驳议 　　　　　　　　　　李　侃

章太炎给谭献的一封信

匈奴西迁及其在欧洲的活动 　　　　　　　　　　齐思和

叙利亚发现四千多年前的王宫档案库 　　　　　　张芝联

日本史学界关于西乡隆盛的争论 　　　　　　　　童　斌

# 1977 年第 4 期

评"四人帮"发言人梁效 　　　　　　　　　　　陈石之

评梁效某顾问 　　　　　　　　　　王永江　陈启伟

关于资产阶级法权理论的历史考察 　　吴敬琏　周叔莲

从此风雷遍九陔

　　——纪念南昌起义五十周年 　　　冯建辉　孙向祝

秋收起义和向井冈山进军　湖南哲学社会科学研究所现代史组

革命的摇篮

　　——回忆毛主席在广州主办农民运动讲习所 　　王首道

一封初次发表的太平军紧急文书

论荀况宇宙观的形而上学特征 　　　　　　　　　包遵信

关于唐代韩柳之争的几个问题 　　　　　　　　　胡如雷

本刊编辑部邀请学术工作者座谈儒法斗争问题

古代印度的种姓制度 　　　　　　　　　　　　　　　崔连仲

印加帝国的灭亡 　　　　　　　　　　　　　　　　　严中平

罗马尼亚举行独立一百周年国际学术会议 　　　　　　陆象淦

沙俄向外扩张的工具

　　——论俄国泛斯拉夫主义的反动实质 　　　　　　李显荣

## 1977 年第 5 期

红军从游击战到运动战的伟大战略转变

　　——毛主席伟大革命实践回忆之一 　　　　　　　郭化若

大革命时期主席在武汉 　　　　　　　华中师范学院历史系

　　　　　　　　　　　　　　　武汉市革命文物管理办公室

毛泽东同志主办的中央农民运动讲习所

　　　　　　　　　　武昌农讲所纪念馆　武汉大学历史系

论生产力在历史发展中的作用 　　　　　　　　　　　林　春

法国资产阶级革命与近代科学 　　　　　　　　　　　赵庆和

论民主派

　　——驳"四人帮"在民主派问题上制造的谬论 　　齐　江

二评"四人帮"发言人梁效 　　　　　　　　　　　　陈石之

论儒法 　　　　　　　　　　　　　　　　　　　　　金景芳

从云梦秦简看秦代社会的主要矛盾 　　　　　　　　　唐赞功

论秦律的阶级本质

　　——读云梦秦律札记 　　　　　　　　　　　　　吴荣曾

清代农业资本主义萌芽问题的一个探索

　　——江西新城《大荒公禁栽菸约》一篇史料的

　　　　分析 　　　　　　　　　　　　　　　　　　傅衣凌

一封揭露沙皇独占东三省野心的电报

新沙皇的一支招魂曲

　　——评苏修叛徒集团为巴枯宁翻案

　　　　　　　　　曹特金　阚思静　秦晓鹰　宋效忠

南非种族主义的形成和发展　　　　　　　　　　　　雅　飞

日本史学界关于明治维新的争论　　　　　　　　　　童　斌

英国学者论印度农民起义　　　　　　　　　　　　　黄思骏

# 1977 年第 6 期

评"四人帮"的封建专制主义　　　　　　　　　　　黎　澍

林彪反党集团故伎的重演

　　——评李时的一篇反党乱军黑文　　　　刘元彦　诸葛计

唐晓文吹捧"柳下跖"居心何在？　　　　　　　　　范若愚

唐晓文歪曲史料一例　　　　　　　　　　　　　　　陈蒲清

创业艰难百战多

　　——回忆陈毅同志在赣粤边坚持三年游击战争　　杨尚奎

秦汉的统一与哲学思想的变革

　　——"四人帮"歪曲历史的罪证之一　　　　　　任继愈

评盐铁会议　　　　　　　　　　　　　　　　　　　张　烈

太平天国革命的反封建性质不容否定

　　——驳梁效、罗思鼎对太平天国历史的歪曲　　　王庆成

"西原借款"与日皖勾结　　　　　　　　　　　　　章伯锋

揭开华俄道胜银行的内幕　　　　　　　　　　　　　金世铸

沙俄武装侵占我国帕米尔地区的历史真相　　　　　　郑　史

葱岭上的乾隆纪功碑　　　　　　　　　　　　　　　肖之兴

近代德国的统一与沙俄霸权　　　　　　　　　　　　丁建弘

致读者

1977 年《历史研究》总目

## 1978 年第 1 期

十八世纪外交史内幕（第五、六章） 马克思

揭露英国政府纵容老沙皇扩张主义的光辉文献

    ——马克思《十八世纪外交史内幕》简介 东 志

横扫七百里的辉煌胜利

    ——毛主席伟大革命实践回忆之二 郭化若

评唐晓文的三篇代表作 傅 孙

他们在修补唯心主义的避难所

    ——驳"四人帮"在评价秦始皇问题上的

      反动观点 宇 清

关于孔丘诛少正卯 延 陵

释"天完" 杨 讷

论章太炎 唐振常

章太炎的一副对联 王益知

评公孙龙 王德裕

王聪儿是八路兵马总指挥吗？ 冯佐哲

宝瓶口和沱江是李冰之前开凿的 喻权域

## 1978 年第 2 期

中国各党派的斗争 列 宁

致格·瓦·契切林 列 宁

毛主席指挥我们打胜仗

    ——回顾解放华北的峥嵘岁月 杨得志

鲁迅与历史遗产 李鸿然

汪士铎思想剖析 胡思庸

隋末农民战争与反佛浪潮 姜伯勤

忽必烈平大理国是否引起泰族大量南迁 杜玉亭 陈吕范

关于沈括的《熙宁使虏图抄》　　　　　　　　　　陈得芝

《辍耕录》中的"扶箕诗"不是农民军的口号　　　　杨　讷

马汉的海上实力论　　　　　　　　　　冯承柏　李元良

一九三九年的德波战争

　　——帝国主义发动突然袭击一例　　　　　　　程人乾

国外出版和展出一批中国古地图资料　　　　　　　冯佐哲

## 1978 年第 3 期

揭批"四人帮"是一场历史性大决战　　　　　　　李洪林

领导中国革命的伟大起点

　　——毛主席早期在湖南的革命活动

　　　　　　　　　　湖南省哲学社会科学研究所

从"四人帮"的假批孔看影射史学的破产　　　　　周振甫

驳法家"长期反复辟"论　　　　　　　谢天佑　王家范

章太炎剖析　　　　　　　　　　　　　　　　　李泽厚

元代的海外贸易　　　　　　　　　　　　　　　陈高华

甲骨文"肖"与"肖田"　　　　　　　　　　　　张政烺

苏丹人民反殖斗争史上的光辉一页

　　——一八八一年至一八八五年的

　　　　马赫迪武装起义　　　彭坤元　秦晓鹰　梅伟强

一八四八年匈牙利革命与沙俄的

　　反革命武装镇压　　　　　　　　韩承文　徐云霞

火长　　　　　　　　　　　　　　　　　　　　黄时鉴

研究春秋史的最新资料

　　——《侯马盟书》出版　　　　　　　　　　　杜晓云

## 1978 年第 4 期

驳"四人帮"的历史学界"一片黑暗"论　　　　　　戴振海

大家都来提倡自由讨论

  ——答读者           编　者

助"帮"为虐的"诸葛亮研究"

  ——评"梁效"某教授的《诸葛亮和法家路线》  田居俭

论秦始皇

  ——兼评"四人帮"的唯心史观      林甘泉

"有教无类"古解            杨柳桥

领导中国革命的伟大起点（续完）

  ——毛主席早期在湖南的革命活动

        湖南省哲学社会科学研究所

华侨与辛亥革命            孙　健

辛亥"三·二九"起义中牺牲的华侨烈士     孙　健

八里桥究竟在哪里？          郑一奇

鸦片战争中镇江抗英的史料        骆承烈

明清以来北京的工商行会         李　华

帝国主义是怎样瓜分非洲的        张文淳

拿破仑是"坚持进步，反对倒退"的吗？     赫　忱

日本发掘研究一万八千年前的陶器      童　斌

# 1978 年第 5 期

"四人帮"尊法丑剧的幕前幕后

      《人民教育》、《历史研究》编辑部

且看庐山真面目

  ——评广东某"史学权威"    诸葛计　方式光

兼资文武此全才

  ——忆陈总领导上海工作片断      许涤新

文艺复兴的时代、巨人和科学    刘明翰　张志宏

关于"王侯将相宁有种乎"        晁福林

"功比轵侯"解 ⋯⋯⋯⋯⋯⋯⋯⋯⋯⋯⋯⋯⋯⋯⋯⋯ 朱桂昌

李自成自何处入豫? ⋯⋯⋯⋯⋯⋯⋯⋯⋯⋯⋯⋯ 姚雪垠

李岩质疑 ⋯⋯⋯⋯⋯⋯⋯⋯⋯⋯⋯⋯⋯⋯⋯⋯⋯ 顾 诚

明清之际山海关战役的真相考察 ⋯⋯⋯⋯⋯⋯ 商鸿逵

清初农民军的联明抗清问题 ⋯⋯⋯⋯⋯⋯⋯⋯ 洪焕椿

顾祖禹生卒年辨正 ⋯⋯⋯⋯⋯⋯⋯⋯⋯⋯⋯⋯ 仓修良

方志——史料的宝库 ⋯⋯⋯⋯⋯⋯⋯⋯⋯⋯⋯ 傅振伦

## 1978 年第 6 期

"四人帮"是历史科学的敌人 ⋯⋯⋯⋯⋯⋯⋯⋯ 丁伟志

如何评价杨秀清

　——太平天国的"五主"、"八位万岁"与"天京

　　事变"的考察 ⋯⋯⋯⋯⋯⋯⋯⋯⋯⋯⋯⋯⋯ 郭毅生

太平军内部对建都问题的论争及其影响 ⋯⋯ 王庆成

论太平天国与天地会的关系 ⋯⋯⋯⋯⋯⋯⋯⋯ 蔡少卿

关于编选洪秀全"述志诗"的一点意见 ⋯⋯⋯ 田 原

唐代潮汐学家窦叔蒙及其《海涛志》 ⋯⋯⋯⋯ 徐 瑜

明治政府的教育改革和日本资本主义工业化 ⋯ 朱守仁

科技史上三大发明的重大意义 ⋯⋯⋯ 杜石然 林文照

近年来国外拿破仑史学的一些动态 ⋯⋯⋯⋯⋯ 端木正

日本出版《图说中国历史》 ⋯⋯⋯⋯⋯⋯⋯⋯ 冯佐哲

## 1978 年第 7 期

深切悼念郭沫若同志

　　　　　中国社会科学院历史研究所副所长 侯外庐

论"四人帮"的出现和灭亡 ⋯⋯⋯⋯⋯⋯⋯⋯ 宋振庭

"四人帮"

　——半殖民地半封建旧中国的招魂巫师 周叔莲 吴敬琏

对"四人帮"的历史学界"一片黑暗"论的有力批驳

　　——建国以来十七年间太平天国史工作的成就　　　罗尔纲

洪秀全与《劝世良言》　　　　　　　　　　　　　　　戎　笙

太平天国思想散论　　　　　　　　　　　　　　　　　李泽厚

李白与碎叶　　　　　　　　　　　　　　　　　　　　周生春

关于竹林之游的时间　　　　　　　　　　　　　　　　陆钊珑

中国和伊朗历史上的友好关系　　　　　　　　　　　　朱杰勤

关于匈奴西迁过程的探讨　　　　　　　　　　　　　　肖之兴

评《隋末农民战争与反佛浪潮》　　　　　　　　　　　杨　讷

## 1978 年第 8 期

实事求是　勇于创新　　　　　　　　　　　　　　　　戴　逸

砸碎枷锁　解放史学

　　——评"四人帮"的所谓"史学革命"　　　　　　刘泽华

巴黎公社原则与按劳分配　　　　　　　　　陈叔平　薛汉伟

贺龙同志在湘鄂西和湘鄂川黔的革命斗争

　　　　　　　　湖南省哲学社会科学研究所现代史组

　　　　　　　　人民解放军铁道兵政治学院政治教研室

孔子思想的再评价　　　　　　　　　　　　　　　　　庞　朴

关于武则天的几个问题　　　　　　　　　　　　　　　何汝泉

刘知几为武则天"制造舆论"吗？　　　　　　　　　　黎　虎

论苏轼政治思想的发展　　　　　　　　　　　　　　　朱靖华

乌兰布通考　　　　　　　　　　　　　　　　　　　　袁深波

一六四六年郑成功海上起兵经过　　　　　　　　　　　陈碧笙

关于第二次大战前夕美国的绥靖政策　　　　　　　　　冯承柏

## 1978 年第 9 期

在毛主席伟大旗帜下战斗的光辉一生

　　——忆罗荣桓同志　　　　　　　　　　　　总政治部理论组

翦伯赞同志十年祭

    ——驳戚本禹对翦伯赞同志的诬陷 李洪林

"四人帮"的影射史学与"洋为帮用"的

  反革命阴谋 陈启能 沈永兴

早周的历史初探 斯维至

人殉、奴隶制与孔丘的"爱人"思想

    ——评柏青《驳孔丘反对人殉说》 田居俭

朱熹是投降派、卖国贼吗？ 朱瑞熙

关于"天父天兄天王太平天国" 王庆成

两千年来中柬人民的友好关系 陈显泗

关于李大钊同志的生年月日问题 李义彬

也谈《辍耕录》中的扶箕诗 叶显恩

## 1978 年第 10 期

"四人帮"是马克思主义哲学社会科学的死敌

                            中国社会科学院写作组

评林彪"捧杀"毛泽东思想的反革命策略

                人民解放军政治学院 王蕴桥

扼杀历史科学的恶霸行径

    ——再驳戚本禹对翦伯赞同志的诬陷 李学昆

忆杨闇公同志 吴玉章遗作 李 新整理

重视革命史编写工作的典范

    ——恩格斯晚年为马克思及其战友作传的事迹 王兴斌

关于共产主义同盟第一次代表大会的若干史实 王先恒

外国史学动态二则

台湾历史地理中的几个问题 周维衍

东汉金城郡治地理位置考 王仁康

宋代纲运与阶级矛盾 王瑞明

论朱元璋农民政权的"给民户由"　　　　　　　　冯尔康

## 1978 年 11 期

论中国近代历史上的封建顽固派　　　　　　　　　李　侃
从抗战结束到内战全面爆发期间的几个历史问题

　　　　　　　　　　　　　　　　姚　旭　徐　燕

论同盟会的性质及其内部分歧　　　　　　　　　　章开沅
《资治通鉴》述论　　　　　　　　　　　　　　　陈光崇
北魏末年北镇暴动分析　　　　　　　　　　　　　杨耀坤
"闾左"辨疑　　　　　　　　　　　　　　　　　卢南乔
罗得西亚的种族主义是怎样产生的　　　　　　　　陆庭恩
略论英布战争的性质　　　　　　　　丁建弘　周南京
《秦政记》的一个句读问题　　　　　　　　　　　戴鸿森
秋瑾出生年代初考　　　　　　　　　　　　　　　邵　雯

## 1978 年 12 期

实事求是是毛泽东思想的灵魂
　　——纪念毛泽东同志诞辰八十五周年

　　　　　　　　　　　解放军政治学院　林然昌

提倡不同学派平等地讨论问题　　　　　　　　本刊评论员
冲破"禁区"　百家争鸣
　　——中国古代史分期问题学术讨论会综述

　　　　　　　《历史研究》、《社会科学战线》记者

儒学的变迁　　　　　　　　　　　　　　　　　丁伟志
清初的抗清斗争和农民军的联明抗清策略　　　　　林铁钧
太平天国有一个"革命哲学思想体系"吗？
　　——兼评哲学史研究中的一种思潮　　　　　　黄　彦

杨杏佛与中国民权保障同盟 　　　　　　　　　　　杨小佛
略论罗马法的发展及其历史影响 　　　　　　　　　沈宗灵
《"有教无类"古解》质疑 　　　　　　　　　　　　单周尧
杜仓相秦考 　　　　　　　　　　　　　　　　　　马非百
"自由、平等、博爱"口号究竟是何时提出？ 　　　　陈崇武
《历史学》季刊创刊启事
1978 年《历史研究》总目

## 1979 年第 1 期

封面题词 　　　　　　　　　　　　　　　　　　　叶剑英
消灭封建残余影响是中国现代化的重要条件 　　　　黎　澍
打破党史禁区 　　　　　　　　　　　　　　　　　李洪林
青年毛泽东的思想方向 　　　　　　　　　　　　　李　锐
巴黎公社和无产阶级民主 　　　　　　　　　　　　陈汉楚
怎样评价李秀成及其《自述》 　　　　　　　　　　李　晴
汉魏之际封建说 　　　　　　　　　　　　　　　　何兹全
"昆明"的由来 　　　　　　　　　　　　　　　　　宁　超
左右史分职说质疑 　　　　　　　　　　　　　　　景　爱

## 1979 年第 2 期

"四五"运动和无产阶级专政的历史经验 　　　　　　丁伟志
平江起义 　　　湖南哲学社会科学研究所现代史组、文学组
文化大革命中的陈毅同志 　　　　　　　　　　　　童怀周
论秦始皇的是非功过 　　　　　　　　　　　刘泽华　王连升
中国古代史分期商榷（上） 　　　　　　　　　　　金景芳
重评洋务运动 　　　　　　　　　　　　　黄逸峰　姜　铎
石达开参与诛杨密议质疑 　　　　　　　　　　　　苏双碧

章太炎与《高桥杜氏祠堂记》　　　　　　　　　陈铁健
关于古代日本称中国六朝为吴　　　　　　　　　韩长耕
《田中奏折》的真伪问题　　　　　　　　　　　章伯锋
论拿破仑法典　　　　　　　　　　　　　　　　李元明

## 1979 年第 3 期

回忆新民学会　　　　　　　　　　　　　　　　李维汉
重评《多余的话》　　　　　　　　　　　　　　陈铁健
对"天京事变"几个有关问题的探讨
　　——兼与郭毅生同志商榷　　　　　　　　　周自生
中国古代史分期商榷（下）　　　　　　　　　　金景芳
陈永福投闯抗清事迹评述　　　　　　　　　　　张守常
评恩格斯关于《家庭、私有制和国家的起源》的
　　若干修改　　　　　　　　　　　　　　　　林加坤
阿古柏对新疆的入侵及其复灭　　　　　　　　　纪大椿

## 1979 年第 4 期

试论我党"八大"的伟大历史意义　　　　　　　黎　洪
论"五四"时期的百家争鸣　　　　　林代昭　王晓秋
建党初期的陈独秀　　　　　　　　　　　　　　冯建辉
论"支那"一词的起源与荆的历史和文化　　　　苏仲湘
只有农民战争才是封建社会发展的真正动力吗？　戎　笙
再谈"扶箕诗"　　　　　　　　　　　　　　　杨　讷
唐太宗平定高昌的历史意义　　　　　　　　　　王　谡
清代新疆卡伦述略　　　　　　　　　　　　　　于福顺
宋慈及其《洗冤集录》　　　　　　　　　　　　诸葛计
元积家庭真相　　　　　　　　　　　　　　　　卞孝萱

# 1979 年第 5 期

论"五四"时期的反封建思想革命　　　　　　　徐宗勉　朱成甲
五四运动中的青年毛泽东　　　　　　　　　　　　　　　李　锐
陈独秀和《新青年》　　　　　　　　　　　　　　　　　丁守和
胡适与"五四"时期的新文化运动　　　　　　　　　　　耿云志
巴黎和会与五四运动　　　　　　　　　　　　　　　　　俞辛焞
陈独秀书信　　　　　　　　　鲁迅研究室供稿　陆品晶注释
读新发表的陈独秀四封书信手稿　　　　　　　　　　　　陆品晶
中国社会科学院筹建召开五四运动六十周年学术讨论会

# 1979 年第 6 期

二十世纪初中国资产阶级革命派思想论纲　　　　　　　李泽厚
唐代牛李党争研究　　　　　　　　　　　　　　　　　胡如雷
从长江中下游地区农村经济的变化看太平天国革命的
　　历史作用　　　　　　　　　　　　　　　　　　　刘　耀
天德王洪大泉问题的补充证据　　　　　　　　　　　　罗尔纲
关于洪大全的身份　　　　　　　　　　　　　　　　　蔡少卿
华侨对越南经济文化发展的贡献　　　　　　　　　　　秦钦峙
关于参加共产国际第一、二次代表大会的中国代表　　　李玉贞
论拿破仑专政和法国资产阶级强化国家机器的
　　历史教训　　　　　　　　　　　　　　　　　　　罗荣渠
亚洲农耕的起源问题　　　　　　　　　　　　　　　　孔令平

# 1979 年第 7 期

只有忠实于事实　才能忠实于真理　　　　　　　　本刊评论员
关于"八一"南昌起义若干史实的考证　　　　　　　　王年一

章太炎是什么派？
　　——与唐振常同志商榷　　　　　　　　　李润苍
梁启超王国维简论　　　　　　　　　　　　　李泽厚
司马迁写当代史　　　　　　　　　　　　　　施　丁
论"文景之治"　　　　　　　　　　　　　　张大可
井田制的破坏和农民的分化
　　——兼论商鞅变法的性质及其作用　　　　郑昌淦
论日本近代产业革命的政策和措施　　　　　　刘天纯
试论热月政变的性质　　　　　　　　　　　　刘宗绪
关于"西洋"　　　　　　　　　　　　　　　范中义
开皇二十年秦陇地震考释　　　　　　　　　　王仁康

## 1979 年第 8 期

欧洲两次伟大的思想解放运动　　　　　　　　邢贲思
建党前后的李达同志
　　　　李其驹　陶德麟　熊崇善　段启咸　曾勉之
论洪秀全的早期思想及其发展（上）　　　　　王庆成
怎样理解郭沫若同志的古代史分期学说
　　——兼评金景芳先生的《中国古代史分期商榷》　侯绍庄
略谈《隋书》的史论　　　　　　　　　　　　瞿林东
"古元真龙皇帝"试释　　　　　　　　　　　顾　诚
清代的几个新疆　　　　　　　　　　　　　　肖之兴
再论阿古柏政权　　　　　　　　　　　　　　包尔汉
沙俄在甲午战争中充当了什么角色　　　　　　米庆余
日本发现五世纪的铁剑铭文　　　　　　　　　王家骅

## 1979 年第 9 期

试论我国建设社会主义时期反封建残余的斗争　李银河　林　春

如何认识封建生产方式的共同规律 　　　　　　　马克尧

关于"打碎资产阶级国家机器"的结论

　　是根据巴黎公社经验得出的吗？ 　　　　　　　何晋瑞

粉碎蒋介石亲自指挥的第三次"围剿"

　　——毛主席伟大革命实践回忆之三 　　　　　郭化若

关于《重评〈多余的话〉》的两封信 　　　　　　沈雁冰

《龙华会章程》探微 　　　　　　　　杨天石　王学庄

论洪秀全的早期思想及其发展（下） 　　　　　　王庆成

论方腊起义与摩尼教的关系 　　　　　　　　　　朱瑞熙

《客斋逸史》献疑 　　　　　　　　　　　　　　杨渭生

"万岁"考 　　　　　　　　　　　　　　　　　王春瑜

鲸川之海考 　　　　　　　　　　　　　　　　　景　爱

## 1979 年第 10 期

农民与反封建 　　　　　　　　　　　　　　　　王小强

立三路线时期的一个问题

　　——试论毛泽东同志对立三路线的认识和抵制 　田　园

太平天国前期战争的战略问题 　　　　　　　　　张一文

太平天国革命推动中国资本主义发展的问题

　　有待进一步探索 　　　　　　　　　　　　　林增平

辛亥革命时期的岳王会 　　　　　　　　　　　　沈　寂

关于清代的"逃人法"

　　——兼论满族阶级斗争的特点和作用 　　　　杨学琛

从天象上推断武王伐纣之年 　　　　　　　　　　赵光贤

关于李大钊在北京大学任职的时间 　　　　　　　李义彬

庄周故里辨 　　　　　　　　　　　　　　　　　菲　铭

柬埔寨独立前土地制度的演变 　　　　　　　　　朱昌利

巴黎公社的薪金措施是社会主义原则吗？ 　　　　冯天才

评罗伯斯比尔 陈崇武
"波士顿茶会"及其汉译名之辨正 杨宗遂

## 1979 年第 11 期

中国社会科学三十年 黎 澍
西安事变初探 李 新
谈笑凯歌旋
——忆毛泽东同志到重庆谈判 许涤新
论蔡锷 谢本书
宋明理学与宗法思想 邱汉生
古夜郎三题 周维衍
美国历史资料的搜集与管理 李世洞

## 1979 年第 12 期

评戚本禹的《爱国主义还是卖国主义?》 左步青 章鸣九
应当全面评价瞿秋白 王维礼 杜文君
岳飞之死 王曾瑜
南宋时期杭州的经济与文化 林正秋
怎样正确评价吕后 邓经元
谈《史记·大宛列传》叙大宛之役 苏诚鉴
全国农民代表大会究竟开过没有 吴家林
秋瑾出生年代 王士伦
死海古卷的发现及研究 孔令平
美国对日政策与太平洋战争的爆发 俞辛焞 王敦书
关于赫德致金登干的书信 黄光域
1979 年《历史研究》总目

## 1980 年第 1 期

中国历史上的民族斗争与融合　　　　　　　　　　范文澜

论平均主义的功过与农民战争的成败　　　　　　　董楚平

西欧从奴隶社会向封建社会过渡中的几个问题　　　胡玉堂

从洋务、维新到资产阶级革命　　　　　　　　　　李时岳

封建蒙昧主义与义和团运动　　　　　　　　　　　王致中

论孙中山的民权主义　　　　　　　　　　　　　　张　磊

关于党的民主革命总路线基本思想的形成　　　　　郭德宏

十九世纪后期中国人在美国开发中的作用及处境　　朱杰勤

关于中国纸和造纸法传入印巴次大陆的时间和路线问题　黄盛璋

也谈"万岁"　　　　　　　　　　　　　　　　　朱立平

对《"万岁"考》的两点意见　　　　　　　　　　张世正

"人曰"，不是"八日"而是"人日"　　　　　　李一氓

评庄周故里为蒙城说　　　　　　　　　　　　　　杨武泉

从清初的吏治看封建官僚政治　　　　王思治　金成基

元察罕脑儿行宫今地考　　　　　　　　　　　　　陈得芝

"枚卜"新证　　　　　　　　　　　　　　　　　庞　朴

湖北鄂城发现一百万字的太平天国资料　　皮明庥　孔宪凯

夏燮与《明通鉴》研究　　　　　　　　　　　　　袁英光

海兰泡惨案死难人数究竟有多少？　　　　　　　　薛衔天

世界古代史研究的新成果

　　——评介《世界上古史纲》上册的几个新观点　孔令平

全国妇联征集中国妇女运动历史资料启事

## 1980 年第 2 期

亚细亚生产方式——不成其为问题的问题

　　　　　　　　　　　　　《世界上古代纲》编写组

西方近代科学传来中国后的一场斗争

　　——清初汤若望和杨光先关于天文历法的论争　　　林　健

论"和平民主新阶段"

　　——斥林彪、"四人帮"对刘少奇同志的诬陷　　　王年一

重评《天津讲话》　　　　　　　　　　　　叶梧西　邵云瑞

关于张闻天同志的早年活动　　　　　　　　　　　程中原

孙中山在临时政府时期的斗争　　　　　　　胡绳武　金冲及

美国的中国近代史研究　　　　　　　〔美〕保罗·阿·科恩

殷代人种问题考察　　　　　　　　　　　　韩康信　潘其风

南宋中叶马球衰落和文化的变迁　　　　　　〔美〕刘子健

淝水之战双方兵力略释　　　　　　　　　　　　　邱久荣

关于马可波罗在扬州的时间　　　　　　　　　　　彭　海

关于中国农业中资本主义萌芽问题　　　　　　　　尹　进

勇于探索　不囿成说

　　——评傅筑夫著《中国经济史论丛》　　　　　张作耀

论司马迁的"通古今之变"　　　　　　　　　　　施　丁

唆里迷考　　　　　　　　　　　　　　　　耿世民　张广达

美洲国家组织的历史演变及其作用　　　　　沙　丁　杨典求

"东方问题"的产生与俄国的黑海—巴尔干政策　　王　新

《〈容斋逸史〉献疑》质疑　　　　　　　　　　　陈　振

# 1980 年第 3 期

关于中美关系史和美国史研究中的一些问题　　　　罗荣渠

十九世纪以前中国和印度尼西亚关系考略　　　　　陈造福

西洋医学在中国的传播　　　　　　　　　　　　　赵璞珊

论旧中国刘鸿生企业发展中的几个问题　　　　　　马伯煌

上海商团与辛亥革命　　　　　　　　　　　沈渭滨　杨立强

论清政府与义和团的关系　　　　　　　　　　　　廖一中

第二次鸦片战争时英军所掠广州各官衙档案的下落 　　　　黄光域
古代居延道路 　　　　　　　　　　　　　　　　　　　　王北辰
孔孟书中所反映的古代中国城市国家制度 　　　　　　　　林志纯
清代前期押租制的发展 　　　　　　　　　　　　　　　　江太新
清代各省的政治制度 　　　　　　　　　　　　　　　　　赵希鼎
百里奚与孟明视为一人辨 　　　　　　　　　　　　　　　马非百
《清史稿》中几条陨石资料的错漏 　　　　褟锐光　夏晓和
康有为的一部未刊印的重要著作
　　——《日本变政考》评介 　　　　　　　　　　　　王晓秋
巴西是怎样赢得独立的 　　　　　　　　　　　　　　　　方迥澜
关于上海小刀会"义兴公司"的性质 　　　　　　　　　　谭彼岸
一点更正 　　　　　　　　　　　　　　　　　　　　　　编　者

# 1980 年第 4 期

试论封建社会中农民的平均主义
　　——兼与董楚平先生商榷 　　　　　　　　　　　　徐祖根
关于农民战争任务和作用问题的商榷 　　　周良霄　张德信
也评洋务运动 　　　　　　　　　　　　　　　　　　　　徐泰来
中国史学会重新建立 　　　　　　　　　　　　　　　　　阮芳纪
丰岛海战 　　　　　　　　　　　　　　　　　　　　　　季平子
论清季轮船招商局的性质 　　　　　　　　夏东元　杨晓敏
论孙中山的"平均地权" 　　　　　　　　　　　　　　　谢　刚
订正一条张闻天早年活动的史料 　　　　　　　　　　　　程中原
有关井田制的一些辨析 　　　　　　　　　　　　　　　　赵俪生
唐蕃会盟碑疏释 　　　　　　　　　　　　　　　　　　　王　尧
宋代四川地区的茶业和茶政 　　　　　　　　　　　　　　贾大泉
元代圆牌两种之考释 　　　　　　　　　　　　　　　　　蔡美彪
清律的继承和变化 　　　　　　　　　　　　　　　　　　瞿同祖

中俄《布连斯奇界约》的换文日期　　　　　　　　　　　郑人瑞

关于《庶民的胜利》的发表和《Bolshevism 的胜利》的

　写作　　　　　　　　　　　　　　　　朱乔森　黄　真

孟元老其人　　　　　　　　　　　　　　　　　　　　　孔宪易

略论托马斯·杰弗逊的民主思想　　　　　　　　　　　　刘祚昌

试论第二次世界大战的起因

　　——哪种类型的帝国主义国家是最危险的战争策源地　包奕诚

独辟蹊径　大醇小疵

　　——评介胡如雷著《中国封建社会形态研究》　　　　田居俭

# 1980 年第 5 期

略论历史发展的伟大动力与终极原因的内在联系　　　　　罗荣渠

《亚细亚生产方式——不成其为问题的问题》一文质疑　　宋　敏

也谈"亚细亚生产方式"　　　　　　　　　　　　　　　何祚榕

中国古代史分期问题分歧的原因何在？　　　　　　　　　王思治

处理历史上民族关系的几个重要准则

　　——读范文澜《中国历史上的民族斗争与融合》　　　孙祚民

青年毛泽东世界观的转变　　　　　　　　　　汪澍白　张慎恒

论中国近代海关行政的几个特点　　　　　　　　　　　　陈诗启

关于十九世纪三十年代鸦片进口和白银外流的数量

　　　　　　　　　　　　　李伯祥　蔡永贵　鲍正廷

我国历史上铁农具的改革及其作用　　　　　　　　　　杨　宽

汉代酿酒业探讨　　　　　　　　　　　　　余华青　张廷皓

刘勰前后期思想"存在原则分歧"吗？

　　——和王元化同志商榷　　　　　　　　　　　　　马宏山

谈辽金元"烧饭"之俗　　　　　　　　　　　　　　　陈　述

论契丹族的婚姻制度　　　　　　　　　　　　向　南　杨若薇

"粪种"解　　　　　　　　　　　　　　　　　　　　黄中业

落下闳与黄门老工考 　　　　　　　　　　　　　　鲁子健

《明史纪事本末》一勘 　　　　　　　　　　　　　　刘毅翔

巴西会议是什么时候召开的？ 　　　　　　　　　　王廷科

达契亚文明与达契亚国家的形成 　　　　　　　　　陆象淦

中泰关系史上的一个疑案

　　——关于素可泰国王坤兰甘亨是否访问过中国的问题

　　　　　　　　　　　　　　　　　　　　　　　　邹启宇

一部新出的拿破仑传记

　　——评介让·蒂拉尔的《拿破仑》 　　　　　　端木正

## 1980 年第 6 期

中国近代史上的革命与改良 　　　　　　　　　　　陈旭麓

要恰当地评价洋务运动的积极作用

　　——答徐泰来同志 　　　　　　　　黄逸峰　姜　铎

学术讨论需要好的风气 　　　　　　　　　　　　　柏　绿

武汉工人纠察队交枪事件的考察 　　刘继增　毛　磊　袁继成

民元前后的江亢虎和中国社会党 　　　　　　　　　曾业英

关于苏俄两次对华宣言和废除中俄不平等条约问题

　　——兼答苏联学者 　　　　　　　　　　　　　方　铭

论魏晋南北朝的坞壁 　　　　　　　　　　　　　　赵克尧

唐代户口的分布与变迁 　　　　　　　　　　　　　黄盛璋

论明清之际云南“废贝行钱”的原因 　　　　　　　杨寿川

徐光启研究农学历程的探索 　　　　　　　　　　　胡道静

《明史·赵南星传》勘误一则 　　　　　　　　　　赵云林

噶尔丹“服毒自杀”说辨伪 　　　　　　　　　　　吕一燃

韩山童、刘福通首义颍州考 　　　　　　　　　　　邱树森

幕末日本人西洋观的变迁 　　　　　　　　　　　　王家骅

近代欧洲汉学家的先驱马尔蒂尼 　　　　　　　　　马　雍

试论博克尔的史学 ……………………………………… 谭英华

介绍孙中山《致郑藻如书》 ……………………………… 黄　彦

《历史研究》1980 年总目

# 1981 年第 1 期

应该重新探讨摩尔根的原始社会分期法 ………………… 时佑平

试论西欧从奴隶社会向封建社会的过渡

　　——与胡玉堂先生商榷 …………………… 程　纯　沈敏华

也谈素可泰国王来访问题 ………………………………… 尚　芳

关于义和团的"奉旨造反"及其他

　　——与王致中同志商榷 ………………………… 孙祚民

义和团几个问题的辨析 …………………………………… 陈振江

论"滦州兵谏"和"士官三杰" …………………………… 董方奎

红军长征几个史实的考证 ………………………………… 王廷科

黎元洪是怎样被拥立为都督的? ………………………… 皮明庥

"狼沟浦"考订 …………………………………………… 陈金渊

十三种《食货志》介绍 …………………………………… 梁方仲

唐代两税法杂考 …………………………………………… 黄永年

辽代契丹和汉族及其他民族的经济文化联系 …………… 岑家梧

元好问与蒙古国关系考辨 ………………………………… 黄时鉴

元代诈马宴新探 …………………………………………… 韩儒林

日本反封建思想家安藤昌益 ……………………………… 米庆余

东北地区中日关系史讨论会简介 ……… 关　捷　孙克复　董守义

关于中世纪阿拉伯文化的几个问题

　　——兼评苏联科学院《世界通史》的有关章节 …… 方卓然

一本内容充实形式新颖的历史地图集

　　——《中国史稿地图集》上册评介 ………… 刘寅年　卢运祥

盛宣怀档案中关于"东南互保"的资料

## 1981 年第 2 期

中西封建专制制度的比较研究 　　　　　　　　　　　庞卓恒

试论中国封建社会长期延续的原因 　　　　　　　　　刘　昶

论一些民族直接过渡到封建社会的原因和共同特征 　　王正平

关于中共"二大"代表和中央委员名单的考证 　　　　徐世华

第一次国共合作统一战线的形成 　　　　　肖　甡　姜华宣

悼念顾颉刚先生 　　　　　　　　　　　　　　　　　白寿彝

四川省积极开展地方史研究 　　　　　　　　　　　　王　青

太平天国革命对日本的影响 　　　　　　　　　　　　王晓秋

在美国的华裔妇女 　　　　　　　　　　　沈瑷璨　史　嵩

"太平玉玺"的读法 　　　　　　　　　　　　　　　王庆成

东、西捻军究竟于何时何地分军？ 　　　　　　　　　郭豫明

《六十年来中国与日本》第五卷勘误一则 　　　　　　石　楠

柔然源于杂胡考 　　　　　　　　　　　　　　　　　曹永年

明中叶东南地区徭役制度的变革 　　　　　　　　　　唐文基

清代目录学成就浅述 　　　　　　　　　　　　　　　来新夏

从制糖史谈石蜜与冰糖 　　　　　　　　　　　　　　李治寰

关于《文心雕龙》的"神理"、"玄圣"及其他 　　　韩蓝田

论俾斯麦在德国统一中的作用 　　　　　　　　　　　丁建弘

文艺复兴时期西欧的史学 　　　　　　　　　　　　　郭圣铭

新发现的太平天国告谕三件

关于新发现的太平天国三件告谕的考释 　　　　　　　郭存孝

## 1981 年第 3 期

从《春秋》"称人"之例再论亚洲古代民主政治 　　　日　知

西学在封建末期的中国与日本 　　　　　　吕万和　罗澍伟

罗马和汉代奴隶制比较研究 　　　　　　　　　　马克垚

日本古代部民的性质

　　——兼论日本未经历奴隶制社会 　　　　　　王金林

都来重视造就史学新人（短评） 　　　　　　本刊评论员

太平天国研究的历史和方法 　　　　　　　　　　王庆成

如何看待太平天国的平均主义 　　　　　　　　　戎　笙

《天朝田亩制度》的经济背景及其性质

　　——关于农民平均主义的评价问题 　　　　　郭毅生

关于"考证"文章的意见 　　　　　　　　　　　陈忠龙

关于中国封建土地所有制的一些问题

　　——与胡如雷同志商榷 　　　　　　　　　　杨生民

试论均田制中永业田的性质 　　　　　　　　　　武建国

《六韬》的成书及其内容 　　　　　　　　　　　张　烈

清代著名皇商范氏的兴衰 　　　　　韦庆远　吴奇衍

虞洽卿简论 　　　　　　　　　　　丁日初　杜恂诚

一则史实的订正

　　——读《俄国在满洲》新译本 　　　　　　　杨诗浩

七世纪中大食进兵阿姆河北的年代 　　　　　　　宋　岘

评研究克伦威尔的史学 　　　　　　　　　　　　王觉非

菲律宾华侨将军刘亨赙生平事迹考 　　　　周南京　郑炳山

## 1981 年第 4 期

关于白区的党和群众工作 　　　　　　　　　　　刘少奇

吴玉章自传

关于"农村包围城市"道路的理论形成过程 　　　佟玉民

中央苏区第四次反"围剿"战争始末

　　　　　　　　　　　韩荣璋　肖裕声　杜魏华

《中华民国史》第一编序言 　　　　　　　　　　李　新

辛亥革命史研究中的一个问题 　　　　　　　　　　章开沅

孙中山的革命活动与日本
　　——兼论宫崎寅藏与孙中山的关系 　　　　　　周一良

孙中山对外关系中的几件史料 　　　　　　　　　张振鹍辑译

对十九世纪五十年代中外关系的一点看法
　　——太平天国失败原因辨析 　　　　　　　　　　茅家琦

十九世纪中叶东方国家的上层改革活动 　　　　　　何芳川

再论《道光洋艘征抚记》的祖本和作者 　　　　　　姚薇元

广州十三行续探 　　　　　　　　　　　　　　　　彭泽益

吴明炫和吴明烜 　　　　　　　　　　　　　　　　闵承启

中国封建社会的经济结构与资本主义萌芽 　　　　　方　行

明初全国土田面积考 　　　　　　　　　　　　　　王其榘

金代女真"牛头地"问题研究 　　　　　　　　　　张博泉

唐代前期的兵募 　　　　　　　　　　　　　　　　唐耕耦

释"武王伐纣前歌后舞" 　　　　　　　　　　　　汪宁生

《明史·袁崇焕传》勘误二则 　　　　　　　　　　颜　燕

从邯郸刻石看胜保招降的历史伪案 　　　　　　　　程绍海

意大利汉学家卫匡国墓地考 　　　　　　　　　　　徐明德

翻译外国著作要认真校订
　　——《帝国主义在满洲》汉译本读后 　　　　　　元　望

# 1981 年第 5 期

辛亥革命中的反帝、民主、工业化问题 　　　　　　胡　绳

辛亥革命与江浙资产阶级 　　　　　　　　　　　　章开沅

上海光复和沪军都督府 　　　　　　　　　　　　　吴乾兑

介绍《孙中山全集》第一卷 　　　　　　　　　　　黄　彦

建国以来出版的辛亥革命史资料述略 　　　刘德麟　何双生

论我国农业的社会主义改造 　　　　　　　　　　　刘裕清

明清封建专制政权对资本主义萌芽的阻碍　　　　　　洪焕椿

论东晋南北朝道教的变革与发展　　　　　　　　　　刘　琳

唐代监察制度述论　　　　　　　　　　徐连达　　马长林

《太玄》创作年代考　　　　　　　　　　　　　　　束景南

中世纪西欧的政权、教权与封建制度　　　　　　　　胡玉堂

凯末尔和凯末尔主义　　　　　　　　　　　　　　　彭树智

库页岛在历史上的归属问题　　　　　　　　　　　　薛　虹

光华医专不是帝国主义办的　　　　　　　　　　　　陈智超

来函照登　　　　　　　　　　　　　　　　　　　　孙祚民

## 1981 年第 6 期

春秋战国时"信"观念的演变及其社会原因　　　　　阎步克

唐代的手实、户籍与计帐　　　　　　　　　　　　　宋家钰

卜辞中贵妇的社会地位考述　　　　　　　　　　　　郑慧生

嘎仙洞拓跋焘祝文石刻考　　　　　　　　　　　　　佟柱臣

论阻卜与鞑靼之异同　　　　　　　　　　　　　　　余大钧

中国封建社会的典型性与长期延续原因　　　　　　　刘修明

中国和日本棉纺织业资本主义萌芽的比较研究　　　　徐新吾

辨有特色　析有新意

　　——评赵光贤著《周代社会辨析》　　　　　　　张作耀

论清代后期江浙皖三省原太平天国占领区土地关系的变化　李文治

方伯谦被杀是一桩冤案吗?

　　——与季平子同志商榷　　　　　　　　　　　　戚其章

史学大师王国维　　　　　　　　　　　　　　　　　周传儒

试论陈独秀与托派的关系　　　　　　　　　　　　　唐宝林

改组派初探　　　　　　　　　　　　　　　　　　　刘建皋

近代华工在南非　　　　　　　　　　　　　　　　　艾周昌

中国与墨西哥的首次立约建交及其影响　　　沙　丁　杨典求

《历史研究》1981 年总目

# 1982 年第 1 期

近代西方科技的引进及其影响 …………………………………… 叶晓青
论郑官应 …………………………………………………………… 汪　熙
从戊戌到辛亥梁启超的民主政治思想 …………………………… 王好立
武昌首义中的武汉商会和商团 …………………………………… 皮明麻
论土地革命战争时期我党对私营工商业政策的
　演变过程 ………………………………………………………… 何秉孟
从两种小生产的转化看中国封建社会的长期延续 ……………… 陈家泽
中国封建社会长期延续原因讨论撮述 ………………………… 田居俭整理
关于产生资本主义的"历史必然性"问题
　——对马克思给查苏利奇的信的理解 ………………………… 陈启能
一张有关印度制糖法传入中国的敦煌残卷 ……………………… 季羡林
王著《魏晋南北朝史》评介 ……………………………………… 袁英光
两宋户籍制度问题 ………………………………………………… 穆朝庆
袁崇焕籍贯考 ……………………………………………………… 阎崇年
车书本一家
　——订正一则有关唐代渤海史料的传讹 ……………………… 孙玉良
美国殖民地时代的议会制度 ……………………………………… 刘祚昌
古代印度的种姓制度与奴隶
　——与崔连仲同志商榷 ………………………………………… 张　毅
谈地名学与历史研究 ……………………………………………… 史为乐

# 1982 年第 2 期

关于喀喇汗王朝的起源及其名称 ………………………………… 魏良弢
阿波可汗是西突厥汗国的创始者
　——兼论突厥汗国的分裂与西突厥汗国的形成 ……………… 王　谋

战士·学者·良师
　　——悼念尚钺同志　　　　　　　　　　　　戴　逸
栏目的设置、文章的评价及其他　　　　　　　　米庆余
要抓住史学研究中的重要问题　　　　　　　　　戚其章
请为《介绍〈孙中山全集〉第一卷》勘误数处　　黄　彦
试论川路租股　　　　　　　　　　　　　　　　鲜于浩
武昌起义后的农村变动　　　　　　　　　　　　李喜所
黄兴在辛亥武昌首义以后　　　　　　黄　乃　安　琳
湘鄂西苏区土地革命政策的几个特点　　　　　　古　堡
《兴国土地法》对《井冈山土地法》的一个原则改正　金普森
"九道"概述　　　　　　　　　　　　　　　　王胜利
"台湾"名称由来考略　　　　　　　　　　　　邵　秦
火佃新探　　　　　　　　　　　　　　　　　　刘重日
《小屯南地甲骨》中所发现的若干重要史料　　　陈邦怀
司徒雷登一九四六至一九四八年致美国国务卿的
　　若干电文　　　　　　　　　　　　　　叶笃义译注
日耳曼农村公社的瓦解与自由农民农奴化　　　　尹　曲
论日本奴隶制向封建制的过渡　　　　张玉祥　禹硕基
但泽危机和英德关系　　　　　　　　　　　　　陈　石
勇于探索　不尚空谈
　　——评介《世界上古史纲》（下册）　　　　安长春

# 1982 年第 3 期

大顺用兵北京试论　　　　　　　　　　　　　　李宝臣
关于北宋官田私田化政策的若干问题　　　　　　葛金芳
《探微集》述略
　　——纪念郑天挺先生　　　　　　杨志玖　冯尔康
中国史学会首次学术年会筹备工作会议纪要

亚细亚生产方式与国家　　　　　　　《世界上古史纲》编写组
论麦哲伦　　　　　　　　　　　　　　　　　　严中平
吴禄贞是"立宪派"吗?　　　　　　　　　　　　吴忠亚
太平军二破江南大营战役研究　　　　　　　　　沈渭滨
评太平军二次西征的"最佳方略"　　　　　　　　苑书义
太平天国失败后江南农村经济变化的再探讨　　　刘　耀
对《一张有关印度制糖法传入中国的敦煌残卷》的
　　一点补充　　　　　　　　　　　　　　　　季羡林
对《史学大师王国维》一文的几点补正　　　　　冯佐哲
谁是坎儿井的创造者?
　　——兼辨大宛国式师城　　　　　　　　　　常　征
唐代后期云南安抚司（南诏）地理考说　　　　　方国瑜
金代女真族俗述论　　　　　　　　　　　　　　宋德金
略论海上"丝绸之路"　　　　　　　　　　　　陈　炎
中国禅僧东渡日本及其影响　　　　　　　　　　夏应元
明初空印案发生年代考　　　　　　　　　　　　陈梧桐

# 1982 年第 4 期

谈古籍的普查和情报　　　　　　　　　　　　　胡道静
论与史的关系考察　　　　　　　　　　　　　　蒋大椿
驳卡尔·魏特夫的《东方专制主义》　　　　　　　吴大琨
应如何理解西欧"封建化"问题　　　　　　　　　马克垚
法国大革命在近代世界历史上的地位——比较研究
　　　　　　　　　　　　　　〔法〕阿尔贝·索布尔
论幸德秋水　　　　　　　　　　　　　　　　　杨孝臣
李鸿章和轮船招商局　　　　　　　　胡　滨　李时岳
论外国资本对洋务企业的贷款　　　　　　　　　张国辉
洋务运动研究的回顾　　　　　　　　章鸣九　徐泰来

土地革命战争时期党的地权政策的演变　　　　　　陈文桂
强渡大渡河的红军勇士是多少个？　　　　　　　　杨得志
文成公主死于痘症　　　　　　　　　　　　　　　王　尧
读孙中山《祭陈其美文》　　　　　　　　　　　　朱宗震
"三保太监"名号的由来　　　　　　　　　　　　范中义
《社会主义神髓》的最早中译本　　　　蒋逸人　　戴盂桃
宋金贸易中争夺铜币的斗争　　　　　　　　　　　乔幼梅
研究明清社会经济史的重要碑刻资料　　　　　　　宋元强
清代两淮盐商的奢侈性消费及其经济影响　　　　　萧国亮
《西夏史稿》读后　　　　　　　　　　　　　　　蔡美彪
清史研究的新成果：《清朝开国史研究》　　　　　思　斌
一本研究北洋舰队的专史：《北洋舰队》　　　　　张　明
论文摘要（6篇）
中华民国史研究简况　　　　　　　　　　　　　　朱信泉
《史学概论》年底出版　　　　　　　　　　　　　瞿林东
《历史科学概论》印出试用本　　　　　　　　　　段启增
关于原始社会一些问题的讨论
美国史研究会举行第三届年会　　　　　徐以骅　　倪　亭
《世界史纲》在编写中　　　　　　　　　李植枏　　安长春

## 1982 年第 5 期

满铁史概述　　　　　　　　　　　　　　　　　　苏崇民
西原借款与寺内内阁的对华策略　　　　　　　　　裴长洪
论"中体西用"　　　　　　　　　　　　　　　　陈旭麓
关于章炳麟政治立场转变的几篇佚文　　　　　　　骆宝善
《中国新民主主义革命史》（多卷本）序言
　　和第一卷结束语　　　　　　　　　　李　新　　陈铁健
新知书店的战斗历程　　　　　　　　　　　　　　徐雪寒

中国封建主义研究方法论问题讨论会综述

　　　　　　　　　　　　《历史研究》《晋阳学刊》记者

十五至十七世纪中西航海贸易势力的兴衰　　　　　　杨翰球

略论伏尔泰的史学家地位　　　　　　　　　　　　　张广智

再谈"波士顿茶会"　　　　　　　　　　　　　　　杨宗遂

明代徽商程锁家世考述　　　　　　　　　　　　　　刘和惠

《居延汉简甲乙编》释文补正举隅　　　　谢桂华　李均明

范文程简论　　　　　　　　　　　　　　　　　　　金成基

清初垦荒政策及地权分配情况的考察　　　　　　　　江太新

中国先秦史学会成立　　　　　　　　　　　　　　　陈　力

辽金史研究会举行第一次学术讨论会　　　　　　　　景　爱

山西票号学术讨论会在太原举行　　　　　　　　　　金科言

满铁史资料及其研究概况　　　　　　　　　　　　　石　学

国外报刊译载《历史研究》发表的论文　　　　　　　段启增

严谨探研的硕果：《中国史探研》　　　　　　　　　王恒杰

充实郑观应研究的一本著作：《郑观应传》　　　　　乔还田

论文摘要（6篇）

## 1982 年第 6 期

试论历史与现实的联系与区别　　　　　　　　　　　孙思白

略论我国封建社会各阶级人口增长的不平衡性　　　　葛剑雄

曹操主持开凿的运河及其贡献　　　　　　　　　　　黄盛璋

唐代民族政策初探　　　　　　　　　　　　　　　　熊德基

唐太宗民族政策的局限性　　　　　　　　　　　　　胡如雷

也释《汉书》"日有九道"和"月有十九道"　　　　薛理勇

对"封民"的一点补充意见　　　　　　　　　　　　段鼎周

清廷对吉林边疆少数民族地区的统治　　　　杨余练　关克笑

太平天国上帝的"大家庭"和"小家庭"　　　　　　王庆成

皖系军阀与日本帝国主义的关系　　　　　　　　章伯锋

"郑成功研究"学术讨论会述评　　　　　　　　孔　立

日本京都大学的五四运动研究　　　　　　　　张契尼

全国清史学术讨论会在北戴河举行　　　　　　薛瑞录

中国日本史学会在沈阳举行第二次年会　　　　姜　伟

新编《中国资本主义萌芽问题论文集》即将出版　骆宏路

"商队茶"考释　　　　　　　　　　　　　　蔡鸿生

法国大革命史编纂学中的进步传统　　　　　　王养冲

试述日本讨幕派　　　　　　　　　　　　　　伊文成

论太平洋战前美国远东战略及其演变　　王斯德　李巨廉

一册珍贵的辽文总集:《全辽文》　　　　　　宋德金

一部有价值的资料书:《辛亥革命时期期刊介绍》

　　　　　　　　　　　(第一集)　　　　　吕　涛

元代的重要蒙文文献:《十善福白史册》　　　纳古单夫

论文摘要（6篇）

《历史研究》1982年总目

## 1983 年第 1 期

努力开创历史研究的新局面　　　　　　　本刊评论员

西学输入和中国传统文化　　　　　　　　　叶晓青

利玛窦在中国的活动与影响　　　　　　　　林金水

十九世纪中日资本主义现代化成败原因浅析　丁日初　杜恂诚

百越民族考　　　　　　　　　　　　　蒙文通遗著

《羌族史稿》序　　　　　　　　　　　　　徐中舒

隋唐之际地主阶级的局部更新　　　　　　　汪征鲁

唐宋之际农民阶级内部构成的变动　　　　　葛金芳

论清代前期我国国内市场　　　　　　　　　吴承明

西欧封建社会延续时间较短的根本原因　　　庞卓恒

谈玛雅文明的起源 ............................................ 胡春洞

日本史学新流派析 ................................ 沈仁安 宋成有

蔡锷与"二次革命" ............................................ 曾业英

试论八七会议到"六大"的工作转变 ............................ 金再及

中国现代史学会一九八二年年会学术讨论综述 .................... 须 立

全国洋务运动史学术讨论会简况 ................................ 魏伍祖

三年来楚史研究简介 .......................................... 雷维鼎

宋史研究会举行第二次年会 .................................... 古 言

上海将影印出版《徐光启遗著》 ................................ 施宣圆

《近三百年人物年谱知见录》即将出版 .......................... 敬 一

## 1983 年第 2 期

马克思主义与中国历史学 ...................................... 黎 澍

历史是多样性的统一 .......................................... 丁伟志

历史学与马克思唯物史观的形成 ................................ 蒋大椿

扶桑国猜想与美洲的发现 ...................................... 罗荣渠

地理环境和社会发展 .......................................... 王正平

富有年鉴学派特色的《旧制度法国历史词典》 .................... 端木正

也谈中国封建土地所有权的主要标准 ............................ 李燕捷

幽州刺史墓考略 .............................................. 刘永智

科举制起源辨析 .............................................. 何忠礼

喀喇汗王朝起源回鹘说补证 .................................... 魏良弢

辽金"二税户"研究 .......................................... 张博泉

清代福建人口向台湾的流动 ........................ 林仁川 王蒲华

匈奴龙城考辨 ................................................ 汪维懋

《宋书》《氐胡传》与《萧思话传》记时辨误 .................... 杨耀坤

陶行知生年考 ................................................ 周洪宇

民间宗教与义和团揭帖 ........................................ 程 歗

曾国藩洋务思想的形成、性质和作用　　　　　　　　王少普
试论大革命时期的土地斗争　　　　　　　郭德宏　梁尚贤

## 1983 年第 3 期

西周春秋金文中的诸侯爵称　　　　　　　　　　　　王世民
略论秦汉时期的园圃业　　　　　　　　　　　　　　余华青
汉魏之际的青徐豪霸问题　　　　　　　　　　　　　田余庆
关于西晋占田、课田制的几个问题　　　　　　　　　高　敏
唐代课户、课口诸比例释疑　　　　　　　　　　　　唐耕耦
论宋元地方志书　　　　　　　　　　　　　　　　　黄　苇
对《唐宋之际农民阶级内部构成的变动》两条材料的辨正　杨　明
国外有关中国资产阶级研究概述

　　　　　　　　　张仲礼　潘君祥　李荣昌　钱小明
鸦片战争前广州新兴的轻纺工业　　　　　　　　　　彭泽益
试析咸丰帝拒绝"借师助剿"的原因　　　　　　　　茅家琦
《中华民国临时约法》起草人辨正　　　　　　　　　张亦工
土地革命中阶级政策的变化与共产国际的关系

　　　　　　　　　　　　赵增延　赵效民　李炳俊
美英在拉美的争夺与门罗宣言的产生　　　　　　　　王　玮
日本早期封建制的几个特点　　　　　　　　　　　　刘　毅
清末英国为南非金矿招募华工始末　　　　　　　　　彭家礼
本刊举办优秀文章评奖启事

## 1983 年第 4 期

关于中国近现代历史分期问题　　　　　　　　　　　李　新
二十世纪初期中国资本主义发展的概况与特点　　　　樊百川
略论中国现代资产阶级民主运动　　　　　　　　　　王金铻

评胡适的历史学成就及其理论和方法　　　　　　　耿云志

国内史学界关于近代中国资产阶级的研究

　　　　　　　　　　　本刊编辑部近现代史编辑室整理

当前西方史学界研究中国地方史的趋势　　　〔美〕艾　恺

试论"通史家风"　　　　　　　　　　　　　　许凌云

观测实践与我国古代立法的演进　　　　　　　　　陈美东

唐代藩镇类型及其动乱特点　　　　　　　　　　　张国刚

《旧五代史》辑补　　　　　　　　　　　　　　　张　凡

台湾与大陆大小租契约关系的比较研究　　　　　　杨国桢

乌兰布通之战考察　　　　　　　　　　　　　　　袁森坡

青年阿富汗派的历史作用　　　　　　　　　　　　彭树智

一九三七至一九四一年美国的对德政策　　　　　　陈　兼

关于中世纪英国农民生活状况的估算　　　　　　　马克垚

应对封建社会农民状况多做具体估算　　　　　　　庞卓恒

# 1983 年第 5 期

关于改进研究中国资产阶级方法的若干意见　　　　章开沅

再论中国资本主义和资产阶级的产生　　　　　　　汪敬虞

鸦片战争时期的中英兵力　　　　　　　　　　　　茅海建

中法战争中的张之洞　　　　　　　　　　　　　　唐上意

戊戌维新与中国近代思想文化史　　　　　　　　　李　侃

斯人离世去　业绩在人间

　——悼念尹达同志　　　　　　　　　杨向奎　张政烺

中国封建地主阶级的形成和演变　　　　　漆　侠　高树林

中国封建社会前期地主阶级剖析　　　　　　　　　田昌五

汉代豪强经济的历史地位　　　　　　　　　　　　杨一民

宋代女口考辨　　　　　　　　　　　　　　　　　李德清

明代徽州田契研究　　　　　　　　　　　刘和惠　张爱琴

明代的铺户及其买办制度　　　　　　　　　　　　唐文基

"度支使"与"支度使"　　　　　　　　　　　　　齐勇锋

隋唐金吾之职掌　　　　　　　　　　　　　　　　杨鸿年

租庸调法的"庸"何时制度化?　　　　　　　　　冯尔康

五十年代初期美国的对华政策

　　——杜勒斯的外交权术与吉田信件的由来　　〔美〕田　浩

一九一〇年墨西哥革命的性质　　　　　　　　　　冯秀文

论印度柴明达尔地权制度　　　　　　　　　　　　黄思骏

# 1983 年第 6 期

毛泽东与中国历史学　　　　　　　　　刘茂林　陈耀辉

李大钊对袁世凯的认识过程　　　　　　　　　　　朱成甲

春秋时期楚国的平民阶层　　　　　　　　　　　　程涛平

"汉以孝治天下"发微　　　　　　　　　　　　　刘修明

论郦学研究及其学派的形成与发展　　　　　　　　陈桥驿

唐代两京驿路考　　　　　　　　　　　　　　　　王文楚

明清时期"六经皆史"说的社会意义　　仓修良　夏瑰琦

《中国古代史分期讨论五十年》读后　　　　　　　项观奇

读《越史丛考》　　　　　　　　　　　　　　　　陈玉龙

斯巴达早期土地制度考　　　　　　　　　　　　　王敦书

工业革命与英国社会的近代化　　　　　潘润涵　张执中

岩仓使团与日本近代化　　　　　　　　　　　　　孙　承

中日两国缫丝手工业资本主义萌芽比较研究　徐新吾　韦特孚

吴禄贞组织的"立宪军"一词的出处　　　　　　　董方奎

"近代中国资产阶级研究"讨论会综述　　杨立强　沈渭滨

论晚清的国家资本主义　　　　　　　　丁日初　沈祖炜

试论洋务派官督商办企业的性质与作用　　　　　　汪　熙

"宦官"与"太监"　　　　　　　　　　　　　　王　硕

《历史研究》1983 年总目

# 1984 年第 1 期

世界历史上的农本与重商      吴于廑

古代印度沙糖的制造和使用      季羡林

唐代的书仪与中日文化关系      周一良

说"成一家之言"      白寿彝

商族的来源地望试探      王玉哲

西周中央政权机构剖析      杨 宽

隋唐五代的书法

    ——《隋唐五代史》之一章      王仲荦

再论《天朝田亩制度》      罗尔纲

论郭嵩焘      钟叔河

同盟会领导的武装起义二题      金冲及

马克思主义对历史学的要求      黎 澍

文与史      李 新

关于古代史的几个理论问题      何兹全

经学与史学      金景芳

开创我国美国史研究新局面的浅见      黄绍湘

# 1984 年第 2 期

论轮台诏      田余庆

泛论唐末五代的私兵和亲军、义儿      谷霁光

三十卷本《陈龙川文集》补阙订误发覆      邓广铭

河南浚县大伾山西部古河道考      史念海

清末士大夫思想演变的缩影

    ——读《忘山庐日记》      李 侃

关于中法战争几个问题的初步探索 　　　　　　　丁名楠

略论中国资本主义产生的历史条件 　　　　　　　汪敬虞

我国半殖民地半封建国内市场 　　　　　　　　　吴承明

中国近代史主要线索及其标志之我见 　　　　　　李时岳

对史学研究的几点管见 　　　　　　　　　　　　韩国磐

谈历史人物的研究 　　　　　　　　　　　　　　程应镠

百年来关于国家起源史研究的实际和理论 　　　　日　知

莫斯科国家封建土地制度的变革 　　　　　　　　朱　寰

十八世纪法国的启蒙运动 　　　　　　　　　　　王养冲

三十年代英国的重整军备与绥靖外交 　　　　　　齐世荣

关于开辟第二战场的一些浅见 　　　　　　　　　石　磊

本刊第一届优秀文章获奖名单

## 1984 年第 3 期

我对中国社会史的研究 　　　　　　　　　　　　侯外庐

什么是历史科学理论

　　——历史科学理论学科建设探讨之一 　　　　宁　可

有关开创世界史研究新局面的几个问题 　　　　　罗荣渠

民族运动与中国近代史的基本线索 　　　　　　　章开沅

汉冶萍公司所借日债补论 　　　　　　　　　　　代　鲁

北伐纪实 　　　　　　　　　　　　　　　　　　肖劲光

关于唐代登科记的考索 　　　　　　　　　　　　傅璇琮

突骑施汗国的兴亡 　　　　　　　　　　　　　　薛宗正

元代回回人的政治地位 　　　　　　　　　　　　杨志玖

一位辛勤耕耘的史学家

　　——纪念吴晗诞生七十五周年、逝世十五周年

　　　　　　　　　　　　　　　苏双碧　　王宏志

西进在美国经济发展中的作用 　　　　　　　　　何顺果

评价美国西进运动的几个问题　　　　　　　　　　　　张友伦
"中国封建地主阶级研究"学术讨论会述要　　　宋元强　高世瑜

## 1984 年第 4 期

史与论　　　　　　　　　　　　　　　　　　　　　　李　新
中国近代史的"两个过程"及有关问题　　　　　　　　张海鹏
失败者的探索
　——1913—1915 年间关于中国如何实现民主政治的
　　讨论　　　　　　　　　　　　　　　　　　　　徐宗勉
"四·一二"反革命政变与帝国主义关系再探讨　　　　沈　予
从福建侨乡族谱看南洋华侨史的若干问题　　　　　　林金枝
中国田客制、部曲制与英国维兰制的比较研究　　　　姜伯勤
试论法国历史上的圈地运动　　　　　　　　　　　　尤天然
中国和拉丁美洲的早期贸易关系　　　　　　沙　丁　杨典求
二进位制数学创始者辨正　　　　　　　　　　　　　焦树安
本刊举行茶会庆祝创刊三十周年　　　　　　　　　　任　简
唐代士族、庶族问题讨论会综述　　　　　　阎守诚　赵和平整理
中国封建地主阶级产生的两条途径　　　　　　　　　林剑鸣
蜀汉"南中"政策二三事　　　　　　　　　　　　　黎　虎
隋代均田制研究　　　　　　　　　　　　　　　　　翁俊雄
宋元和明初的马球　　　　　　　　　　　　　　　　陈高华
《宋会要辑稿》的前世现世和来世　　　　　　　　　陈智超

## 1984 年第 5 期

李鸿章与维新运动　　　　　　　　　　　　　　　　苑书义
买办与洋务企业　　　　　　　　　　　　　丁日初　杜恂诚
从《商务叹》看郑观应对官督商办的态度　　　　　　徐元基

文笔·论笔·史笔　　　　　　　　　　　　　　　　　李　新

论历史的创造及其他　　　　　　　　　　　　　　　黎　澍

梁启超对历史发展规律的探索　　　　　　　　　　　刘振岚

殷周的外服及其演变　　　　　　　　　　　　　　　王冠英

战国时期楚封君初探　　　　　　　　　　　　　　　何　浩

论《通典》的方法和旨趣　　　　　　　　　　　　　瞿林东

清代前期小农经济的再生产　　　　　　　　　　　　方　行

自贡盐业的发展及井灶经营的特点　　　　　　　　　彭泽益

中国古代生产技术在日本的传播和影响　　　戴　禾　张英莉

《东华录》作者新证　　　　　　　　　　　　　　　傅贵九

敦煌藏文写卷 P. T. 1083、1085 号研究

　　——吐蕃占有敦煌时期的民族关系探索　　王　尧　陈　践

《乌尔纳姆法典》和乌尔第三王朝早期社会　朱承思　董为奋

# 1984 年第 6 期

太平革命以前中国经济、社会、政治的分析　吴玉章　林伯渠

历史地理学的巨大成果　　　　　　　　　　　　　　蔡美彪

刘裕与晋宋之际的寒门士族　　　　　　　　　　　　陈　勇

论元代的吏员出职制度　　　　　　　　　　　　　　许　凡

《科举制起源辨析》之商榷　　　　　　　　　　　　金旭东

关于科举制起源的几点意见　　　　　　　　　　　　周东平

也谈中国近代历史前进发展的线索

　　——与张海鹏同志商榷　　　　　　　　　　　张耀美

十九世纪六十年代外国在华洋行势力的扩张　　　　　聂宝璋

正气会及其《会序》三题　　　　　　　　　　　　　胡珠生

第一届国会的建立及阶级结构　　　　　　　　　　　张亦工

从"九·一八"到"八·一三"国民党政府对日政策的

　　演变　　　　　　　　　　　　　　　　　　　郭大钧

三十五年来我国史学界关于印度史若干重大问题的
　　争论　　　　　　　　　　　　　　　　　黄思骏
美国工厂制确立年代质疑　　　　　　　　　　冯承柏
关于 1942 年能否开辟第二战场之我见
　　——与石磊、金重远同志商榷　　　　　　阎来恩
《历史研究》1984 年总目

# 1985 年第 1 期

《中国经济史长编》序言　　　　　　蔡元培　马寅初
中国封建社会的特点　　　　　　　　　　　　王仲荦
试论汉代西南民族中的"夷"与"羌"　　　　蒙　默
关于方以智和中国传统哲学思想的讨论　杨向奎　冒怀辛
清代前期福建地主经济的若干特点　　　　　　林祥瑞
关于忠王宝剑的若干问题
　　——与罗尔纲先生商榷　　　　　　〔英〕柯文南
中国传统文化在近代　　　　　　　　　　　　叶晓青
近代中国文化结构的变化　　　　　　　　　　龚书铎
论张元济　　　　　　　　　　　　　　　　　李　侃
封建社会历史比较研究的几个问题　　　　　　庞卓恒
西欧封建城市初论　　　　　　　　　　　　　马克垚
加尔文的"预定论"与资产阶级
　　——兼与马丁·路德"唯信称义"说比较　于　可
中国抗日根据地历史国际学术讨论会综述　张洪祥　左志远整理

# 1985 年第 2 期

提倡学术自由　繁荣历史科学
　　——首都部分史学工作者座谈会纪要　陈文桂　王　和

略论丹东 　　　　　　　　　　　　　　　　　张芝联

罗伯斯庇尔早期生活研究 　　　　　　　　　　陈崇武

评介《拿破仑评传》 　　　　　　　　　　　　王养冲

评麦哲伦 　　　　　　　　　　　孙光圻　唐盛德

《海经》新探 　　　　　　　　　　　　　　　何幼琦

关于商代称王的封国君长的探讨 　　　　　　　齐文心

魏晋南北朝的农奴制人身依附关系 　　　　　　黄佩瑾

《宋书·百官志》考异 　　　　　　　　　　　苏晋仁

论宋代相权 　　　　　　　　　　　　　　　　王瑞来

中国近代文化史首次学术讨论会纪要 　　史革新　吴　杰

《洋务运动史论文选》序 　　　　　　　　　　黎　澍

清政府与义和团关系辨 　　　　　　　　　　　林华国

十九世纪后半期中国票号业的发展 　　　　　　张国辉

杨杏佛简论 　　　　　　　　　　　　　　　　陈　崧

苏联"阴谋"文证《致驻华武官训令》辨伪 　　习五一

## 1985 年第 3 期

论历史研究的对象 　　　　　　　　　　　　　刘大年

中国经济史研究中的计量问题 　　　　　　　　彭泽益

近代经学的发展和消亡 　　　　　　　　　　　汤志钧

解井田制之谜 　　　　　　　　　　　　　　　田昌五

秦汉邮传制度考略 　　　　　　　　　　　　　高　敏

魏晋南北朝民族关系的几个理论问题 　　　　　黄　烈

唐代户等与田产 　　　　　　　　　　　　　　杨际平

唐代定户等赀中包括土地 　　　　　　　　　　李晓路

英国 1290 年买地法令的某些问题 　　　　　　张云鹤

十七世纪英国革命中平等派对选举权的主张 　　王觉非

论战后日本农地改革 　　　　　　　　　　　　邹有恒

近几年国内关于洋务运动的研究　　　　　　章鸣九　张亦工
国外洋务运动研究概述　　张仲礼　潘君祥　李荣昌　钱小明

# 1985 年第 4 期

略论夏商周帝王的称号及国家政体　　　　　　　　　唐嘉弘
唐玄宗崇道浅论　　　　　　　　　　　　　　　　　高世瑜
五代时期长江流域及江南地区的农业经济　　　　　　郑学檬
西辽时期汉文化对中亚的影响　　　　　　　　　　　魏良弢
明代流人在东北　　　　　　　　杨　旸　孙与常　张　克
清初剃发令的实施与汉族地主阶级的派系斗争　　　　陈生玺
关于《论历史的创造及其他》的信
　　——致黎澍同志　　　　　　　　　　　　　　　吴　江
章太炎是小资产阶级思想家　　　　　　　　　　　　林庆元
王国维的学问、思想及死因　　　　　　　　　　　　蔡尚思
论杨度
　　——《杨度集》代序言　　　　　　　　　　　　刘晴波
中国抗日战争在第二次世界大战中的地位和作用　　　齐世荣
纳粹党的崛起与德国小资产阶级　　　　　　张继平　吴友法
美国对华政策与“四·一二”政变的关系
　　——兼与沈予同志商榷　　　　　　　　　　　　牛大勇
洋务派不能承担发展中国资本主义的历史任务　　　　汪敬虞
试论大生纱厂的市场基础　　　　　　　　　　　　　林　刚

# 1985 年第 5 期

历史运动的层次和历史比较研究的层次　　　　　　　庞卓恒
商先起源于幽燕说　　　　　　干志耿　李殿福　陈连开
试论两汉豪强地主坞壁　　　　　　　　　　　　　　刘华祝

宋代官田包佃述论　　　　　　　　　　　　　　　　　杨康荪

蒲鲜万奴国号考辨　　　　　　　　　　　　　　　　　王慎荣

明代诸王分封制度述论　　　　　　　　　　　　　　　张德信

二进制数学创始者通辨　　　　　　　　　徐志锐　尹焕森

从明清之际的早期启蒙文化到近代新学　　　　　　　冯天瑜

戊戌维新派政治纲领的再探讨　　　　　　　　　　　宋德华

论辛亥革命时期的国粹主义史学　　　　　　　　　　胡逢祥

日本江户时代的农民境况　　　　　　　　　　　　　孙义学

法国封建社会农民的生活状况与社会发展的关系　　　王渊明

中国宋史国际学术讨论会述要　　　　　　蒋寿康　黄山松整理

中外封建社会劳动者生产生活状况比较研究讨论会

　　概述　　　　　　　　　　　　　　　许　好　左　衡整理

深入开展戊戌维新运动史研究

　　——部分史学工作者座谈《戊戌变法史》

　　　　　　　　　　　　　　　　　　张亦工　徐思彦整理

# 1985 年第 6 期

析"民本"

　　——对先秦至西汉"民本"思想的考察　　　　　邵　勤

唐律渊源辨　　　　　　　　　　　　　　　　　　　刘俊文

试论宋代"婚姻不问阀阅"　　　　　　　　　　　　张邦炜

宋代的茶叶生产　　　　　　　　　　　　　　　　　周　荔

从"三言"看明代奴仆　　　　　　　　　　　　　　南炳文

宦官三题

　　——王硕《"宦官"与"太监"》补正　　　　　何冠彪

焦达峰、陈作新被杀一案析疑　　　　　　傅志明　成晓军

关于中国近代史基本线索的几点意见　　　　　　　　戚其章

略论洋务企业的性质　　　　　　　　　　　　　　　姜　铎

洋务运动后期进步知识分子的改革思想　　　　　　　　章鸣九

洋务运动史第三次讨论会综述　　　　　　王　劲　张克非

四十年代后期中美关系史研究的动向　　　　　　　　　袁　明

"九一八"与"一二九"学生运动比较研究　　　　　　孙思白

古代中国与柬埔寨的海上交通　　　　　　　　　　　　赵和曼

甘地思想的整体性和独特性　　　　　　　　　　　　　彭树智

战后日本公务员制度的形成　　　　　　　　　　　　　田　桓

评《西欧封建经济形态研究》　　　　　　　　　　　　张云鹤

《历史研究》1985 年总目

# 1986 年第 1 期

编者的话

要重视和加强史学方法论研究　　　　　　　　　　　　吴廷嘉

历史研究的非线性化及其方法论问题

　　　——对近年来洋务运动史研究的一个检讨　　　　姜　进

史学理论的层次模式和史学多元化　　　　　　　　　　李开元

再评五种生产方式说　　　　　　　　　　　　　　　　胡钟达

西夏学研究的回顾与展望

　　　——兼评《文海研究》　　　　　　　　　　　　贾敬颜

柯文新著《在中国发现历史》评介　　　　　　　　　　林同奇

为《吴虞集》出版说几句话　　　　　　　　　　　　　唐振常

苻坚论略　　　　　　　　　　　　　　　　　　　　　韩国磐

"量出制入"与两税法的制税原则　　　　　　　　　　陈明光

辽朝"糺"之探讨　　　　　　　　　　　　　　　　　杨若薇

明清时代的地租　　　　　　　　　　　　　　　　　　李文治

鸦片战争后的"开眼看世界"思想　　　　　　　　　　潘振平

19 世纪后半期上海商业的演变　　　　　　潘君祥　陈立仪

论抗日战争　　　　　　　　　　　　　　　　　　　　李　新

中世纪英国农村的行政、司法及教区体制与农民的关系　徐　浩

## 1986 年第 2 期

自然科学的发展与历史唯物主义的形成　　　　　　蒋大椿
略论中国史学研究方法的变迁
　　——《中外封建社会劳动者状况比较研究论文集》
　　　　代序　　　　　　　　　　　　　　　　　田居俭
费尔南·布罗代尔的史学方法　　　　　　　　　　张芝联
中国新式企业的发动和封建势力的阻挠　　　　　　张国辉
辛亥革命时期孙中山的对外态度　　　　　　　　　王　笛
护国运动中的几种政治力量　　　　　　　　　　　金冲及
云南护国起义的酝酿与发动　　　　　　　　　　　曾业英
《龙云传》序言　　　　　　　　　　　　　　　　黎　澍
我国原始社会婚姻形态研究　　　　　　　　　　　李衡梅
西汉宰相制度变化的原因　　　　　　　　　　　　祝总斌
宋代商人的社会地位及其历史作用　　　　　　　　朱瑞熙
论徽商与封建宗族势力　　　　　　　　　　　　　唐力行
明代官绅优免和庶民"中户"的徭役负担　　　　　张显清
关于历史创造者问题的讨论　　　　　　　　　　徐思彦整理
关于抗日战争史研究的若干问题
　　——中国现代史学会学术讨论会综述　　　　王廷科整理
法国"新史学"简介　　　　　　　　　　　　　　金重远

## 1986 年第 3 期

"终极原因"与"相互作用"　　　　　　　　　　李振宏
现代化理论与历史研究　　　　　　　　　　　　　罗荣渠
关于"人民群众是历史的创造者"
　　——兼与黎澍同志商榷　　　　　　　　　　　郭瑞祥

历史的创造者和创造历史的动力
　　——答祝伟坡同志　　　　　　　　　　　　黎　澍
论洋务思潮　　　　　　　　　　　　　　　　　刘学照
苏州工商各业公所的兴废　　　　　　　　　　　唐文权
革命派、改良派的离合与清末民初政局　　　　　林增平
九一八事变后的胡汉民　　　　　　　　　　　　陈红民
邓拓与历史科学　　　　　　　　　　戴　逸　李　华
简论朗克与朗克史学　　　　　　　　　　　　　王晴佳
评台湾修订本《清代通史》　　　　　　　　　　江　地
《美国著名妇女人物辞典》简介　　　　　　　　文　颖
秦政、汉政与文吏、儒生　　　　　　　　　　　阎步克
东晋南朝侨姓世族之婚媾
　　——陈郡谢氏个案研究　　　　　　　　　　叶妙娜
高昌火祆教论稿　　　　　　　　　　　　　　　王　素
宋代婚姻论财　　　　　　　　　　　　　　　　方建新
张损之并非隋代进士　　　　　　　　　　　　　何忠礼

# 1986 年第 4 期

《历史研究》的创刊与"百家争鸣"方针的提出　　刘大年
用系统科学方法使历史科学定量化　钱学森　沈大德　吴廷嘉
要从战略学的高度研究农民战争
　　——从《唐末农民战争战略初探》谈起　　　杨　柄
近二十年的苏联史学理论　　　　　　　　　　　于　沛
民初"服制改革"对苏州丝织业的影响　　　　　王　翔
护国运动时期商人心理研究　　　　　　　　　　莫世祥
试论中国银行与北洋政府的矛盾　　　　　　　　邓先宏
周学熙资本集团的垄断倾向　　　　　　　　　　盛　斌
林乐知与《中国教会新报》　　　　　　　　　　陈　绛

商朝官制及其历史特点　　　　　　　　　　　　　　　王贵民

唐代进士考试科目和录取标准的变化　　　　　　　　　吴宗国

论司马光主编《资治通鉴》　　　　　　　　　　　　　施　丁

清代前期海外贸易的发展　　　　　　　　　　　　　　黄启臣

中英宪法史上的一个共同问题　　　　　　　　　　　　马克垚

战国到西汉未曾实行"提封田"的田亩制度　　　　　　王煦华

《通典·州郡门》所载唐代州县建置与户口数字系年考　翁俊雄

宋太祖誓约辨析　　　　　　　　　　　　　　　　　　徐　规

# 1986 年第 5 期

美日的私人议和活动与《日美谅解案》的形成　丁则勤　丁克迅

"克莱夫登集团"和英国绥靖政策　　　　　　　　　　　徐　洛

读《埃及近代史》　　　　　　　　　　　　　　　　　徐葆初

乔治·勒费弗尔史学浅论　　　　　　　　　　　　　　赵世玲

太平天国修改印书的事实和意义　　　　　　　　　　　王庆成

近代徐州利国驿煤矿剖析　　　　　　　　　　　　　　余明侠

冠县梨园屯教案与义和拳运动　　　　　　　　　　　　路　遥

孙中山与传统儒学　　　　　　　　　　　　　　　　　李　侃

孙中山让位于袁世凯原因新议　　　　　　　　　　　　韩　明

龚自珍暴卒考辨　　　　　　　　　　　　　　　　　　孙文光

中国井盐开发史二三事

　　　——《中国科学技术史》补正　　　　　　　　　吴天颖

殷墟卜辞中的商王名号与商代王权　　　　　　　　　　晁福林

西周春秋时期士阶层宗法制度研究　　　　　　　　　　李向平

魏晋南北朝时期劳动者阶层结构的特点　　　简修炜　张鸿雁

乌兰布通之战的胜败问题　　　　　　　　　　　　　　张羽新

关于汪伪政权问题学术讨论会综述　　　　　蔡德金　李惠贤

## 1986 年第 6 期

地理环境在社会发展中的作用 　　　　　　　　　　宁　可
论孙中山伟人品质 　　　　　　　　　　　　　　　马　敏
孙中山的民权主义与辛亥革命的结局 　　　　　　　耿云志
中国近代社会、近代资产阶级和资产阶级革命 　　　汪敬虞
近代中国反侵略斗争中的四个层次五种力量 　　　　苏双碧
评介《华北的小农经济与社会变迁》 　　　　　　　叶显恩
中国商会研究综述 　　　　　　　　　　　　　　　徐鼎新
说《逸周书·世俘》篇并拟武王伐纣日程表 　　　　赵光贤
从春秋战国封建主形成看政治的决定作用 　　　　　刘泽华
北宋文官磨勘制度初探 　　　　　　　　　　　　　邓小南
金元真大道教史补 　　　　　　　　　　　　　　　陈智超
明代及清初土鲁番统治者世系
　　——兼述东察合台汗国之变迁 　　　　　　　魏良弢
二十世纪上半叶日本在中国大陆的国策会社 　　　　张祖国
关于美国国内市场形成问题 　　　　　　　　　　　何顺果
《历史研究》1986 年总目

## 1987 年第 1 期

论孙中山的社会主义思想 　　　　　　　　　　　　胡　绳
孙中山民主革命思想的形成 　　　　　　　　　　　林增平
从离异到回归
　　——孙中山与传统文化的关系 　　　　　　　章开沅
孙中山让位于袁世凯的历史环境 　　　　　　　　　胡绳武
试论孙中山晚年的道路 　　　　　　　　　　　　　金冲及

把历史的内容还给历史　　　　　　　　　　本刊评论员

开展社会史研究　　　　　　　　　　　　　冯尔康

关于社会史研究的学科对象诸问题　　　　　陆　震

中国社会史研究综述　　　南开大学历史系中国社会史研究室

开拓研究领域　促进史学繁荣

　　——中国社会史研讨会述评　　　　　　宋德金

我对综合体史书体裁的探索　　　　　　　　罗尔纲

商族起源地望发微

　　——兼论山西垣曲商城发现的意义　　　陈昌远

1870 年至 1895 年在华洋行势力的扩张　　　聂宝璋

西方现代化史学思潮的来龙去脉　　　　　　罗荣渠

评苏联新编《原始社会史》　　　　　　　　孔令平

"世界近代史上资本主义国家现代化与资产阶级的

　　　历史作用"讨论会纪要　　　　　　海　林整理

首届中国沿海城市经济史讨论会综述　　　刘海岩整理

## 1987 年第 2 期

论西路军

　　——读徐向前《历史的回顾》札记　　　陈铁健

西安事变和平解决原因新探　　　　　　　　侯雄飞

土地改革中的阶级路线　　　　　　　　　　杜　敬

殷契周弃时代社会性质再认识　　　　　　　林祥庚

"倭"、"倭人"辨析　　　　　　　　　　　沈仁安

十六国北朝人口考察　　　　　　　　　　　王育民

唐宋之际统治集团内部矛盾的地域特征　　　任　爽

宋太宗论　　　　　　　　　　　　　　　　张其凡

明清时期的民间秘密宗教　　　　　　　　　喻松青

成一家之言

　　——评白寿彝著《中国史学史》第一册　　　　　　施　丁

中国封建贵族史的开山之作

　　——评《清代八旗王公贵族兴衰史》　　　　　　　阎崇年

高宗"亮阴"与武丁之治　　　　　　　　　　　　　　李　民

西方现代史学流派的特征与方法　　　　　　　　　　朱孝远

意大利人文主义者的矛盾性和复杂性　　　　　　　　程显煜

中国近代兵书概论　　　　　　　　　　　毛振发　　刘　庆

中国近代军事史研究述评　　　　沈渭滨　夏林根　朱学成

# 1987 年第 3 期

抗日战争时期国共两党的对美政策　　　　　　　　　章百家

1945—1949 年中国共产党对美政策的演变　　　　　　何　迪

新中国成立前后的美国对华政策观　　　　　　　　　袁　明

1945—1955 年中美关系史学术讨论会述评　　　　　　章百家

东夷及其史前文化试论　　　　　　　　　　　　　　逄振镐

从秦人价值观看秦文化的特点　　　　　　　　　　　林剑鸣

反思中的探索

　　——评《再思集》关于发展中国历史学的见解　　傅白芦

《中国近代民主思想史》评介　　　　　　　　　　　丁凤麟

评《高级印度史》　　　　　　　　　　　范铁城　闵光沛

两晋九品中正制与选官制度　　　　　　　　　　　　陈琳国

两晋南朝的秀才、孝廉察举　　　　　　　　　　　　罗新本

《宋史·龟兹传》补正

　　——兼论高昌回鹘王国中的双王制　　　　　　　程溯洛

大清国建号前的国号、族名与纪年　　　　　　　　　蔡美彪

清末税务处的设立和海关隶属关系的改变　　　　　　陈诗启

西汉官制尊右尊左考　　　　　　　　　　　　　　　姚国旺

中世纪英国农民个人力量的增长与自然经济的解体　　　侯建新
加利福尼亚金矿的发现及其历史意义　　　何顺果

## 1987 年第 4 期

说"合力"　　　刘大年
十六世纪中英政治制度比较　　　戚国淦
十六至十七世纪西方历史思想的更新　　　谭英华
战国时期的"士"　　　刘泽华
从《日书》看秦人鬼神观及秦文化特征　　李晓东　黄晓芬
东晋南朝时期的移民浪潮与土地开发　　　童　超
唐代婚姻的开放风气　　　牛志平
论高昌"俗事天神"　　　林悟殊
两宋说话人讲史的史学意义　　　舒　焚
清代帐局初探　　　黄鉴晖
评《中国奴隶社会史》　　　吕绍纲
《蔡元培传》读后　　　李　侃
道光咸丰年间的经世实学　　　冯天瑜
晚清"西学源于中学"说　　陶飞亚　刘天路
梁启超多变论　　　黄　坤
湖北军政府"谋略处"考异　　　张海鹏
商会档案整理情况介绍　　　章鸣九

## 1987 年第 5 期

试论历史规律　　王　和　周　舵
小盂鼎与西周制度　　　李学勤
早期拓跋鲜卑的社会状况和国家的建立　　　曹永年
论均田制土地授受方式
　　——兼论均田制实施范围　　　武建国

宋代佃客法律地位再探索　　　　　　　　　　　　　　朱瑞熙

读三本李世民传记　　　　　　　　　　　　　　　　　黄约瑟

《明末农民战争史》简评　　　　　　　　　　　　　　诸葛计

建省前后的台湾经济　　　　　　　　　　　　　　　　汪敬虞

台湾建省方案形成过程的考察　　　　　　　　　　　　陈在正

太平天国的租赋关系　　　　　　　　　　　　　　　　杨天宏

重考"洪宣娇"从何而来　　　　　　　　　　　　　　罗尔纲

何天炯与孙中山

　　——宫崎滔天家藏书札研究　　　　杨天石　狭间直树

清代"俄罗斯佐领"考略　　　　　　　　　　　　　　吴　洋

佛罗伦萨的公众庆典仪式与文艺复兴　　　　　　　　　王挺之

美国独立前后政治体制的演变　　　　　　　　　　　　余志森

战后日本产业结构调整的进程与政策　　　　　　　　　刘天纯

## 1987 年第 6 期

论五种生产方式理论的形成　　　　　　　　　　　　　项观奇

爱德华·汤普逊的史学思想　　　　　　　　　　　　　沈　汉

两汉的历史转折　　　　　　　　　　　　　　　　　　刘修明

魏晋隋唐佛教特权的盛衰　　　　　　　　　　　　　　谢重光

两宋的农村专业户　　　　　　　　　　　　　　　　　许惠民

清代前期农村市场的发展　　　　　　　　　　　　　　方　行

曾国藩简论　　　　　　　　　　　　　　　　　　　　杨国强

盛宣怀与袁世凯　　　　　　　　　　　　　　　　　　夏东元

从 1883 年上海金融风潮看中国资产阶级的产生　　　　杜恂诚

清末商会"官督商办"的性质与特点　　　　　　　　　朱　英

旧中国苏浙皖三省的租佃关系　　　　　　　　　　　　乌廷玉

"奇怪战争"不奇怪

　　——第二次世界大战初期"西线无战事"说质疑　　张继平

第二次世界大战爆发前后的南斯拉夫对外政策　　　　　罗志刚
《历史研究》1987 年总目

## 1988 年第 1 期

历史学的本体论、认识论、方法论　　　　　　　　　　庞卓恒
历史认识对象的特点　　　　　　　　　　　　　　　　王正平
历史认识的相对性　　　　　　　　　　　　　　　　　赵轶峰
侯外庐与马克思主义历史学　　　　　　　　　　　　　刘大年
哲人不萎，风范长存
　　——悼念侯外庐同志　　　　　　　　　　　　　　林甘泉
关于"半殖民地半封建"的几点思考　　　　　　　　　李时岳
二次革命时期孙中山的反袁策略与日本的关系　　　　　俞辛焞
孙中山的民生主义与摩里斯·威廉的《社会史观》　　　夏良才
评《剑桥中国晚清史》的文化观　　冯天瑜　唐文权　罗福惠
兴浙会和保浙会是两个团体　　　　　　　　　　　　　胡珠生
罗马教皇与罗马文艺复兴　　　　　　　　　　　　　　程显煜
"田中外交"的对华政策　　　　　　　　　沈　予　谢雪桥
帝国主义问题学术讨论会综述　　　　　　　　　张镇强整理
商代人牲身份的再考察　　　　　　　　　　　　　　　杨升南
论宋代折钱租与钱租的性质　　　　　　　　　　　　　包伟民
明朝徭役审编与土地　　　　　　　　　　　　　　　　王毓铨
明初全国人口考　　　　　　　　　　　　　　　　　　王其榘
关于九品中正制的几点意见　　　　　　　　　　　　　胡宝国

## 1988 年第 2 期

应该怎样研究上古的神话与历史
　　——评《诸神的起源》　　　　　　　　　　　　　王震中

他山之石　可以攻玉

　　——评《剑桥中国晚清史》　　　　　　　　　李华兴

汉代家庭成员的地位和义务　　　　　　　　　　　黄金山

六朝时期江南社会风气的变迁　　　　　　　　　　曹文柱

《转天图经》新探　　　　　　　　　　　　　　　喻松青

北宋的州县学　　　　　　　　　　　　　　　　　郭宝林

米芾为西域人后裔考　　　　　　　　　　　　　　罗绍文

关于以西方之新复中国之旧的思考　　　　　　　　唐振常

"高煦之叛"辨　　　　　　　　　　　　　　　　暴鸿昌

杜月笙其人　　　　　　　　　　　　朱　华　　苏智良

"中山舰事件"之谜　　　　　　　　　　　　　　杨天石

"三大政策"与黄埔军校　　　　　　　　〔日〕狭间直树

新巴比伦神庙经济中的"喜尔库"　　　　　　　　彭小瑜

拿破仑与法国天主教的复兴　　　　　　　　　　　王敏华

波兰资本主义工业发展的道路　　　　　　　　　　刘祖熙

向明史研究深度和广度前进的讨论会　　　　林金树整理

第四届洋务运动史讨论会综述　　　　　　　　　　赵春晨

民国档案与民国史学术讨论会述略　　　　　　　　张宪文

# 1988 年第 3 期

论史家主体意识　　　　　　　　　　　　　　　　李振宏

"合力"辨

　　——兼与刘大年同志商榷　　　　　　　　　　吴廷嘉

《说"合力"》置疑　　　　　　　　陈孔立　　施伟青

阿诺德·汤因比的史学观　　　　　　　　　　　　张和声

中国近代史研究的规范问题　　　　　　　　　　　张亦工

关于中国近代史线索的思考　　　　　　　　　　　陈旭麓

孙中山上书李鸿章事迹考辨　　　　　　　　　　　黎　澍

张謇与淮南盐垦公司 　　　　　　　　　　　　　　严学熙

汉代"案比"制度的渊源及其流演 　　　　　　　　钱剑夫

也论高昌"俗事天神" 　　　　　　　　　　　　　王　素

论辽朝的政治体制 　　　　　　　　　　　　　　　李锡厚

元朝中央政府对西藏的统治 　　　　　　　　　　　沈卫荣

也谈汉代官制的尚左与尚右 　　　　　　　　　　　庄春波

美国关于中国对外关系史研究的问题与前景 〔美〕迈克尔·亨特

区域社会经济史研究的新进展 　　　　　　　　　　宋元强

古埃及的早期城市 　　　　　　　　　　　　　　　刘文鹏

评林赛的《宗教改革史》(上册) 　　　　　　　　孔祥民

档案利用与晚清史研究

　　——评《剑桥中国晚清史》 　　　　　　　　　孔祥吉

## 1988 年第 4 期

近代湖湘文化试探 　　　　　　　　　　　　　　　林增平

传统的家庭认同心理探析 　　　　　　　　　　　　王玉波

戊戌维新与学习西方 　　　　　　　　　　　　　　汤志钧

晚清洋务派与教案 　　　　　　　　　　　　　　　赵春晨

淮军初建的几个问题 　　　　　　　　　　　　　　贾熟村

帝国主义入侵对近代中国经济发展的影响

　　——对西方学者一些观点的评介 　　　　　　　周广远

美国关于中国近现代史研究的趋势与特点 　　　　　程　洪

《管子》与齐国历史的关系 　　　　　　　　　　　赵俪生

柳宗元史论的理论价值和历史地位 　　　　　　　　瞿林东

宋代两浙路的粮食生产及流通 　　　　　　　　　　方如金

清前期的粮食调剂 　　　　　　　　吴　慧　葛贤惠

重农抑商试析 　　　　　　　　　　　　　　　　　阎守诚

评黄烈著《中国古代民族史研究》 　　　　　　　　周伟洲

饶勒斯的史学　　　　　　　　　　　　　　　　　　　马胜利
意大利法西斯运动的阶级性质　　　　　　　　　　　　陈祥超
日本的军部政治化与法西斯主义的确立　　　　　　　　徐　勇

## 1988 年第 5 期

自汉至唐海南岛历史政治地理
　　——附论梁隋间高凉冼夫人功业及隋唐高凉冯氏
　　　地方势力　　　　　　　　　　　　　　　　　　谭其骧
从我国早期畜牧民的产生看第一次社会大分工　罗　琨　张永山
殷代外交制度初探　　　　　　　　　　　　　　　　　黎　虎
清代闭关自守问题辨析　　　　　　　　　　　　　　　张之毅
论清代纲盐制度　　　　　　　　　　　　　　　　　　萧国亮
《四库全书总目》批评方法论　　　　　　　　　　　　周积明
近代中国资本主义的发展和不发展　　　　　　　　　　汪敬虞
历史上苏南多层次的工业结构　　　　　　　　　　　　段本洛
自立会历史新探　　　　　　　　　　　　　　　　　　胡珠生
《刘永福历史草》的史料价值　　　　　　　　　　　　廖宗麟
1933 年的中美棉麦借款　　　　　　　　　　　　　　郑会欣
中国正面战场对日战略的演变　　　　　　　　　　　　余子道
在开拓中探索
　　——评《武汉国民政府史》　　　　　　　　　　　陈文桂
十月革命与历史的选择性　　　　　　　　　　　　　　柳　植
苏联新经济政策时期农村的雇佣关系　　　　　　　　　黄立茀

## 1988 年第 6 期

中国行会史研究的几个问题　　　　　　　　　　　　　彭泽益
中国的家谱及其学术价值　　　　　　　　　　　　　　武新立

论史学主体认识的一致性　　　　　　　　　　　李　林

陈寅恪对隋唐史研究的贡献　　　　　　　　　　袁英光

陈寅恪对蒙古学的贡献及其治学方法　　　　　　蔡美彪

纪念陈寅恪国际学术讨论会综述　　　　　　　　林亚杰

中国史学界第四次代表大会综述　　　　　　　　正　平

商鞅变法后秦的家庭制度　　　　　　　　　　　张金光

秦汉长城与北边交通　　　　　　　　　　　　　王子今

对《应该怎样研究上古的神话与历史》的几点答复　何　新

晚清苏州丝织业"账房"的发展　　　　　　　　王　翔

论孙中山民元让位　　　　　　　　　　　　　　丁贤俊

湖南时务学堂考实　　　　　　　　　　　　　　迟云飞

佛罗伦萨市民人文主义者的实践与"积极生活"思想　郑　群

第一次世界大战到新政初期美国的合作自由主义　韩　铁

英国与 1935 年的中国币制改革　　　　　　　　吴景平

《历史研究》1988 年总目

## 1989 年第 1 期

论一元多线历史发展观　　　　　　　　　　　　罗荣渠

马克思的社会形态更替理论是科学假说　　　　　朱本源

关于奴隶制几个基本理论问题的探讨　　　　　　沈长云

过渡特征与中国近代社会形态　　　　　　　　　马　敏

广州通商制度与鸦片战争　　　　　　　　　　　顾卫民

清末政坛变化的写照

　　——宣统年间《汪荣宝日记》剖析　　　　　王晓秋

五卅运动中的上海总商会　　　　　　　　　　　何毅亭

新视角下的得与失

　　——评《剑桥中国晚清史》有关辛亥革命部分

　　　　　　　　刘望龄　唐文权　罗福惠

评《中国现代思想史论》　　　　　　　　　　　　　邓　野
唐宋时期商人社会地位的演变　　　　　　　　　　　林立平
论宋代皇权　　　　　　　　　　　　　　　　　　　王瑞来
太平洋战争前美国在美日谈判第一阶段的
　　远东政策　　　　　　　　　　　　丁则勤　丁克迅
试论 20 世纪 30 年代德国对华政策　　　　　　　　李兰琴
《历史研究》稿约

# 1989 年第 2 期

略谈黎澍史学思想的特色　　　　　　　　　　　　　李　侃
学习黎澍治学的独创精神　　　　　　　　　　　　　蔡美彪
回忆黎澍二三事　　　　　　　　　　　　　　　　　丁守和
痛定思黎澍　　　　　　　　　　　　　　　　　　　唐振常
北洋政府时期国家资本主义的中断　　　　　　　　　杜恂诚
北洋时期官僚私人投资与天津近代工业　　　　　　　宋美云
张謇与南通"近代化"模式　　　　　　　　　　　　伍贻业
"税专"与中国海关的人事制度　　　　　　　　　　赵淑敏
继承五四　超越五四　　　　　　　　　　　　　　　庞　朴
近几年国内近代中国资产阶级研究述评　　　　　　　沈祖炜
近年来国外近代中国资产阶级研究述评
　　　　　　　　　　　杨立强　胡礼忠　王立诚
西周春秋时期庶人宗法组织研究　　　　　　　　　　李向平
说张楚
　　——关于"亡秦必楚"问题的探讨　　　　　　田余庆
舍儿别与舍儿别赤的再探讨　　　　　　　　　　　　陈高华
人的理性和法的精神
　　——法国大革命的历史启示　　　　　　　　　刘宗绪
四库全书和法国百科全书
　　——为纪念法国革命二百周年而作　　　　　　戴　逸

梁启超的法国大革命观　　　　　　　　　　　　许明龙

## 1989 年第 3 期

关于五四运动的几个问题　　　　　　　　　　　丁守和
论五四时期的理性精神　　　　　　　　　　　　彭　明
五四时期民主思想的演变　　　　　　　　　　　王桧林
"赛先生"与新文化运动
　　——科学社会史的考察　　　　　　　　　　樊洪业
中西文化问题　　　　　　　　　　　　　　　　黎　澍
传教士与近代中西文化交流　　　　　　　　　　顾长声
上海学术界座谈黎澍学术思想纪要　　　　许　敏　李天纲
马克思主义史学在东西方历史命运的考察　　　　马雪萍
现代历史心理学的产生和发展　　　　　　　　　朱孝远
关于历史创造者问题的新思考　　　　　　　　　周溯源
五帝史研究的方法问题
　　——评骆宾基《金文新考》　　　　　　　　彭　林
《吴越文化新探》读后　　　　　　　　　　　　李学勤
唐代中央集权之变化与方镇的产生　　　　　　　李晓路
明帝国的疆土管理体制　　　　　　　　　　　　顾　诚
美国的总统制　　　　　　　　　　　　　　　　黄绍湘
美国移民政策的演变及其动因　　　　　　　　　邓蜀生
富有生机的美国城市经理制　　　　　　　　　　王　旭
俄罗斯馆与《资本论》中的王茂荫　　　　　　　蔡鸿生

## 1989 年第 4 期

重评"文化论调和论"　　　　　　　　　　　　丁伟志
五四运动前夜俄国政治、文化对中国的若干影响
　　　　　　　〔苏联〕谢尔盖·齐赫文斯基

近百年来中国的法国革命史学（1889—1989）　　　　　张芝联

近40年来法国传统的大革命史学的发展及其遇到的

　挑战　　　　　　　　　　　　　　　　　　　　　王养冲

1793年法国旺代农民叛乱原因新探　　　　　　　　　许　虹

法国大革命与辛亥革命　　　　　　　　　　　　　　章开沅

美国革命对法国大革命的影响　　　　　　　黄　振　方英义

回顾与前瞻

　　　——关于社会史研究的几个问题　　　蔡少卿　孙　江

中国社会史学科建设刍议　　　　　　　　　　　　　王家范

科举制度与盛唐知识阶层的命运　　　　　　　　　　任　爽

徐铉其人与宋初"贰臣"　　　　　　　　　　　　　周　军

商品经济观念的历史转化

　　　——立足于宋代的考察　　　　　　　　　　　叶　坦

第二届中国社会史学术研讨会述评　　　　　　　　　李良玉

论吕振羽史学　　　　　　　　　　　　　　　　　　朱政惠

洋务派的历史任务及其他　　　　　　　　　　　　　李时岳

110年中国近代史应以戊戌变法为分段线　　　　　　夏东元

"均贫富"口号毋庸置疑　　　　　　　　　　　　　张其凡

广平淀"当中京、上京之北"说有误　　　　　　　　友　梅

## 1989年第5期

纪念《历史研究》创刊35周年

　　　　　季羡林　蔡美彪　林甘泉　丁守和　戴　逸　任继愈

　　　　　　　　　　杨向奎　李　侃　齐世荣　章开沅　田居俭

古代汉苗二族关系史辨误　　　　　　　　　　　　　赵光贤

西周春秋时期的国家形式　　　　　　　　　　　　　何兹全

《隆中对》再认识　　　　　　　　　　　　　　　　田余庆

曹魏士家制度的形成与演变　　　　　　　　　　　　高　敏

戴东原哲学思想分析　　　　　　　　　　　　　　　　杨向奎

中国封建社会土地关系与宗法宗族制　　　　　　　　　李文治

辛亥革命与文化　　　　　　　　　　　　　　　　　　龚书铎

《俱分进化论》的忧患意识　　　　　　　　　　　　　章开沅

孙中山早期思想和活动的几个问题　　　　　　　　　　耿云志

萍浏醴会党起义檄文辨伪　　　　　　　王学庄　周秋光

高丽王朝田柴科土地制度研究　　　　　　　　　　　　朱　寰

维金时代：冲突与交融　　　　　　　　　　　　　　　沈　坚

评《北京历史地图集》　　　　　　　　　　　　　　　陈桥驿

南汉主刘氏族属为俚僚　　　　　　　　　　　　　　　刘美崧

## 1989 年第 6 期

史学界的一项迫切任务　　　　　　　　　　　本刊评论员

首都部分史学工作者批判《河殇》纪要　　　东　月　刘　军整理

清末兴学热潮与社会变迁　　　　　　　　　　　　　　桑　兵

近代西方传教士在华教育活动的专业化　　　　　　　　史静寰

19 世纪香港西式学校历史评价　　　　　　　　　　　刘蜀永

清末留日学生中的女性　　　　　　　　　　　　　　　周一川

论李鸿章的变法思想　　　　　　　　　　　　　　　　章鸣九

维新派政治纲领的演变　　　　　　　　　　　　　　　房德邻

论清末海关兼管常关　　　　　　　　　　　　　　　　戴一峰

西汉晚期至萧齐海南岛不在大陆王朝版图之外　　　　　杨武泉

再论海南岛建置沿革　　　　　　　　　　　　　　　　谭其骧

论对偶婚从夫居形态及在家庭史上的地位　　　　　　　李永采

由《史记》鲧禹的失统谈鲧禹传说的史影　　　　　　　王宇信

唐代府兵渊源与番役　　　　　　　　　　　　　　　　张国刚

中国人口的国际迁移之历史考察　　　　　　　　　　　朱国宏

意大利中国学研究之现状　　　　　　　　　　　　　　张雪慧

蒋氏《东华录》作者补证　　　　　　　　　　　　　傅贵九
《历史研究》1989 年总目

## 1990 年第 1 期

文化性格与历史发展
　　——评《河殇》关于中国传统文化性格的错误观点　　林甘泉
还中国近代史以本来面貌　　　　　　　　　　　　　龚书铎
评《河殇》的学风　　　　　　　　　　　　　　　　瞿林东
楚国野地居民社会形态研究　　　　　　　　　　　　程涛平
隋唐时期自然环境的变迁及与人为作用的关系　　　　史念海
宋代文化的高度发展与宋王朝的文化政策　　　　　　邓广铭
正统观与金代文化　　　　　　　　　　　　　　　　宋德金
朴学家的理性探求
　　——论王鸣盛史学　　　　　　　　　　　　　　陈其泰
古代巴西印第安人历史新探　　　　　　　　　　　　方迥澜
马丁·路德的转变　　　　　　　　　　　　　　　　孔祥民
论军阀的分化及结局　　　　　　　　　　　　　　　李　新
清末苏州商会的历史特点　　　　　　　　　　　　　朱　英
宋教仁与阳明心学　　　　　　　　　　　　　　　　习五一
抗战前期日本"民间人士"和蒋介石集团的秘密谈判　杨天石
美国与 1945 年的中苏会谈　　　　　　　　　　　　吴景平
也谈中法战争起于何时　　　　　　　　　　　　　　唐上意

## 1990 年第 2 期

再谈浮屠与佛　　　　　　　　　　　　　　　　　　季羡林
昭穆制度与周人早期婚姻形式　　　　　　　　　　　李衡眉
秦汉时期的内河航运　　　　　　　　　　　　　　　王子今

北魏离散诸部问题考实 　　　　　　　　　　李　凭

唐代道教外丹 　　　　　　　　　　　　　　金正耀

从中唐到北宋钱荒问题的考察 　　　　　　　乔幼梅

西汉戊已校尉考 　　　　　　　　　　　　　林剑鸣

唐代户部使司与原户部司异同辨 　　　　　　杜　梭

1933—1940 年希特勒德国在东南欧的经济扩张 　罗志刚

"奇怪战争"时期的法国战略 　　　　　　　周以光

为近代中国革新派巨人画像

　　　——评《康有为大传》 　　　　　　沈渭滨

近代中国家庭棉纺织业的多元分解 　　　　　陈惠雄

近代汉口钱庄研究 　　　　　　　　　　　　姚会元

从档案看鸦片战争期间清政府的对外政策

　　　——兼论统治集团内部的斗争问题 　　郦永庆

王韬的近代舆论意识和《循环日报》的创办 　夏良才

民国时期孙中山与会党关系研究 　　　　　　陈剑安

全国第五届洋务运动史学术讨论会综述 　　李平生　李　岫

# 1990 年第 3 期

《周礼》五行思想新探 　　　　　　　　　　彭　林

从判文看唐代市籍制的终结 　　　　　　　　姜伯勤

宋元的时文

　　　——八股文的雏形 　　　　　　　　朱瑞熙

明代海防述略 　　　　　　　　　　　　　　范中义

《明初全国人口考》质疑 　　　　　　　　　王育民

从"孔子诞辰"谈历史年代的计算 　　　　　王盛恩

翦伯赞与中国历史科学的理论建设 　　　　　王学典

"批判的历史哲学"的批判 　　　　　　　　田晓文

试论近代中国的买办阶级 　　　　　　　　　汪敬虞

略论李鸿章的对日观　　　　　　　　　　　　　　刘学照

康有为严复变革思想比较　　　　　　　　　　　　李双璧

唐绍仪与辛亥南北议和　　　　　　　丁贤俊　陈　铮

孙中山对日态度再认识　　　　　　　　　　　　　俞辛焞

魏尔事件辨证　　　　　　　　　　　　　　　　　杨　豫

《五条誓文》若干用语析义　　　　　　　　　　　宋成有

关于资本主义起源问题　　　　　　　　　　　　　何顺果

## 1990 年第 4 期

近代中国丝绸业的结构与功能　　　　　　　　　　王　翔

英国与对华门户开放政策的缘起　　　　　　　　　牛大勇

清末新政时期的禁烟运动　　　　　　　　　　　　王宏斌

抗战期间中苏关系恶化原因初探　　　　　　　　　王　真

评《上海史》　　　　　　　　　　　沈渭滨　许　敏

美国对华政策新解

　　——评《从赫尔利到马歇尔》　　　　　　　章百家

中国婚礼的产生与演变　　　　　　　　　　　　　王玉波

殷商时代田猎活动的性质与作用　　　　　　　　　孟世凯

曹操与"白波贼"对东汉政权的争夺　　　　　　　方诗铭

《元史》纂修考　　　　　　　　　　　　　　　　陈高华

关于明代田土管理系统问题　　　　　　林金树　张德信

关于卿事寮　　　　　　　　　　　　　　　　　　韩国磐

《越绝书》是一部地方史　　　　　　　　　　　　仓修良

唐代蕃坊考略　　　　　　　　　　　　　　　　　范邦瑾

试论西欧中世纪城市与封建主的关系　　　　　　　金志霖

富兰克林·罗斯福与联邦最高法院斗争的性质　　　刘绪贻

共和修正派与当代美国思想史学　　　　　　　　　满云龙

## 1990 年第 5 期

太平天国"推行神权政治"说质疑 朱东安

孙中山与梁启超关于中国现代化的选择 耿云志

清末海洋观与海军建设 李国华

近代商会的法人社团性质 虞和平

1946 年国共两党斗争与马歇尔调处 杨奎松

论孔子思想的两个核心 金景芳

稷下学宫与百家争鸣 张秉楠

书仪源流考 周一良

汉唐科举异同论 徐连达 楼 劲

科举制度与宋代文化 何忠礼

元代南海测验在林邑考

　　——郭守敬未到中、西沙测量纬度 曾昭璇

20 世纪的西方史学与当前的新取向

　　——兼论中国史学的优势及前景 马雪萍

简评《从分散到整体的世界史》(上古分册) 晏绍祥

墨西哥大庄园制的形成及其经济结构 韩 琦

墨西哥的土地改革 冯秀文

## 1990 年第 6 期

殷墟卜辞所见商王室宗庙制度 朱凤瀚

魏晋南朝官职中的"言秩"与"不言秩" 汪征鲁

魏晋南朝的资品与官品 陈长琦

宋代中央官府吏制述论 穆朝庆

略论明代御史巡按制度 王世华

林则徐与澳门 方志钦

定海之战考实　　　　　　　　　　　　　　　　　　茅海建

近代中国科学观发展三形态　　　　　　　　　　　　段治文

戊戌时期的科技近代化趋势　　　　　　　　　　　　李恩民

从《困学丛书》看史学家罗尔纲　　　　　　　　　　刘君达

正气会二题　　　　　　　　　　　　　　　　　　　陶季邑

中世纪英国行会和雇佣工人

　　——兼论雇佣工人与生产资料的关系　　　　　　金志霖

英国中世纪的法律结构与法制传统　　　　　　　　　徐　浩

司马氏与中国佛教传播日本　　　　　　　　　　　　韩　昇

世界现代史研究会学术讨论会综述　　　　　　　　　张晓校

《历史研究》1990 年总目

# 1991 年第 1 期

太平天国的悲喜剧　　　　　　　　　　　　　　　　陈旭麓

太平天国的对外关系和国际观念　　　　　　　　　　王庆成

孙中山和自立军　　　　　　　　　　　　　　　　　汤志钧

民初同盟会人的几种社会政治方案　　　　　　　　　金冲及

南京国民政府的联苏制日方针　　　　　　　　　　　李义彬

浅谈马克思主义对社会史研究的贡献　　　　　　　　王先明

以社会史为基础深化党史研究　　　　　　　　　　　张静如

中国社会史第三次研讨会综述　　　　　宋德金　　　高世瑜

殷墟的生态环境与盘庚迁殷　　　　　　　　　　　　李　民

两汉复仇盛行的原因　　　　　　　　　　　　　　　周天游

中古盂兰盆节的民族化衍变　　　　　　　　　　　　张　弓

明清徽州的家庭与宗族结构　　　　　　　　　　　　唐力行

再辨陈寿"索米"说　　　　　　　　　　　　　　　杨耀坤

义儿·儿皇帝　　　　　　　　　　　　　　　　　　魏良弢

"文艺复兴"研究的新趋势　　　　　　　　　　　　王挺之

当代西方人本主义历史哲学　　　　　　　　　　　　田晓文

## 1991 年第 2 期

愤悱·讲画·变力
　　——对外反应与中国近代化　　　　　　　　　　章开沅
从总税务司职位的争夺看中国近代海关的作用　　　陈诗启
海关与中国近代化的关系
　　——论中国海关驻伦敦办事处　　　　　　　　　夏良才
中国海关史第二次国际学术研讨会综述　　　　　　　薛鹏志
"孙中山劝李鸿章革命"说质疑　　　　　　　　　　苑书义
30 年代关于文化问题的论争　　　　　　　　　　　陈　崧
两晋之际流民问题的综合考察　　　　　　　　　　　曹文柱
十六国北朝人口蠡测
　　——与王育民同志商榷　　　　　　　　　　　　袁祖亮
渤海国货币经济初探　　　　刘晓东　郝思德　杨志军
宋代粮食生产的地域差异　　　　　　　　　　　　　程民生
清代前期北方的小农经济　　　　　　　　　　　　　方　行
苏禄国王访明的几个问题　　　　　　　　　　　　　冯兴盛
美国外交政策史三论
　　——为《美国外交政策史》所作的导言　　　　　杨生茂
论当代美国黑人文化的复兴　　　　　　　　　　　　时春荣
都铎王朝对教会地产的剥夺及其意义　　　　　　　　王晋新

## 1991 年第 3 期

纪念陈垣与开展区域文化研究　　　　　　　　　　　戴　逸
读陈垣编《道家金石略》书后　　　　　　　　　　　蔡美彪
陈垣与桑原骘藏　　　　　　　　　　　　〔日〕竺沙雅章

西周采邑制度述略 　　　　　　　　　　　　　　　　　　吕文郁

秦人的族源及迁徙路线 　　　　　　　　　　　　　　　　王玉哲

元代的吉普赛人——啰哩回回 　　　　　　　　　　　　　杨志玖

义和团运动的发生与特点 　　　　　　　　　　　　　　　阮芳纪

庚子围攻使馆事件考 　　　　　　　　　　　　　　　　　林华国

张之洞从清流派到洋务派的思维转变 　　　　　冯天瑜　何晓明

梁启超与中国近代化 　　　　　　　　　　　　　　　　　李华兴

近代经世思潮的演变 　　　　　　　　　　　　　　　　　陈振江

西方宗教势力在长江上游地区的拓展 　　　　　隗瀛涛　王　笛

北洋时期中国新式银行在对外贸易中的作用 　　　　　　杜恂诚

康有为《中日和约书后》的写作时间 　　　　　　　　　张锡勤

市场在西欧的兴起及其历史意义 　　　　　　　　　　　何顺果

西欧向近代社会转型的动因 　　　　　　　　　　　　　侯建新

从伊斯兰改革主义到阿拉伯民族主义 　　　　　　　　　彭树智

林肯新论 　　　　　　　　　　　　　　　　　　　　　刘祚昌

第 17 届国际历史科学大会关于人物传记的讨论 　　　　齐文颖

## 1991 年第 4 期

评 1913 年孙中山访日 　　　　　　　　　　　　　　　　段云章

1924 年孙中山北上与日本的关系 　　　　　　　　　　　刘曼容

孙中山的平均地权论与宫崎民藏的土地均享思想

　　　　　　　　　　　　　　　　　　　〔日〕伊原泽周

慈禧与洋务运动 　　　　　　　　　　　　　　　　　　　姜铎

读《奕䜣慈禧政争记》 　　　　　　　　　　　龚书铎　黄兴涛

英国对华政策与国民革命的危机 　　　　　　　　　　　牛大勇

日本侵华的"以战养战"政策 　　　　　　　　　　　　单冠初

夏商人口初探 　　　　　　　　　　　　　　　　　　　宋镇豪

秦汉政治生活中的神秘主义 　　　　　　　　　　　　　林剑鸣

唐初安西四镇的弃置 ……………………………… 王小甫

北宋钱荒：从币制到流通体制的考察 …………… 袁一堂

王字本义试探 ……………………………………… 齐文心

开元、天宝之际的逃户 …………………………… 翁俊雄

关于历史年代计数的规范化问题 ………………… 张培瑜

18 世纪启蒙史学的地位和贡献 ………………… 赖元晋

论英国贵族政治权势在近代的延续 ……………… 阎照祥

评《从分散到整体的世界史》（现代分册）…… 曾醒时

读《法国通史简编》 ………………… 陈崇武　宋培荃

## 1991 年第 5 期

清末灾荒与辛亥革命 ……………………………… 李文海

辛亥革命前的农会 ………………………………… 朱　英

民国初年的民主党 ………………………………… 曾业英

孙中山社会主义思想研究评说 …………………… 张海鹏

张之洞经济思想散论 ………………… 陈　钧　任　放

周学熙实业集团与中国近代化国际学术讨论会综述 … 周俊旗

中国比较史学讨论会述要 ………………………… 孟广林

中国风俗文化与地域视野 ………………………… 韩养民

先秦人名的几个问题 ……………………………… 李学勤

商周人际关系思想的发展与演变 ………………… 王　和

汉晋之际的汝颖名士 ……………………………… 胡宝国

明代的社与会 ……………………………………… 陈宝良

宋代四川茶产量考辨 ……………………………… 林文勋

英国农村封建生产关系向资本主义的转变 ……… 徐　浩

英国王权的发展及文化与社会内涵 ……………… 钱乘旦

《亨莱农书》的学术价值 ………………………… 李躬圃

## 1991 年第 6 期

俗传中国史朝代起讫纪年匡谬　　　　　　　　谭其骧
论平王东迁　　　　　　　　　　　　　　　　晁福林
《侈靡》篇新探　　　　　　　　　　　　　　庄春波
论十六国时期少数部族政权的兵役　　　　　　旷天伟
宋代官吏的管理制度　　　　　　　　　　　　龚延明
北宋东京四城制及其对金中都的影响　　　　　孔庆赞
清末湖北立宪党人的议政实践　　　　　　　　吴剑杰
辛亥革命前后宋教仁与日本的关系　　　　　　习五一
程德全与民初政潮　　　　　　　　　　　　　朱宗震
宋子文论纲　　　　　　　　　　　　　　　　吴景平
雅片战争后通商口岸行会的近代化　　　　　　虞和平
太平天国北伐军数考　　　　　　　　　　　　张守常
"宋案"后孙中山对袁世凯的态度　　　　　　周兴樑
意大利法西斯主义职团制　　　　　　　　　　陈祥超
德国纳粹主义的若干历史特征　　　　　　　　杨玉生
美国与吴庭艳独裁政权的确立　　　　　　　　时殷弘
《杰斐逊传》简评　　　　　　　　　　　　　刘文涛
《历史研究》1991 年总目

## 1992 年第 1 期

15 世纪中西航海发展取向的对比与思索　　　　罗荣渠
两个世界文明汇合与北美印第安人的历史命运　李剑鸣
巴西的发现与开拓对欧洲的影响　　　　　　　周世秀
哥伦布航海技术初探　　　　　　　　　　　　孙光圻
全国首次青年史学工作者学术会议综述　　　　潘振平

孙吴建国的道路 田余庆

东晋南北朝时期的佛教结社 郝春文

北魏前期的狩猎经济 黎虎

试破宋太宗即位大赦诏书之谜 邓广铭

上海地区明清时期的望族 吴仁安

太平天国对《圣经》态度的演变 夏春涛

辛亥革命前的人口状况 行龙

辛亥革命与上海国货运动 潘君祥

略论王国维与陈寅恪 袁英光

# 1992 年第 2 期

郭沫若与中国马克思主义史学 田居俭

郭沫若与中国传统思想文化 林甘泉

郭沫若史学思想与西方文化的影响 黄烈

郭沫若治史的个性特色 刘茂林

中国古代史学理论发展大势 瞿林东

近四十年来史论关系研究综述 蒋大椿 李洪岩

唐前期三省地位的变化 罗永生

宋代经济生活中的市侩 李伟国

中山武公新论 田卫平 王晋

中国纸和造纸法传入印巴次大陆的路线 李晓岑

科学技术和产业革命的内在机制与世界历史发展 阎康年

"科技发展与世界现代历史"学术讨论会述要 张象

胡适整理国故平议 耿云志

福泽谕吉与梁启超近代化思想比较 高力克

马尚德——谭嗣同熟识的英国传教医师 邝兆江

日本辛亥革命研究会 吴杰

## 1992 年第 3 期

城市史研究略论　　　　　　　　　　　　　　　　　　　　皮明庥

近代中国城市史研究的回顾与展望　　　　　　　　　　　　刘海岩

城市研究与上海研究国际学术讨论会综述　　　　　张济顺　朱　弘

商民协会初探　　　　　　　　　　　　　　　　　　　　　张亦工

南京国民政府对"一二八"事变的方针　　　　　　　　　　金再及

颛顼传说中的神话与史实　　　　　　　　　　　　　　　　何　浩

古代于阗的南北交通　　　　　　　　　　　　　　　　　　殷　晴

中国佛教哲学的历史演变　　　　　　　　　　　　　　　　方立天

北魏国号与正统问题　　　　　　　　　　　　　　　　　　何德章

范仲淹集团与庆历新政

　　——读欧阳修《朋党论》书后　　　　　　　　　　　　漆　侠

资本主义萌芽的最初形态与雇佣工人

　　——再论雇佣工人与生产资料的关系　　　　　　　　　金志霖

中世纪晚期英国农村的变迁与现代化的启动

　　——评《现代化第一基石》　　　　　　　　　史　铭　徐　浩

论日本近代家族国家　　　　　　　　　　　　　　　　　　武　寅

美国国家安全委员会第 13/2 号文件形成探微　　　　　　　崔　丕

## 1992 年第 4 期

美国西部城市的起源及其类型　　　　　　　　　　　　　　何顺果

美国西部的开发与城市化　　　　　　　　　　　　　　　　王　旭

近代英国城市化初探　　　　　　　　　　　　　　　　　　王章辉

汉译史学名著《旧制度与大革命》评介　　　　　　　　　　张芝联

秦汉时期的人口迁移与文化传播　　　　　　　　　　　　　葛剑雄

班固与《汉书》的史学思想　　　　　　　　　　　　　　　施　丁

《汉书》中的天人关系　　　　　　　　　　　　　　　　　许殿才

唐代德两朝党争和两税法 　　　　　　　　　　　郑学檬

陈寅恪文化历史主义通观 　　　　　　　　　　　尚　定

一部成一家之言的中国古代社会经济史

　　——读何兹全先生《中国古代社会》书后 　　刘家和

秦《为田律》农田规划制度再释 　　　　　　　　袁　林

关于世纪和年代的一点补充 　　　　　　　　　　汤韵萍

鸦片战争与不平等条约 　　　　　　　　　　　　茅海建

从开滦煤矿联营看近代煤矿业发展状况 　　　　　张国辉

北洋海军覆灭原因再探讨 　　　　　杨志本　许　华

"心学"与辛亥风云 　　　　　　　　　　　　　吴雁南

太平天国史研究的一座丰碑

　　——评罗尔纲著《太平天国史》 　　　　　　郭毅生

# 1992 年第 5 期

早期马克思主义者对社会主义与民主关系的认识 　　徐宗勉

中山舰事件之后 　　　　　　　　　　　　　　　杨天石

20 世纪 20 年代劳资纠纷问题初探 　　　　　　　徐思彦

青帮和国民党政权：杜月笙对上海政治的作用

　（1927—1937） 　　　　　　　〔澳〕Brian G. Martin

宁案与中美外交 　　　　　　　　　　　　　　　郭曦晓

张作霖"讨赤"与田中内阁 　　　　　　〔日〕伊原泽周

商代的财政制度 　　　　　　　　　　　　　　　杨升南

论宋代的货币地租

　　——与包伟民商榷 　　　　　　高聪明　何玉兴

元代人口考实 　　　　　　　　　　　　　　　　王育民

明清时期华北庙会研究 　　　　　　　　　　　　赵世瑜

清代"广州体系时期"中外商人之间的竞争 　　　彭泽益

评《哥伦布的确信：近年的某些研究》 　　　　　张云鹤

16 世纪西班牙美洲殖民地天主教传教活动的
　　政治作用　　　　　　　　　　　　　　　　　　　王亚平
马萨诸塞政治体制的确立　　　　　　　　　　　　　满运龙
印度中世纪早期国王赐赠土地与封建制的产生　　　　黄思骏

## 1992 年第 6 期

先秦山东地区宗法研究　　　　　　　　　　　　　　王钧林
两晋时期兵户制考略　　　　　　　　　　　　　　　高　敏
论宋代的资格法
　　——兼论中国古代任官资格制度　　　　　　　　曾小华
宋代的财产遗嘱继承问题　　　　　　　　　　　　　邢　铁
唐代后期并存着两个户部司吗
　　——对《唐代户部使司与原户部司异同辨》的质疑　陈明光
神光寺公案辨析　　　　　　　　　　　　　　　　　郦永庆
晚清国粹派的文化观　　　　　　　　　　　　　　　郑师渠
略论清末资政院议员　　　　　　　　　　　　　　　罗华庆
评蒋大椿著《唯物史观与史学》　　　　　　　　　　丁守和
近代中国社会演变问题国际讨论会综述　　　　　　　吴心伯
第六届全国洋务运动史讨论会述评　　　　　　　　　涂文学
依附理论与历史研究　　　　　　　　　　　　　　　李安山
论美国联邦制的确立及其历史作用　　　　　　　　　张定河
评 1941 年英美参谋会谈　　　　　　　　　　　　　徐　蓝
评刘宗绪主编的《世界近代史》　　　　　　　　　　楼均信
《历史研究》1982 年总目

## 1993 年第 1 期

从宏观角度看中国的城市史　　　　　　　　　　　　赵　冈
巴蜀古代城市的起源、结构和网络体系　　　　　　　段　渝

中世纪西欧城市的商业垄断　　　　　　　　　　张冠增

隋唐儒释道论议与学风流变　　　　　　　　　　张　弓

以"大断事官"制到中书省
　　——论元初中枢机构的体制演变　　　　　姚大力

明清江南儒士群体的历史变动　　　　　　　　　周学军

庚子保皇会的勤王谋略及其失败　　　　　　　　桑　兵

张之洞与清末立宪别论　　　　　　　　　　　　孔祥吉

黄兴与武昌首义　　　　　　　　　　　　　　　张海鹏

中印两国在近代觉醒过程中的经验教训
　　——评《东方的觉醒》　　　　　　　　　黄思骏

谈谈"吐蕃"一词　　　　　　　　　　　　　　吕一飞

关于茶在北亚和西域的早期传播　　　　　　　　黄时鉴

洪秀全"登极"史实辨正　　　　　　　　　　　姜　涛

史学理论研究的回顾与展望
　　——史学理论研究座谈会综述　　　　　　仲伟民

中国近代社会史研究述评　　　　　虞和平　郭润涛

西方社会史学术讨论会述要　　　　李运明　姚玉民

《周礼》成书年代的成功探索
　　——评彭林著《〈周礼〉主体思想与成书年代研究》　赵世超

评田余庆著《东晋门阀政治》　　　　　　　　　祝总斌

精审赅备的《孙中山年谱长编》　　　　　　　　陈　铮

## 1993 年第 2 期

中国社会史研究笔谈
　　　　　　王家范　冯尔康　田居俭　乔志强　刘志琴
　　　　　　　　　　　李华兴　陈春声　陆　震　周天游
　　　　　　　　　　　赵世瑜　赵　清　彭　卫　蔡少卿

明清之际士大夫与中西礼仪之争　　　　　　　　林金水

胤禛与抚远大将军王奏档 ……………………………………… 王锺翰

论太平天国的城市政策 ………………………………………… 赵德馨

1923 年后孙中山与日本的关系 ……………………………… 段云章

中国近代绅士阶层的社会流动 ………………………………… 王先明

20 世纪 30 年代前期农民离村问题 ………………………… 王文昌

论抗日战争期间日蒋的"和平交涉" ………………………… 沈　予

略论美国的"立国精神" ……………………………………… 何顺果

从殖民地走向独立的弗吉尼亚 ………………………………… 张敏谦

美国印第安人保留地制度的形成与作用 ……………………… 李剑鸣

启动·中断·复兴

　　——中国家庭、家族史研究述评 ………………………… 王玉波

关于契丹婚姻制度的商榷 ……………………………………… 席岫峰

中国家族制度的系统研究 ……………………………………… 岳庆平

家族组织宏观模式的新建构

　　——评《明清福建家族组织与社会变迁》 …………… 王日根

## 1993 年第 3 期

黄巾起义先驱与巫及原始道教的关系

　　——兼论"黄巾"与"黄神越章" ………………………… 方诗铭

《通制条格》新探 ……………………………………………… 方龄贵

一场得不偿失的战争

　　——论乾隆朝金川之役 ………………………… 戴　逸　华　立

太平天国与晚清政治 …………………………………………… 郭汉民

论辛亥革命时期的广东军政府 ………………………………… 周兴樑

黄郛与塘沽协定善后交涉 ……………………………………… 杨天石

广东与长野器械缫丝业比较研究

　　——兼论两地的原始工业化 ……………………………… 王新生

日本知识阶层在吸收外来文化中的作用及心态 ……………… 武安隆

近代外交原则的历史思考

　　——论马基雅维里主义　　　　　　　　　　　王挺之

评《跨出封闭的世界——长江上游区域社会研究》　吴　杰

海峡两岸宋史研究动向　　　　　　　　　　　　黄宽重

西方史学的发展趋势　　　　　　　　　　　　　陈启能

我国近年的西方历史哲学研究　　　　　　　　　于　沛

唐宋时期典身性质的变化及其意义　　　　　　　李天石

日中、日俄（苏）关系与新疆　　　　　　　　　王　柯

对承唐启宋时代的探索与思考

　　——读郑学檬著《五代十国史研究》　　　　张　弓

# 1993 年第 4 期

当代历史认识论的反省与重建　　　　　　　　　赵吉惠

史官文化的演进　　　　　　　　　　　　　　　王　东

西魏北周的赐姓与乡兵的府兵化　　　　〔韩〕朴汉济

“大唐商人”李延孝与九世纪中日关系　　　　　黄约瑟

崔述与顾颉刚　　　　　　　　　　　　　　　　路新生

中国近代经济史研究中的若干理论问题　　　　　王　翔

张之洞经济伦理思想探真　　　　　　陈　钧　任　放

孙中山宪法思想刍议　　　　　　　　　　　　　耿云志

1917—1924 年的苏俄中东铁路政策　　　　　　才家瑞

1949—1950 年美国对华政策与承认问题　　　　陶文钊

奥尔弗斯教及其主要影响　　　　　　　　　　　杨巨平

关于美国 1787 年西北法令的评价问题　　　　　张友伦

论近代晚期英国内阁权力的扩张　　　　　　　　阎照祥

边界研究的可喜成果

　　——评《早期中俄东段边界研究》　　　　　刘存宽

四川保路同志会未设会长副会长　　　　　　　　鲜于浩

读《赵普评传》 朱瑞熙

深入开展资产阶级主体研究

　——《辛亥革命时期新式商人社团研究》评介 张亦工

评《美国军事史纲》 郭沂纹

## 1993 年第 5 期

《国语》"防风氏"笺证 董楚平

汉"金"新论 秦　晖

甘州回鹘成立史论 荣新江

中国烧酒起始探微 李华瑞

试说辽耶律氏萧氏之由来 蔡美彪

研究中国近代史的取向问题

　——外因、内因或内外因结合 汪　熙

《校邠庐抗议》与中国文化近代化 丁伟志

论清末的经济法规 朱　英

夏曾佑及其史学思想 李洪岩

苏联与西安事变 李义彬

1943 年中英废除不平等条约的谈判和香港问题 李世安

中世纪的远程贸易和德国城市的兴起 王亚平

论意大利文艺复兴的文化基础 孙锦泉

周人不用日名说 张懋镕

六朝时期南方经济作物种植 方如金　陈国灿

李唐出于赵郡李氏说 张金龙

《元代分封制度研究》读后 韩志远

简评《从分散到整体的世界史》（中古分册） 陈　勇

## 1993 年第 6 期

秦汉时制研究 宋会群　李振宏

唐碛西节度使的置废　　　　　　　　　　　　薛宗正

宋代人口新证　　　　　　　　　　　　　　　　葛剑雄

金朝户口分类制度和阶级结构　　　　　　　　王曾瑜

清代前期政府官员的实习培训制度　　　　　　吕元聪

康有为大同思想的东方文化色彩　　　　　　　任　军

中国非基督教运动（1922—1927）　　　　　　杨天宏

租界与中国近代房地产业的诞生　　　　　　　赵　津

清末广州外贸与地区经济　　　　　　　　　　杨瑞贞

乡村工业发展：英国资本主义成长的主要道路　刘景华

现代墨西哥社会持久稳定的原因　　　　　　　夏立安

评《中国早期资产阶级概论》　　　　　　　　彭南生

法国大革命的新阐释
　　——读《法兰西风格：大革命的政治文化》　段德智

唐代西域的练价与货币兑换比率　　　　　　　赵　丰

美国的中国学研究评述　　　　　　　　　　　王晴佳

《历史研究》1993 年总目

## 1994 年第 1 期

纪念《历史研究》创刊四十周年　　　刘大年　罗尔纲　彭　明
　　　　　　　　　　　　　　　　　隗瀛涛　何兹全　张芝联
　　　　　　　　　　　　　　　　　陈锡祺　陈诗启　胡厚宣
　　　　　　　　　　　　　　　　　金冲及　夏东元　庞卓恒
　　　　　　　　　　　　　　　　　罗荣渠　宋德金

古籍考辨四题　　　　　　　　　　　　　　　　金景芳

西周荽京地望的再探讨　　　　　　　　　　　　王玉哲

读《颜氏家训·后娶篇》论南北嫡庶身分的差异　唐长孺

唐"开元之治"时期宰相政治探微　　　　　　　胡如雷

从对《辽史》列传的分析看辽国家体制　　　　　漆　侠

元代饮茶习俗 　　　　　　　　　　　　　　　　　　陈高华

新发现的"天王御照"和"天海关照会"

　　——1861 年春太平天国和英国的交往　　　　　　王庆成

十九世纪外国在华金融活动中的银行与洋行　　　　　汪敬虞

"中体西用"论在戊戌维新时期的嬗变　　　　　　　丁伟志

我国世界史学科的发展历史及前景　　　　　　　　　齐世荣

世界历史与比较研究之我见　　　　　　　　　　　　朱　寰

资本主义起源理论问题的检讨　　　　　　　　　　　马克垚

# 1994 年第 2 期

关于琉璃河 1193 号周墓的几个问题　　　　　　　　赵光贤

"汉匈奴破醯虏房长"及其有关史实发覆　　　　　　黄盛璋

南北朝隋唐与百济新罗的往来　　　　　　　　　　　韩国磬

辽代后族与辽季后妃三案　　　　　　　　　　　　　蔡美彪

西夏的职官制度　　　　　　　　　　　　　　　　　史金波

再论马可波罗书的真伪问题　　　　　　　　　　　　杨志玖

中国历史上的皇权和忠君观念　　　　　　宁　可　蒋福亚

论二元经济　　　　　　　　　　　　　　　　　　　吴承明

从元典的忧患意识到近代救亡思潮　　　　　　　　　冯天瑜

康有为的海外活动和保皇会前期评价　　　　　　　　汤志钧

中国新文化的源流及其趋向　　　　　　　　　　　　耿云志

阿富汗与古代东西方文化交往　　　　　　　　　　　彭树智

杰斐逊与美国现代化　　　　　　　　　　　　　　　刘祚昌

二次大战后美国工人阶级结构的变化

　　——兼评美国学者关于阶级的理论　　　　　　　张友伦

从多样性探寻规律

　　——马克思《历史学笔记》的启示　　　　　　　庞卓恒

## 1994 年第 3 期

梁启超的民权观与卢梭主权在民说 　　　　　　　　　　宝成关

自立军起义前后的容闳与康梁 　　　　　　　　　　　　容应萸

戊戌时期章太严与康有为经学思想的歧异 　　　　　　　张 勇

戊戌后康梁与维新派学术研讨会综述 　　　　　　　　　宋德华

异性史官与周代文化 　　　　　　　　　　　　　　　　胡新生

魏晋时期的上品与起家官品 　　　　　　　　　　　　　张旭华

唐前期的杂徭与色役 　　　　　　　　　　　　　　　　杨际平

唐后期民户大迁徙与两税法 　　　　　　　　　　　　　翁俊雄

宋代官吏的俸禄 　　　　　　　　　　　　　　　　　　何忠礼

康熙与理学 　　　　　　　　　　　　　　　　　　　　王锺翰

论中世纪晚期英国农村生产要素市场 　　　　　　　　　徐 浩

中英早期茶叶贸易

　　——写于马戛尔尼使华 200 周年之际 　　　　萧致治　徐方平

"现代化"的历史定位与对现代世界发展的再认识 　　　罗荣渠

吐蕃刍议 　　　　　　　　　　　　　　　　　　　　　田晓岫

旧金山会议中国代表团组成问题 　　　　　　　　　　　邓 野

从《继承愚思录》看日本业主家族经营传统思想 　　　　李躬圊

西方社会史名著：《失去的世界》 　　　　　　　　　　戚国淦

读瞿林东著《中国史学散论》 　　　　　　　　　　　　魏明孔

《士人与社会》（秦汉魏晋南北朝卷）评介 　　　　　　曹月堂

评《共产国际、斯大林与中国革命》 　　　　　　　　　王安平

抗战前后国共关系新解

　　——评《失去的机会?》 　　　　　　　　　江淳　侯样祥

## 1994 年第 4 期

古史传说中帝王的性别问题 　　　　　　　　　　　　　李衡眉

春秋外交人才的遴选　　　　　　　　　　　　　　　　　　裴默农

古代磁性指南器源流及有关年代新探　　　　　吕作昕　吕黎阳

明清时代会馆的演进　　　　　　　　　　　　　　　　　　王日根

1842 年至 1860 年西学在中国的传播　　　　　　　　　　　熊月之

王学及其现代命运　　　　　　　　　　　　　陈铁健　黄道炫

批判的历史精神

　　　——胡适历史哲学思想初探　　　　　　　　　　　　闻继宁

沦陷时期的上海工运　　　　　　　　　　　　　　　　　　黄美真

抗日战争时期工厂内迁的考察　　　　　　　　　　　　　　黄立人

评 1938 年初英格索尔的伦敦之行　　　　　　　　　　　　徐　蓝

布雷顿森林体系的兴衰　　　　　　　　　　　　　　　　　王在帮

陈朝崇佛与般若三论的复兴　　　　　　　　　　　　　　　严耀中

孙中山致威尔逊的三封电函　　　　　　　　　　　　　　　高鸿志

从何香凝为蒋介石证婚说起　　　　　　　　　　　　　　　周兴樑

马克思主义史学的个案研究

　　　——评《吕振羽和他的历史学研究》　　　　　　　　赵　俊

于求实中创新

　　　——读《元史研究论稿》　　　　　　　　　　　　　孟繁清

清初学术发展规律的有益探索

　　　——评《清初学术思辨录》　　　　　　　王俊义　黄爱平

读《近代留学生与中外文化》　　　　　　　　　　　　　　殷瑞远

民族文化史研究的重要进展

　　　——评《中国古代北方民族文化史》（民族文化卷）　周惠泉

## 1994 年第 5 期

文王非纣臣考辨

　　　——兼论文王的文治武功　　　　　　　　　　　　　王慎行

北宋的市籴与民间货币流通　　　　　　　　　　　　　　　袁一堂

辽金时期契丹及女真族社会性质的演变 李锡厚

论明朝西藏归属与领主制的演变 刘 忠

太平洋战争期间的香港问题 陶文钊

苏联出兵中国东北：目标和结果 沈志华

华德事件与新中国对美政策的确定 杨奎松

1949—1950 年英国对新中国的承认 金光耀

麦地那国家土地关系初探 哈全安

中世纪晚期的商品化与现代化启动 侯建新

英国农业近代化的主要动因 毕道村

汉代功曹、五官掾考 宋一夫

郡国大中正考 罗新本

近代中国的战争赔款总值 王年咏

经济史研究的科学化追求与人文关怀

　　——读《市场机制与社会变迁——18 世纪

　　　广东米价分析》 刘志伟 郑振满

中国人口的昨天：一项有价值的研究

　　——读《中国近代人口史》 汪敬虞

评《比较中的审视：中国早期现代化研究》 田 彤

《中国近代史学思潮与流派》读后 许殿才

评《冒险、失败与崛起——20 世纪德意志史》 夏季亭 宋钟璜

## 1994 年第 6 期

本刊召开座谈会　纪念创刊四十周年 本刊记者

甲午战争与灾荒 李文海

论乙未割台的历史背景 戚其章

甲午战争 100 周年国际学术讨论会综述 孙占元

商代婚姻的运作礼规 宋镇豪

先秦两汉文献中所见周代诸侯五等爵 陈恩林

中国烧酒名实考辨 ............................................ 王赛时

明清时期的皇木采办 ........................................ 蓝 勇

孙中山对俄国二月革命和十月革命的反应 ............ 李玉刚

抗战初期中苏在苏联参战问题上的分歧 ................ 王 真

汉密尔顿"工商立国"与杰斐逊"农业立国"之争 ...... 张少华

福柯史学刍议 .................................................... 高 毅

近世中国商人发展历程的新探索

    ——评唐力行著《商人与中国近世社会》 ........ 朱 英

宋代"千文架阁法"辨析 .................................... 王金玉

耶律大石北奔年代考 ........................................ 柴 平

从徐建寅禀看丁汝昌的指挥失误 ........................ 苏小东

读《中国边疆民族管理机构沿革史》 .................... 陈梧桐

评陈诗启著《中国近代海关史》 ........................ 戴一峰

《美国工人运动史》评介 .................................... 黄绍湘

《历史研究》1994 年总目

# 1995 年第 1 期

如何建设中国新文化

    ——在纪念《历史研究》创刊 40 周年座谈会上的

      讲话 ........................................................ 胡 绳

白糖问题 ........................................................ 季羡林

社会史浅论 .................................................... 常宗虎

隋代江南士人的浮沉 ........................................ 王永平

略论宋代地域文化 ............................................ 程民生

徽州方氏与社会变迁

    ——兼论地域社会与传统中国 ........................ 唐力行

会稽"淫风"考 ................................................ 林剑鸣

从历史人口学到家庭历史学 .............................. 俞金尧

中国社会史研究的新趋向

　　——"地域社会与传统中国"国际学术会议综述

　　　　　　　　　　　　　　周天游　葛承雍

"拜上帝会"子虚乌有考　　　　　　　　杨宗亮

《江南善后章程》及相关问题　　　　　　郭卫东

三元里抗英史实辨正　　　　　　　　　　茅海建

华北开发株式会社与日本政府和军部　　　张利民

日不落帝国的崩溃

　　——论英国非殖民化的"计划"问题　　李安山

评《崩溃与重建中的困惑——魏晋风度研究》　周国林

读《文化的抉择与发展——日本吸收外来文化史说》　王金林

# 1995 年第 2 期

秦汉时期气候变迁的历史学考察　　　　　王子今

佛教海上传入中国之研究　　　吴廷璆　郑彭年

释"张角李弘毒流汉季"

　　——"李家道"与汉晋南北朝的"李弘"起义　方诗铭

美国与现代中国

　　——《中美关系史（1911—1950）》评析　时殷弘

蒋介石与前期北伐战争的战略策略　　　　杨天石

关于《田中奏折》若干问题的再探讨　　　沈　予

日本对华北经济的统制和掠夺　　　　　　居之芬

1933—1941 年的中德关系　　　　　　　张北根

都铎王朝的经济立法与英国近代议会民主制的起源　刘新成

20 世纪英国政治制度的继承与变异　　　钱乘旦

隋代的输籍定样法　　　　　　　　　　　李燕捷

民国史研究述评　　　　　　　　　　　　张宪文

中华民国史国际学术讨论会综述　　陈红民　陈谦平

近百年来西方的西欧封建王权理论 孟广林

读《隋唐文化史》 余 仁

评《北方移民与南宋社会变迁》 朱瑞熙

读周良霄、顾菊英著《元代史》 杨德华

## 1995 年第 3 期

巡守制度试探 赵世超

鲁国礼乐传统研究 杨朝明

"魏伐百济"与南北朝时期东亚国际关系 韩 昇

从《老乞大》《朴通事》看元与高丽的经济文化交流 陈高华

"满汉全席"名实考辨 赵荣光

太平天国和四书五经 王庆成

《大同书》起稿时间考

　　——兼论康有为早期大同思想 房德邻

袁世凯上翁同龢说帖述论 孔祥吉

外国在华金融活动中的银行与银行团（1895—1927） 汪敬虞

南京政府的关税行政改革 陈诗启

近代英国"大农业"体制新论 徐正林 郭豫庆

英国殖民统治时期印度农业的商品化 黄思骏

唐代户部使的产生 何汝泉

明代外国官生在华留学及科考 黄明光

读《秦汉交通史稿》 周苏平

评《辽夏金经济史》 李锡厚 王曾瑜

## 1995 年第 4 期

华北事变和抗日救亡高潮的兴起 金冲及

抗战时期中国共产党对日军事战略方针的演变 杨奎松

二战爆发前国民政府外交综论 ⋯⋯⋯⋯⋯⋯⋯ 王建朗

抗战时期中美租借关系述评 ⋯⋯⋯⋯⋯⋯⋯⋯ 吴景平

日军第十六师团南京中山门外屠杀真相 ⋯⋯⋯ 高兴祖

美国关于日本战争赔款政策的演变 ⋯⋯⋯⋯⋯ 崔　丕

美国对德绥靖的"韦尔斯计划" ⋯⋯⋯⋯⋯⋯ 金卫星

关于历史认识论的几点思考 ⋯⋯⋯⋯⋯⋯⋯⋯ 张耕华

论光武帝"退功臣而进文吏" ⋯⋯⋯⋯⋯⋯⋯ 陈　勇

论唐代荐举 ⋯⋯⋯⋯⋯⋯⋯⋯⋯⋯⋯⋯⋯⋯ 宁　欣

唐宋时期的中枢秘书官 ⋯⋯⋯⋯⋯⋯⋯⋯⋯⋯ 张东光

清代前期的粮食运销和市场 ⋯⋯⋯⋯⋯⋯⋯⋯ 邓亦兵

论晚清的铁路建设与资金筹措 ⋯⋯⋯⋯⋯⋯⋯ 芮坤改

元代粮食亩产探析 ⋯⋯⋯⋯⋯⋯⋯⋯⋯⋯⋯⋯ 陈贤春

评王锺翰主编《中国民族史》 ⋯⋯⋯⋯⋯⋯⋯ 周用宜

评赵世瑜著《吏与中国传统社会》 ⋯⋯⋯⋯⋯ 韩晓燕

马植杰著《三国史》读后 ⋯⋯⋯⋯⋯⋯⋯⋯⋯ 张秀平

评吴怀祺著《宋代史学思想史》 ⋯⋯⋯⋯⋯⋯ 叶显良

评《清代皇族人口行为和社会环境》 ⋯⋯⋯⋯ 吴承明

评《清代的边疆政策》 ⋯⋯⋯⋯⋯⋯⋯⋯⋯⋯ 刘存宽

# 1995 年第 5 期

楚辞中所见殷族先公考 ⋯⋯⋯⋯⋯⋯⋯⋯⋯⋯ 江林昌

春秋时期的鬼神观念及其社会影响 ⋯⋯⋯⋯⋯ 晁福林

从汉代"部"的概念释县乡亭里制度 ⋯⋯⋯⋯ 周振鹤

女真族系源流考异 ⋯⋯⋯⋯⋯⋯⋯⋯⋯⋯⋯⋯ 赵振绩

明后期长城沿线的民族贸易市场 ⋯⋯⋯⋯⋯⋯ 余同元

清代救灾的制度建设与社会效果 ⋯⋯⋯⋯⋯⋯ 李向军

近代中国的文化民族主义 ⋯⋯⋯⋯⋯⋯⋯⋯⋯ 郑师渠

《"拜上帝会"子虚乌有考》质疑 ⋯⋯⋯⋯⋯⋯ 吴善中

晚清乡村社会的洋教观

   ——对教案的一种文化心理解释　　　　　　　程 歗　张 鸣

林纾的认同危机与民初的新旧之争　　　　　　　　　　　　罗志田

从古希腊罗马史看奴隶占有制社会的若干问题　　　　　　　廖学盛

1520—1526 年德国基督教社区宗教改革　　　　　　　　　　朱孝远

"谏言书之争"与神权政治　　　　　　　　　　　　　　　　刘 城

孙吴三项财经措施作用析疑　　　　　　　　　　　　　　　陈明光

抗日战争时期中国损失调查及赔偿问题　　　　　　　　　　郭希华

胡适与中国新文化国际学术研讨会综述　　　　　　　　　　徐思彦

评《工业社会的勃兴：欧美五国工业革命比较研究》　　　　张云鹤

# 1995 年第 6 期

《左传》中的人本思想与民本思想　　　　　　　　　　　　刘家和

魏晋九品官人法再探讨　　　　　　　　　　　　　　　　　陈长琦

《隋书·流求传》辨析　　　　　　　　　　　　　　　　　米庆余

有关达靼族属的若干问题　　　　　　　　　　　　　　　　周良霄

明清时期孔府的继承制度　　　　　　　　　　　　　　　　邢 铁

清代社学与中国古代官办初等教育体制　　　　　　　　　　陈剩勇

甲午战后台湾内渡官绅与庚子勤王运动　　　　　　　　　　桑 兵

中法战争期间清政府的抗法保台策略　　　　　　　　　　　季云飞

萍浏醴起义史料的真伪问题

   ——与《萍浏醴会党起义檄文辨伪》一文商榷　　　　饶怀民

开罗会议是美国对华政策的转折点吗？　　　　　　　　　　陶文钊

抗战胜利后国民党东北决策研究　　　　　　　　　　　　　汪朝光

从《贫富论》看 18 世纪初俄国的重商主义　　　王松亭　张乃和

外国资本与俄国工业化　　　　　　　　　　　　　　　　　张广翔

剧变后俄罗斯的卫国战争史（1941—1945）研究　　　　　　吴恩远

千仓渠科条碑记与宋代农田水法　　　　　　　　　　　　　周宝珠

影响中国前途的一次空运 　　　　　　　　　　　　　牛大勇

深化社会结构史研究

　　——《中国社会结构的演变》读后 　　　　　　　王玉波

《历史研究》1985 年总目

# 1996 年第 1 期

晚清长江上游地区公共领域的发展 　　　　　　　　　王　笛

晚清士绅基层社会地位的历史变动 　　　　　　　　　王先明

商事裁判与商会

　　——论晚清苏州商事纠纷的调处 　　　　　　　　马　敏

沦陷时期上海的保甲制度 　　　　　　　　　　　　　张济顺

论近代以来的世界民族主义 　　　　　　　　　　　　程人乾

波普尔历史哲学的再认识 　　　　　　　　　　　　　启　良

美国国家安全委员会 152 号文件的形成 　　　　　　　于　群

从周原出土蚌雕人头像谈严允文化的一些问题 　　　　斯维至

昏礼起源考辨 　　　　　　　　　　　　　　　　　　黄　浩

中国海外交通史研究的回顾与展望 　　　　　　　　　陈高华

论"黄神越章"

　　——兼谈黄巾口号的意义及相关问题 　　　　　　刘昭瑞

租调征收方法和"输籍定样"

　　——与李燕捷先生商榷 　　　　　　　　　　　　郑佩欣

《南诏统治者蒙氏家族属于彝族之新证》质疑 　　　　杨瑞华

对明代初年田土数的新认识

　　——兼论明初边卫所辖的民籍人口 　　　　　　　曹树基

唐代的新罗侨民社区 　　　　　　　　　　　　　　　陈尚胜

成吉思汗生年问题补正 　　　　　　　　　　　　　　李治安

近年美国关于近代中国城市的研究 　　　　　　　　　王　笛

评《契丹族文化史》 　　　　　　　　　　　　　　　张国庆

读《资治通鉴疑年录》 　　　　　　　　　　王子今

编者的话

## 1996 年第 2 期

二十世纪的中国历史学 　　　　　　　　　　　林甘泉

昭穆制度与宗法制度关系论略 　　　　　　　　李衡眉

汉代期门羽林考释 　　　　　　　　　　　　　黄今言

隋朝统一新探 　　　　　　　　　　　　　　　胡如雷

李鸿章家书辨伪 　　　　　　　　　　　　　　刘学照

济南事件与中美关系的转折 　　　　　　　　　罗志田

试论中国抗日战争的西线战场 　　　　　　　　曹景忠

论日本对华新政策下的日汪关系 　　　　　　　石源华

美国民主制度的形成、发展和问题 　　　　　　张友伦

杰斐逊麦迪逊与共和党的兴起 　　　　　　　　刘祚昌

论法国封建专制时期督办官集团的社会政治特征　陈文海

再谈马克思恩格斯与社会史研究

　　——对常宗虎先生《社会史浅论》的两点质疑　王先明

两唐书职官志"招讨使"考 　　　　　　　　　宁志新

《请缨日记》辨误 　　　　　　　　　　　　　廖宗麟

海峡两岸纪念刘铭传逝世一百周年学术研讨会

　　综述 　　　　　　　　　　　　翁　飞　方　英

评李兴盛著《中国流人史》 　　　　　　　　　修朋月

姜鸣《中国近代海军史事日志》评介 　　　　　王家俭

评《香港当代史学研究》 　　　　　　　　　　蒋大椿

《香港历史问题资料选评》读后 　　　　　　　曾业英

本刊获首届全国优秀社科学术理论期刊提名奖

　　暨中国社会科学院优秀期刊奖

## 1996 年第 3 期

论春秋战国的市 ..................................................... 杨生民

荀子学辨 ........................................................... 葛志毅

汉代兵力论考 ....................................................... 胡宏起

东汉魏晋时期州郡兵制度的演变 ....................................... 高　敏

金朝的民族政策与民族歧视 ........................................... 刘浦江

十九世纪在华基督教的两种传教政策 ................................... 王立新

五四时期学者对史学功能的认识 ....................................... 刘俐娜

孙中山的西北军事计划及其夭折

　　——国民党谋求苏俄军事援助的最初尝试 ........................... 杨奎松

日伪华北交通股份有限公司及其交通统制 ............................... 王士花

植木枝盛的自由民权思想与儒学 ....................................... 王家骅

论明治宪法体制的内在结构 ........................................... 武　寅

外国史学理论的引入和回响 ........................................... 于　沛

《明后期长城沿线的民族贸易市场》考误 ............................... 曹永年

从敦煌文书谈晚唐五代的"地子" ..................................... 刘进宝

社会转型与文化变迁国际学术研讨会综述 ............................... 马　敏

何兹全著《三国史》读后 ............................................. 蒋福亚

读张其凡著《五代禁军初探》 ......................................... 牟发松

历史人物传记应该怎样写

　　——《乾隆皇帝全传》读后 ....................................... 赵世瑜

## 1996 年第 4 期

徐夷迁徙考 ......................................................... 李修松

鲁、齐、燕的始封及燕与邶的关系 ..................................... 陈恩林

西汉京畿制度的特征 ............................................. 〔韩〕崔在容

唐代团结兵问题辨析 　　　　　　　　　　　　　　　　　张国刚

唐初甲骑具装衰落与轻骑兵兴起之原因 　　　　　　　　　王援朝

近代中国留学生发言位置转换的学术意义

　　——兼析近代中国知识样式的转型 　　　　　　　　　章　清

《曾文正公年谱》作者考辨 　　　　　　　　　　　　　　王澧华

1943 年中英关于西藏问题的交涉 　　　　　　　　　　　陈谦平

希腊城邦社会的农业特征 　　　　　　　　　　　　　　　黄　洋

论雅典奴隶制民主政治的形成 　　　　　　　　　　　　　顾銮斋

关于晚清市民社会研究的思考 　　　　　　　　　　　　　朱　英

二十世纪的中国边疆史地研究 　　　　　　　　　　　　　马大正

渤海纪年再考订 　　　　　　　　　　　　　　　　　　　刘晓东

评《近代中国海军》 　　　　　　　　　　　　张一文　皮明勇

美国企业史研究 　　　　　　　　　　　　　　　　　　　王锦瑭

读《中国古代人口史专题研究》 　　　　　　　　　　　　朱和平

评《中国东北农业史》 　　　　　　　　　　　　　　　　李　帆

读《敌对与冲突的由来——美国对新中国的政策

　　与中美关系（1949—1950）》 　　　　　　　　　　罗志田

评《富兰克林·D·罗斯福时代》 　　　　　　　　　　　李剑鸣

# 1996 年第 5 期

戊戌政变前后的康有为 　　　　　　　　　　　　　　　　邝兆江

晚清公羊学的发展轨迹 　　　　　　　　　　　　　　　　陈其泰

晚清民国时期的国学研究与西学 　　　　　　　　　　　　桑　兵

国民政府与台湾光复 　　　　　　　　　　　　　　　　　左双文

周代燕国考 　　　　　　　　　　　　　　　　　　　　　曲英杰

先秦诸子军事思想异同初探 　　　　　　　　　　　　　　黄朴民

明代军事思想简论 　　　　　　　　　　　　　　　　　　范中义

新历史发展观与东亚的现代化进程 　　　　　　　　　　　罗荣渠

拜占廷军区制和农兵 　　　　　　　　　　　　陈志强

意大利文艺复兴时期的城市宗教生活 　　　　　王挺之

中国古代人口史研究回顾与展望 　　　袁祖亮　延　胜

《〈江南善后章程〉及相关问题》辨正 　　　　朱树谦

英山毕昇考 　　　　　　　　　　　　　　　　曹　之

二十世纪西方史学的演变 　　　　　　　　　　罗凤礼

评《满族的部落与国家》 　　　　　　　　　　李鸿彬

读《英国政治制度史》 　　　　　　　　　　　郭沂纹

# 1996 年第 6 期

谈礼 　　　　　　　　　　　　　　　　　　　金景芳

西汉刑制改革新探 　　　　　　　　　　　　　张建国

唐宋间敦煌粟特人之汉化 　　　　　　　　　　陆庆夫

契丹四楼源流说 　　　　　　　　　　　　　　任爱君

"买东西"考 　　　　　　　　　　　　　　　陈　江

太平天国壁画人物论 　　　　　　　　　　　　郭毅生

晚清知识分子的悲剧
　　——从陈鼎和他的《校邠庐抗议别论》谈起　孔吉祥

传教士与近代中西文化竞争 　　　　　　　　　罗志田

《在中国发现历史》新序 　　　　　　　〔美〕柯　文

托勒密时期埃及奴隶制评析 　　　　　　　　　颜海英

马尔萨斯人口理论的社会文化基础 　　　　　　俞金尧

从"橙色"计划到"彩虹"计划
　　——太平洋战争前美国的战略演变 　　　　徐　蓝

美国国家安全委员会第 81/1 号文件形成问题
　研究 　　　　　　　　　　　　　崔　丕　侯文富

二十世纪的中国政治制度史研究 　　　　　　　白　钢

"社学即官办初等教育"说质疑 　　　　　　　王日根

陈寅恪的"晚清情结"与他同胡适的关系 　　　　　　　何建明

读《中国古代北方民族文化史》专题文化卷 　　　　　陈永宏

评《商品经济与战国社会变迁》 　　　　　　　　　　朴　民

评《晚清经济政策与改革措施》 　　　　　　　　　　罗福惠

《历史研究》1996 年总目

## 1997 年第 1 期

关于封建社会的一些新认识 　　　　　　　　　　　　马克垚

鼠疫流行与华北社会的变迁（1580—1644 年） 　　　曹树基

从柳山方氏看明代徽州宗族组织的扩大 　　　　〔韩〕朴元熇

清朝前期与末季区域人才的变化

　　——以引见官员、鼎甲、翰林为例 　　　　　　　冯尔康

清末民初的两次户口人口调查

　　　　　　　　　　米　红　李树茁　胡　平　王　琼

洪仁玕签驳《李秀成供》文书的发现和研究 　　　　　王庆成

《江华条约》与清政府 　　　　　　　　　　　　　　王如绘

中古前期英国封建王权与世俗贵族的关系 　　　　　　孟广林

近百年来的殷墟甲骨文研究 　　　　　　　　　　　　朱凤瀚

西安事变简论

　　——读《西安事变新探》札记 　　　　　　　　　陈铁健

中国社会史研究十年 　　　　　　　　　　　　　　　常建华

越国王室迁葬考 　　　　　　　　　　　　　　　　　董楚平

评《中华民国史》第二编第五卷 　　　　　　彭　明　王续添

《古代希腊土地制度研究》读后 　　　　　　　　　　廖学盛

## 1997 年第 2 期

先秦货币二考 　　　　　　　　　　　　　　　　　　白秦川

《尉缭子》逸文蠡测 　　　　　　　　　　　　　　　　徐　勇

贺兰部落离散问题

　　——北魏"离散部落"个案考察之一 　　　　　　　田余庆

北宋榷茶制度下官府与商人的关系 　　　　　　　　　李　晓

五四时代知识分子的平民意识与共产主义运动的兴起 朱志敏

孙中山张作霖的关系与《孙文越飞宣言》 　　　　　　邱　捷

英法两国现代化模式中的世俗化过程及其特征 　　　　尤天然

战后美国犹太人民族凝聚力的盛衰 　　　　　　　　　李晓岗

加拿大魁北克省分离运动的历史渊源 　　　　　　　　杨令侠

洋务运动研究的回顾 　　　　　　　　　　　　　　　姜　铎

必须遵守学术规范

　　——从"强国之梦"系列丛书说起 　　　　　　　浩　力

也论宋代官员的俸禄 　　　　　　　　　　　　　　　张全明

朱元璋惩贪"剥皮实草"质疑 　　　　　　　　　　　王世华

"区域社会比较"国际学术研讨会综述 　　　李禹阶　代继华

近年美国关于近代中美关系的研究 　　　　　　　　　王　笛

读《赵俪生史学论著自选集》 　　　　　　　　　　　王桂琴

评马敏著《官商之间——社会巨变中的近代绅商》 　　王先明

读周积明著《纪昀评传》 　　　　　　　　　　　　　葛承雍

# 1997 年第 3 期

1949 年以前中国政府收复香港的尝试 　　　　刘存宽　刘蜀永

孙中山香港之行

　　——近代香港英文报刊中的孙中山史料研究 　　　莫世祥

古代香港历史的新发现 　　　　　　　　　　　　　　邓　聪

美国的香港政策（1942—1960） 　　　　　　于　群　程舒伟

试论社会史研究的若干理论问题 　　　　　　　　　　周晓虹

汉印制度杂考 　　　　　　　　　　　　　　　　　　汪桂海

宋朝"火运"论略

　　——兼谈"五德转移"政治学说的终结　　　　　刘复生

马可波罗到过中国

　　——对《马可波罗到过中国吗?》的回答　　　　杨志玖

说《神助拳，义和团》揭帖　　　　　　　　　　　张守常

美国对外关系的文化探源　　　　　　　　　　　　王晓德

美国史研究百年回顾　　　　　　　　　　　　　　张友伦

中国中古政治史研究的新收获

　　——汪征鲁著《魏晋南北朝选官体制（系统）研究》

　　综评　　　　　　　　　　　　　　　　　　　毛汉光

评《西安历史地图集》　　　　　　　　　　　　　陈桥驿

上读法——上古典籍读法之谜　　　　　　　　　　郑慧生

《解开〈宋会要〉之谜》读后　　　　　　　　　　杨渭生

评《乡土之链：明清会馆与社会变迁》　　　　　　刘永华

评《美国对亚太政策的演变，1776—1995》　宋　强　秦　志

# 1997 年第 4 期

新的起点：世纪之交的中国历史学　　　　　　　　林甘泉

夏文化北播及其与匈奴关系的初步考察　　　　　　陈立柱

秦汉公文文书与官僚行政管理　　　　　　　　　　卜宪群

关于近代中国外债史研究对象的若干思考　　　　　吴景平

关于中印边界东段的几个问题　　　　　　　　　　吕昭义

抵制美货运动时期中国民众的"近代性"　　　〔韩〕金希教

民国时期的佛学与科学思潮　　　　　　　　　　　李少兵

西欧中世纪教会法中的婚姻与性　　　　　　　　　林中泽

论近代英国政党制度的形成与特征　　　　　　　　许洁明

宋史研究的回顾与展望　　　　　　　　　　　　　王曾瑜

攻瑕批谬　意在求全
　——评《司马光日记校注》　　　　　　　　　　高纪春
刘永福并未任职台湾民主国　　　　　　　　　　　廖宗麟
关于《隋代江南士人的浮沉》的来信　　　林绍权　丘济川
《逸周书校补注译》评介　　　　　　　　　　　　斯维至
评《南越国史》　　　　　　　　　　　　　　　　刘汉东
《敦煌吐鲁番文书与丝绸之路》读后　　　　　　　许序雅

# 1997 年第 5 期

中国废除不平等条约的历史考察　　　　　　　　　王建朗
顾维钧与华盛顿会议　　　　　　　　　　　　　　金光耀
近代中印西段边界史略　　　　　　　　　　　　　房建昌
唐代秀才科考论　　　　　　　　　　　　　　　　余子侠
唐代西北少数民族人口初探　　　　　　　　　　　崔明德
元代行省制的特点与历史作用　　　　　　　　　　李治安
清代中央财政与地方财政的调整　　　　　　　　　陈　锋
伯希和与近代中国学术界　　　　　　　　　　　　桑　兵
关于谱学研究的几点意见　　　　　　　　　　　　仓修良
对《中国海外交通史研究的回顾与展望》一文的补充　史春林
《明代外国官生在华留学及科考》质疑　　　　　　郭培贵
中国的英国史研究　　　　　　　　　　　　　　　钱乘旦
秦简"敖童"解　　　　　　　　　　　　　　　　黄留珠
丁日初著《近代中国的现代化与资本家阶级》　　　沈祖炜
李孝聪著《欧洲收藏部分中文古地图叙录》　　　　纽仲勋
仓修良、叶建华著《章学诚评传》　　　　　　　　陈鹏鸣
朱瀛泉著《近东危机与柏林会议》　　　　　　　　任东来
"胡绳青年学术奖"在京设立
胡绳青年学术奖励基金章程

中国史学会启动第二届优秀论文奖评选活动

# 1997 年第 6 期

论殷周之际的社会变革
　　——为王国维诞辰 120 周年及逝世 70 周年而作　　沈长云
秦乡官制度及乡、亭、里关系　　张金光
清代西教在华之环境
　　——康雍乾道咸朝若干稀见文献考释　　王庆成
张之洞与戊戌政制改革　　谢　放
中外矛盾与国内政争：北伐前后章太炎的"反赤"
　　活动与言论　　罗志田
工业城市发展的周期及其阶段性特征
　　——美国中西部与中国东北部比较　　王　旭
美国革命时期黑奴制合法地位的确立　　梁茂信
二十世纪的中国文化史研究　　周积明
试论北宋变法派军事改革的成功　　赵涤贤
张学良反蒋问题之探讨　　杨奎松
施琅进军澎湖几个问题的考订　　施伟青
刘家和著《古代中国与世界》　　徐松巍
张岂之主编《中国近代史学学术史》　　罗福惠
《历史研究》1997 年总目

# 1998 年第 1 期

元朝的土地登记和土地籍册　　陈高华
清初内扎萨克旗的建立问题　　达力扎布
近代中国金融活动中的中外合办银行　　汪敬虞
30 年代初期国民党内部的反蒋抗日潮流
　　——读台湾所藏胡汉民资料之一　　杨天石

力行社与西安事变 徐有威

苏共与中国共产党人民民主专政理论的确立 刘建平

中世纪欧洲的教皇权与英国王权 刘 城

敦煌文献与历史研究的回顾和展望 郝春文

深入探讨抵制美货运动的新思路

　　——读《抵制美货运动时期中国民众的"近代性"》 朱 英

一部将南明史研究推向新水平的佳作

　　——评顾诚著《南明史》 陈梧桐

是学术创新，还是低水平的资料编纂？

　　——评杨子慧主编《中国历代人口统计资料研究》

　　　　　　　　　　　　　　葛剑雄 曹树基

不可多得的历史文献

　　——写在《翁同龢文献丛编》出版之前 孔祥吉

萨哈罗夫等新编《俄国通史》（前二卷）评述 刘祖熙

太平天国天历干支、礼拜提前一天原因考 吴善中

荣新江著《归义军史研究——唐宋时代敦煌历史考索》 李正宇

陈久金著《回回天文学史研究》 杜升云

# 1998 年第 2 期

释《武成》与金文月相

　　——兼论《晋侯稣编钟》及武王伐纣年 黄彰健

周齐军阶散官制度异同论 阎步克

明代黄册人口登载事项考略 栾成显

义门大家庭的分布与宗族文化的区域特征 黎小龙

太平天国战争对苏南人口的影响 曹树基

晚清学部的酝酿产生 关晓红

地方自治与直隶"四局" 魏光奇

略论民国时期的人力资源开发 虞和平

二战期间在日本的中国劳工　　　　　　　　　　　　陈景彦

西域史研究的回顾与展望　　　　　　　　　　　　　荣新江

清季首批自开商埠考　　　　　　　　　　　　　　　杨天宏

"殖民主义"与"新殖民主义"考释　　　　　　　　高　岱

《"买东西"考》献疑　　　　　　　　　　　　　　徐时仪

《捻军史稿》评介　　　　　　　　　　　　　　　　张一文

关于传教士与晚清现代化关系的思考

　　——评《美国传教士与晚清中国现代化》　　　　李喜所

李廷江著《日本财界与辛亥革命》　　　　　　　　　姚玉民

梁茂信著《美国移民政策研究》　　　　　　　　　　戴超武

龚延明著《宋代官制辞典》　　　　　　　　　　　　邓小南

吴仁安著《明清时期上海地区的著姓望族》　　　　　唐力行

# 1998 年第 3 期

周原甲骨属性与商周之际祭礼的变化　　　　　　　　王　晖

唐代的市舶使与市舶管理　　　　　　　　　　　　　黎　虎

试论宋代市舶司官制的演变　　　　　　　　　　　　廖大珂

《无圈点老档》及乾隆抄本名称诠释　　　　　　　　阎崇年

甲午战争赔款问题考实　　　　　　　　　　　　　　戚其章

五四时期张东荪的中西文化观　　　　　　　　　　　左玉河

扬子电气、淮南矿路两公司的创立与国有企业私营化　郑会欣

南京国民政府禁止妇女缠足的努力及其成效　　　　　杨兴梅

14—16 世纪英国租地农场的历史考察　　　　　　　黄春高

中国的法国史研究　　　　　　　　　　　　　　　　陈崇武

胡适研究的深层次探索

　　——评罗志田著《再造文明之梦——胡适传》　　马　敏

再论元朝中央政府对西藏的统治

　　——兼与沈卫荣商榷　　　　　　　　　　　　　王献军

1927 年蒋介石与田中义一密约述实 　　　　　　　周颂伦

韩光辉著《北京历史人口地理》 　　　　　祝　卓　周继中

## 1998 年第 4 期

初读郭店楚简 　　　　　　　　　　　　　　　　　庞　朴

沮渠氏北凉建置年号规律新探 　　　　　　　　　　王　素

北宋台谏制度与党争 　　　　　　　　　　　　　　沈松勤

马希曼、拉沙与早期的《圣经》中译 　　　　　　　马　敏

近代中国手工业行会的演变 　　　　　　　　　　　王　翔

九一八事变后日本的对华外交及战略意图
　　——兼论南京国民政府的对策 　　　　　　　熊沛彪

侵华日军慰安妇制度略论 　　　　　苏智良　陈丽菲

美国政教分离制度的历史思考 　　　　　　　　　　董小川

试论务实传统对美国外交的影响 　　　　　　　　　王晓德

陈寅恪与清华研究院 　　　　　　　　　　　　　　桑　兵

二十世纪中国辽金史研究 　　　　　　　　　　　　宋德金

Zaitun 非"刺桐"而是"缎子" 　　　　　　　　　李金明

中国乡里制度研究及展望 　　　　　　　　　　　　赵秀玲

吴怀祺著《中国史学思想史》 　　　　　　　　　　陈鹏鸣

任爽著《南唐史》 　　　　　　　　　徐松巍　史小云

王晓秋著《近代中日关系史研究》 　　　　　　　　李长莉

## 1998 年第 5 期

戊戌时期的学会运动 　　　　　　　　　　　　　　张玉法

胶州湾危机与维新运动的兴起 　　　　　　　　　　孔祥吉

关于梁启超称颂"王学"问题 　　　　　　〔日〕狭间直樹

京师大学堂的科学教育 　　　　　　　　　〔法〕巴斯蒂

思想观念与社会角色的错位：戊戌前后湖南新旧之争再思
　　——侧重王先谦与叶德辉　　　　　　　　　　　罗志田
筹划庚子勤王运动期间梁、孙关系真相　　　　　　　郭世佑
友与两周君臣关系的演变　　　　　　　　　　　　　查昌国
尹湾汉墓木牍《集簿》中户口统计资料研究　　　　　高大伦
明初耕地数额考察　　　　　　　　　　　　　　　　田培栋
俄国档案文献：保管、解密和利用　　　　　　　　　沈志华
现代化研究在中国的兴起与发展　　　　　林被甸　董正华
黎澍的"考求历史真实"及其他　　　　　　　　　　徐宗勉
陈智超先生给本刊编辑部的来信　　　　　　　　　　陈智超
张弓著《汉唐佛寺文化史》　　　　　　　　　　　　谢重光
丁鼎著《牛僧孺年谱》　　　　　　　　　　　　　　岳纯之
陈尚胜著《"怀夷"与"抑商"：明代海洋力量兴衰
　　研究》　　　　　　　　　　　　　　　　　　　李金明
朱英著《转型时期的社会与国家——以近代中国商会
　　为主体的历史透视》　　　　　　　　　　　　　刘家峰

## 1998 年第 6 期

世纪之交中国历史学的回顾与展望　　　　　　　　　戴　逸
中国历代职官别名研究　　　　　　　　　　　　　　龚延明
招魂研究　　　　　　　　　　　　　　　　　　　　金式武
《公莫巾舞歌行》考　　　　　　　　　　　　　　　姚小鸥
关于金朝开国史的真实性质疑　　　　　　　　　　　刘浦江
入城与修约：论叶名琛的外交　　　　　　　　　　　茅海建
论古代非专制政治地区发展的差异　　　　　　　　　易建平
《撒利克法典》在法国中世纪后期的复兴和演化　　　陈文海
高山仰止
　　——徐中舒先生百年诞辰纪念　　　　　　　　　彭裕商

金毓黻著《静晤室日记》书后　　　　　　　　　　　　　佟柱臣
宣统年间的人口调查
　　——兼评米红等人论文及其他有关研究　　　　　　侯杨方
学术讨论应当是科学、积极和健康的
　　——评葛剑雄、曹树基《是学术创新，还是低水平的
　　资料编纂?》　　　　《中国历代人口统计资料研究》编委会
利簋铭文再认识　　　　　　　　　　　　　　　　　　　黄怀信
梁启超民元临时工商会议演说词平议　　　　　　　　　　朱　英
戊戌维新一百周年国际学术讨论会综述　　　　　　　　　王晓秋
首届商会与近代中国国际学术讨论会综述
　　　　　　　　　　胡光明　　宋美云　　任云兰
汪圣铎著《两宋财政史》　　　　　　　　　　　　　　　包伟民
《历史研究》1998年总目

## 1999 年第 1 期

爱国运动中的"合理"私利：1905年抵货运动夭折的原因　王冠华
琉球漂民事件与日军入侵台湾（1871—1874）　　　　　米庆余
西南丝绸之路研究的认识误区　　　　　　　　　　　　　吴　焯
秦西汉误释未释官印考　　　　　　　　　　　　　　　　赵平安
沈万三及其家族事迹考　　　　　　　　　　　　　　　　顾　诚
地主与英国农村现代化的启动　　　　　　　　　　　　　徐　浩
后现代主义与中国研究：《怀柔远人》的史学启示　　　　罗志田
走出部落联盟
　　——读谢维扬著《中国早期国家》　　　　　　　　　王　和
再论唐代秀才科的存废　　　　　　　　　　　　　　　　刘海峰
费正清与美国的中国学　　　　　　　　　　　　　　　　陶文钊
日本在中国接受西方近代思想中的作用
　　——梁启超个案国际研讨会述评　　　　　　　　　　桑　兵

第五届近百年中日关系史国际研讨会综述 李　晔

"家庭·社区·大众心态变迁"国际学术研讨会述评

唐力行　吴建华　徐茂明

黄兴首次赴日时间及其思想转变小考 萧致治

马新著《两汉乡村社会史》 安作璋

# 1999 年第 2 期

再论社会史的概念问题 赵世瑜

西周国家的历史作用 王玉哲

关于《武成》的几个问题

——兼评《释〈武成〉与金文月相》 张闻玉

"调均贫富"与"斟酌贫富"

——从孔子的"患不均"到唐代的"均平"思想 陈明光

唐朝使职若干问题研究 宁志新

也论戊戌政变前后的康有为 汪荣祖

戊戌维新前后的中日关系

——日本军事顾问与清末军事改革 李廷江

民国时期县长的群体构成与人事嬗递

——以 1927 年至 1949 年长江流域省份为中心 王奇生

西欧法律传统与资本主义的兴起 侯建新

论乔治·班克拉夫特史学

——兼释"鉴别吸收"和"学以致用" 杨生茂

到底是谁在制造伪证?

——驳田中正明著《南京大屠杀之虚构》对贝德士的

诋毁 章开沅

朝贡贸易体系与亚洲经济圈

——评滨下武志教授的《近代中国的国际契机》 朱荫贵

二十世纪的中国明史研究 南炳文

妇女口述史国际学术研讨会综述 　　　　　　　　　杨　洁

戚其章著《晚清海军兴衰史》 　　　　　　　　　　王家俭

## 1999 年第 3 期

从科学与人生观之争看后五四时期对五四基本理念的
　　反思 　　　　　　　　　　　　　　　　　　　罗志田

近代中国学术的地缘与流派 　　　　　　　　　　　桑　兵

五四新文化运动与儒学：误解及其他 　　　　　　　欧阳军喜

五四运动研究历程回顾与检视座谈会综述 　　　　　欧阳军喜

拉施特《史集》所记阿合马案释疑 　　　　　　　　蔡美彪

天一阁藏明抄本《官品令》考 　　　　　　　　　　戴建国

《大衍历议》与今本《竹书纪年》 　　　　　　　　张培瑜

中国建设银公司股份的演变 　　　　　　　　　　　郑会欣

日本"百万户移民"国策评析 　　　　　　　　　　高乐才

二十世纪的中国古代经济史研究 　　　　　　　　　李根蟠

匡谬辨诬　端正学风
　　——答高纪春对《司马光日记校注》的批评 　　李裕民

时代　史家　史著
　　——读《新编剑桥世界近代史》 　　　　　　　于　沛

读《周恩来家世》辨绍兴周氏族谱中的真伪问题
　　——兼谈如何科学使用古代族谱家乘 　　　　　吴丽娱

程璧光与护法运动 　　　　　　　　　　　　　　　赵立人

王素著《高昌史稿·统治编》 　　　　　　　　　　荣新江

郭世佑著《晚清政治革命新论》 　　　　　　宝成关　田毅鹏

关于改进审稿办法的声明 　　　　　　　　　　　本刊编辑部

## 1999 年第 4 期

1948 年苏南冲突起因的历史考察
　　——来自俄国及东欧国家解密档案的新证据 　　沈志华

冷战起源刍议
　　——兼论意识形态在国际关系中的作用　　　　　　　霜　木
英国与冷战的起源　　　　　　　　　　　　　　　　　李世安
斯大林的战后世界体系观与冷战起源的关系　　　　　　叶　江
宋代户口的汇总发布系统　　　　　　　　　　　　　　吴松弟
宋代户部人口统计考察　　　　　　　　　　　　　　　何忠礼
宋代乡里两级制度质疑　　　　　　　　　　　　　　　王　棣
解读《辟韩》
　　——兼论戊戌时期严复与李鸿章张之洞之关系　　　王宪明
略论梁启超谋救光绪皇帝的活动（1898 年 9 月—
　　1900 年 9 月）　　　　　　　　　　　　　　　耿云志
国家利益：苏俄对在华合作者的选择　　　　　　　　　杨雨青
二十世纪的中俄关系史研究　　　　　　　　　　　　　黄定天
刺桐与缎子　　　　　　　　　　　　　　　　　　　　杨志玖
《史记·货殖列传》引《老子》疑义试析　　　　　　　李　埏
从士族郡望看牛李党争的分野　　　　　　　　　　　　李　浩
试释唐代诸帝多饵丹药之谜　　　　　　　　　　　　　王永平
李鸿章字号辨识　　　　　　　　　　　　　　　　　　刘建臻
杨富学著《回鹘之佛教》　　　　　　　　　　　　　　杜斗城
许檀著《明清时期山东商品经济的发展》　　　　　　　张海英
郑大华著《张君劢传》　　　　　　　　　　　　　　　左玉河

## 1999 年第 5 期

美苏冷战的起源及对中国革命的影响　　　　　　　　　杨奎松
新中国外交的形成及主要特征　　　　　　　　　　　　牛　军
美国对中苏同盟的认识与反应　　　　　　　　　　　　张小明
甲骨学的七个课题　　　　　　　　　　　　　　　　　李学勤
《甲骨文合集》的反顾与《甲骨文合集补编》的编纂
　　　　　　　　　　　　　　　　　　　彭邦炯　马季凡

中国现存最古的私家著述《孙子兵法》 何炳棣

太平天国诏书衙考辨 朱从兵

权力欲望与改革尝试：贝利亚在 1953 年 时殷弘

邓广铭与二十世纪的宋代史学 刘浦江

放宽中国近代史研究的视野

    ——译介《近世中国之传统与蜕变》 马 敏

二十世纪的中国宗族研究 常建华

关于义门大家庭分布和发展的几个问题

    ——与黎小龙先生商榷 王善军

大众文化研究与近代中国社会

    ——对近年美国有关研究的述评 王 笛

近代科技传播与中西文化交流国际学术研讨会综述 何建明

关于发行网络电子版和加入龙源电子期刊网的声明 本刊编辑部

## 1999 年第 6 期

澳门历史的新结构 邓 聪

葡萄牙占领澳门的历史过程 邓开颂

巴人源出东夷考 杨 铭

北魏洛阳里坊制度探微 张金龙

契丹贵族大会钩沉 李桂芝

两种清末宪法草案稿本的发现及初步研究 俞 江

古凯尔特人初探 沈 坚

拜占廷《农业法》研究 陈志强

中国二十世纪文献辨伪学述略 刘重来

古代中国人足迹和地理知识的北至 张 箭

也论近代农民离村原因

    ——兼与王文昌同志商榷 彭南生

《哈佛燕京学社》补正 陶飞亚 梁元生

评郑海麟著《钓鱼台列屿之历史与法理研究》 陈捷先

海洋思维：认识中国历史的新视角

    ——评杨国桢主编"海洋与中国丛书" 王日根 宋 立

黄启圣著《澳门通史》 陈梧桐

〔德〕迪特·海茵茨希著《走向联盟的艰难历程：

  1945—1950 年苏联与中共关系研究》 陈之宏 陈 兼

刘文涛著《伟大的解放者——林肯》 郭沂汶

《历史研究》1999 年总目

关于投稿的若干规定

# 2000 年第 1 期

国民党六届二中全会研究 邓 野

中国近代民族主义的兴起与抵制美货运动 王立新

英国与中国的法币平准基金 吴景平

徽州文书与徽学 周绍泉

从碑刻看明清以来苏州社会的变迁

    ——兼与徽州社会比较 唐力行

明清时期徽州妇女在土地买卖中的权利与地位 阿 风

从祁门县"谢氏纷争"看明末徽州的土地丈量与

  里甲制 〔韩〕权仁溶

明代徽州的民事纠纷与民事诉讼 卞 利

新加坡中华总商会与亚洲华商网络的制度化 刘 宏

雅尔塔体制的形成与苏联势力范围的确立 张盛发

美国经济遏制战略与高新技术转让限制 崔 丕

中日甲午战争史研究的世纪回顾 戚其章

郭沫若关于历史编纂体裁的思考 王戎笙

大纲与史：民国学术观念的典范转移 罗志田

聚焦于明清以来的中国
　　——明清以来的中国社会国际学术讨论会综述

　　　　　　　　　　　　　　　　　　常建华　邓丽兰
齐长城肇建原因再探　　　　　　　　　　　　　国光红
陈寅恪"种族与文化"观辨微　　　　　　　　　　彭　华
关于遵守学术规范的联合声明　　《历史研究》等七刊编辑部
关于本刊专有版权和使用权的声明　　　　　　本刊编辑部

# 2000 年第 2 期

社会形态与历史规律再认识笔谈

　　　　　　　　　　何兆武　何兹全　田昌五
　　　　　　　　　　马克垚　宁　可　刘泽华
　　　　　　　　　　冯尔康　朱凤瀚　张园刚
　　　　　　　　　　晁福林　沈长云　李伯重
中国社会形态及相关理论问题学术研讨会述评

　　　　　　　　　　　　张分田　张荣明　执笔
唐《开元二十五年令·田令》研究　　　　　　　戴建国
辽代斡鲁朵探析　　　　　　　　　　　　　　武玉环
清代前期奏销制度与政策演变　　　　　　　　陈　锋
重评共产国际指导中国大革命的路线　　　　　唐宝林
论中英两国政府处理林维喜事件的手法与态度　林启彦　林锦源
《张之洞家书》辨伪　　　　　　　　　　　　秦进才
中世纪西欧教会法对教会与国家关系的理解和规范　彭小瑜
中世纪前期的英国封建王权与基督教会　　　　孟广林
从家庭和私人生活看古雅典妇女的地位　　　　裔昭印
二十世纪的太平天国史研究　　　　　　　　　夏春涛
梁启超佚函中的绑架刘学询方案　　　　　　　郭世佑
纪念陈寅恪教授国际学术研讨会述评　　　桑　兵　林悟殊

## 2000 年第 3 期

宗族与地方社会的国家认同
　　——明清华南地区宗族发展的意识形态基础
　　　　　　　　　　　　　　〔英〕科大卫　刘志伟
明代中后期岭南的地方社会与家族文化　　　　　叶汉明
金代理学发展初探　　　　　　　　　　　　　　魏崇武
《湛然居士文集》中"杨行省"考　　　　　　　陈高华
清代 403 宗民刑案例中的私通行为考察　　　　　郭松义
清季民族主义与黄帝崇拜之发明　　　　　　　　孙隆基
张之洞与晚清学部　　　　　　　　　　　　　　关晓红
"照会"与中国外交文书近代范式的初构　　　　郭卫东
1934—1936 年间中美关系中的白银外交　　　　任东来
明治时期日本人的自我认识　　　　　　　　　　杨宁一
19 世纪与 20 世纪之交的日本亚洲主义　　　　　盛邦和
20 世纪的辛亥革命史研究　　　　　　严昌洪　马　敏
陈寅恪与牛津大学　　　　　　　　　　　　　　程美宝
中国家庭史研究刍议　　　　　　　　　　　　　王玉波
民国教育史及其研究中的几个问题
　　——李华兴主编《民国教育史》读后　宋恩荣　李剑萍
孟子"夫妇有别"论小议
　　——兼与金景芳先生商榷　　　　　　　　　刘文刚
马廷鸾、马端临与咸淳减赋及其思想史意义　　　王培华
中国"慰安妇"问题国际学术研讨会综述　陈丽菲　苏智良

## 2000 年第 4 期

民国时期全国人口统计数字的来源　　　　　　　侯杨方

近代华北农村人口消长及其流动

    ——兼论黄宗智"没有发展的增长"说 　　　　行　龙

抗战时期浙江省的人口迁移与地域分布 　　　　张根福

中国历代更改重复地名及其现实意义 　　　　华林甫

国民党在美国的游说活动

    ——以顾维钧为中心的讨论 　　　　金光耀

美国独立战争爆发前的政治辩论及其意义 　　　　李剑鸣

英法殖民地行政管理体制特点评析（1850—1945） 　　　　高　岱

关于1940年美英"驱逐舰换基地"协定的历史考察 　　　　徐　蓝

《唐律疏议》结构及书名辨析 　　　　钱大群

试析熙丰之际御史台的畸形状态 　　　　刁忠民

黑山会的故事：明清宦官政治与民间社会 　赵世瑜　张宏艳

傅斯年的史学思想和史学著作 　　　　何兹全

史料的尽量扩充与不看二十四史

    ——民国新史学的一个诡论现象 　　　　罗志田

先秦史研究的百年回顾与前瞻 　　　　沈长云

地域分野难以界说党派之争

    ——《从士族郡望看牛李党争的分野》商榷 　　　　王力平

清末武汉劝业奖进会述略 　　　　朱　英

## 2000 年第 5 期

三重道德论 　　　　庞　朴

荆门郭店一号楚墓墓主考论

    ——兼论屈原生平研究 　　　　周建忠

洛阳与汴梁：文化重心与政治重心的分离

    ——关于11世纪80年代理学历史与思想的考察 　　　　葛兆光

《商颂》与商汤之"亳" 　　　　江林昌

新邑考 　　　　彭裕商

西周春秋吴都迁徙考      王　晖

太平天国幼天王、干王等未刊供词中的新史料及辨证      王庆成

试论冯玉祥及国民军在 1925—1927 年的政治态度

         刘敬忠　王树才

杜重远和《新生》周刊      金冲及

纳尔迈调色板和古代埃及统一      郭丹彤

中世纪法兰西王室徽章研究

     ——百合花象征主义的神学渊源及内涵      陈文海

中世纪晚期和近代早期欧洲的寡妇改嫁      俞金尧

中国拉丁美洲史研究回顾      王晓德　雷泳仁

东方考古学协会述论      桑　兵

欧美学者对抗战时期中国沦陷区的研究      王克文

网络结构：探讨中国经济史的新视野

     ——第三届中国商业史国际学术研讨会述评      朱　英

"关中郡姓"辨析      李　浩

《中外旧约章汇编》求疵一则      李　玉

## 2000 年第 6 期

科举制的起源与进士科的起始      刘海峰

魏晋南朝"送故"制度考略      高　敏

《元史·刘黑马传》"七万户"蠡测      赵文坦

明代流刑考      吴艳红

清代中期婚姻行为分析

     ——立足于 1781—1791 年的考察      王跃生

近代江南农村的工价及其影响

     ——兼论小农与经营式农场衰败的关系      胡　成

再论康有为与今文经学      汤志钧

从劝导到禁罚：清季四川反缠足努力述略      杨兴梅

四一二前后的蒋介石与列强　　　　　　　　　　　　　申晓云

1946 年早春中国民主化进程的顿挫
　　——以政协会议及国共关系为中心的研究　　　　　汪朝光

加强拉丁美洲史研究刍议　　　　　　　　　　　　　　曾昭耀

论拉丁美洲殖民制度的遗产　　　　　　　　　　　　　韩　琦

二十世纪的中国科举制度史研究　　　　　　　　　　　何忠礼

中国古代遗嘱继承制度质疑　　　　　　　　　　　　　魏道明

《金朝军制》平议
　　——兼评王曾瑜先生的辽金史研究　　　　　　　　刘浦江

传统历书以二十八宿注历的连续性　　　　　　　　　　邓文宽

清帝退位前夕梁启超与袁世凯关系　　　　　　　　　　李永胜

经济组织与市场发展国际学术研讨会综述　　　　　　　朱　英

顾维钧与中国外交国际学术讨论会综述　　　　　　　　金光耀

《历史研究》2000 年总目

# 2001 年第 1 期

社区精英群的联合和行动
　　——对梨园屯一段口述史料的解说　　　　　　　　程　歗

义和团、基督徒和神
　　——从宗教战争角度看 1900 年的义和团斗争　　〔美〕柯　文

义和团运动期间直隶省的天主教教民　　　　　　　〔法〕巴斯蒂

义和团运动 100 周年国际学术讨论会综述　　　刘天路　苏位智

《代歌》、《代记》和北魏国史
　　——国史之狱的史学史考察　　　　　　　　　　田余庆

敦煌归义军曹氏统治者为粟特后裔说　　　　　　　　荣新江

敦煌曹氏族属与曹氏归义军政权　　　　　　　　　　冯培红

中古教廷财政收入动态考察　　　　　　　　　　　　龙秀清

论中古西欧"上帝的和平"运动　　　　　　　　　　施　诚

论中国古史的氏族时代

　　——应用长时段理论的一个考察　　　　　　　晁福林

英国模式、江南道路与资本主义萌芽　　　　　　　李伯重

区域研究取向的探索

　　——评杨念群著《儒学地域化的近代形态》　　程美宝

重绘近代思想、社会与学术地图

　　——评罗志田著《权势转移：近代中国的思想、

　　　社会与学术》　　　　　　　　　　　　　　葛兆光

中国古代赋役制度史研究的回顾与展望　　陈明光　郑学檬

尹湾《集簿》"春种树"解　　　　　　　　王子今　赵昆生

中国文明起源与早期国家学术研讨会纪要　　　　　王冠英

经济发展与社会变迁国际学术研讨会综述　　严昌洪　彭南生

第四次中华民国史国际学术讨论会述评

　　　　　　　　　　　　陈谦平　陈红民　张　生

关于遵守学术规范的联合声明

关于实行匿名审稿制度的声明

关于投稿的若干规定

## 2001 年第 2 期

"品位—职位"视角中的传统官阶制五期演化　　　阎步克

唐代中书门下体制下的三省机构与职权

　　——兼论中古国家权力运作方式的转变　　　　刘后滨

北宋枢密院长贰出身变化与以文驭武方针　　　　陈　峰

中苏条约谈判中的利益冲突及其解决　　　　　　沈志华

华盛顿体系与中国国民革命：20 年代中美关系新探　王立新

英国与近代中外贸易"法治"的建立　　　　　　王立诚

中法《黄埔条约》交涉

　　——以拉萼尼与耆英之间的来往照会函件为中心　张建华

英国历史传统与北美奴隶制的起源 　　　　　　　　　高春常

近代早期英国流民问题及流民政策 　　　　　　　　　尹　虹

"绅商"词义考析 　　　　　　　　　　　　　　　　谢　放

"绅商"词义及其内涵的几点讨论 　　　　　　　　　马　敏

清末文献中的广东"绅商" 　　　　　　　　　　　　邱　捷

20 世纪隋唐五代史研究的回顾与展望 　　　　　　　张国刚

匈奴汉国的政治与氏羌 　　　　　　　　　　　　　　吕一飞

中国中古社会变迁国际学术讨论会综述 　　　　　　　王利华

关于"五种生产方式"问题的意见

　　——给《历史研究》编者的信 　　　　　　　　张奇方

## 2001 年第 3 期

关于撰写《从五四运动到人民共和国成立》一书的谈话　胡　绳

新旧能否两立：20 年代《小说月报》对于整理国故的

　态度转变 　　　　　　　　　　　　　　　　　　罗志田

近代学术转承：从国学到东方学

　　——傅斯年《历史语言研究所工作之旨趣》解析　桑　兵

《刘向歆父子年谱》的学术背景与初始反响 　　　　　刘　巍

《光明之城》伪书考 　　　　　　　　　　　　　　　黄时鉴

"黑貂之路"质疑

　　——古代东北亚与世界文化联系之我见 　　　　王小甫

元代旅华的西方人

　　——兼答马可波罗到过中国吗？ 　　　　　　　周良霄

西方汉学的奠基人罗明坚 　　　　　　　　　　　　　张西平

美国西部野马的驯养使用与保护 　　　　　周　钢　田吉贡

19 世纪美国的德意志和爱尔兰移民之比较 　　刘文涛　杨成良

试评六卷本《中国移民史》

　　·——兼谈学术批评的规范问题 　　　　　　　包伟民

《中国移民史》的史料及史实问题 　　　　　　　　　　孟彦弘

论清代移民台湾之政策

　　——兼评《中国移民史》之"台湾的移民垦殖" 　　李祖基

我的一点说明 　　　　　　　　　　　　　　　　　　　曹树基

"理解"：20 世纪西方历史学的追求 　　　　　　　　　王加丰

北齐官品的年代问题 　　　　　　　　　　　　　　　　阎步克

唐代长安一个粟特家庭的景教信仰 　　　　　　　　　　葛承雍

《20 世纪的中国科举制度史研究》的一点补充 　　　　　陈高华

## 2001 年第 4 期

当代中国史学思潮与马克思主义历史观的发展 　　　　　蒋大椿

秦汉农业：精耕细作抑或粗放耕作 　　　　　　　　　　杨际平

中古时期北方地区畜牧业的变动 　　　　　　　　　　　王利华

中央、地方的矛盾与长安三年括户 　　　　　　　　　　孟宪实

东北问题与四平决战 　　　　　　　　　　　　　　　　邓　野

战后国民党对共政策的重要转折

　　——国民党六届二中全会再研究 　　　　　　　　　汪朝光

"先打黄维"决策过程考辨 　　　　　　　　　　　　　朱宗震

重评五四运动期间上海总商会"佳电"风波 　　　　　　朱　英

国民革命时期的反帝问题

　　——济南惨案后的反日运动与国民政府的对策 〔韩〕裴京汉

纳粹经济纲领与德意志"经济改革派" 　　　　　　　　李工真

意埃战争爆发后法英在对意制裁问题上的合作与

　　分歧 　　　　　　　　　　　　　　　　　　　　梁占军

"讲述老百姓自己的故事"

　　——评介艾尔松的《爱达荷华人往事》 　　　　　　章开沅

陈寅恪与中国中古史研究 　　　　　　　　　　　　　　胡　戟

也谈"剥皮实草"的真实性 　　　　　　　　　　　　　罗元信

走马楼吴简研究

    吴简所见"调"应是"户调"            王    素

    吴简中的"督军粮都尉"简           罗    新

    释"还民"                    孟彦弘

    吴简中的口算钱                韩树峰

    三国吴简两文书初探             侯旭东

    吴简所见"肿足"解              汪小烜

    吴简中所见"关邸阁"试解        刘    聪

马可波罗与十三世纪中国国际学术讨论会综述

                         王晓欣   邓晶龙

近代中国经济与社会学术讨论会综述     吴景平   陈   雁

## 2001 年第 5 期

工人、资本家与国民党

    ——20 世纪 30 年代一例劳资纠纷的个案分析     王奇生

近代中国第一批股份制企业               朱荫贵

关于民国时期工业生产总值的几个问题    〔日〕久保亨

二十世纪初的茶馆与中国城市社会生活

    ——以成都为例                  王    笛

银雀山汉简中的官社经济体制           张金光

汉代屯戍生活中的古典人道精神         李振宏

求才令与汉魏嬗代                    卫广来

"竹林七贤"考                      王晓毅

希腊城邦的公共空间与政治文化         黄    洋

从古法到神法

    ——中古后期南德农民法律意识的变化     侯树栋

酋邦与专制政治                    易建平

历史事实、历史记忆与历史心性        王明珂

中国商会史研究之回顾与反思 　　　　　　　　　　　冯筱才

二十世纪明清市镇经济研究 　　　　　　　　　　　　　任　放

"思想与社会"学术讨论会综述 　　　　　　　张分田　王利华

## 2001 年第 6 期

中国古代世系学研究 　　　　　　　　　　　　　　　　钱　杭

北朝乡里制与村民的生活世界

　　——以石刻为中心的考察 　　　　　　　　　　　侯旭东

辽朝国号考释 　　　　　　　　　　　　　　　　　　　刘浦江

清代江南疫病救疗事业探析

　　——论清代国家与社会对瘟疫的反应 　　　　　　余新忠

抵制东瀛文体：清季围绕语言文字的思想论争 　　　　罗志田

晚清及民国时期华北村庄中的乡地制

　　——以河北获鹿县为例 　　　　　　　　　　　　李怀印

二十世纪早期西方合作主义在中国的传播和影响 　　　陈意新

中苏国家利益与民族情感的最初碰撞

　　——以《中苏友好同盟互助条约》签订为背景 　　杨奎松

当代美国大都市区中心城市的困境 　　　　　　　　　梁茂信

从白色革命到伊斯兰革命

　　——伊朗现代化的历史轨迹 　　　　　　　　　　哈全安

论伊朗现代伊斯兰政治模式 　　　　　　　　　　　　李春放

二十世纪中国社会史研究的回顾与思考 　　　　赵世瑜　邓庆平

明清徽州书院的官学化与科举化 　　　　　　　　　　李琳琦

基督宗教来华与中西文化交流学术研讨会述评 　　　　何建明

《历史研究》关于文献引证标注方式的规定

《历史研究》退出中国学术期刊网

《历史研究》2001 年总目

# 2002 年第 1 期

弘扬唯物史观的科学理性

　　——与蒋大椿先生商榷　　　　　　　　　吴　英　庞卓恒

见之于行事：中国近代史研究的可能走向

　　——兼及史料、理论与表述　　　　　　　　　　罗志田

马尔萨斯理论和清代以来的中国人口

　　——评美国学者近年来的相关研究　　　　曹树基　陈意新

摘掉人口决定论的光环

　　——兼谈历史人口研究的思路与方法　　　王　丰　李中清

楚材晋用：中国水转大纺车与英国阿克莱水力纺纱机　　李伯重

由放料到工厂：清代前期苏州棉布字号的经济与

　　法律分析　　　　　　　　　　　　　　　　　　邱澎生

清代江南棉布字号探析　　　　　　　　　　　　　范金民

张汤交谊与辛亥革命　　　　　　　　　　　　　　章开沅

近代中国的鼠疫应对机制

　　——以云南、广东和福建为例　　　　　　　　　李玉尚

耶稣家庭与中国的基督教乌托邦　　　　　　　　　陶飞亚

论英国对意大利的外交政策（1936 年 7 月—

　　1938 年 11 月）　　　　　　　　　　　　　　齐世荣

英国的殖民地政策与北美独立运动的兴起　　　　　李剑鸣

近年来美国的冷战史研究　　　　　　　　　　　　白建才

罗威廉著《救世：陈宏谋与 18 世纪中国的精英意识》　　王　笛

史景迁著《文字叛逆》　　　　　　　　　　　　　陈意新

林蔚著《从战争到民族主义：中国的转折点，

　　1924—1925》　　　　　　　　　　　　　　　马　敏

《历史研究》创刊 50 周年征文

《历史研究》关于英文文献标注引证方式的补充规定

## 2002 年第 2 期

盘古考源 　　　　　　　　　　　　　　　　　　王　晖

上古时期中国东南地区的太阳崇拜 　　　　　　　李修松

"六经"次序探源 　　　　　　　　　　　　　　　廖名春

张之洞与《江楚会奏变法三折》 　　　　　　　　李细珠

广州商团与商团事变

　　——从商人团体角度的再探讨 　　　　　　　邱　捷

南京谈判与第二次国共合作的终结 　　　　　　　邓　野

一九四五年至一九四九年的美苏国共关系 　　　　牛　军

古色雷斯人透视 　　　　　　　　　　　　　　　沈　坚

雅典首席将军考辨 　　　　　　　　　　　　　　晏绍祥

宗教与世俗的平衡及其相互制约

　　——意大利人文主义者的宗教观 　　　　　　赵立行

重论"咸为成汤说" 　　　　　　　　　　　　　陈　絜

契丹族源传说借自回鹘论 　　　　　　　　　　　杨富学

张作霖与"二十一条"交涉 　　　　　　　　　　王海晨

中国古代非"户绝"条件下的遗嘱继承制度 　　　姜　密

中国交通史研究一百年 　　　　　　　　　　　　王子今

关于亚洲冷战的中美对话国际学术讨论会综述 　　顾　宁

唐宋妇女史研究与历史学国际学术研讨会综述　许　曼　易素梅

彭慕兰著《大分流：欧洲，中国及现代世界经济的

　　发展》 　　　　　　　　　　　　　　　　　史建云

## 2002 年第 3 期

金文"生称谥"新解 　　　　　　　　　　　　　杜　勇

西周金文所见夷厉二王在位年数及相关问题 　　　彭裕商

汉简所反映的关津制度 　　　　　　　　　　　　李均明

唐代进士科"止试策"考论

　　——兼及"三场试"之成立　　　　　　　　　　陈　飞

国中的"异乡":二十世纪二三十年代旅外川人认知中的

　　全国与四川　　　　　　　　　　　　　　　　　王东杰

密勒氏报"中国当今十二位大人物"问卷调查分析　　杨天宏

一九〇八年第十三世达赖喇嘛晋京朝觐考　　　　　索文清

西藏革命党与中国国民党关系考　　　　　　　　　陈谦平

"文化侵略"与"文化帝国主义":美国传教士

　　在华活动两种评价范式辨析　　　　　　　　　王立新

对美国大都市区化历史地位的再认识　　　　　　　王　旭

美国《共同防卫援助统制法(1951)》的形成及其影响　崔　丕

胡绳史论二题

　　——读书笔记　　　　　　　　　　　　　　　徐宗勉

胡绳晚年对新民主主义与过渡时期总路线的思考拾零　林蕴晖

二十世纪中国历史地理研究　　　　　　葛剑雄　华林甫

关于秦桧归宋的讨论　　　　　　　　　　　　　　王曾瑜

澳门外文称谓 Macao 渊源考　　　　　　　　　　邓景滨

钓鱼岛及其附属岛屿归属考

　　——从明代陈侃《使琉球录》谈起　　　　　　米庆余

## 2002 年第 4 期

章太炎晚年北游讲学的文化象征　　　　　　　　　桑　兵

日本与国民政府的"革命外交":对关税自主交涉的

　　考察　　　　　　　　　　　　　　　　　　王建朗

"学术社会"的建构与知识分子的"权势网络"

　　——《独立评论》群体及其角色与身份　　　　章　清

自由主义知识分子与马克思主义:《独立评论》对

　　中国共产党的态度　　　　　　　　　　　　　张太原

两汉时期气候状况的历史学再考察 陈业新

明清人的"奢靡"观念及其演变

　　——基于地方志的考察 钞晓鸿

古代两河流域文明史年代学研究的历史与现状 吴宇虹

近代法国的史学研究与政府的政治行为 张庆海

发展还是内卷？十八世纪英国与中国

　　——评彭慕兰《大分岔：欧洲，中国及现代世界

　　　经济的发展》 〔美〕黄宗智

尹湾汉简《元延二年日记》所载汉代气象资料 蔡万进

斯宾格勒的"文化形态史观"在华之最初传播

　　——吴宓题英文本《斯宾格勒之文化论》手迹读后 王敦书

路康乐著《满与汉：清末民初的族群关系与

　　政治权力，1861—1928》 王 笛

《历史研究》创刊 50 周年征文

## 2002 年第 5 期

长江下游稻麦复种制的形成和发展

　　——以唐宋时代为中心的讨论 李根蟠

南宋临安的娱乐市场 龙登高

元代"常朝"与御前奏闻考辨 李治安

义和团运动发展阶段中的民间秘密教门 路 遥

道德话语：1900—1901 年对北京的劫掠 〔美〕何伟亚

义和团民与天主教徒在华北的武装冲突 〔德〕狄德满

冠、威义和拳举事口号考证 王如绘

苏联"三十年代大清洗"人数考 吴恩远

徂徕学与日本早期近代化的思想启蒙 韩东育

日本历史教科书问题剖析（1947—2002） 李秀石

二十世纪魏晋南北朝史研究 曹文柱 李传军

谣谚与新史学

——张守常《中国近世谣谚》读后　　　　　　赵世瑜

研究西欧封建王权的新理路

——读孟广林新著《英国封建王权论稿》　　　庞卓恒

上海金融的现代化与国际化国际学术讨论会综述　吴景平　史立丽

夫马进著《中国善会善堂史研究》　　　　　　　范金民

张信著《二十世纪初期中国社会之演变》　　　　马俊亚

陈兼著《毛泽东的中国与冷战》　　　　　赵　晗　高　蓓

# 2002 年第 6 期

晚清华北村镇人口　　　　　　　　　　　　　　王庆成

戊戌变法期间光绪帝对外观念的调适　　　　　　茅海建

走向"三二〇"之路　　　　　　　　　　　　　杨奎松

南京大屠杀中的日军屠杀令研究　　　　　　　　程兆奇

商代后期祭祖仪式类型　　　　　　　　　　　　刘　源

唐代道制的改革与三级制地方行政体制的形成　　郭　锋

十至十四世纪的中国合伙制　　　　　　　　　　刘秋根

民主政治诞生 2500 周年？

——当代西方雅典民主政治研究　　　　　　黄　洋

英国教会：从双重纳税义务走向单一纳税义务　　刘　城

历史、史学与性别（笔谈）　郭松义　高世瑜　商　传　赵世瑜
　　　　　　　　　　　　　定宜庄　李伯重　李小江

梁启超的东学、西学与新学

——评狭间直树《梁启超·明治日本·西方》　桑　兵

张家山汉简《盖庐》中的兵阴阳家　　　　　　　田旭东

《贞观政要》的版本和佚文　　　　　　　　　　彭忠德

古埃及"只娶不嫁"的外交婚姻　　　　　　　　王海利

中国家庭史国际学术讨论会述评　　　　　　　　王利华

《历史研究》2002 年总目

# 2003 年第 1 期

编者按

历史认识：主体意识和主体的创造性 　　　　　　　　于　沛

论中国考古学与历史学的关系 　　　　　　　　　　　朱凤瀚

二十一世纪中国古史研究面对的主要问题 　　　　　　谢维扬

中国经济史的空间与制度：宋元闽南个案的启示 　　　苏基朗

史学传统与晚明史研究 　　　　　　　　　　　　　　商　传

地域社会与文化的结构过程

　　——珠江三角洲研究的历史学与人类学对话 　　　刘志伟

据之于实情：建立中国史学新典范的若干启示

　　——以李伯重《江南的早期工业化（1550—1850）》为例 　马　敏

《新史学》之后

　　——1929 年的中国历史学界 　　　　　　　　　葛兆光

中国生态史学的进步及其意义

　　——以秦汉生态史研究为中心的考察 　　　　　　王子今

光影中的沉思

　　——关于民国时期电影史研究的回顾与前瞻 　　　汪朝光

文化的冲击与超越：当代香港史学 　　　　　　　　　郭少棠

历史研究变革大趋势下的世界史重构 　　　　　　　　陈志强

冷战史新研究与档案文献的收集和利用 　　　　　　　沈志华

也谈中央与地方的矛盾和长安三年括户

　　——与孟宪实先生商榷 　　　　　　　　　　　　耿　虎

对《义和团运动发展阶段中的民间秘密教门》的

　　几点意见 　　　　　　　　　　　　　　　　　　邵　雍

关于陈文帝祭"胡公"

　　——陈朝帝室姓氏探讨 　　　　　　　　　　　　严耀中

南京政府行政督察专员制废止时间考　　　　　　　　翁有为

中国需要什么样的新史学

　　——纪念梁启超《新史学》发表 100 周年学术研讨会

　　综述　　　　　　　　　　　　　　　　　　　　刘焕性

国家、地方、民众的互动与社会变迁国际学术研讨会

　　综述　　　　　　　　　　唐力行　吴建华　张翔凤

中国近代思想史研究方法学术讨论会综述　　　　　　邹小站

东亚基督教的再诠释：近代东西文化交流国际学术

　　讨论会述评　　　　　　　　　　　　　　　　　陶飞亚

## 2003 年第 2 期

唯物史观的历史命运

　　——关于马克思主义文本解读的思考　　　　　　汪征鲁

汉代的流言与讹言　　　　　　　　　　　　　　　　吕宗力

双陆与民族文化的交流和融合　　　　　　　　　　　宋德金

日本历史上的养子制及其文化特征　　　　　　　　　官文娜

英藏清军镇压早期太平天国地图考释　　　　　　　　华林甫

论一九二八年的东北易帜　　　　　　　　　　　　　曾业英

上海银行公会改组风波（1929—1931）　　　　　　　吴景平

再论晚唐五代的"地子"　　　　　　　　　　　　　刘进宝

二十世纪的中国秦汉史研究　　　　　　周天游　孙福喜

中国行会史研究的回顾与展望　　　　　　　　　　　朱　英

辽朝横帐新考　　　　　　　　　　　　　　　　　　王善军

鸦片战争期间搁浅台湾英船性质考　　　　　〔韩〕李永玉

美国的亚洲移民史研究　　　　　　　　　　　　　　王　铭

## 2003 年第 3 期

"冷战史新研究"：源起、学术特征及其批判　　陈　兼　余伟民

1962：中国对外政策"左"转的前夜　　　　　　　　　牛　军

"蒙古问题"与冷战初期美国对华政策　　　　　　　刘晓原

中印边界冲突与苏联的反应和政策　　　　　　　　戴超武

新疆苏联侨民问题的历史考察（1945—1965）　　　李丹慧

冷战中的中国与周边关系国际学术研讨会综述　　　戴超武

北魏前期禁卫武官制度考论

　　——以史籍记载为中心　　　　　　　　　　　张金龙

论十七、十八世纪英国政府的济贫问题　　　　　　尹　虹

二十世纪的清史研究　　　　　　　　　钞晓鸿　郑振满

浴日和御日　　　　　　　　　　　　　　　　　　赵世超

《叔夨方鼎》"王乎殷厥士赍叔夨"解　　　　　　　刘宗汉

## 2003 年第 4 期

世界经济史中的近世江南：比较与综合观察

　　——回应黄宗智先生　　　〔美〕彭慕兰 著　史建云 译

南北朝隋唐士族向城市迁徙与社会变迁　　　　　　韩　昇

由爱乡而爱国：清末广东乡土教材的国家话语　　　程美宝

苏俄在华发表的第一个文件

　　——关于文本内容与发表背景的研究　　　　　李丹阳

紧张而丰富的心灵：林同济思想研究　　　　　　　许纪霖

东欧"再版农奴制"庄园经济的性质问题

　　——与美洲奴隶种植园经济的初步比较　　　　何顺果

美国国家认同的形成及其对美国外交的影响　　　　王立新

宋代乡村基层组织衍变的基本趋势

　　——与《宋代乡里两级制度质疑》一文商榷　　夏维中

从"事件史"到"事件路径"的历史

　　——兼论《历史研究》两组义和团研究论文　　李里峰

封建科举、职官中的"官年"

　　——从杨守敬的考试硃卷谈起　　　　　　　　　　　郗志群

中国疾病、医疗史探索的过去、现实与可能　　　　　　　余新忠

二十年来中国近代乡村经济史的新探索　　　　　李金铮　邹晓昇

第二次中华民国史中青年学者国际学术研讨会综述　　　　张　生

张曙光著《经济冷战：美国对华经济禁运和中苏同盟》　　陈　兼

# 2003 年第 5 期

麻风隔离与近代中国　　　　　　　　　　　　　　　　　梁其姿

清末群学辨证

　　——以康有为、梁启超、严复为中心　　　　　　　　姚纯安

横看成岭侧成峰：学术视差与胡适的学术地位　　　　　　桑　兵

国民党中央委员的权力嬗蜕与派系竞逐　　　　　　　　　王奇生

中国关于战后越南问题的认识与实践（1942—1946）　　　罗　敏

从《秩律》论战国秦汉间禄秩序列的纵向伸展　　　　　　阎步克

文单国与朱江国新论　　　　　　　　　　　　　　　　　沈福伟

乡村故事与社区历史的建构

　　——以东凤村陈氏为例兼论传统乡村社会的

　　　"历史记忆"　　　　　　　　　　　　　陈春声　陈树良

以《路标》为界：俄国自由主义知识分子的思想波澜　　　张建华

部落联盟还是民族

　　——对摩尔根和恩格斯有关论述的再思考　　　　　　易建平

关于秦桧归宋问题的再讨论

　　——兼与王曾瑜先生商榷　　　　　　　　　何忠礼　何兆泉

秦苍梧、洞庭二郡刍论　　　　　　　　　　　　　　　　陈　伟

俄罗斯重新评价斯大林　　　　　　　　　　　　　　　　吴恩远

五十年来中国的法国大革命史研究　　　　　　　　　　　楼均信

## 2003 年第 6 期

殷卜辞所见先公配偶考 　　　　　　　　　　　　　　　　　朱彦民

吴简《嘉禾吏民田家莂》"二年常限"解 　　　　　　　　　　张荣强

科举制定义再商榷 　　　　　　　　　　　　　祖　慧　龚延明

明与清前期海外贸易政策比较

　　——从万明《中国融入世界的步履》一书谈起 　　　　陈尚胜

近代中国茶叶国际贸易的衰减

　　——以对英国出口为中心 　　　　　　　　　　　　　林齐模

陶模与清末新政 　　　　　　　　　　　　　　　　　　　关晓红

华北农民家庭人口生存条件分析

　　——对 20 世纪 30—40 年代冀南农村的考察 　　　　王跃生

陶德曼调停新论 　　　　　　　　　　　　　　　　　　　陈仁霞

英国对北美殖民地的重商主义政策及其影响 　　　　　　　王晓德

战后英国关于殖民地公职人员的政策（1945—1965） 　　　张顺洪

二十世纪简帛的发现与研究 　　　　谢桂华　沈颂金　邬文玲

四一二政变前夕的吴稚晖

　　——近世名人未刊函电过眼录 　　　　　　　　　　　杨天石

乱伦禁忌：中世纪基督教会对世俗婚姻的限制 　　　　　　薄洁萍

《历史研究》2003 年总目

# 作 者 索 引

## 一 画

一　厂　关于西藏史实的几个问题之商榷　　　　1959・9

## 二 画

丁云青　太平天国太阳河码头渡船规条碑跋　　1956・7
丁日初　虞洽卿简论　　　　　　　　　　　　1981・3
丁日初　十九世纪中日资本主义现代化成败原因浅析　1983・1
丁日初　论晚清的国家资本主义　　　　　　　1983・6
丁日初　买办与洋务企业　　　　　　　　　　1984・5
丁凤麟　《中国近代民主思想史》评介　　　　1987・3
丁伟志　"四人帮"是历史科学的敌人　　　　1978・6
丁伟志　儒学的变迁　　　　　　　　　　　1978・12
丁伟志　"四五"运动和无产阶级专政的历史经验　1979・2
丁伟志　历史是多样性的统一　　　　　　　　1983・2
丁伟志　重评"文化论调和论"　　　　　　　1989・4
丁伟志　《校邠庐抗议》与中国文化近代化　　1993・5
丁伟志　"中体西用"论在戊戌维新时期的嬗变　1994・1
丁则良　俄国人第一次环球航行与中国　　　　1954・5
丁则良　近代亚洲民族解放斗争的三次高涨与中国　1955・4

丁则良　章炳麟与印度民族解放斗争

　　　　——兼论章氏对亚洲民族解放斗争的一些看法

　　　　　　　　　　　　　　　　　　　　　　1957·1

丁则良　关于一八五七年印度大起义中的封建势力和

　　　　这次起义的性质问题

　　　　——兼评杜德同志对一八五七年印度大起义的

　　　　　　性质的看法　　　　　　　　　　1957·5

丁则勤　美日的私人议和活动与《日美谅解案》的形成 1986·5

丁则勤　太平洋战争前美国在美日谈判第一阶段的

　　　　远东政策　　　　　　　　　　　　　1989·1

丁名楠　介绍金承化著美国侵朝史　　　　　　1954·3

丁名楠　帝国主义侵略中国领土西藏的罪恶历史　1959·5

丁名楠　关于中法战争几个问题的初步探索　　1984·2

丁守和　十月革命对中国革命的影响　　　　1957·10

丁守和　马克思和恩格斯反对机会主义的斗争　1958·7

丁守和　五四新文化运动　　　　　　　　　　1959·4

丁守和　列宁和民族解放运动　　　　　　　　1964·2

丁守和　井冈山道路永放光芒

　　　　——学习《井冈山的斗争》等光辉著作　1976·5

丁守和　三大法宝是夺取革命胜利的主要武器

　　　　——学习《〈共产党人〉发刊词》　　1976·6

丁守和　陈独秀和《新青年》　　　　　　　　1979·5

丁守和　回忆黎澍二三事　　　　　　　　　　1989·2

丁守和　关于五四运动的几个问题　　　　　　1989·3

丁守和　在历史研究中坚持实事求是　　　　　1989·5

丁守和　评蒋大椿著《唯物史观与史学》　　　1992·6

丁江海　周恩来同志的早期革命活动　　　　　1977·1

丁克迅　美日的私人议和活动与《日美谅解案》的形成

　　　　　　　　　　　　　　　　　　　　　　1986·5

丁克迅　太平洋战争前美国在美日谈判第一阶段的
　　　　远东政策　　　　　　　　　　　　　1989・1
丁建弘　近代德国的统一与沙俄霸权　　　　　　1977・6
丁建弘　略论英布战争的性质　　　　　　　　　1978・11
丁建弘　论俾斯麦在德国统一中的作用　　　　　1981・2
丁贤俊　一个投降派的典型——汪精卫　　　　　1976・4
丁贤俊　孙中山民元让位　　　　　　　　　　　1988・6
丁贤俊　唐绍仪与辛亥南北议和　　　　　　　　1990・3
习忠民　试析熙丰之际御史台的畸形状态　　　　2000・4
卜宪群　秦汉公文文书与官僚行政管理　　　　　1997・4

# 三　　画

万国鼎　论"齐名要术"
　　　　——我国现存最早的完整农书　　　　　1956・1
万道明　要连根拔掉吴晗的"道德继承论"这株毒草　1966・3
久保亨　关于民国时期工业生产总值的几个问题　2001・5
习五一　苏联"阴谋"文证《致驻华武官训令》辨伪　1985・2
习五一　宋教仁与阳明心学　　　　　　　　　　1990・1
习五一　辛亥革命前后宋教仁与日本的关系　　　1991・6
习在榕　福建师范学院第一次科学讨论会关于历史
　　　　论文的讨论　　　　　　　　　　　　　1957・3
于　可　加尔文的"预定论"与资产阶级
　　　　——兼与马丁·路德"唯信称义"说比较　1985・1
于　沛　近二十年的苏联史学理论　　　　　　　1986・4
于　沛　我国近年的西方历史哲学研究　　　　　1993・3
于　沛　外国史学理论的引入和回响　　　　　　1996・3
于　沛　时代　史家　史著
　　　　——读《新编剑桥世界近代史》　　　　1999・3

于　沛　历史认识：主体意识和主体的创造性　　　　2003·1

于　群　美国国家安全委员会152号文件的形成　　　1996·1

于　群　美国的香港政策（1942~1960）　　　　　　1997·3

于省吾　读赵光贤先生"释蔑历"　　　　　　　　　　1957·4

于省吾　驳唐兰先生"关于商代社会性质的讨论"　　　1958·8

于省吾　略论图腾与宗教起源和夏商图腾　　　　　　1959·11

于省吾　岁、时起源初考　　　　　　　　　　　　　1961·4

于省吾　从古文字学方面来评判清代文字、声韵、训诂

　　　　之学的得失　　　　　　　　　　　　　　　1962·6

于福顺　清代新疆卡伦述略　　　　　　　　　　　　1979·4

千家驹　旧中国发行公债史的研究　　　　　　　　　1955·2

卫广来　求才令与汉魏嬗代　　　　　　　　　　　　2001·5

子　愚　一九二九至三三年资本主义世界经济危机　　1975·1

工　岩　论战国时期的食封贵族　　　　　　　　　　1975·6

干志耿　商先起源于幽燕说　　　　　　　　　　　　1985·5

才家瑞　1917—1924年的苏俄中东铁路政策　　　　　1993·4

门登凯　"安乐窝"呆不得

　　　　——读樊哙谏·刘邦"出舍"　　　　　　　1975·3

马　敏　论孙中山伟人品质　　　　　　　　　　　　1986·6

马　敏　过渡特征与中国近代社会形态　　　　　　　1989·1

马　敏　商事裁判与商会

　　　　——论晚清苏州商事纠纷的调处　　　　　　1996·1

马　敏　社会转型与文化变迁国际学术研讨会综述　　1996·3

马　敏　胡适研究的深层次探索

　　　　——评罗志田著《再造文明之梦——胡适传》

　　　　　　　　　　　　　　　　　　　　　　　1998·3

马　敏　马希曼、拉沙与早期的《圣经》中译　　　　1998·4

马　敏　放宽中国近代史研究的视野

　　　　——评介《近世中国之传统与蜕变》　　　　1999·5

马　敏　20 世纪的辛亥革命史研究　　　　　　　　　2000·3

马　敏　"绅商"词义及其内涵的几点讨论　　　　　2001·2

马　敏　林蔚著《从战争到民族主义：中国的转折点，
1924—1925》　　　　　　　　　　　　　　2002·1

马　敏　据之于实情：建立中国史学新典范的若干启示
——以李伯重《江南的早期工业化
（1550—1850）》为例　　　　　　　2003·1

马　雍　近代欧洲汉学家的先驱马尔蒂尼　　　　　　1980·6

马　曜　论诸葛亮安定南中　　　　　　　　　　　　1975·4

马大正　二十世纪的中国边疆史地研究　　　　　　　1996·4

马长寿　论匈奴部落国家的奴隶制　　　　　　　　　1954·5

马长寿　论突厥人和突厥汗国的社会变革（上）　　　1958·3

马长寿　论突厥人和突厥汗国的社会变革（下）　　　1958·4

马长林　唐代监察制度述论　　　　　　　　　　　　1981·5

马庆福等　国内史学动态（2 则）　　　　　　　　1959·10

马伯煌　关于中国资本原始积累的几个问题　　　　　1963·1

马伯煌　论旧中国刘鸿生企业发展中的几个问题　　　1980·3

马克垚　"苏俄与资本主义世界"　　　　　　　　　1958·2

马克垚　关于封建土地所有制形式讨论中的几个问题　1964·2

马克垚　如何认识封建生产方式的共同规律　　　　　1979·9

马克垚　罗马和汉代奴隶制比较研究　　　　　　　　1981·3

马克垚　应如何理解西欧"封建化"问题　　　　　　1982·4

马克垚　关于中世纪英国农民生活状况的估算　　　　1983·4

马克垚　西欧封建城市初论　　　　　　　　　　　　1985·1

马克垚　中英宪法史上的一个共同问题　　　　　　　1986·4

马克垚　资本主义起源理论问题的检讨　　　　　　　1994·1

马克垚　关于封建社会的一些新认识　　　　　　　　1997·1

马克垚　说封建社会形态　　　　　　　　　　　　　2000·2

马克思　十八世纪外交史内幕（第五、六章）　　　　1978·1

马宏山　刘勰前后期思想"存在原则分歧"吗?

　　　　——和王元化同志商榷　　　　　　　1980·5

马季凡　《甲骨文合集》的反顾与《甲骨文合集补编》

　　　　的编纂　　　　　　　　　　　　　　1999·5

马非百　关于《管子》《轻重》篇的著作年代问题　1956·12

马非百　杜仓相秦考　　　　　　　　　　　　　1978·12

马非百　百里奚与孟明视为一人辨　　　　　　　1980·3

马俊亚　张信著《二十世纪初期中国社会之演变》2002·5

马胜利　饶勒斯的史学　　　　　　　　　　　　1988·4

马振文　对太平天国时代白齐文评价的商榷　　　1958·5

马寅初　《中国经济史长编》序言　　　　　　　1985·1

马雪萍　马克思主义史学在东西方历史命运的考察1989·3

马雪萍　20世纪的西方史学与当前的新取向

　　　　——兼论中国史学的优势及前景　　　　1990·5

# 四　画

乌廷玉　旧中国苏浙皖三省的租佃关系　　　　　1987·6

云　松　田汉的《谢瑶环》是一棵大毒草　　　　1966·1

韦庆远　清代著名皇商范氏的兴衰　　　　　　　1981·3

从翰香　关于中国民族资本的原始积累问题　　　1962·2

从翰香　中国封建社会内资本主义萌芽诸问题　　1963·6

仓修良　顾祖禹生卒年辨正　　　　　　　　　　1978·5

仓修良　明清时期"六经皆史"说的社会意义　　1983·6

仓修良　《越绝书》是一部地方史　　　　　　　1990·4

仓修良　关于谱学研究的几点意见　　　　　　　1997·5

元　望　翻译外国著作要认真校订

　　　　——《帝国主义在满洲》汉译本读后　　1981·4

公　盾　再论不要美化封建反动文人

　　　　——评《金圣叹是封建反动文人吗?》　1965·6

为　民　一九二九至三三年资本主义世界经济危机　　　1975·1
卞　利　明代徽州的民事纠纷与民事诉讼　　　　　　　2000·1
卞孝萱　元稹家庭真相　　　　　　　　　　　　　　　1979·4
友　梅　广平淀"当中京、上京之北"说有误　　　　　　1989·4
孔　立　"郑成功研究"学术讨论会述评　　　　　　　　1982·6
孔　繁　论荀况对儒家思想的批判继承　　　　　　　　1977·1
孔令平　亚洲农耕的起源问题　　　　　　　　　　　　1979·6
孔令平　死海古卷的发现及研究　　　　　　　　　　1979·12
孔令平　世界古代史研究的新成果
　　　　　　——评介《世界上古史纲》上册的
　　　　　　　几个新观点　　　　　　　　　　　　1980·1
孔令平　评苏联新编《原始社会史》　　　　　　　　　1987·1
孔永松　厦门大学等院校历史系的教学与研究　　　　　1959·7
孔庆赞　北宋东京四城制及其对金中都的影响　　　　　1991·6
孔经纬　一九三一至一九四五年间日本帝国主义移民
　　　　我国东北的侵略活动　　　　　　　　　　　1961·3
孔经纬　清初至甲午战前东北官田旗地的经营和民佃
　　　　以及民地的发展　　　　　　　　　　　　　1963·4
孔宪易　太平天国壁画能画人物的一个佐证　　　　　1956·11
孔宪易　"□余琐闻"　　　　　　　　　　　　　　1956·11
孔宪易　关于李文成起义的几个问题
　　　　　　——就正于范、尚、李三位先生　　　　1957·7
孔宪易　孟元老其人　　　　　　　　　　　　　　　1980·4
孔宪凯　湖北鄂城发现一百万字的太平天国资料　　　　1980·1
孔祥民　评林赛的《宗教改革史》（上册）　　　　　　1988·3
孔祥民　马丁·路德的转变　　　　　　　　　　　　　1990·1
孔祥吉　档案利用与晚清史研究
　　　　　　——评《剑桥中国晚清史》　　　　　　1988·3
孔祥吉　张之洞与清末立宪别论　　　　　　　　　　　1993·1

孔祥吉　袁世凯上翁同龢说帖述论　1995·3

孔祥吉　晚清知识分子的悲剧
　　　　——从陈鼎和他的《校邠庐抗议别论》谈起
　　　　　　　　　　　　　　　　　　　　　1996·6

孔祥吉　不可多得的历史文献
　　　　——写在《翁同龢文献丛编》出版之前　1998·1

孔祥吉　胶州湾危机与维新运动的兴起　1998·5

尤　中　汉晋时期的"西南夷"　1957·12

尤天然　试论法国历史上的圈地运动　1984·4

尤天然　英法两国现代化模式中的世俗化过程及其
　　　　特征　1997·2

尤利·克尔日热克　捷克斯洛伐克共和国建国四十周年
　　　　　　　　　　　　　　　　　　　　　1958·12

尹　达　悼嵇文甫同志　1963·5

尹　达　必须把史学革命进行到底　1966·1

尹　进　关于中国农业中资本主义萌芽问题　1980·2

尹　虹　近代早期英国流民问题及流民政策　2001·2

尹　虹　论十七、十八世纪英国政府的济贫问题　2003·3

尹　曲　日耳曼农村公社的瓦解与自由农民农奴化　1982·2

尹　声　国内史学动态（10 则）　1962·6

尹涣森　二进制数学创始者通辨　1985·5

巴斯蒂　京师大学堂的科学教育　1998·5

巴斯蒂　义和团运动期间直隶省的天主教教民　2001·1

文　起　马克思恩格斯论天地会　1960·5

文　颖　《美国著名妇女人物辞典》简介　1986·3

文暖根　西北大学历史系科学研究动态　1956·10

文暖根　西北大学历史系第二届科学讨论会　1957·2

文暖根　西北大学历史系整风运动后科学研究中的
　　　　新气象　1958·10

| 方 | 回 | 记新发现的《湘江评论》 | 1954·2 |
|方|回|记巩珍西洋番国志|1954·2|
|方|回|彭湃烈士与一九一九年五月七日中国留日学生东京示威游行运动|1954·2|
|方|行|中国封建社会的经济结构与资本主义萌芽|1981·4|
|方|行|清代前期小农经济的再生产|1984·5|
|方|行|清代前期农村市场的发展|1987·6|
|方|行|清代前期北方的小农经济|1991·2|
|方|秀|沙俄的侵华工具 ——俄国东正教布道团|1975·3|
|方|英|海峡两岸纪念刘铭传逝世一百周年学术研讨会综述|1996·2|
|方|道|反修防修的锐利武器 ——学习毛主席关于社会主义教育运动的一个批示|1976·4|
|方|铭|关于苏俄两次对华宣言和废除中俄不平等条约问题 ——兼答苏联学者|1980·6|
|方立天| |中国佛教哲学的历史演变|1992·3|
|方式光| |且看庐山真面目 ——评广东某"史学权威"|1978·5|
|方志钦| |林则徐与澳门|1990·6|
|方卓然| |关于中世纪阿拉伯文化的几个问题 ——兼评苏联科学院《世界通史》的有关章节|1981·1|
|方国瑜| |唐代后期云南安抚司（南诏）地理考说|1982·3|
|方建新| |宋代婚姻论财|1986·3|
|方如金| |宋代两浙路的粮食生产及流通|1988·4|
|方如金| |六朝时期南方经济作物种植|1993·5|
|方诗铭| |曹操与"白波贼"对东汉政权的争夺|1990·4|

方诗铭　黄巾起义先驱与巫及原始道教的关系

　　　　——兼论"黄巾"与"黄神越章"　　　1993·3

方诗铭　释"张角李弘毒流汉季"

　　　　——"李家道"与汉晋南北朝的"李弘"起义

　　　　　　　　　　　　　　　　　　　　1995·2

方英义　美国革命对法国大革命的影响　　　1989·4

方迥澜　巴西是怎样赢得独立的　　　　　　1980·3

方迥澜　古代巴西印第安人历史新探　　　　1990·1

方龄贵　《通制条格》新探　　　　　　　　1993·3

无　根　嘉靖甲寅倭变纪略　　　　　　　　1956·10

日　知　我们在研究古代史中所存在的一些问题

　　　　——评童书业著"从租佃制度与隶属农民的

　　　　　身份探讨古巴比伦社会性质"　　1956·12

日　知　中国古代史分期问题的关键何在？　1957·8

日　知　史诗《吉尔伽美什和阿伽》与军事民主问题　1961·5

日　知　从《春秋》"称人"之例再论亚洲古代民主

　　　　政治　　　　　　　　　　　　　　1981·3

日　知　百年来关于国家起源史研究的实际和理论　1984·2

毛　磊　武汉工人纠察队交枪事件的考察　　1980·6

毛汉光　中国中古政治史研究的新收获

　　　　——汪征鲁著《魏晋南北朝选官体制（系统）

　　　　　研究》综评　　　　　　　　　　1997·3

毛泽东　《中国农村的社会主义高潮》序言　1956·1

毛泽东　词二首　　　　　　　　　　　　　1976·1

毛振发　中国近代兵书概论　　　　　　　　1987·2

毛健予　中国近代史分期问题的讨论（来稿接要）　1957·3

水　金　罗马尼亚史学界迎接祖国独立一百周年　1977·2

牛　军　新中国外交的形成及主要特征　　　1999·5

牛　军　一九四五年至一九四九年的美苏国共关系　2002·2

牛　军　1962：中国对外政策"左"转的前夜　　　　2003·3

牛大勇　美国对华政策与"四一二"政变的关系

　　　　——兼与沈予同志商榷　　　　　　　　1985·4

牛大勇　英国与对华门户开放政策的缘起　　　　　1990·4

牛大勇　英国对华政策与国民革命的危机　　　　　1991·4

牛大勇　影响中国前途的一次空运　　　　　　　　1995·6

牛志平　唐代婚姻的开放风气　　　　　　　　　　1987·4

木　海　不断加强各族人民的团结　　　　　　　　1975·1

王　二　关于"咸丰十年庚申大乱记"　　　　　　1957·3

王　丰　摘掉人口决定论的光环

　　　　——兼谈历史人口研究的思路与方法　　　2002·1

王　火　长沙购书记

　　　　——关于"长沙文化书社"的资料　　　1957·10

王　东　史官文化的演进　　　　　　　　　　　　1993·4

王　尧　唐蕃会盟碑疏释　　　　　　　　　　　　1980·4

王　尧　文成公主死于痘症　　　　　　　　　　　1982·4

王　尧　敦煌藏文写卷 P·T·1083、1085 号研究

　　　　——吐蕃占有敦煌时期的民族关系探索　　1984·5

王　旭　富有生机的美国城市经理制　　　　　　　1989·3

王　旭　美国西部的开发与城市化　　　　　　　　1992·4

王　旭　工业城市发展的周期及其阶段性特征

　　　　——美国中西部与中国东北部比较　　　　1997·6

王　旭　对美国大都市区化历史地位的再认识　　　2002·3

王　劲　洋务运动史第三次讨论会综述　　　　　　1985·6

王　和　苏联史学界加强研究世界近代现代史　　　1959·7

王　和　提倡学术自由　繁荣历史科学

　　　　——首都部分史学工作者座谈会纪要　　　1985·2

王　和　试论历史规律　　　　　　　　　　　　　1987·5

王　和　商周人际关系思想的发展与演变　　　　　1991·5

| 王 和 | 走出部落联盟 | |
| | ——读谢维扬著《中国早期国家》 | 1999·1 |
| 王 忠 | "关于白族族源问题"质疑 | 1958·8 |
| 王 忠 | 驳向达、潘光旦关于土家族历史的谬说 | 1958·11 |
| 王 忠 | 中央政府管理西藏地方的制度的发展 | 1959·5 |
| 王 忠 | 论西夏的兴起 | 1962·5 |
| 王 忠 | 评理查逊《西藏简史》关于明代西藏地方 | |
| | 历史的谬说 | 1963·5 |
| 王 忠 | 唐代汉藏两族人民的经济文化交流 | 1965·5 |
| 王 玮 | 美英在拉美的争夺与门罗宣言的产生 | 1983·3 |
| 王 青 | 四川省积极开展地方史研究 | 1981·2 |
| 王 垠 | 有毒草就得进行斗争 | 1966·3 |
| 王 柯 | 日中、日俄〔苏〕关系与新疆 | 1993·3 |
| 王 晖 | 周原甲骨属性与商周之际祭礼的变化 | 1998·3 |
| 王 晖 | 西周春秋吴都迁徙考 | 2000·5 |
| 王 晖 | 盘古考源 | 2002·2 |
| 王 晋 | 中山武公新论 | 1992·2 |
| 王 真 | 抗战期间中苏关系恶化原因初探 | 1990·4 |
| 王 真 | 抗战初期中苏在苏联参战问题上的分歧 | 1994·6 |
| 王 素 | 高昌火祆教论稿 | 1986·3 |
| 王 素 | 也论高昌"俗事天神" | 1988·3 |
| 王 素 | 沮渠氏北凉建置年号规律新探 | 1998·4 |
| 王 素 | 吴简所见"调"应是"户调" | 2001·4 |
| 王 硕 | "宦官"与"太监" | 1983·6 |
| 王 移 | 南京大学历史系近况 | 1956·11 |
| 王 笛 | 辛亥革命时期孙中山的对外态度 | 1986·2 |
| 王 笛 | 西方宗教势力在长江上游地区的拓展 | 1991·3 |
| 王 笛 | 晚清长江上游地区公共领域的发展 | 1996·1 |
| 王 笛 | 近年美国关于近代中国城市的研究 | 1996·1 |

| 王 | 笛 | 近年美国关于近代中美关系的研究 | 1997·2 |

王　笛　近年美国关于近代中美关系的研究　1997·2

王　笛　大众文化研究与近代中国社会
　　　　——对近年美国有关研究的述评　1999·5

王　笛　二十世纪初的茶馆与中国城市社会生活
　　　　——以成都为例　2001·5

王　笛　罗威廉著《救世：陈宏谋与十八世纪中国的
　　　　精英意识》　2002·1

王　笛　路康乐著《满与汉：清末民初的族群关系
　　　　与政治权力，1861—1928》　2002·4

王　铭　美国的亚洲移民史研究　2003·2

王　琼　清末民初的两次户口人口调查　1997·1

王　棣　宋代乡里两级制度质疑　1999·4

王　翔　民初“服制改革”对苏州丝织业的影响　1986·4

王　翔　晚清苏州丝织业“账房”的发展　1988·6

王　翔　近代中国丝绸业的结构与功能　1990·4

王　翔　中国近代经济史研究中的若干理论问题　1993·4

王　翔　近代中国手工业行会的演变　1998·4

王　新　“东方问题”的产生与俄国的黑海—巴尔干
　　　　政策　1980·2

王　譞　唐太宗平定高昌的历史意义　1979·4

王　譞　阿波可汗是西突厥汗国的创始者
　　　　——兼论突厥汗国的分裂与西突厥汗国的
　　　　形成　1982·2

王力平　地域分野难以界说党派之争
　　　　——《从士族郡望看牛李党争的分野》
　　　　商榷　2000·4

王大同　国内史学动态　1959·12

王士伦　秋瑾出生年代　1979·12

王士花　日伪华北交通股份有限公司及其交通统制　1996·3

| 王子今 | 秦汉长城与北边交通 | 1988·6 |
|---|---|---|
| 王子今 | 秦汉时期的内河航运 | 1990·2 |
| 王子今 | 秦汉时期气候变迁的历史学考察 | 1995·2 |
| 王子今 | 读《资治通鉴疑年录》 | 1996·1 |
| 王子今 | 尹湾《集簿》"春种树"解 | 2001·1 |
| 王子今 | 中国交通史研究一百年 | 2002·2 |
| 王子今 | 中国生态史学的进步及其意义 | |
| | ——以秦汉生态史研究为中心的考察 | 2003·1 |
| 王小甫 | 唐初安西四镇的弃置 | 1991·4 |
| 王小甫 | "黑貂之路"质疑 | |
| | ——古代东北亚与世界文化联系之我见 | 2001·3 |
| 王小强 | 农民与反封建 | 1979·10 |
| 王六铭 | 国外史学动态（7 则） | 1962·6 |
| 王仁忱 | 对中国近代史分期问题的商榷 | 1956·12 |
| 王仁康 | 东汉金城郡治地理位置考 | 1978·10 |
| 王仁康 | 开皇二十年秦陇地震考释 | 1979·7 |
| 王天奖 | 西晋的土地和赋税制度 | 1956·7 |
| 王天奖 | 太平天国乡官的阶级成份 | 1958·3 |
| 王天奖 | 十九世纪下半纪中国的秘密会社 | 1963·2 |
| 王少普 | 曾国藩洋务思想的形成、性质和作用 | 1983·2 |
| 王文才 | 对于李蓝起义某些问题的商榷 | 1957·10 |
| 王文昌 | 20 世纪 30 年代前期农民离村问题 | 1993·2 |
| 王文楚 | 唐代两京驿路考 | 1983·6 |
| 王方中 | 宋代民营手工业的社会经济性质 | 1959·2 |
| 王日根 | 家族组织宏观模式的新建构 | |
| | ——评《明清福建家族组织与社会变迁》 | 1993·2 |
| 王日根 | 明清时代会馆的演进 | 1994·4 |
| 王日根 | "社学即官办初等教育"说质疑 | 1996·6 |

王日根　海洋思维：认识中国历史的新视角
　　　　——评杨国桢主编"海洋与中国丛书"　1999·6
王世民　周都丰镐位置商榷　1958·2
王世民　西周春秋金文中的诸侯爵称　1983·3
王世华　略论明代御史巡按制度　1990·6
王世华　朱元璋惩贪"剥皮实草"质疑　1997·2
王东杰　国中的"异乡"：二十世纪二三十年代
　　　　旅外川人认知中的全国与四川　2002·3
王加丰　"理解"：二十世纪西方历史学的追求　2001·3
王北辰　古代居延道路　1980·3
王可风　南京史料整理处对历史档案的搜集整理
　　　　和利用　1958·7
王正平　论一些民族直接过渡到封建社会的原因
　　　　和共同特征　1981·2
王正平　地理环境和社会发展　1983·2
王正平　历史认识对象的特点　1988·1
王永平　隋代江南士人的浮沉　1995·1
王永平　试释唐代诸帝多饵丹药之谜　1999·4
王永兴　敦煌唐代差科簿考释　1957·12
王永江　评梁效某顾问　1977·4
王玉波　传统的家庭认同心理探析　1988·4
王玉波　中国婚礼的产生与演变　1990·4
王玉波　启动·中断·复兴
　　　　——中国家庭、家族史研究述评　1993·2
王玉波　深化社会结构史研究
　　　　——《中国社会结构的演变》读后　1995·6
王玉波　中国家庭史研究刍议　2000·3
王玉哲　关于范著中国通史简编修订本第一册的几点
　　　　意见　1954·6

王玉哲　有关西周社会性质的几个问题　　　　　　　1957·5

王玉哲　商族的来源地望试探　　　　　　　　　　　1984·1

王玉哲　秦人的族源及迁徙路线　　　　　　　　　　1991·3

王玉哲　西周棻京地望的再探讨　　　　　　　　　　1994·1

王玉哲　西周国家的历史作用　　　　　　　　　　　1999·2

王立诚　英国与近代中外贸易"法治"的建立　　　　2001·2

王立新　十九世纪在华基督教的两种传教政策　　　　1996·3

王立新　中国近代民族主义的兴起与抵制美货运动　　2000·1

王立新　华盛顿体系与中国国民革命：二十年代中美

　　　　关系新探　　　　　　　　　　　　　　　2001·2

王立新　"文化侵略"与"文化帝国主义"：

　　　　美国传教士在华活动两种评价范式辨析　　　2002·3

王立新　美国国家认同的形成及其对美国外交的影响　2003·4

王亚平　16世纪西班牙美洲殖民地天主教传教活动的

　　　　政治作用　　　　　　　　　　　　　　　1992·5

王亚平　中世纪的远程贸易和德国城市的兴起　　　　1993·5

王仲荦　唐代两税法研究　　　　　　　　　　　　　1963·6

王仲荦　隋唐五代的书法

　　　　——《隋唐五代史》之一章　　　　　　　1984·1

王仲荦　中国封建社会的特点　　　　　　　　　　　1985·1

王先明　浅谈马克思主义对社会史研究的贡献　　　　1991·1

王先明　中国近代绅士阶层的社会流动　　　　　　　1993·2

王先明　晚清士绅基层社会地位的历史变动　　　　　1996·1

王先明　再谈马克思恩格斯与社会史研究

　　　　——对常宗虎先生《社会史浅论》的

　　　　　　两点质疑　　　　　　　　　　　　　1996·2

王先明　评马敏著《官商之间——社会巨变中的近代

绅商》　　　　　　　　　　　　　　　　　　　1997·2

| 王先恒 | 关于共产主义同盟第一次代表大会的 | |
| | 若干史实 | 1978·10 |
| 王兴斌 | 重视革命史编写工作的典范 | |
| | ——恩格斯晚年为马克思及其战友做传的 | |
| | 事迹 | 1978·10 |
| 王在帮 | 布雷顿森林体系的兴衰 | 1994·4 |
| 王好立 | 从戊戌到辛亥梁启超的民主政治思想 | 1982·1 |
| 王如绘 | 《江华条约》与清政府 | 1997·1 |
| 王如绘 | 冠、威义和拳举事口号考证 | 2002·5 |
| 王宇信 | 由《史记》鲧禹的失统谈鲧禹传说的史影 | 1989·6 |
| 王守义 | 明末农民军"均田"口号质疑 | 1962·2 |
| 王安平 | 评《共产国际、斯大林与中国革命》 | 1994·3 |
| 王年一 | 关于"八一"南昌起义若干史实的考证 | 1979·7 |
| 王年一 | 论"和平民主新阶段" | |
| | ——斥林彪、"四人帮"对刘少奇同志的 | |
| | 诬陷 | 1980·2 |
| 王年咏 | 近代中国的战争赔款总值 | 1994·5 |
| 王庆成 | 太平天国革命的反封建性质不容否定 | |
| | ——驳梁效、罗思鼎对太平天国历史的 | |
| | 歪曲 | 1977·6 |
| 王庆成 | 太平军内部对建都问题的论争及其影响 | 1978·6 |
| 王庆成 | 关于"天父天兄天王太平天国" | 1978·9 |
| 王庆成 | 论洪秀全的早期思想及其发展（上） | 1979·8 |
| 王庆成 | 论洪秀全的早期思想及其发展（下） | 1979·9 |
| 王庆成 | "太平玉玺"的读法 | 1981·2 |
| 王庆成 | 太平天国研究的历史和方法 | 1981·3 |
| 王庆成 | 太平天国上帝的"大家庭"和"小家庭" | 1982·6 |
| 王庆成 | 太平天国修改印书的事实和意义 | 1986·5 |
| 王庆成 | 太平天国的对外关系和国际观念 | 1991·1 |

| | | |
|---|---|---|
| 王庆成 | 新发现的"天王御照"和"天海关照会" | |
| | ——1861 年春太平天国和英国的交往 | 1994・1 |
| 王庆成 | 太平天国和四书五经 | 1995・3 |
| 王庆成 | 洪仁玕签驳《李秀成供》文书的发现和研究 | 1997・1 |
| 王庆成 | 清代西教在华之环境 | |
| | ——康雍乾道咸朝若干稀见文献考释 | 1997・6 |
| 王庆成 | 太平天国幼天王、干王等未刊供词中的新史料 | |
| | 及辨证 | 2000・5 |
| 王庆成 | 晚清华北村镇人口 | 2002・6 |
| 王庆余 | "古为帮用"的恶劣表演 | |
| | ——清算《学习与批判》利用历史反党的 | |
| | 罪行 | 1977・3 |
| 王汝丰 | 关于两汉社会性质问题的探讨 | 1955・1 |
| 王廷科 | 巴西会议是什么时候召开的? | 1980・5 |
| 王廷科 | 红军长征几个史实的考证 | 1981・1 |
| 王廷科整理 | 关于抗日战争史研究的若干问题 | |
| | ——中国现代史学会学术讨论会综述 | 1986・2 |
| 王戎笙 | 郭沫若关于历史编纂体裁的思考 | 2000・1 |
| 王达津 | 读郭沫若先生"太史公行年考有问题"后 | 1956・3 |
| 王丽勤 | 吴晗是一个披着羊皮的"狼外婆" | 1966・3 |
| 王克文 | 欧美学者对抗战时期中国沦陷区的研究 | 2000・5 |
| 王利华 | 中国中古社会变迁国际学术讨论会综述 | 2001・2 |
| 王利华 | 中古时期北方地区畜牧业的变动 | 2001・4 |
| 王利华 | "思想与社会"学术讨论会综述 | 2001・5 |
| 王利华 | 中国家庭史国际学术讨论会述评 | 2002・6 |
| 王宏志 | 一位辛勤耕耘的史学家 | |
| | ——纪念吴含诞生七十五周年、 | |
| | 逝世十五周年 | 1984・3 |
| 王宏斌 | 清末新政时期的禁烟运动 | 1990・4 |

| 王芸生 | 论二王八司马政治革新的历史意义 | 1963·3 |
|---|---|---|
| 王芸生 | 日本明治维新以来一条错误的外交路线 | 1965·2 |
| 王忍之 | 辛亥革命前资产阶级派和改良派的斗争 | 1962·6 |
| 王连升 | "四人帮"在史学领域招摇的一面霸旗 | |
| | ——评罗斯鼎《论秦汉之际的阶级斗争》 | 1977·2 |
| 王连升 | 论秦始皇的是非功过 | 1979·2 |
| 王其榘 | 明初全国土田面积考 | 1981·4 |
| 王其榘 | 明初全国人口考 | 1988·1 |
| 王叔武 | 关于白族族源问题 | 1957·4 |
| 王奇生 | 民国时期县长的群体构成与人事嬗递 | |
| | ——以1927—1949年长江流域省份为中心 | 1999·2 |
| 王奇生 | 工人、资本家与国民党 | |
| | ——20世纪30年代一例劳资纠纷的 | |
| | 个案分析 | 2001·5 |
| 王奇生 | 国民党中央委员的权力嬗蜕与派系竞逐 | 2003·5 |
| 王学庄 | 评孔教会 | 1975·5 |
| 王学庄 | 《龙华会章程》探微 | 1979·9 |
| 王学庄 | 萍浏醴会党起义檄文辨伪 | 1989·5 |
| 王学典 | 翦伯赞与中国历史科学的理论建设 | 1990·3 |
| 王建朗 | 二战爆发前国民政府外交综论 | 1995·4 |
| 王建朗 | 中国废除不平等条约的历史考察 | 1997·5 |
| 王建朗 | 日本与国民政府的"革命外交":对关税自主 | |
| | 交涉的考察 | 2002·4 |
| 王明伦 | 鸦片战争前云南铜矿业中的资本主义萌芽 | 1956·3 |
| 王明珂 | 历史事实、历史记忆与历史心性 | 2001·5 |
| 王松亭 | 从《贫富论》看18世纪初俄国的重商主义 | 1995·6 |
| 王育民 | 十六国北朝人口考察 | 1987·2 |
| 王育民 | 《明初全国人口考》质疑 | 1990·3 |
| 王育民 | 元代人口考实 | 1992·5 |

王承祒　关于西周的社会性质问题　　　　　　　　　　1955・1

王金玉　宋代"千文架阁法"辨析　　　　　　　　　　1994・6

王金林　日本古代部民的性质

　　　　——兼论日本未经历奴隶制社会　　　　1981・3

王金林　读《文化的抉择与发展——日本吸收
外来文化史说》　　　　　　　　　　　　　1995・1

王金铻　略论中国现代资产阶级民主运动　　　　　　　1983・4

王俊义　清初学术发展规律的有益探索

　　　　——评《清初学术思辨录》　　　　　　　1994・4

王保生　一个不折不扣的历史反革命

　　　　——张春桥三十年代反动文章剖析　　　　1977・2

王养冲　法国大革命史编纂学中的进步传统　　　　　　1982・6

王养冲　十八世纪法国的启蒙运动　　　　　　　　　　1984・2

王养冲　评介《拿破仑评传》　　　　　　　　　　　　1985・2

王养冲　近40年来法国传统的大革命史学的发展及其
遇到的挑战　　　　　　　　　　　　　　　1989・4

王冠华　爱国运动中的"合理"私利：1905年
抵货运动夭折的原因　　　　　　　　　　　1999・1

王冠英　殷周的外服及其演变　　　　　　　　　　　　1984・5

王冠英　中国文明起源与早期国家学术研讨会纪要　　　2001・1

王宪明　解读《辟韩》

　　　　——兼论戊戌时期严复与李鸿章张之洞之
关系　　　　　　　　　　　　　　　　　　1999・4

王思治　关于两汉社会性质问题的探讨　　　　　　　　1955・1

王思治　评"中国历史概要"　　　　　　　　　　　　1956・8

王思治　再论汉代是奴隶社会　　　　　　　　　　　　1956・9

王思治　评《明代黄册制度》　　　　　　　　　　　　1962・3

王思治　从清初的吏治看封建官僚政治　　　　　　　　1980・1

王思治　中国古代史分期问题分歧的原因何在？　　　　1980・5

王恒杰　严谨探研的硕果：《中国史探研》　1982·5
王树才　试论冯玉祥及国民军在 1925—1927 年的
　　　　政治态度　2000·5
王挺之　佛罗伦萨的公众庆典仪式与文艺复兴　1987·5
王挺之　"文艺复兴"研究的新趋势　1991·1
王挺之　近代外交原则的历史思考
　　　　——论马基雅维里主义　1993·3
王挺之　意大利文艺复兴时期的城市宗教生活　1996·5
王春瑜　"万岁"考　1979·9
王胜利　"九道"概述　1982·2
王觉非　评研究克伦威尔的史学　1981·3
王觉非　十七世纪英国革命中平等派对选举权的主张　1985·3
王贵民　商朝官制及其历史特点　1986·4
王重民　莫高窟记（敦煌史料之一）　1954·2
王重民　论《七略》在我国目录学史上的成就和影响　1963·4
王锺翰　胤祯与抚远大将军王奏档　1993·2
王锺翰　康熙与理学　1994·3
王钧林　先秦山东地区宗法研究　1992·6
王首道　革命的摇篮
　　　　——回忆毛主席在广州主办农民运动
　　　　讲习所　1977·4
王祖耀　国外史学动态　1959·12
王家范　驳法家"长期反复辟"论　1978·3
王家范　中国社会史学科建设刍议　1989·4
王家范　中国社会史研究笔谈·从难切入　在"变"
　　　　字上做文章　1993·2
王家俭　姜鸣《中国近代海军史事日志》评介　1996·2
王家俭　戚其章著《晚清海军兴衰史》　1999·2
王家骅　日本发现五世纪的铁剑铭文　1979·8

王家骅　幕末日本人西洋观的变迁　1980·6

王家骅　植木枝盛的自由民权思想与儒学　1996·3

王晋新　都铎王朝对教会地产的剥夺及其意义　1991·2

王晓秋　论"五四"时期的百家争鸣　1979·4

王晓秋　康有为的一部未刊印的重要著作

　　　　——《日本变政考》评介　1980·3

王晓秋　太平天国革命对日本的影响　1981·2

王晓秋　清末政坛变化的写照

　　　　——宣统年间《汪荣宝日记》剖析　1989·1

王晓秋　戊戌维新一百周年国际学术讨论会综述　1998·6

王晓欣　马可波罗与十三世纪中国国际学术

　　　　讨论会综述　2001·4

王晓德　美国对外关系的文化探源　1997·3

王晓德　试论务实传统对美国外交的影响　1998·4

王晓德　中国拉丁美洲史研究回顾　2000·5

王晓德　英国对北美殖民地的重商主义政策及其影响　2003·6

王晓毅　"竹林七贤"考　2001·5

王桂琴　读《赵俪生史学论著自选集》　1997·2

王桧林　五四时期民主思想的演变　1989·3

王海利　古埃及"只娶不嫁"的外交婚姻　2002·6

王海良　扯下吴晗所吹捧的"清官"的脸谱　1966·3

王海晨　张作霖与"二十一条"交涉　2002·2

王益知　章太炎的一副对联　1978·1

王致中　封建蒙昧主义与义和团运动　1980·1

王培华　马廷鸾、马端临与咸淳减赋及其思想史意义　2000·3

王崇武　论元末农民起义的社会背景　1954·1

王崇武　论元末农民起义的发展蜕变及其在历史上

　　　　所起的进步作用　1954·4

王敏华　拿破仑与法国天主教的复兴　1988·2

王渊明 法国封建社会农民的生活状况与社会发展的
关系 1985·5
王盛恩 从"孔子诞辰"谈历史年代的计算 1990·3
王章辉 近代英国城市化初探 1992·4
王续添 评《中华民国史》第二编第五卷 1997·1
王维礼 应当全面评价瞿秋白 1979·12
王跃生 清代中期婚姻行为分析
——立足于1781—1791年的考察 2000·6
王跃生 华北农民家庭人口生存条件分析
——对20世纪30—40年代冀南农村的
考察 2003·6
王辅仁 对我国藏族、维吾尔族和傣族部分地区解放前
农奴制度的初步研究 1962·5
王善军 关于义门大家庭分布和发展的几个问题
——与黎小龙先生商榷 1999·5
王善军 辽朝横帐新考 2003·2
王敦书 美国对日政策与太平洋战争的爆发 1979·12
王敦书 斯巴达早期土地制度考 1983·6
王敦书 斯宾格勒的"文化形态史观"在华之最初传播
——吴宓题英文本《斯宾格勒之文化论》
手迹读后 2002·4
王敬之 国外史学动态二则 1978·10
王斯德 论太平洋战前美国远东战略及其演变 1982·6
王晴佳 简论朗克与朗克史学 1986·3
王晴佳 美国的中国学研究评述 1993·6
王曾瑜 岳飞之死 1979·12
王曾瑜 金朝户口分类制度和阶级结构 1993·6
王曾瑜 评《辽夏金经济史》 1995·3
王曾瑜 宋史研究的回顾与展望 1997·4

| | | |
|---|---|---|
| 王曾瑜 | 关于秦桧归宋的讨论 | 2002·3 |
| 王援朝 | 唐初甲骑具装衰落与轻骑兵兴起之原因 | 1996·4 |
| 王慎行 | 文王非纣臣考辨 | |
| | ——兼论文王的文治武功 | 1994·5 |
| 王慎荣 | 蒲鲜万奴国号考辨 | 1985·5 |
| 王新生 | 广东与长野器械缫丝业比较研究 | |
| | ——兼论两地的原始工业化 | 1993·3 |
| 王煦华 | 战国到西汉未曾实行"提封田"的田亩制度 | 1986·4 |
| 王献军 | 再论元朝中央政府对西藏的统治 | |
| | ——兼与沈卫荣商榷 | 1998·3 |
| 王瑞来 | 论宋代相权 | 1985·2 |
| 王瑞来 | 论宋代皇权 | 1989·1 |
| 王瑞明 | 宋代纲运与阶级矛盾 | 1978·10 |
| 王蒲华 | 清代福建人口向台湾的流动 | 1983·2 |
| 王锦涛 | 向资产者发射的最厉害的炮弹 | |
| | ——纪念《资本论》第一卷问世 | |
| | 一百一十周年 | 1977·1 |
| 王锦瑭 | 美国企业史研究 | 1996·4 |
| 王毓铨 | 说秦汉到明末官手工业和封建制度的关系 | 1954·5 |
| 王毓铨 | 汉代"亭"与"乡""里"不同性质 | |
| | 不同行政系统说 | |
| | ——"十里一亭……十亭一乡"辨正 | 1954·2 |
| 王毓铨 | 爰田（辕田）解 | 1957·4 |
| 王毓铨 | 明代军屯制度的历史渊源及其特点 | 1959·6 |
| 王毓铨 | 明代的军户 | 1959·8 |
| 王毓铨 | 明黔国公沐氏庄田考 | 1962·6 |
| 王毓铨 | 明朝徭役审编与土地 | 1988·1 |
| 王赛时 | 中国烧酒名实考辨 | 1994·6 |
| 王德裕 | 评公孙龙 | 1978·1 |

| 王蕴桥 | 评林彪"捧杀"毛泽东思想的反革命策略 | 1978·10 |
| 王震中 | 应该怎样研究上古的神话与历史 | |
| | ——评《诸神的起源》 | 1988·2 |
| 王澧华 | 《曾文正公年谱》作者考辨 | 1996·4 |
| 邓 拓 | 从万历到乾隆 | |
| | ——关于中国资本主义萌芽时期的 | |
| | 一个论证 | 1956·10 |
| 邓 拓 | 毛泽东思想开辟了中国历史科学发展的道路 | 1961·1 |
| 邓 野 | 评《中国现代思想史论》 | 1989·1 |
| 邓 野 | 旧金山会议中国代表团组成问题 | 1994·3 |
| 邓 野 | 国民党六届二中全会研究 | 2000·1 |
| 邓 野 | 东北问题与四平决战 | 2001·4 |
| 邓 野 | 南京谈判与第二次国共合作的终结 | 2002·2 |
| 邓 聪 | 古代香港历史的新发现 | 1997·3 |
| 邓 聪 | 澳门历史的新结构 | 1999·6 |
| 邓小南 | 北宋文官磨勘制度初探 | 1986·6 |
| 邓小南 | 龚延明著《宋代官制辞典》 | 1998·2 |
| 邓广铭 | 唐代租庸调法的研究 | 1954·4 |
| 邓广铭 | 评向达的"唐代长安与西域文明" | 1957·11 |
| 邓广铭 | 南宋对金斗争中的几个问题 | 1963·2 |
| 邓广铭 | 唐代庄园制度质疑 | 1963·6 |
| 邓广铭 | 三十卷本《陈龙川文集》补阙订误发覆 | 1984·2 |
| 邓广铭 | 宋代文化的高度发展与宋王朝的文化政策 | 1990·1 |
| 邓广铭 | 试破宋太宗即位大赦诏书之谜 | 1992·1 |
| 邓开颂 | 葡萄牙占领澳门的历史过程 | 1999·6 |
| 邓文宽 | 传统历书以二十八宿注历的连续性 | 2000·6 |
| 邓亦兵 | 清代前期的粮食运销和市场 | 1995·4 |
| 邓先宏 | 试论中国银行与北洋政府的矛盾 | 1986·4 |
| 邓庆平 | 二十世纪中国社会史研究的回顾与思考 | 2001·6 |

邓丽兰　聚焦于明清以来的中国
　　　　——明清以来的中国社会国际学术讨论会
　　　　综述　　　　　　　　　　　　　　　　2000・1
邓经元　怎样正确评价吕后　　　　　　　　　1979・12
邓春阳　评《中国历史纲要》　　　　　　　　1957・1
邓景滨　澳门外文称谓 Macao 渊源考　　　　　2002・3
邓晶龙　马可波罗与十三世纪中国国际学术讨论会
　　　　综述　　　　　　　　　　　　　　　2001・5
邓楚川　威尔逊与中国　　　　　　　　　　　1964・2
邓蜀生　美国移民政策的演变及其动因　　　　1989・3
邓潭洲　十九世纪末湖南的维新运动　　　　　1959・1
韦特孚　中日两国缫丝手工业资本主义萌芽比较研究　1983・6

# 五　　画

正　平　中国史学界第四次代表大会综述　　　1988・6
东　月整理　首都部分史学工作者批判
　　　　《河殇》纪要　　　　　　　　　　　1989・6
东　志　揭露英国政府纵容老沙皇扩张主义的光辉文献
　　　　——马克思《十八世纪外交史内幕》简介　1978・1
丘济川　关于《隋代江南士人的浮沉》的来信　1997・4
代　鲁　汉冶萍公司所借日债补论　　　　　　1984・3
代继华　“区域社会比较”国际学术研讨会综述　1997・2
舟昭德　试论商鞅变法的性质　　　　　　　　1957・6
舟昭德　关于汉代生产奴隶与生产力水平问题　1958・8
冯元魁　论“防鬼反为先”
　　　　——驳李秀成问题讨论中的几种论调　1965・5
冯天才　巴黎公社的薪金措施是社会主义原则吗？　1979・10
冯天瑜　从明清之际的早期启蒙文化到近代新学　1985・5

| | | |
|---|---|---|
| 冯天瑜 | 道光咸丰年间的经世实学 | 1987·4 |
| 冯天瑜 | 评《剑桥中国晚清史》的文化观 | 1988·1 |
| 冯天瑜 | 张之洞从清流派到洋务派的思维转变 | 1991·3 |
| 冯天瑜 | 从元典的忧患意识到近代救亡思潮 | 1994·2 |
| 冯尔康 | 论朱元璋农民政权的"给民户由" | 1978·10 |
| 冯尔康 | 《探微集》述略 | |
| | ——纪念郑天挺先生 | 1982·3 |
| 冯尔康 | 租庸调法的"庸"何时制度化？ | 1983·5 |
| 冯尔康 | 开展社会史研究 | 1987·1 |
| 冯尔康 | 中国社会史研究笔谈·深化与拓宽 | 1993·2 |
| 冯尔康 | 清朝前期与末季区域人才的变化 | |
| | ——以引见官员、鼎甲、翰林为例 | 1997·1 |
| 冯尔康 | 从农民、地主的构成观察中国古代社会形态 | 2000·2 |
| 冯兴盛 | 苏禄国王访明的几个问题 | 1991·2 |
| 冯佐哲 | 王聪儿是八路兵马总指挥吗？ | 1978·1 |
| 冯佐哲 | 国外出版和展出一批中国古地图资料 | 1978·2 |
| 冯佐哲 | 日本出版《图说中国历史》 | 1978·6 |
| 冯佐哲 | 对《史学大师王国维》一文的几点补正 | 1982·3 |
| 冯秀文 | 一九一〇年墨西哥革命的性质 | 1983·5 |
| 冯秀文 | 墨西哥的土地改革 | 1990·5 |
| 冯建辉 | 从此风雷遍九陔 | |
| | ——纪念南昌起义五十周年 | 1977·4 |
| 冯建辉 | 建党初期的陈独秀 | 1979·4 |
| 冯承柏 | 马汉的海上实力论 | 1978·2 |
| 冯承柏 | 关于第二次大战前夕美国的绥靖政策 | 1978·8 |
| 冯承柏 | 美国工厂制确立年代质疑 | 1984·6 |
| 冯家昇 | 元代畏兀儿文契约二种 | 1954·1 |
| 冯家昇 | "西伯利亚"名称的由来 | 1956·10 |
| 冯培红 | 敦煌曹氏族属与曹氏归义军政权 | 2001·1 |

冯筱才　中国商会史研究之回顾与反思　2001·5

加　央　为维护祖国的统一和各民族的团结而战斗　1975·1

包尔汉　"西伯利亚"名称的由来　1956·10

包尔汉　论阿古柏政权　1958·3

包尔汉　再论阿古柏政权　1979·8

包伟民　论宋代折钱租与钱租的性质　1988·1

包伟民　汪圣铎著《两宋财政史》　1998·6

包伟民　试评六卷本《中国移民史》
　　　　——兼谈学术批评的规范问题　2001·3

包奕诚　试论第二次世界大战的起因
　　　　——哪种类型的帝国主义国家是最危险的
　　　　战争策源地　1980·4

包遵信　论荀况宇宙观的形而上学特征　1977·4

卡米勒尔·雅德　中国与阿拉伯之间的历史关系　1958·11

卢　权　广州哲学社会科学研究所历史研究室的科学
　　　　研究活动　1959·8

卢　权　国内史学动态（2则）　1960·5

卢永江　粉碎资本主义复辟阴谋　1966·2

卢运祥　一本内容充实形式新颖的历史地图集
　　　　——《中国史稿地图集》上册评价　1981·1

卢南乔　"闾左"辨疑　1978·11

卢显宗　评《秦汉农民战争史》　1963·4

古　言　宋史研究会举行第二次年会　1983·1

古　堡　湘鄂西苏区土地革命政策的几个特点　1982·2

史　众　西汉王朝同刘濞等复辟势力的斗争　1975·2

史　兵　沙皇俄国从不改变的目的——世界霸权　1975·1

史　兵　沙皇俄国对巴尔干的侵略扩张　1975·6

史　兵　沙皇俄国是三次瓜分波兰的罪魁　1976·4

史　兵　彼得一世的对外侵略扩张　1977·1

史　明　读《新中国的考古收获》　　　　　　　　　1962・3
史　青　周谷城在中国历史方面贩卖了什么货色？　1964・5－6
史　星　昨天与今天　　　　　　　　　　　　　　　1975・2
史　铭　中世纪晚期英国农村的变迁与现代化的启动
　　　　　　——评《现代化第一基石》　　　　　1992・3
史　崜　在美国的华裔妇女　　　　　　　　　　　　1981・2
史　筠　试论内蒙古四十年来两条道路的斗争　　　　1961・6
史小云　任爽著《南唐史》　　　　　　　　　　　　1998・4
史为乐　谈地名学与历史研究　　　　　　　　　　　1982・1
史立丽　上海金融的现代化与国际化国际学术讨论会
　　　　综述　　　　　　　　　　　　　　　　　2002・5
史宇新　驳谎言制造者
　　　　　　——关于中苏边界的若干问题　　　　1974・1
史宏达　试论宋元明三代棉纺织生产工具发展的
　　　　历史过程　　　　　　　　　　　　　　　1957・4
史学通　评《中国瓷器史论丛》　　　　　　　　　　1959・4
史念海　河南浚县大伾山西部古河道考　　　　　　　1984・2
史念海　隋唐时期自然环境的变迁及与人为作用的关系　1990・1
史绍宾　关于中国封建社会分期问题的讨论　　　　　1960・6
史绍宾　关于中国封建社会农民革命战争问题的讨论　1960・6
史金波　西夏的职官制度　　　　　　　　　　　　　1994・2
史思群　论义和团反帝国主义斗争　　　　　　　　　1960・6
史春林　对《中国海外交通史研究的回顾与展望》
　　　　一文的补充　　　　　　　　　　　　　　1997・5
史建云　彭慕兰著《大分流：欧洲，中国及现代世界
　　　　经济的发展》　　　　　　　　　　　　　2002・2
史树青　国内史学动态（9 则）　　　　　　　　　　1961・4
史革新　中国近代文化史首次学术讨论会纪要　　　　1985・2
史静寰　近代西方传教士在华教育活动的专业化　　　1989・6

叶　江　斯大林的战后世界体系观与冷战起源的关系　　1999·4

叶　坦　商品经济观念的历史转化

　　　　——立足于宋代的考察　　1989·4

叶汉明　明代中后期岭南的地方社会与家族文化　　2000·3

叶玉华　战国社会封建化过程　　1956·1

叶妙娜　东晋南朝侨姓世族之婚媾

　　　　——陈郡谢氏个案研究　　1986·3

叶孝信　对中国封建社会"农民政权"性质问题的

　　　　商榷　　1962·1

叶国庆　李贽先世考　　1958·2

叶剑英　封面题词　　1979·1

叶显良　评吴怀祺著《宋代史学思想史》　　1995·4

叶显恩　也谈《辍耕录》中的扶箕诗　　1978·9

叶显恩　评介《华北的小农经济与社会变迁》　　1986·6

叶笃义译注　司徒雷登一九四六至一九四八年致美国

　　　　国务卿的若干电文　　1982·2

叶晓青　近代西方科技引进及其影响　　1982·1

叶晓青　西学输入和中国传统文化　　1983·1

叶晓青　中国传统文化在近代　　1985·1

叶梧西　重评《天津讲话》　　1980·2

宁　可　唐代宗初年的江南农民起义　　1961·3

宁　可　论历史主义和阶级观点　　1963·4

宁　可　论马克思主义的历史主义　　1964·3

宁　可　什么是历史科学理论

　　　　——历史科学理论学科建设探讨之一　　1984·3

宁　可　地理环境在社会发展中的作用　　1986·6

宁　可　中国历史上的皇权和忠君观念　　1994·2

宁　可　中国社会形态研究中应当注重的一个方面

　　　　——商品经济　　2000·2

| | | |
|---|---|---|
| 宁　欣 | 论唐代荐举 | 1995・4 |
| 宁　超 | "昆明"的由来 | 1979・1 |
| 宁志新 | 两唐书职官志"招讨使"考 | 1996・2 |
| 宁志新 | 唐朝使职若干问题研究 | 1999・2 |
| 左　衡 | 中外封建社会劳动者生产生活状况比较研究 | |
| | 讨论会概述 | 1985・5 |
| 左云鹏 | 论清代旗地的形成、演变及其性质 | 1961・5 |
| 左云鹏 | 祠堂族长族权的形成及其作用试说 | 1964・5－6 |
| 左双文 | 国民政府与台湾光复 | 1996・5 |
| 左玉河 | 五四时期张东荪的中西文化观 | 1998・3 |
| 左玉河 | 郑大华著《张君劢传》 | 1999・4 |
| 左志远 | 中国抗日根据地历史国际学术讨论会综述 | 1985・1 |
| 左步青 | 评戚本禹的《爱国主义还是卖国主义?》 | 1979・12 |
| 平　心 | 从《尚书》研究论到《大诰》校译 | 1962・5 |
| 平　心 | 《周易》史事索隐 | 1963・1 |
| 弗·尼·尼基甫洛夫 | 最近几年来历史科学的新成就 | 1956・7 |
| 弗·尼·尼基甫洛夫 | 论不同国家从奴隶占有制向 | |
| | 封建制过渡的几个共同的 | |
| | 规律性 | 1956・10 |
| 甘　力 | 第一次世界大战前大国在巴尔干的争霸 | 1975・6 |
| 田　力 | 资产阶级与孔孟之道 | 1975・4 |
| 田　军 | 革命是历史的火车头 | |
| | ——学习《一八四八年至一八五〇年的 | |
| | 法兰西阶级斗争》 | 1976・3 |
| 田　园 | 立三路线时期的一个问题 | |
| | ——试论毛泽东同志对立三路线的 | |
| | 认识和抵制 | 1979・10 |
| 田　彤 | 评《比较中的审视:中国早期现代化研究》 | 1994・5 |
| 田　远 | 评李亚农同志关于拓跋族社会历史的著作 | 1956・11 |

| | | |
|---|---|---|
| 田　舍 | 战后日本东方学研究概况 | 1958·7 |
| 田　舍 | 介绍一部世界文化史巨著《西亚民族志》 | 1958·10 |
| 田　舍 | 介绍西冈虎之助和服部之总监修的日本历史 | |
| | 地图 | 1959·3 |
| 田　原 | 关于编选洪秀全"述志诗"的一点意见 | 1978·6 |
| 田　桓 | 战后日本公务员制度的形成 | 1985·6 |
| 田　浩 | 五十年代初期美国的对华政策 | |
| | ——杜勒斯的外交权术与吉田信件的由来 | 1983·5 |
| 田卫平 | 中山武公新论 | 1992·2 |
| 田吉贡 | 美国西部野马的驯养使用与保护 | 2001·3 |
| 田旭东 | 张家山汉简《盖庐》中的兵阴阳家 | 2002·6 |
| 田汝康 | 十七世纪至十九世纪中国帆船在东南亚洲 | |
| | 航运和商业上的地位 | 1956·8 |
| 田汝康 | 再论十七至十九世纪中叶中国帆船业的发展 | 1957·12 |
| 田汝康 | 有关杜文秀对外关系的几个问题 | 1963·4 |
| 田汝康 | "新土地的开发者",还是入侵中国的强盗? | 1974·1 |
| 田余庆 | 清除胡适思想在历史考据中的恶劣影响 | 1955·2 |
| 田余庆 | 曹袁斗争和世家大族 | 1974·1 |
| 田余庆 | 汉魏之际的青徐豪霸问题 | 1983·3 |
| 田余庆 | 论轮台诏 | 1984·2 |
| 田余庆 | 说张楚 | |
| | ——关于"亡秦必楚"问题的探讨 | 1989·2 |
| 田余庆 | 《隆中对》再认识 | 1989·5 |
| 田余庆 | 孙吴建国的道路 | 1992·1 |
| 田余庆 | 贺兰部落离散问题 | |
| | ——北魏"离散部落"个案考察之一 | 1997·2 |
| 田余庆 | 《代歌》、《代记》和北魏国史 | |
| | ——国史之狱的史学史考察 | 2001·1 |
| 田志松 | 统一是中国历史发展的主流 | 1975·1 |

田秀琴　认识吴晗这个反面教员　　　　　　　　1966·2

田居俭　助"帮"为虐的"诸葛亮研究"
　　　　　——评"梁效"某教授的《诸葛亮
　　　　　和法家路线》　　　　　　　　　1978·4

田居俭　人殉、奴隶制与孔丘的"爱人"思想
　　　　　——评柏青《驳孔丘反对人殉说》　1978·9

田居俭　独辟蹊径大醇小疵
　　　　　——评介胡如雷著《中国封建社会形态
　　　　　研究》　　　　　　　　　　　　1980·4

田居俭整理　中国封建社会长期延续原因讨论撮述　1982·1

田居俭　略论中国史学研究方法的变迁
　　　　　——《中外封建社会劳动者状况比较研究
　　　　　论文集》代序　　　　　　　　　1986·2

田居俭　《历史研究》的历史行程　　　　　　　1989·5

田居俭　郭沫若与中国马克思主义史学　　　　　1992·2

田居俭　中国社会史研究笔谈·关键还是以马克思
　　　　　主义为指导　　　　　　　　　　1993·2

田昌五　为保卫历史科学的党性而斗争　　　　　1960·5

田昌五　论秦末农民起义的历史根源和社会后果　1965·4

田昌五　划清两种界限坚持继续革命
　　　　　——从《水浒》谈农民革命问题　　1976·1

田昌五　中国封建社会前期地主阶级剖析　　　　1983·5

田昌五　解井田制之谜　　　　　　　　　　　　1985·3

田昌五　中国历史发展体系的新构想　　　　　　2000·2

田泽滨　关于封建土地所有制问题的商榷　　　　1960·6

田晓文　"批判的历史哲学"的批判　　　　　　1990·3

田晓文　当代西方人本主义历史哲学　　　　　　1991·1

田晓岫　吐蕃刍议　　　　　　　　　　　　　　1994·3

田继周　明代后期一条鞭法的研究　　　　　　　1956·3

| | | |
|---|---|---|
| 田培栋 | 明初耕地数额考察 | 1998·5 |
| 田毅鹏 | 郭世佑著《晚清政治革命新论》 | 1999·3 |
| 申晓云 | 四一二前后的蒋介石与列强 | 2000·6 |
| 白 钢 | 二十世纪的中国政治制度史研究 | 1996·6 |
| 白寿彝 | 说秦汉到明末官手工业和封建制度的关系 | 1954·5 |
| 白寿彝 | 关于中国封建社会农民战争性质的商榷 | 1961·1 |
| 白寿彝 | 中国穆斯林的历史传统 | 1962·2 |
| 白寿彝 | 论"王法" | 1966·1 |
| 白寿彝 | 悼念顾颉刚先生 | 1981·2 |
| 白寿彝 | 说"成一家之言" | 1984·1 |
| 白建才 | 近年来美国的冷战史研究 | 2002·1 |
| 白秦川 | 先秦货币二考 | 1997·2 |
| 皮明麻 | 湖北鄂城发现一百万字的太平天国资料 | 1980·1 |
| 皮明麻 | 黎元洪是怎样被拥立为都督的? | 1981·1 |
| 皮明麻 | 武昌首义中武汉商会和商团 | 1982·1 |
| 皮明麻 | 城市史研究略论 | 1992·3 |
| 皮明勇 | 评《近代中国海军》 | 1996·4 |
| 石 力 | 八路兵马总指挥王聪儿（农民起义女英雄小传） | 1975·4 |
| 石 伟 | 从我国农业合作化的历史看唯生产力论的破产 | 1976·2 |
| 石 岚 | 无耻的背叛<br>——斥齐赫文斯基之流对义和团运动的诽谤 | 1975·5 |
| 石 言 | 劳动人民反抗斗争和儒法斗争的关系（座谈会报导） | 1974·1 |
| 石 言 | "子系中山狼，得志便猖狂" | 1975·2 |
| 石 言 | 谈周亚夫治军 | 1975·4 |
| 石 言 | 反贪官不反皇帝只能是投降 | 1975·5 |
| 石 言 | 《南郡守腾文书》与秦的法治路线 | 1976·3 |
| 石 学 | 满铁史资料及其研究概况 | 1982·5 |

石　松　史学工作者必须到工农群众中去　　　　　　　1966·1

石　峻　论玄奘留学印度与有关中国佛教史上的
　　　　一些问题　　　　　　　　　　　　　　　　1956·10

石　楠　《六十年来中国与日本》第五卷勘误一则　　1981·2

石　磊　关于开辟第二战场的一些浅见　　　　　　　1984·2

石力成　从对外关系看太平天国的悲剧
　　　　　　——纪念太平天国革命运动一百一十周年　1961·1

石立喷　沙皇俄国和两次海牙国际和平会议　　　　　1975·5

石源华　"替天行道"是对农民革命的反动　　　　　1975·5

石源华　论日本对华新政策下的日汪关系　　　　　　1996·2

艾　恺　当前西方史学界研究中国地方史的趋势　　　1983·4

艾周昌　近代华工在南非　　　　　　　　　　　　　1981·6

邝兆江　马尚德——谭嗣同熟识的英国传教医师　　　1992·2

邝兆江　戊戌政变前后的康有为　　　　　　　　　　1996·5

龙秀清　中古教廷财政收入动态考察　　　　　　　　2001·1

龙盛运　太平天国后期土地制度的实施问题　　　　　1958·2

龙盛运　关于太平天国的土地政策　　　　　　　　　1963·6

龙登高　南宋临安的娱乐市场　　　　　　　　　　　2002·5

# 六　画

再　赴　历史的巨轮决不停息
　　　　　　——学习鲁迅对革命事业的坚定信心　　1976·5

买买提朱玛　不断加强各族人民的团结　　　　　　　1975·1

乔幼梅　宋金贸易中争夺铜币的斗争　　　　　　　　1982·4

乔幼梅　从中唐到北宋钱荒问题的考察　　　　　　　1990·2

乔还田　充实郑观应研究的一本著作:《郑观应传》　1982·5

乔志强　中国社会史研究笔谈·深化中国社会史研究　1993·2

亦　祥　读《亚洲各国史纲要》　　　　　　　　　　1958·7

仲伟民　史学理论研究的回顾与展望
　　　　——史学理论研究座谈会综述　　　　1993·1
任　军　康有为大同思想的东方文化色彩　　1993·6
任　放　张之洞经济思想散论　　　　　　　1991·5
任　放　张之洞经济伦理思想探真　　　　　1993·4
任　放　二十世纪明清市镇经济研究　　　　2001·5
任　爽　唐宋之际统治集团内部矛盾的地域特征　1987·2
任　爽　科举制度与盛唐知识阶层的命运　　1989·4
任　简　本刊举行茶会庆祝创刊三十周年　　1984·4
任云兰　首届商会与近代中国国际学术讨论会综述　1998·6
任东来　朱瀛泉著《近东危机与柏林会议》　1997·5
任东来　1934—1936 年间中美关系中的白银外交　2000·3
任爱君　契丹四楼源流说　　　　　　　　　1996·6
任继愈　魏晋玄学中的社会政治思想和它的政治背景　1954·3
任继愈　论胡适在禅宗史研究中的谬误　　　1955·5
任继愈　中国古代医学和哲学的关系
　　　　——从皇帝内经来看中国古代医学的
　　　　　科学成就　　　　　　　　　　　1956·5
任继愈　悼念汤用彤先生　　　　　　　　　1964·3
任继愈　秦汉的统一与哲学思想的变革
　　　　——"四人帮"歪曲历史的罪证之一　1977·6
任继愈　继承发扬史学界的好传统　　　　　1989·5
伊文成　试述日本讨幕派　　　　　　　　　1982·6
伊原泽周　孙中山的平均地权论与宫崎民藏的土地均享
　　　　　思想　　　　　　　　　　　　　1991·4
伊原泽周　张作霖"讨赤"与田中内阁　　　1992·5
伍贻业　张謇与南通"近代化"模式　　　　1989·2
关　捷　东北地区中日关系史讨论会简介　　1981·1
关　锋　在历史研究中运用阶级观点和历史主义的问题　1963·6

| | | |
|---|---|---|
| 关　　锋 | 《海瑞骂皇帝》和《海瑞罢官》是反党反社会 | |
| | 主义的两株大毒草 | 1966・2 |
| 关克笑 | 清廷对吉林边疆少数民族地区的统治 | 1982・6 |
| 关勋夏 | 关于巴黎公社的几个问题 | |
| | ——与谢琏造同志商榷 | 1961・4 |
| 关晓红 | 晚清学部的酝酿产生 | 1998・2 |
| 关晓红 | 张之洞与晚清学部 | 2000・3 |
| 关晓红 | 陶模与清末新政 | 2003・6 |
| 关履权 | 论两宋农民战争 | 1962・2 |
| 列　　宁 | 中国各党派的斗争 | 1978・2 |
| 列　　宁 | 致格・瓦・契切林 | 1978・2 |
| 刘　　光 | 曹操法家路线形成的历史条件 | 1975・1 |
| 刘　　军整理 | 首都部分史学工作者批判《河殇》纪要 | 1989・6 |
| 刘　　庆 | 中国近代兵书概论 | 1987・2 |
| 刘　　宏 | 新加坡中华总商会与亚洲华商网络的制度化 | 2000・1 |
| 刘　　坦 | "吕览"滩与"服赋"单阕"淮南"丙子之 | |
| | 通考 | 1956・4 |
| 刘　　忠 | 论明朝西藏归属与领主制的演变 | 1994・5 |
| 刘　　炎 | 明末城市经济发展下的初期市民运动 | 1955・6 |
| 刘　　城 | "谏言书之争"与神权政治 | 1995・5 |
| 刘　　城 | 中世纪欧洲的教皇权与英国王权 | 1998・1 |
| 刘　　城 | 英国教会：从双重纳税义务走向单一纳税 | |
| | 义务 | 2002・6 |
| 刘　　昶 | 试论中国封建社会长期延续的原因 | 1981・2 |
| 刘　　晨 | 国外史学简讯 | 1959・8 |
| 刘　　埜 | 李大钊轶文"此日"考 | 1957・1 |
| 刘　　埜 | 关于"新时代"和湖南自修大学 | 1957・7 |
| 刘　　琳 | 论东晋南北朝道教的变革与发展 | 1981・5 |
| 刘　　毅 | 日本早期封建制的几个特点 | 1983・3 |

| 刘　聪 | 吴简中所见"关邸阁"试解 | 2001·4 |
| 刘　巍 | 《刘向歆父子年谱》的学术背景与初始反响 | 2001·3 |
| 刘　耀 | 从长江中下游地区农村经济的变化看<br>太平天国革命的历史作用 | 1979·6 |
| 刘　耀 | 太平天国失败后江南农村经济变化的再探讨 | 1982·3 |
| 刘　源 | 商代后期祭祖仪式类型 | 2002·6 |
| 刘大年 | 从中国封建土地制度问题上看梁漱溟思想的<br>反动本质 | 1955·5 |
| 刘大年 | 关于尚钺同志为《明清社会经济形态的研究》<br>一书所写的序言 | 1958·1 |
| 刘大年 | 研究历史应当厚今薄古·需要着重研究<br>"五四"运动以后的历史 | 1958·5 |
| 刘大年 | 中国近代史研究的几个问题 | 1959·10 |
| 刘大年 | 论康熙 | 1961·3 |
| 刘大年 | 辛亥革命与反满问题 | 1961·5 |
| 刘大年 | 新中国的历史科学 | 1962·2 |
| 刘大年 | 中国近代史诸问题 | 1963·3 |
| 刘大年 | 论中国近代史上的人民群众 | 1964·1 |
| 刘大年 | 帝国主义对中国的侵略与中国人民反对帝国<br>主义的斗争 | 1964·4 |
| 刘大年 | 亚洲历史怎样评价？ | 1965·3 |
| 刘大年 | 吴晗的反革命面目 | 1966·3 |
| 刘大年 | 论历史研究的对象 | 1985·3 |
| 刘大年 | 《历史研究》的创刊与"百家争鸣"方针的<br>提出 | 1986·4 |
| 刘大年 | 说"合力" | 1987·4 |
| 刘大年 | 侯外庐与马克思主义历史学 | 1988·1 |
| 刘大年 | 纪念《历史研究》创刊四十周年·郭沫若关于<br>《历史研究》的六封信 | 1994·1 |

| | | |
|---|---|---|
| 刘子健 | 南宋中叶马球衰落和文化的变迁 | 1980·2 |
| 刘仁达 | 关于戊戌变法 | 1958·9 |
| 刘元彦 | 林彪反党集团故伎的重演 | |
| | ——评李时的一篇反党乱军黑文 | 1977·6 |
| 刘天纯 | 论日本近代产业革命的政策和措施 | 1979·7 |
| 刘天纯 | 战后日本产业结构调整的进程与政策 | 1987·5 |
| 刘天路 | 晚清"西学源于中学"说 | 1987·4 |
| 刘天路 | 义和团运动100周年国际学术讨论会综述 | 2001·1 |
| 刘少奇 | 关于白区的党和群众工作 | 1981·4 |
| 刘文刚 | 孟子"夫妇有别"论小议 | |
| | ——兼与金景芳先生商榷 | 2000·3 |
| 刘文涛 | 《杰斐逊传》简评 | 1991·6 |
| 刘文涛 | 十九世纪美国的德意志和爱尔兰移民之比较 | 2001·3 |
| 刘文鹏 | 古埃及的早期城市 | 1988·3 |
| 刘仙元 | 周恩来同志的早期革命活动 | 1977·1 |
| 刘永长 | 介绍太平天国门牌的新史料 | 1957·10 |
| 刘永华 | 评《乡土之链:明清会馆与社会变迁》 | 1997·3 |
| 刘永成 | 乾隆苏州元长吴三县"议定纸坊条议章程碑" | |
| | | 1958·2 |
| 刘永成 | 对苏州《织造经制记》碑文的看法 | 1958·4 |
| 刘永成 | 解释几个有关行会的碑文 | 1958·9 |
| 刘永成 | 试论清代苏州手工业行会 | 1959·11 |
| 刘永成 | 论清代雇佣劳动 | 1962·4 |
| 刘永智 | 幽州刺史墓考略 | 1983·2 |
| 刘汉东 | 评《南越国史》 | 1997·4 |
| 刘玉遵 | 中山大学历史系争取以更多更好的科学研究 | |
| | 成绩向国庆节献礼 | 1959·9 |
| 刘再复 | 鲁迅论"无名氏" | 1976·3 |
| 刘华祝 | 试论两汉豪强地主坞壁 | 1985·5 |

刘后滨　唐代中书门下体制下的三省机构与职权
　　　　——兼论中古国家权力运作方式的转变　　　2001・2
刘存宽　血腥的征服
　　　　——驳苏修所谓"中亚自愿归并俄国"的
　　　　谬论　　　　　　　　　　　　　　　　　1976・5
刘存宽　边界研究的可喜成果
　　　　——评《早期中俄东段边界研究》　　　　1993・4
刘存宽　评《清代的边疆政策》　　　　　　　　　1995・4
刘存宽　1949年以前中国政府收复香港的尝试　　　1997・3
刘尧汉　南诏统治者蒙氏家族族系新证　　　　　　1954・2
刘尧汉　蛮书"河赕"小考　　　　　　　　　　　1957・2
刘尧汉　由奴隶制向封建制过渡的一个实例　　　　1958・3
刘仁达　戊戌变法运动中康有为所提出的政治纲领　1958・4
刘仁达　关于戊戌变法　　　　　　　　　　　　　1958・9
刘伯涵　论袁崇焕与东林党的关系　　　　　　　　1958・4
刘佐泉　朝天围与文天祥　　　　　　　　　　　　1956・11
刘佐泉　关于太平天国革命特点的形成问题
　　　　——评郭毅生著论新兴市民等级在太平天国
　　　　革命中的作用　　　　　　　　　　　　　1957・3
刘君达　从《困学丛书》看史学家罗尔纲　　　　　1990・6
刘启益　略谈卜辞中"武丁诸父之称谓"及"殷代
　　　　王位继承法"
　　　　——读陈梦家先生"甲骨断代学"四篇记　1956・4
刘志伟　经济史研究的科学化追求与人文关怀
　　　　——读《市场机制与社会变迁——18世纪
　　　　广东米价分析》　　　　　　　　　　　　1994・5
刘志伟　宗族与地方社会的国家认同
　　　　——明清华南地区宗族发展的意识形态基础
　　　　　　　　　　　　　　　　　　　　　　2000・3

刘志伟　地域社会与文化的结构过程
　　　　——珠江三角洲研究的历史学与人类学对话　2003·1
刘志琴　中国社会史研究笔谈·提高社会史水平的
　　　　三部曲　　　　　　　　　　　　　　　　1993·2
刘进宝　从敦煌文书谈晚唐五代的"地子"　　　　1996·3
刘进宝　再论晚唐五代的"地子"　　　　　　　　2003·2
刘和惠　明代徽商程锁家世考述　　　　　　　　　1982·5
刘和惠　明代徽州田契研究　　　　　　　　　　　1983·5
刘学照　论洋务思潮　　　　　　　　　　　　　　1986·3
刘学照　略论李鸿章的对日观　　　　　　　　　　1990·3
刘学照　李鸿章家书辨伪　　　　　　　　　　　　1996·2
刘宗汉　《叔夨方鼎》"王乎殷厥士赏叔夨"解　　2003·3
刘宗绪　巴黎公社的原则是永存的　　　　　　　　1961·2
刘宗绪　试论热月政变的性质　　　　　　　　　　1979·7
刘宗绪　人的理性和法的精神
　　　　——法国大革命的历史启示　　　　　　　1989·2
刘建平　苏共与中国共产党人民民主专政理论的
　　　　确立　　　　　　　　　　　　　　　　　1998·1
刘建皋　改组派初探　　　　　　　　　　　　　　1981·6
刘建臻　李鸿章字号辨识　　　　　　　　　　　　1999·4
刘明翰　文艺复兴的时代、巨人和科学　　　　　　1978·5
刘林元　关于调查研究方法的几点体会　　　　　　1966·1
刘泽华　"四人帮"在史学领域招摇的一面霸旗
　　　　——评罗思鼎《论秦汉之际的阶级斗争》　1977·2
刘泽华　砸碎枷锁解放史学
　　　　——评"四人帮"的所谓"史学革命"　　1978·8
刘泽华　论秦始皇的是非功过　　　　　　　　　　1979·2
刘泽华　从春秋战国封建主形成看政治的决定作用　1986·6
刘泽华　战国时期的"士"　　　　　　　　　　　1987·4

刘泽华　分层研究社会形态兼论王权支配社会　　　　2000·2

刘茂林　毛泽东与中国历史学　　　　　　　　　　　1983·6

刘茂林　郭沫若治史的个性特色　　　　　　　　　　1992·2

刘俊文　唐律渊源辨　　　　　　　　　　　　　　　1985·6

刘俐娜　五四时期学者对史学功能的认识　　　　　　1996·3

刘修明　中国封建社会的典型性与长期延续原因　　　1981·6

刘修明　"汉以孝治天下"发微　　　　　　　　　　　1983·6

刘修明　两汉的历史转折　　　　　　　　　　　　　1987·6

刘复生　宋朝"火运"论略
　　　　　——兼谈"五德转移"政治学说的终结　　1997·3

刘昭瑞　论"黄神越章"
　　　　　——兼谈黄巾口号的意义及相关问题　　　1996·1

刘祖熙　介绍波兰史学季刊《来自战场》　　　　　　1958·8

刘祖熙　第八届波兰历史学家代表大会　　　　　　 1958·11

刘祖熙　波兰资本主义工业发展的道路　　　　　　　1988·2

刘祖熙　萨哈罗夫等新编《俄国通史》（前二卷）
　　　　　评述　　　　　　　　　　　　　　　　　1998·1

刘祚昌　略论托马斯·杰弗逊的民主思想　　　　　　1980·4

刘祚昌　美国殖民地时代的议会制度　　　　　　　　1982·1

刘祚昌　林肯新论　　　　　　　　　　　　　　　　1991·3

刘祚昌　杰斐逊与美国现代化　·　　　　　　　　　1994·2

刘祚昌　杰斐逊麦迪逊与共和党的兴起　　　　　　　1996·2

刘秋根　十至十四世纪中国的合伙制　　　　　　　　2002·6

刘美崧　南汉主刘氏族属为俚僚　　　　　　　　　　1989·5

刘重日　明末均田口号质疑的质疑　　　　　　　　　1962·5

刘重日　火佃新探　　　　　　　　　　　　　　　　1982·2

刘重来　中国二十世纪文献辨伪学述略　　　　　　　1999·6

刘家和　一部成一家之言的中国古代社会经济史
　　　　　——读何兹全先生《中国古代社会》书后　1992·4

刘家和　《左传》中的人本思想与民本思想　1995·6
刘家峰　朱英著《转型时期的社会与国家——以近代
　　　　中国商会为主体的历史透视》　1998·5
刘振岚　梁启超对历史发展规律的探索　1984·5
刘晓东　渤海国货币经济初探　1991·2
刘晓东　渤海纪年再考订　1996·4
刘晓原　"蒙古问题"与冷战初期美国对华政策　2003·3
刘浦江　金朝的民族政策与民族歧视　1996·3
刘浦江　关于金朝开国史的真实性质疑　1998·6
刘浦江　邓广铭与二十世纪的宋代史学　1999·5
刘浦江　《金朝军制》平议
　　　　——兼评王曾瑜先生的辽金史研究　2000·6
刘浦江　辽朝国号考释　2001·6
刘海岩整理　首届中国沿海城市经济史讨论会综述　1987·1
刘海岩　近代中国城市史研究的回顾与展望　1992·3
刘海峰　再论唐代秀才科的存废　1999·1
刘海峰　科举制的起源与进士科的起始　2000·6
刘继增　武汉工人纠察队交枪事件的考察　1980·6
刘寅年　一本内容充实形式新颖的历史地图集
　　　　——《中国史稿地图集》上册评介　1981·1
刘彩玉　论肥水源与"江淮运河"　1960·3
刘曼容　1924年孙中山北上与日本的关系　1991·4
刘望龄　新视角下的得与失
　　　　——评《剑桥中国晚清史》有关辛亥革命
　　　　部分　1989·1
刘焕性　中国需要什么样的新史学
　　　　——纪念梁启超《新史学》发表100周年
　　　　学术研讨会综述　2003·1
刘绪贻　富兰克林·罗斯福与联邦最高法院斗争的性质　1990·4

| | | |
|---|---|---|
| 刘敬忠 | 试论冯玉祥及国民军在 1925—1927 年的政治态度 | 2000·5 |
| 刘斯奋 | 评《论"黔首"》 | 1977·1 |
| 刘景华 | 乡村工业发展:英国资本主义成长的主要道路 | 1993·6 |
| 刘晴波 | 论杨度<br>——《杨度集》代序言 | 1985·4 |
| 刘裕清 | 论我国农业的社会主义改造 | 1981·5 |
| 刘新成 | 都铎王朝的经济立法与英国近代议会民主制的起源 | 1995·2 |
| 刘毓璜 | 论汉晋南朝的封建庄园制度 | 1962·3 |
| 刘蜀永 | 19世纪香港西式学校历史评价 | 1989·6 |
| 刘蜀永 | 1949年以前中国政府收复香港的尝试 | 1997·3 |
| 刘德麟 | 建国以来出版的辛亥革命史资料述略 | 1981·5 |
| 刘毅翔 | 《明史纪事本末》一勘 | 1980·5 |
| 华 山 | 关于宋代的客户问题 | 1960·1—2 |
| 华 立 | 一场得不偿失的战争<br>——论乾隆朝金川之一役 | 1993·3 |
| 华志石 | 第二国际的投降主义 | 1976·4 |
| 华林甫 | 中国历代更改重复地名及其现实意义 | 2000·4 |
| 华林甫 | 二十世纪中国历史地理研究 | 2002·3 |
| 华林甫 | 英藏清军镇压早期太平天国地图考释 | 2003·2 |
| 华钟彦 | "七月"诗中的历法问题 | 1957·2 |
| 向 达 | 南诏史略论 | 1954·2 |
| 向 达 | 《蛮书校注读后》识语 | 1965·6 |
| 向 南 | 论契丹族的婚姻制度 | 1980·5 |
| 向东生 | 从汉初统治看"让步政策论"的破产 | 1966·2 |
| 吕 涛 | 一部有价值的资料书:《辛亥革命时期期刊介绍》(第一集) | 1982·6 |

吕　斌　党的基本路线是我们的生命线
　　　　——学习《中华人民共和国宪法》的体会　1975·1
吕一飞　谈谈"吐蕃"一词　1993·1
吕一飞　匈奴汉国的政治与氐羌　2001·2
吕一燃　噶尔丹"服毒自杀"说辨伪　1980·6
吕万和　西学在封建末期的中国与日本　1981·3
吕元骢　清代前期政府官员的实习培训制度　1993·6
吕文郁　西周采邑制度述略　1991·3
吕玉珊　与蔡牵活动有关的一个传说　1957·3
吕名中　试论汉魏西晋时期北方各族的内迁　1965·6
吕作昕　古代磁性指南器源流及有关年代新探　1994·4
吕宗力　汉代的流言与讹言　2003·2
吕绍纲　评《中国奴隶社会史》　1987·4
吕昭义　关于中印边界东段的几个问题　1997·4
吕振羽　研究历史应当厚今薄古·坚决贯彻"厚今薄古"
　　　　的方针　1958·5
吕振羽　关于历史上的民族融合问题　1959·4
吕振羽　论叶适思想　1960·1－2
吕振羽　历史科学必须在毛泽东思想的基础上前进
　　　　——纪念《关于正确处理人民内部矛盾的
　　　　问题》出版三周年　1960·5
吕景琳　评孔教会　1975·5
吕黎阳　古代磁性指南器源流及有关年代新探　1994·4
孙　江　回顾与前瞻
　　　　——关于社会史研究的几个问题　1989·4
孙　承　岩仓使团与日本近代化　1983·6
孙　健　华侨与辛亥革命　1978·4
孙　健　辛亥"三·二九"起义中牺牲的华侨烈士　1978·4
孙　森　评《〈急救篇〉研究》　1964·5－6

| | | |
|---|---|---|
| 孙义学 | 日本江户时代的农民境况 | 1985·5 |
| 孙与常 | 明代流人在东北 | 1985·4 |
| 孙文光 | 龚自珍暴卒考辨 | 1986·5 |
| 孙文良 | 尚钺《有关中国资本主义萌芽问题的二三事》 | |
| | 一文中的二三谬误 | 1960·4 |
| 孙长江 | 论谭嗣同 | 1965·3 |
| 孙占元 | 甲午战争 100 周年国际学术讨论会综述 | 1994·6 |
| 孙正容 | 中国近代史分期问题的讨论（来稿摘要） | 1957·3 |
| 孙玉良 | 车书本一家 | |
| | ——订正一则有关唐代渤海史料的传讹 | 1982·1 |
| 孙光圻 | 评麦哲伦 | 1985·2 |
| 孙光圻 | 哥伦布航海技术初探 | 1992·1 |
| 孙向祝 | 从此风雷遍九陔 | |
| | ——纪念南昌起义五十周年 | 1977·4 |
| 孙守任 | 中国近代历史的分期问题的商榷 | 1954·6 |
| 孙次舟 | 张献忠在蜀事迹考察 | 1957·1 |
| 孙观圻 | 关于李秀自成自传原稿的真伪问题 | 1957·4 |
| 孙达人 | 关于中国封建社会土地所有制的形式问题 | 1961·1 |
| 孙达人 | 对唐至五代租佃契约经济内容的分析 | 1962·6 |
| 孙克复 | 东北地区中日关系史讨论会简介 | 1981·1 |
| 孙定国 | 揭穿雷海宗反马克思主义的种种恶毒手法 | 1957·11 |
| 孙英钟 | 关于《世界通史》（苏联科学院编）有关 | |
| | 朝鲜的叙述的严重错误 | 1963·5 |
| 孙剑晨 | 介绍《1941—1945 年苏联伟大卫国战争史》 | 1959·9 |
| 孙思白 | 教育部和历史三所联名召开的中国现代史工作 | |
| | 讨论会概况 | 1959·1 |
| 孙思白 | 试论五四文化革命的分期及其前后期的转化 | 1963·2 |
| 孙思白 | 试论历史与现实的联系与区别 | 1982·6 |
| 孙思白 | "九一八"与"一二九"学生运动比较研究 | 1985·6 |

孙树岑　《海瑞骂皇帝》和《海瑞罢官》的反动实质是
　　　　掩盖不了的　　　　　　　　　　　　　　　1966・3
孙祚民　中国农民战争和宗教的关系　　　　　　　　1956・5
孙祚民　关于中国农民战争中皇权主义的问题　　　　1961・5
孙祚民　处理历史上民族关系的几个重要准则
　　　　　　——读范文澜《中国历史上的民族斗争
　　　　　　　　与融合》　　　　　　　　　　　　1980・5
孙祚民　关于义和团的"奉旨造反"及其他
　　　　　　——与王致中同志商榷　　　　　　　　1981・1
孙祚民　来函照登　　　　　　　　　　　　　　　　1981・5
孙家骥　批判陶希圣"前资本主义社会论"的反动
　　　　观点　　　　　　　　　　　　　　　　　1958・12
孙隆基　清季民族主义与黄帝崇拜之发明　　　　　　2000・3
孙福喜　二十世纪的中国秦汉史研究　　　　　　　　2003・2
孙腾芳　鲁迅论"无名氏"　　　　　　　　　　　　1976・3
孙锦泉　论意大利文艺复兴的文化基础　　　　　　　1993・5
孙毓棠　美帝国主义攫占三都澳的阴谋与所谓"海军
　　　　借款"　　　　　　　　　　　　　　　　　1954・2
孙毓棠　中日甲午战争前外国资本在中国经营的近代
　　　　工业　　　　　　　　　　　　　　　　　　1954・5
孙毓棠　战国秦汉时代纺织业技术的进步　　　　　　1963・3
孙毓棠　关于北宋赋役制度的几个问题　　　　　　　1964・2
宇　清　他们在修补唯心主义的避难所
　　　　　　——驳"四人帮"在评价秦始皇问题上的
　　　　　　　　反动观点　　　　　　　　　　　　1978・1
守　纲　秦和汉初的地主阶级政权与封建所有制　　　1975・3
安·米·潘克拉托娃　一九○五年至一九○七年
　　　　第一次俄国革命的国际意义　　　　　　　　1954・6
安　琳　黄兴在辛亥革命首义以后　　　　　　　　　1982・2

安长春　勇于探索　不尚空谈
　　　　——评介《世界上古史纲》（下册）　1982·2
安长春　《世界史纲》在编写中　1982·4
安作璋　马新著《两汉乡村社会史》　1999·1
师东明　高举列宁主义旗帜，保卫历史科学
　　　　的党性原则　1960·4
师道刚　《道光洋艘征抚记》作者问题的再商榷　1960·4
庄　宁　王阳明的反革命两手及其"心"学
　　　　——揭露王阳明镇压广西瑶、壮族人民起义
　　　　的罪恶面目　1975·4
庄春波　也谈汉代官制的尚左与尚右　1988·3
庄春波　《侈靡》篇新探　1991·6
庆　思　清朝政府平定准噶尔部叛乱与抵御沙俄侵略的
　　　　斗争　1976·2
延　胜　中国古代人口史研究回顾与展望　1996·5
延　陵　关于孔丘诛少正卯　1978·1
戎　笙　试论明代后期农民阶级斗争的性质和特点　1958·10
戎　笙　批判雷海宗反动的历史观点　1958·11
戎　笙　试论《太平经》　1959·11
戎　笙　关于中国农民战争史上几个问题的商榷　1961·5
戎　笙　洪秀全与《劝世良言》　1978·7
戎　笙　只有农民战争才是封建社会发展的真正
　　　　动力吗？　1979·4
戎　笙　如何看待太平天国的平均主义　1981·3
成晓军　焦达峰、陈作新被杀一案析疑　1985·6
曲英杰　周代燕国考　1996·5
朱　弘　城市研究与上海研究国际学术讨论会综述　1992·3
朱　华　杜月笙其人　1988·2
朱　活　评郑家相著《中国古代货币发展史》　1959·5

朱　英　清末商会"官督商办"的性质与特点　　　1987·6
朱　英　清末苏州商会的历史特点　　　　　　　1990·1
朱　英　辛亥革命前的农会　　　　　　　　　　1991·5
朱　英　论清末的经济法规　　　　　　　　　　1993·5
朱　英　近代中国商人发展历程的新探索
　　　　　——评唐力行著《商人与中国近代社会》1994·6
朱　英　关于晚清市民社会研究的思考　　　　　1996·4
朱　英　深入探讨抵制美货运动的新思路
　　　　　——读《抵制美货运动时期中国民众的
　　　　　"近代性"》　　　　　　　　　　　1998·1
朱　英　梁启超民元临时工商会议演说词平议　　1998·6
朱　英　清末武汉劝业奖进会述略　　　　　　　2000·4
朱　英　经济组织与市场发展国际学术研讨会综述2000·6
朱　英　网络结构：探讨中国经济史的新视野
　　　　　——第三届中国商业史国际学术研讨会述评2000·5
朱　英　重评五四运动期间上海总商会"佳电"风波2001·4
朱　英　中国行会史研究的回顾与展望　　　　　2003·2
朱　寰　莫斯科国家封建土地制度的变革　　　　1984·2
朱　寰　高丽王朝田柴科土地制度研究　　　　　1989·5
朱　寰　世界历史与比较研究之我见　　　　　　1994·1
朱大昀　评《秦汉农民战争史》　　　　　　　　1963·4
朱大渭　评"四人帮"歪曲秦汉之际阶级斗争历史的
　　　　奇谈怪论　　　　　　　　　　　　　1976·6
朱子爽　《双林镇志》中的《兵燹记》　　　　　1957·6
朱从兵　太平天国诏书�考辨　　　　　　　1999·5
朱凤瀚　殷墟卜辞所见商王室宗庙制度　　　　　1990·6
朱凤瀚　近百年来的殷墟甲骨文研究　　　　　　1997·1
朱凤瀚　从生产方式看商周社会形态　　　　　　2000·2
朱凤瀚　论中国考古学与历史学的关系　　　　　2003·1

| | | |
|---|---|---|
| 朱东安 | 太平天国"推行神权政治"说质疑 | 1990・5 |
| 朱务善 | 五四运动是否就是新民主主义革命 | 1962・4 |
| 朱本源 | 论殷代生产资料的所有制形式 | 1956・6 |
| 朱本源 | 马克思的社会形态更替理论是科学假说 | 1989・1 |
| 朱立平 | 也谈"万岁" | 1980・1 |
| 朱乔森 | 关于《庶民的胜利》的发表和 | |
| | 《Bolshevism 的胜利》的写作 | 1980・4 |
| 朱光熙 | 中国资本家是怎样起家的? | 1976・2 |
| 朱光熙 | 我国资本主义工商业的社会主义改造 | |
| | ——学习《毛泽东选集》第五卷的有关 | |
| | 光辉论述 | 1977・3 |
| 朱守仁 | 明治政府的教育改革和日本资本主义工业化 | 1978・6 |
| 朱成甲 | 论"五四"时期的反封建思想革命 | 1979・5 |
| 朱成甲 | 李大钊对袁世凯的认识过程 | 1983・6 |
| 朱孝远 | 西方现代史学流派的特征与方法 | 1987・2 |
| 朱孝远 | 现代历史心理学的产生和发展 | 1989・3 |
| 朱孝远 | 1520—1526 年德国基督教社区宗教改革 | 1995・5 |
| 朱志敏 | 五四时代知识分子的平民意识与共产主义运动 | |
| | 的兴起 | 1997・2 |
| 朱和平 | 读《中国古代人口史专题研究》 | 1996・4 |
| 朱国宏 | 中国人口的国际迁移之历史考察 | 1989・6 |
| 朱学成 | 中国近代军事史研究述评 | 1987・2 |
| 朱宗震 | 读孙中山《祭陈其美文》 | 1982・4 |
| 朱宗震 | 程德全与民初政潮 | 1991・6 |
| 朱宗震 | "先打黄维"决策过程考辨 | 2001・4 |
| 朱忠武 | 苏联和德意志民主共和国历史学家对 | |
| | 第二次世界大战历史的研究 | 1959・6 |
| 朱承思 | 《乌尔纳姆法典》和乌尔第三王朝早期社会 | 1984・5 |
| 朱昌利 | 柬埔寨独立前土地制度的演变 | 1979・10 |

| | | |
|---|---|---|
| 朱杰勤 | 十九世纪中期在印度尼西亚的契约华工 | 1961·3 |
| 朱杰勤 | 十七世纪中国人民反抗荷兰侵略的斗争 | |
| | ——纪念郑成功收复台湾三百周年 | 1962·1 |
| 朱杰勤 | 中国和伊朗历史上的友好关系 | 1978·7 |
| 朱杰勤 | 十九世纪后期中国人在美国开发中的作用及处境 | 1980·1 |
| 朱彦民 | 殷卜辞所见先公配偶考 | 2003·6 |
| 朱信泉 | 中华民国史研究简况 | 1982·4 |
| 朱政惠 | 论吕振羽史学 | 1989·4 |
| 朱树谦 | 《〈江南善后章程〉及相关问题》辨正 | 1996·5 |
| 朱荫贵 | 朝贡贸易体系与亚洲经济圈 | |
| | ——评滨下武志教授的《近代中国的 | |
| | 国际契机》 | 1999·2 |
| 朱荫贵 | 近代中国第一批股份制企业 | 2001·5 |
| 朱家桢 | 景颇族农村公社土地制度的历史考察 | |
| | ——土地的村社公有制向私有制的过渡 | 1963·6 |
| 朱桂昌 | "功比轵侯"解 | 1978·5 |
| 朱维铮 | 国内史学动态（7 则） | 1962·2 |
| 朱维铮 | 府兵制度化时期西魏北周社会的特殊矛盾及其解决 | |
| | ——兼论府兵的渊源和性质 | 1963·6 |
| 朱惠荣 | 试论殷代奴隶制向西周封建制的过渡问题 | 1961·3 |
| 朱瑞熙 | 朱熹是投降派、卖国贼吗？ | 1978·9 |
| 朱瑞熙 | 论方腊起义与摩尼教的关系 | 1979·9 |
| 朱瑞熙 | 宋代商人的社会地位及其历史作用 | 1986·2 |
| 朱瑞熙 | 宋代佃客法律地位再探索 | 1987·5 |
| 朱瑞熙 | 宋元的时文 | |
| | ——八股文的雏形 | 1990·3 |
| 朱瑞熙 | 读《赵普评传》 | 1993·4 |
| 朱瑞熙 | 评《北方移民与南宋社会变迁》 | 1995·2 |

| | | |
|---|---|---|
| 朱靖华 | 论苏轼政治思想的发展 | 1978·8 |
| 朱德熙 | 寿县出土楚器铭文研究 | 1954·1 |
| 朴　民 | 评《商品经济与战国社会变迁》 | 1996·6 |
| 朴元熇 | 从柳山方氏看明代徽州宗族组织的扩大 | 1997·1 |
| 朴汉济 | 西魏北周的赐姓与乡兵的府兵化 | 1993·4 |
| 权仁溶 | 从祁门县"谢氏纷争"看明末徽州的土地丈量与里甲制 | 2000·1 |
| 毕　克 | 平家瞳人民的革命斗争 | 1965·5 |
| 毕道村 | 英国农业近代化的主要动因 | 1994·5 |
| 江　平 | 国内史学动态（11则） | 1962·5 |
| 江　地 | 论东捻军的抗清斗争 | 1954·5 |
| 江　地 | 论太平天国和捻军起义的关系 | 1963·3 |
| 江　地 | 评台湾修订本《清代通史》 | 1986·3 |
| 江　淳 | 抗战前后国共关系新解——评《失去的机会?》 | 1994·3 |
| 江　耦 | 曹操年表 | 1959·3 |
| 江太新 | 清代前期押租制的发展 | 1980·3 |
| 江太新 | 清初垦荒政策及地权分配情况的考察 | 1982·5 |
| 江林昌 | 楚辞中所见殷族先公考 | 1995·5 |
| 江林昌 | 《商颂》与商汤之"亳" | 2000·5 |
| 汤　啸 | "永贞革新"与《封建论》 | 1975·2 |
| 汤一介 | 寇谦之的著作与思想 | 1961·5 |
| 汤用彤 | 魏晋玄学中的社会政治思想和它的政治背景 | 1954·3 |
| 汤用彤 | 寇谦之的著作与思想 | 1961·5 |
| 汤用彤遗稿 | 读《道藏》札记 | 1964·3 |
| 汤志钧 | 再论康有为的《大同书》 | 1959·8 |
| 汤志钧 | 论康有为《大同书》的思想实质 | 1959·11 |
| 汤志钧 | 近代经学的发展和消亡 | 1985·3 |
| 汤志钧 | 戊戌维新与学习西方 | 1988·4 |

| | | |
|---|---|---|
| 汤志钧 | 孙中山和自立军 | 1991·1 |
| 汤志钧 | 康有为的海外活动和保皇会前期评价 | 1994·2 |
| 汤志钧 | 再论康有为与今文经学 | 2000·6 |
| 汤建英 | 跃进中的华中师范学院历史系 | 1958·12 |
| 汤明檖 | 对邓拓同志"从万历到乾隆"一文的 | |
| | 商榷与补充 | |
| | ——并试论处理和运用实地调查材料的方法 | 1958·1 |
| 汤钰卿 | 平家疃人民的革命斗争 | 1965·5 |
| 汤韵萍 | 关于世纪和年代的一点补充 | 1992·4 |
| 而 练 | 不可抗拒的革命洪流 | |
| | ——学习毛主席的词《念奴娇·鸟儿问答》 | 1976·1 |
| 牟发松 | 读张其凡著《五代禁军初探》 | 1996·3 |
| 祁龙威 | 关于一八六〇年七月华尔攻陷松江的经过 | 1958·2 |
| 祁龙威 | 论清末的铁路风潮 | 1964·2 |
| 米 红 | 清末民初的两次户口人口调查 | 1997·1 |
| 米庆余 | 沙俄在甲午战争中充当了什么角色 | 1979·8 |
| 米庆余 | 日本反封建思想家安藤昌益 | 1981·1 |
| 米庆余 | 栏目的设置、文章的评价及其他 | 1982·2 |
| 米庆余 | 《隋书·流求传》辨析 | 1995·6 |
| 米庆余 | 琉球漂民事件与日军入侵台湾（1871—1874） | 1999·1 |
| 米庆余 | 钓鱼岛及其附属岛屿归属考 | |
| | ——从明代陈侃《使琉球录》谈起 | 2002·3 |
| 红 宣 | 列宁在十月革命后限制资产阶级法权的斗争 | 1975·2 |
| 纪 平 | 清入关前对东北的统一 | |
| | ——驳苏修篡改中俄东段边界史的谎言 | 1975·2 |
| 纪 志 | 从民主革命转变到社会主义革命的伟大纲领 | |
| | ——学习《在中国共产党第七届中央委员会 | |
| | 第二次全体会议上的报告》 | 1976·5 |
| 纪 实 | 柳条边的历史和苏修的谬论 | 1975·3 |

纪大椿　阿古柏对新疆的入侵及其复灭　　　　　　1979·3

行　龙　辛亥革命前的人口状况　　　　　　　　　1992·1

行　龙　近代华北农村人口消长及其流动
　　　　　——兼论黄宗智"没有发展的增长"说　2000·4

许　久　《第二次世界大战（1939—1945年）》　　1959·5

许　凡　论元代的吏员出职制度　　　　　　　　　1984·6

许　好整理、中外封建社会劳动者生产生活状况
　　　　　　　　　比较研究讨论会概述　　　　1985·5

许　华　北洋海军覆灭原因再探讨　　　　　　　　1992·4

许　虹　1793年法国旺代农民叛乱原因新探　　　　1989·4

许　敏　上海学术界座谈黎澍学术思想纪要　　　　1989·3

许　敏　评《上海史》　　　　　　　　　　　　　1990·4

许　曼　唐宋妇女史研究与历史学国际学术研讨会综述

　　　　　　　　　　　　　　　　　　　　　　2002·2

许大龄　读《校对一条史料》　　　　　　　　　　1963·3

许纪霖　紧张而丰富的心灵：林同济思想研究　　　2003·4

许序雅　《敦煌吐鲁番文书与丝绸之路》读后　　　1997·4

许怀中　鲁迅论"无名氏"　　　　　　　　　　　1976·3

许明龙　梁启超的法国大革命观　　　　　　　　　1989·2

许洁明　论近代英国政党制度的形成与特征　　　　1997·4

许顺湛　对"夏代和商代的奴隶制"一文的意见　　1956·6

许凌云　试论"通史家风"　　　　　　　　　　　1983·4

许涤新　忆董老　　　　　　　　　　　　　　　　1977·3

许涤新　兼资文武此全才
　　　　　——忆陈总领导上海工作片断　　　　1978·5

许涤新　谈笑凯歌旋
　　　　　——忆毛泽东同志到重庆谈判　　　　1979·11

许惠民　两宋的农村专业户　　　　　　　　　　　1987·6

许殿才　《汉书》中的天人关系　　　　　　　　　1992·4

许殿才　《中国近代史学思潮与流派》读后　　　　　1994·5

达力扎布　清初内扎萨克旗的建立问题　　　　　　　1998·1

迈克尔·亨特　美国关于中国对外关系史研究的问题
　　　　　　　与前景　　　　　　　　　　　　　　1988·3

邢　铁　宋代的财产遗嘱继承问题　　　　　　　　　1992·6

邢　铁　明清时期孔府的继承制度　　　　　　　　　1995·6

邢贲思　欧洲两次伟大的思想解放运动　　　　　　　1979·8

邬　蒙　"盗跖"考辨　　　　　　　　　　　　　　1977·2

邬文玲　二十世纪简帛的发现与研究　　　　　　　　2003·6

阮芳纪　中国史学会重新建立　　　　　　　　　　　1980·4

阮芳纪　义和团运动的发生与特点　　　　　　　　　1991·3

阴法鲁　唐代西藏马毬戏传入长安　　　　　　　　　1959·6

齐　江　论民主派
　　　　　　——驳"四人帮"在民主派问题上制造的
　　　　　　　谬论　　　　　　　　　　　　　　　1977·5

齐　武　五卅运动的历史意义和经验教训　　　　　　1965·3

齐文心　关于商代称王的封国君长的探讨　　　　　　1985·2

齐文心　王字本义试探　　　　　　　　　　　　　　1991·4

齐文颖　第17届国际历史科学大会关于人物传记的
　　　　　讨论　　　　　　　　　　　　　　　　　1991·3

齐世荣　三十年代英国的重整军备与绥靖外交　　　　1984·2

齐世荣　中国抗日战争在第二次世界大战中的地位
　　　　　和作用　　　　　　　　　　　　　　　　1985·4

齐世荣　加强世界通史的研究　　　　　　　　　　　1989·5

齐世荣　我国世界史学科的发展历史及前景　　　　　1994·1

齐世荣　论英国对意大利的外交政策（1936年7月—
　　　　　1938年11月）　　　　　　　　　　　　2002·1

齐陈骏　试论隋和唐初的政权
　　　　　　——与吴泽、袁英光两同志商榷　　　　1965·1

齐亮晓　法家路线和汉初的安定局面　　　　　　　1975·4

齐勇锋　"度支使"与"支度使"　　　　　　　　1983·5

齐思和　批判胡适派对于世界史的反动唯心观点　　1956·6

齐思和　外国新书介绍　　　　　　　　　　　　　1957·6

齐思和　外国新书介绍　　　　　　　　　　　　　1957·7

齐思和　外国新书介绍　　　　　　　　　　　　　1957·8

齐思和　苏联历史学家对于拜占廷史研究的卓越贡献　1957·11

齐思和　匈牙利哈玛塔教授"关于阿提拉时期匈人

　　　　社会"的论文　　　　　　　　　　　　　1958·1

齐思和　英国封建土地所有制形成的过程　　　　　1964·1

齐思和　匈奴西迁及其在欧洲的活动　　　　　　　1977·3

# 七　　画

严中平　殖民主义海盗哥伦布　　　　　　　　　　1977·1

严中平　墨西哥帝国的被征服　　　　　　　　　　1977·2

严中平　印加帝国的灭亡　　　　　　　　　　　　1977·4

严中平　论麦哲伦　　　　　　　　　　　　　　　1982·3

严学熙　张謇与淮南盐垦公司　　　　　　　　　　1988·3

严昌洪　二十世纪的辛亥革命史研究　　　　　　　2000·3

严昌洪　经济发展与社会变迁国际学术研讨会综述　2001·1

严敦杰　我国古代对地震的认识和地震史上两条

　　　　路线的斗争　　　　　　　　　　　　　　1976·5

严耀中　陈朝崇佛与般若三论的复兴　　　　　　　1994·4

严耀中　关于陈文帝祭"胡公"

　　　　——陈朝帝室姓氏探讨　　　　　　　　　2003·1

何　志　评《中国历史纲要》　　　　　　　　　　1957·1

何　迪　1945—1949年中国共产党对美政策的演变　1987·3

何　荆　国外史学动态（8则）　　　　　　　　　1961·4

何　浩　战国时期楚封君初探　1984・5
何　浩　颛顼传说中的神话与史实　1992・3
何　新　对《应该怎样研究上古的神话与历史》的
　　　　几点答复　1988・6
何双生　建国以来出版的辛亥革命资料述略　1981・5
何长工　伟大的会师　1977・3
何玉兴　论宋代的货币地租
　　　　　　——与包伟民商榷　1992・5
何幼琦　《海经》新探　1985・2
何伟亚　道德话语：1900—1901年对北京的劫掠　2002・5
何兆武　广学会的西学与维新派　1961・4
何兆武　社会形态与历史规律　2000・2
何兆泉　关于秦桧归宋问题的再讨论
　　　　　　——兼与王曾瑜先生商榷　2003.5
何廷庆　一年来越南的史学研究工作　1958・5
何汝泉　关于武则天的几个问题　1978・8
何汝泉　唐代户部使的产生　1995・3
何芳川　十九世纪中叶东方国家的上层改革活动　1981・4
何其芳　从狄克到"四人帮"的狗头军师　1976・6
何其芳　回忆朱总司令　1977・3
何建明　陈寅恪的"晚清情结"与他同胡适的关系　1996・6
何建明　近代科技传播与中西文化交流国际学术
　　　　研讨会综述　1999・5
何建明　基督宗教来华与中西文化交流学术研讨会
　　　　述评　2001・6
何忠礼　科举制起源辨析　1983・2
何忠礼　张损之并非隋代进士　1986・3
何忠礼　科举制度与宋代文化　1990・5
何忠礼　宋代官吏的俸禄　1994・3

何忠礼　宋代户部人口统计考察　　　　　　　　　　　1999・4

何忠礼　二十世纪的中国科举制度史研究　　　　　　　2000・6

何忠礼　关于秦桧归宋问题的再讨论

　　　　　——兼与王曾瑜先生商榷　　　　　　　　2003・5

何秉孟　论土地革命战争时期我党对私营工商业政策

　　　　的演变过程　　　　　　　　　　　　　　　1982・1

何兹全　读《府兵制度考释》书后　　　　　　　　　　1962・6

何兹全　周代土地制度和它的演变　　　　　　　　　　1964・3

何兹全　汉魏之际封建说　　　　　　　　　　　　　　1979・1

何兹全　关于古代史的几个理论问题　　　　　　　　　1984・1

何兹全　西周春秋时期的国家形式　　　　　　　　　　1989・5

何兹全　纪念《历史研究》创刊四十周年・历史知识

　　　　的提高和普及　　　　　　　　　　　　　　1994・1

何兹全　中国古代社会形态演变过程中的三个关键性

　　　　时代　　　　　　　　　　　　　　　　　　2000・2

何兹全　傅斯年的史学思想和史学著作　　　　　　　　2000・4

何冠彪　宦官三题

　　　　　——王硕《“宦官”与“太监”》补正　　1985・6

何炳棣　中国现存最古的私家著述《孙子兵法》　　　　1999・5

何祚榕　也谈“亚细亚生产方式”　　　　　　　　　　1980・5

何顺果　西进在美国经济发展中的作用　　　　　　　　1984・3

何顺果　关于美国国内市场形成问题　　　　　　　　　1986・6

何顺果　加利福尼亚金矿的发现及其历史意义　　　　　1987・3

何顺果　关于资本主义起源问题　　　　　　　　　　　1990・3

何顺果　市场在西欧的兴起及其历史意义　　　　　　　1991・3

何顺果　美国西部城市的起源及其类型　　　　　　　　1992・4

何顺果　略论美国的“立国精神”　　　　　　　　　　1993・2

何顺果　东欧“再版农奴制”庄园经济的性质问题

　　　　　——与美洲奴隶种植园经济的初步比较　　2003・4

| 何晋瑞 | 关于"打碎资产阶级国家机器"的结论是根据巴黎公社经验得出的吗？ | 1979·9 |
| 何龄修 | 明末李自成起义军中的两条路线 | 1976·3 |
| 何肇发 | 潘克拉托娃主编："十九世纪俄国工人运动文献"汇编介绍 | 1957·11 |
| 何德章 | 北魏国号与正统问题 | 1992·3 |
| 何毅亭 | 五卅运动中的上海总商会 | 1989·1 |
| 余仁 | 读《隋唐文化史》 | 1995·2 |
| 余肖 | 复旦大学历史系中国上古中古史教研组座谈"中国古史分期"的一些意见 | 1957·2 |
| 余大钧 | 论阻卜与鞑靼之异同 | 1981·6 |
| 余子侠 | 唐代秀才科考论 | 1997·5 |
| 余子道 | 中国正面战场对日战略的演变 | 1988·5 |
| 余元安 | 中俄两国人民友好关系三百年 | 1957·11 |
| 余伟民 | "冷战史新研究"：源起、学术特征及其批判 | 2003·3 |
| 余华青 | 汉代酿酒业探讨 | 1980·5 |
| 余华青 | 略论秦汉时期的园圃业 | 1983·3 |
| 余同元 | 明后期长城沿线的民族贸易市场 | 1995·5 |
| 余志森 | 美国独立前后政治体制的演变 | 1987·5 |
| 余明侠 | 关于李秀成的战绩及评价问题 | 1965·2 |
| 余明侠 | 近代徐州利国驿煤矿剖析 | 1986·5 |
| 余炎光 | 第一次国内革命战争时期的广东农民 | 1958·9 |
| 余绳武 | 读卿汝楫"美国侵华史"第二卷 | 1956·10 |
| 余绳武 | 辛亥革命时期帝国主义列强的侵华政策 | 1961·5 |
| 余新忠 | 清代江南疫病救疗事业探析——论清代国家与社会对瘟疫的反应 | 2001·6 |
| 余新忠 | 中国疾病、医疗史探索的过去、现实与可能 | 2003·4 |
| 佟玉民 | 关于"农村包围城市"道路的理论形成过程 | 1981·4 |
| 佟伟华 | 与工农群众结合，批判吴晗的反动本质 | 1966·2 |

佟柱臣　嘎仙洞拓跋焘祝文石刻考　　　　　　　　　1981·6

佟柱臣　金毓黻著《静晤室日记》书后　　　　　　　　1998·6

克　凡　介绍苏联新近出版的《历史科学》丛刊　　　　1958·7

克　凡　关于苏联出版的"外交史"　　　　　　　　　1958·9

克　凡　介绍"苏联的中国学"杂志　　　　　　　　1958·12

克　凡　塔乌班什拉格教授和波兰的纸草学研究　　　　1959·2

克　凡　国外史学简讯（6则）　　　　　　　　　　　1959·2

克　凡　苏联科学院历史科学学部科学研究计划
　　　　（1959年）　　　　　　　　　　　　　　　　1959·4

克　凡　社会主义国家历史学界的科学联系近况　　　　1959·4

克　凡　国外史学出版简讯　　　　　　　　　　　　　1959·7

克　凡　国外史学简讯八则　　　　　　　　　　　　　1959·9

克　凡　国外史学简讯（八则）　　　　　　　　　　1959·10

克　凡　国外史学简讯（2则）　　　　　　　　　1960·1–2

克尤木·买提尼牙孜　不断加强各族人民的团结　　　　1975·1

劲云戈　驳荀况为儒家说　　　　　　　　　　　　　　1975·1

启　良　波普尔历史哲学的再认识　　　　　　　　　　1996·1

吴　江　中国革命夺取国家政权的过程
　　　　　　——纪念巴黎公社起义九十周年　　　　　1961·2

吴　江　法学家说的历史演变　　　　　　　　　　　　1976·6

吴　江　关于《论历史的创造及其他》的信
　　　　　　——致黎澍同志　　　　　　　　　　　　1985·4

吴　杰　中国近代文化史首次学术讨论会纪要　　　　　1985·2

吴　杰　日本辛亥革命研究会　　　　　　　　　　　　1992·2

吴　杰　评《跨出封闭的世界——长江上游区域社会
　　　　研究》　　　　　　　　　　　　　　　　　　1993·3

吴　泽　魏源的变易思想和历史进化观点　　　　　　　1962·5

吴　泽　魏源《海国图志》研究
　　　　　　——魏源史学研究之二　　　　　　　　　1963·4

吴　泽　唐初政权与政争的性质问题
　　　　——唐初武德、贞观年间的阶级斗争与统治
　　　　阶级内部斗争　　　　　　　　　　　　1964·2
吴　英　弘扬唯物史观的科学理性
　　　　——与蒋大椿先生商榷　　　　　　　　2002·1
吴　洋　清代"俄罗斯佐领"考略　　　　　　　　1987·5
吴　晗　明初社会生产力的发展　　　　　　　　1955·3
吴　焯　西南丝绸之路研究的认识误区　　　　　1999·1
吴　简　《嘉禾吏民田家莂》"二年常限"解　　　2003·6
吴　慧　清前期的粮食调剂　　　　　　　　　　1988·4
吴于廑　从中世纪前期西欧的法律和君权说到日耳曼
　　　　马克公社的残存　　　　　　　　　　　1957·6
吴于廑　世界历史上的农本与重商　　　　　　　1984·1
吴大琨　与范文澜同志论划分中国奴隶社会与封建
　　　　社会的标准问题　　　　　　　　　　　1954·6
吴大琨　关于西周社会性质问题的讨论
　　　　——答戚其章先生　　　　　　　　　　1956·3
吴大琨　驳卡尔·魏特夫的《东方专制主义》　　1982·4
吴仁安　上海地区明清时期的望族　　　　　　　1992·1
吴友法　纳粹党的崛起与德国小资产阶级　　　　1985·4
吴天颖　中国井盐开发史二三事
　　　　——《中国科学技术史》补正　　　　　1986·5
吴心伯　近代中国社会演变问题国际讨论会综述　1992·6
吴玉章　在辛亥革命五十周年学术讨论会上的讲话　1961·6
吴玉章遗作　李新整理　忆杨闇公同志　　　　1978·10
吴玉章　吴玉章自传　　　　　　　　　　　　1981·4
吴玉章　太平革命以前中国经济、社会、政治的分析　1984·6
吴传启　关于资本主义发生的历史和逻辑　　　　1962·4
吴宇虹　古代两河流域文明史年代学研究的历史与现状　2002·4

| | | |
|---|---|---|
| 吴廷才 | 敢想敢说，边干边学 | 1958·9 |
| 吴廷嘉 | 要重视和加强史学方法论研究 | 1986·1 |
| 吴廷嘉 | 用系统科学方法使历史科学定量化 | 1986·4 |
| 吴廷嘉 | "合力"辨 | |
| | ——兼与刘大年同志商榷 | 1988·3 |
| 吴廷璆 | 驳斥雷海宗反马克思主义反社会主义的谬论 | 1957·12 |
| 吴廷璆 | 佛教海上传入中国之研究 | 1995·2 |
| 吴汝煜 | 宰予并非孔门叛逆者 | 1975·4 |
| 吴丽娱 | 读《周恩来家世》辨绍兴周氏族谱中的 | |
| | 真伪问题 | |
| | ——兼谈如何科学使用古代族谱家乘 | 1999·3 |
| 吴奇衍 | 清代著名皇商范氏的兴衰 | 1981·3 |
| 吴英增 | 国外史学动态（8 则） | 1962·2 |
| 吴良祚 | 关于"天父诗" | 1957·9 |
| 吴宗国 | 唐代进士考试科目和录取标准的变化 | 1986·4 |
| 吴忠亚 | 吴禄贞是"立宪派"吗？ | 1982·3 |
| 吴承明 | 论清代前期我国国内市场 | 1983·1 |
| 吴承明 | 我国半殖民地半封建国内市场 | 1984·2 |
| 吴承明 | 论二元经济 | 1994·2 |
| 吴承明 | 评《清代皇族人口行为和社会环境》 | 1995·4 |
| 吴松弟 | 宋代户口的汇总发布系统 | 1999·4 |
| 吴建华 | "家庭·社区·大众心态变迁"国际学术 | |
| | 研讨会述评 | 1999·1 |
| 吴建华 | 国家、地方、民众的互动与社会变迁国际 | |
| | 学术研讨会综述 | 2003·1 |
| 吴剑杰 | 清末湖北立宪党人的议政实践 | 1991·6 |
| 吴荣政 | 坚决清除吴晗对我的严重毒害 | 1966·3 |
| 吴荣曾 | 论秦律的阶级本质 | |
| | ——读云梦秦律札记 | 1977·5 |

| 吴家林 | 全国农民代表大会究竟开过没有 | 1979·12 |
| 吴恩远 | 剧变后俄罗斯的卫国战争史（1941—1945） | |
| | 研究 | 1995·6 |
| 吴恩远 | 苏联"三十年代大清洗"人数考 | 2002·5 |
| 吴恩远 | 俄罗斯重新评价斯大林 | 2003·5 |
| 吴艳红 | 明代流刑考 | 2000·6 |
| 吴乾兑 | 上海光复和沪军都督府 | 1981·5 |
| 吴寅年 | 霸权主义的"杰作" | |
| | ——评莫斯科出版的《中国近代史》 | 1976·2 |
| 吴维能 | 万紫千红、百花争妍 | 1958·9 |
| 吴善中 | 《"拜上帝会"子虚乌有考》质疑 | 1995·5 |
| 吴善中 | 太平天国天历干支、礼拜提前一天原因考 | 1998·1 |
| 吴敬琏 | 关于资产阶级法权理论的历史考察 | 1977·4 |
| 吴敬莲 | "四人帮"——半殖民地半封建旧中国的 | |
| | 招魂巫师 | 1978·7 |
| 吴景平 | 英国与1935年的中国币制改革 | 1988·6 |
| 吴景平 | 美国与1945年的中苏会谈 | 1990·1 |
| 吴景平 | 宋子文论纲 | 1991·6 |
| 吴景平 | 抗战时期中美租借关系述评 | 1995·4 |
| 吴景平 | 关于近代中国外债史研究对象的若干思考 | 1997·4 |
| 吴景平 | 英国与中国的法币平准基金 | 2000·1 |
| 吴景平 | 近代中国经济与社会学术讨论会综述 | 2001·4 |
| 吴景平 | 上海金融的现代化与国际化国际学术讨论会 | |
| | 综述 | 2002·5 |
| 吴景平 | 上海银行公会改组风波（1929—1931） | 2003·2 |
| 吴雁南 | 试论太平天国的土地制度 | 1958·2 |
| 吴雁南 | 略论李秀成 | 1964·4 |
| 吴雁南 | "心学"与辛亥风云 | 1992·4 |
| 吴微心 | 评"中国历史概要"内"近代中国"部分 | 1957·8 |

| | | |
|---|---|---|
| 吴瑞武 | 复旦大学历史系掀起了新的教学 与科学研究高潮 | 1959·6 |
| 宋　立 | 海洋思维：认识中国历史的新视角 ——评杨国桢主编"海洋与中国丛书" | 1999·6 |
| 宋　岘 | 七世纪中大食进兵阿姆河北的年代 | 1981·3 |
| 宋　敏 | 《亚细亚生产方式——不成其为问题的问题》 一文质疑 | 1980·5 |
| 宋　强 | 评《美国对亚太政策的演变，1776—1995》 | 1997·3 |
| 宋　斌 | 大俄罗斯沙文主义的活标本 ——评齐赫文斯基主编的《中国近代史》 | 1975·5 |
| 宋一夫 | 汉代功曹、五官掾考 | 1994·5 |
| 宋大仁 | 中国与阿拉伯的医药交流 | 1959·1 |
| 宋大仁 | 关于"西域""回回"和"阿维森纳"问题 | 1959·12 |
| 宋元强 | 研究明清社会经济史的重要碑刻资料 | 1982·4 |
| 宋元强 | "中国封建地主阶级研究"学术讨论会述要 | 1984·3 |
| 宋元强 | 区域社会经济史研究的新进展 | 1988·3 |
| 宋会群 | 秦汉时制研究 | 1993·6 |
| 宋延英 | 辽代铁州地址考 | 1959·8 |
| 宋成有 | 日本史学新流派析 | 1983·1 |
| 宋成有 | 《五条誓文》若干用语析义 | 1990·3 |
| 宋志复 | "安乐窝"呆不得 ——读樊哙谏·刘邦"出舍" | 1975·3 |
| 宋秀元 | 明清档案馆历史档案整理工作在大跃进中 | 1959·1 |
| 宋美云 | 北洋时期官僚私人投资与天津近代工业 | 1989·2 |
| 宋美云 | 首届商会与近代中国国际学术讨论会综述 | 1998·6 |
| 宋钟璜 | 评《冒险、失败与崛起——20世纪德意志史》 | 1994·5 |
| 宋家钰 | 唐代的手实、户籍与计帐 | 1981·6 |
| 宋家钰 | 农民革命与投降主义路线 | 1975·6 |

宋效忠　新沙皇的一支招魂曲

　　　　——评苏修叛徒集团为巴枯宁翻案　　　　1977·5

宋恩荣　民国教育史及其研究中的几个问题

　　　　——李华兴主编《民国教育史》读后　　　　2000·3

宋振庭　论"四人帮"的出现和灭亡　　　　　　　　1978·7

宋培荃　读《法国通史简编》　　　　　　　　　　　1991·4

宋瑞芝　彻底粉碎吴晗反毛泽东思想的罪恶阴谋　　　1966·3

宋锡民　山东大学历史系一九五六年上半年度的教学

　　　　与科学研究工作　　　　　　　　　　　　　1956·9

宋锡民　山东大学历史系中国古史分期问题的讨论　　1957·8

宋蜀华　对我国藏族、维吾尔族和傣族部分地区解放前

　　　　农奴制度的初步研究　　　　　　　　　　　1962·5

宋德华　戊戌维新派政治纲领的再探讨　　　　　　　1985·5

宋德金　金代女真族俗述论　　　　　　　　　　　　1982·3

宋德金　一册珍贵的辽文总集:《全辽文》　　　　　1982·6

宋德金　开拓研究领域促进史学繁荣

　　　　——中国社会史研讨会述评　　　　　　　　1987·1

宋德金　正统观与金代文化　　　　　　　　　　　　1990·1

宋德金　中国社会史第三次研讨会综述　　　　　　　1991·1

宋德金　纪念《历史研究》创刊四十周年·

　　　　《历史研究》四十年　　　　　　　　　　　1994·1

宋德金　二十世纪中国辽金史研究　　　　　　　　　1998·4

宋德金　双陆与民族文化的交流和融合　　　　　　　2003·2

宋镇豪　夏商人口初探　　　　　　　　　　　　　　1991·4

宋镇豪　商代婚姻的运作礼规　　　　　　　　　　　1994·6

岑仲勉　论周代社会史料的运用问题　　　　　　　　1954·6

岑仲勉　租庸调与均田有无关系　　　　　　　　　　1955·5

岑仲勉　从王涣墓志解决了晚唐史一两个问题　　　　1957·9

岑家梧　辽代契丹和汉族及其他民族的经济文化联系　1981·1

希　达　沙俄对我国西部地区的早期侵略　　　　　1976·3
应永深　论春秋时代鲁国和晋国的社会特点兼及
　　　　儒家和法家产生的历史背景　　　　　　1964·1
张　凡　《旧五代史》辑补　　　　　　　　　　　1983·4
张　弓　中古盂兰盆节的民族化衍变　　　　　　　1991·1
张　弓　隋唐儒释道论议与学风流变　　　　　　　1993·1
张　弓　对承唐启宋时代的探索与思考
　　　　　　——读郑学檬著《五代十国史研究》　1993·3
张　生　第四次中华民国史国际学术讨论会述评　　2001·1
张　生　第二次中华民国史中青年学者国际学术
　　　　研讨会综述　　　　　　　　　　　　　2003·4
张　华　苏联中国学的发展和任务　　　　　　　　1959·5
张　华　苏联科学院东方学研究所和中国学研究所
　　　　一年来的工作情况　　　　　　　　　　1959·6
张　克　明代流人在东北　　　　　　　　　　　　1985·4
张　侠　驳所谓"局限性"　　　　　　　　　1964·5-6
张　枬　辛亥革命前资产阶级革命派和改良派的斗争　1962·6
张　明　集中优势兵力打歼灭战
　　　　　　——学习《中国革命战争的战略问题》的
　　　　　　一点体会　　　　　　　　　　　　1974·1
张　明　一本研究北洋舰队的专史：《北洋舰队》　1982·4
张　鸣　晚清乡村社会的洋教观
　　　　　　——对教案的一种文化心理解释　　　1995·5
张　勇　戊戌时期章太炎与康有为经学思想的歧异　1994·3
张　哲　历史的巨轮决不停息
　　　　　　——学习鲁迅对革命事业的坚定信心　1976·5
张　烈　评盐铁会议　　　　　　　　　　　　　　1977·6
张　浩　国外史学动态（8则）　　　　　　　　　1961·6
张　烈　《六韬》的成书及其内容　　　　　　　　1981·3

张　象　"科技发展与世界现代历史"学术讨论会述要

1992·2

张　琢　论鲁迅世界观的伟大转变　　　　　1976·3

张　毅　古代印度的种姓制度与奴隶

　　　　　——与崔连仲同志商榷　　　　　1982·1

张　磊　略论蒙古一九二一年的革命运动　1957·3

张　磊　论孙中山的民权主义　　　　　　1980·1

张　磊　纪念《历史研究》创刊四十周年·

　　　　《历史研究》——我的良师益友　1994·1

张　箭　古代中国人足迹和地理知识的北至　1999·6

张一文　太平天国前期战争的战略问题　1979·10

张一文　评《近代中国海军》　　　　　　1996·4

张一文　《捻军史稿》评介　　　　　　　1998·2

张乃和　从《贫富论》看18世纪初俄国的重商主义　1995·6

张士忠　吴晗是胡适精心培养的接班人　1966·2

张大可　论"文景之治"　　　　　　　　1979·7

张大明　一个不折不扣的历史反革命

　　　　——张春桥三十年代反动文章剖析　1977·2

张子凡　巴黎公社和国际主义　　　　　　1961·2

张小辰　《"新边疆"是美帝国主义侵略扩张政策的

　　　　产物》一文读后　　　　　　　　1966·1

张小明　美国对中苏同盟的认识与反应　1999·5

张广达　唛里迷考　　　　　　　　　　　1980·2

张广智　略论伏尔泰的史学家地位　　　1982·5

张广翔　外国资本与俄国工业化　　　　　1995·6

张之毅　清代闭关自守问题辨析　　　　　1988·5

张云鹤　英国1290年买地法令的某些问题　1985·3

张云鹤　评《西欧封建经济形态研究》　1985·6

张云鹤　评《哥伦布的确信：近年的某些研究》　1992·5

张云鹤　评《工业社会的勃兴：欧美五国工业革命
　　　比较研究》　　　　　　　　　　　　　1995·5
张允侯　列宁著作中译文年表　　　　　　　　　1960·4
张允侯　苦难的岁月
　　　　——一个妇女对旧社会的血泪控诉　　1965·3
张分田　"思想与社会"学术讨论会综述　　　　2001·5
张分田执笔　中国社会形态及相关理论问题学术
　　　　　研讨会述评　　　　　　　　　　　2000·2
张友伦　评价美国西进运动的几个问题　　　　　1984·3
张友伦　关于美国1787年西北法令的评价问题　　1993·4
张友伦　二次大战后美国工人阶级结构的变化
　　　　——兼评美国学者关于阶级的理论　　1994·2
张友伦　美国民主制度的形成、发展和问题　　　1996·2
张友伦　美国史研究百年回顾　　　　　　　　　1997·3
张太原　自由主义知识分子与马克思主义：《独立评论》
　　　　对中国共产党的态度　　　　　　　　2002·4
张少华　汉密尔顿"工商立国"与杰斐逊"农业立国"
　　　　之争　　　　　　　　　　　　　　　1994·6
张心澂　对杨向奎先生古史问题的几点意见　　　1956·8
张文淳　帝国主义是怎样瓜分非洲的　　　　　　1978·4
张世正　对《"万岁"考》的两点意见　　　　　1980·1
张东光　唐宋时期的中枢秘书官　　　　　　　　1995·4
张北根　1933—1941年的中德关系　　　　　　　1995·2
张正明　试论汉民族的形成　　　　　　　　　　1955·4
张永山　从我国早期畜牧民的产生看第一次社会大分工
　　　　　　　　　　　　　　　　　　　　　1988·5
张玉法　戊戌时期的学会运动　　　　　　　　　1998·5
张玉祥　论日本奴隶制向封建制的过渡　　　　　1982·2

张玉楼　马克思主义阶级分析方法和历史研究
　　　　——评刘节《怎样研究历史才能为当前
　　　　　　政治服务》　　　　　　　　　　1963・3
张亦工　《中华民国临时约法》起草人辨正　　1983・3
张亦工　第一届国会的建立及阶级结构　　　　1984・6
张亦工　近几年国内关于洋务运动的研究　　　1985・3
张亦工整理　深入开展戊戌维新运动史研究
　　　　——部分史学工作者座谈《戊戌变法史》
　　　　　　　　　　　　　　　　　　　　　1985・5
张亦工　中国近代史研究的规范问题　　　　　1988・3
张亦工　商民协会初探　　　　　　　　　　　1992・3
张亦工　深入开展资产阶级主体研究
　　　——《辛亥革命时期新式商人社团研究》评介　1993・4
张仲礼　国外有关中国资产阶级研究概述　　　1983・3
张仲礼　国外洋务运动研究概述　　　　　　　1985・3
张兆麟　评价海瑞的根本分歧　　　　　　　　1965・6
张全明　也论宋代官员的俸禄　　　　　　　　1997・2
张守常　陈永福投闯抗清事迹评述　　　　　　1979・3
张守常　太平天国北伐军数考　　　　　　　　1991・6
张守常　说《神助拳，义和团》揭帖　　　　　1997・3
张岂之　恽代英在五四运动期间的日记　　　　1958・11
张岂之　可耻的慕尼黑事件　　　　　　　　　1958・12
张岂之　"五四"时期李大钊同志反对资产阶级
　　　　改良主义的斗争　　　　　　　　　　1959・6
张岂之　一个反法的"法家"——王夫之　　　1977・3
张庆海　近代法国的史学研究与政府的政治行为　2002・4
张廷皓　汉代酿酒业探讨　　　　　　　　　　1980・5
张执中　工业革命与英国社会的近代化　　　　1983・6
张旭华　魏晋时期的上品与起家官品　　　　　1994・3

张羽新　乌兰布通之战的胜败问题　　　　　　　　　　1986·5

张芝联　一九五六——一九五七年法国高等学院所开的
　　　　汉学课程一览　　　　　　　　　　　　　　　1957·6

张芝联　介绍国际历史科学委员会（简称国际史学会）　1957·6

张芝联　外国新书介绍　　　　　　　　　　　　　　　1957·6

张芝联　法国史学家整理法国外交部所藏有关中国和
　　　　中法关系的档案（一七三五——一九一〇）　　1957·8

张芝联　外国新书介绍　　　　　　　　　　　　　　　1957·8

张芝联　苏联和民主德国签订两国历史学家科学合作
　　　　协定　　　　　　　　　　　　　　　　　　　1957·9

张芝联　"巴黎的长裤汉"
　　　　　　——一七九三至一七九四年人民运动史资料　1957·12

张芝联　最近发现的马克思夫人和长女燕妮的一批信件　1958·1

张芝联　悼两位马克思主义历史学家　　　　　　　　　1958·2

张芝联　苏联《世界文化史杂志》　　　　　　　　　　1958·4

张芝联　各国共产党和工人党党史研究所和委员会的
　　　　国际会议　　　　　　　　　　　　　　　　　1958·6

张芝联　叙利亚发现四千多年前的王宫档案库　　　　　1977·3

张芝联　略论丹东　　　　　　　　　　　　　　　　　1985·2

张芝联　费尔南·布罗代尔的史学方法　　　　　　　　1986·2

张芝联　近百年来中国的法国革命史学（1889—1989）　1989·4

张芝联　汉译史学名著《旧制度与大革命》评介　　　　1992·4

张芝联　纪念《历史研究》创刊四十周年·
　　　　坚守阵地　必有所获　　　　　　　　　　　　1994·1

张西平　西方汉学的奠基人罗明坚　　　　　　　　　　2001·3

张邦炜　试论宋代"婚姻不问阀阅"　　　　　　　　　1985·6

张伯昭　十月革命对中国革命的影响　　　　　　　　　1957·10

张作耀　勇于探索　不囿成说
　　　　　　——评傅筑夫著《中国经济史论丛》　　　1980·2

| | | |
|---|---|---|
| 张作耀 | 辨有特色　析有新意 | |
| | ——评赵光贤著《周代社会辨析》 | 1981·6 |
| 张克非 | 洋务运动史第三次讨论会综述 | 1985·6 |
| 张利民 | 华北开发株式会社与日本政府和军部 | 1995·1 |
| 张声忠 | 吴晗宣扬"清官"是"借古讽今"，污蔑党 | |
| | 的领导和国家干部 | 1966·3 |
| 张宏艳 | 黑山会的故事：明清宦官政治与民间社会 | 2000·4 |
| 张宏儒 | 巴黎公社的可耻叛徒 | |
| | ——评苏修对巴黎公社历史经验的歪曲 | 1976·1 |
| 张志宏 | 文艺复兴的时代、巨人和科学 | 1978·5 |
| 张志明 | 对于"陶潜不为五斗米折腰新释"的商榷 | 1957·10 |
| 张我德 | 评中国历史纲要 | 1957·1 |
| 张秀民 | 朝鲜的古印刷 | 1957·3 |
| 张秀平 | 马植杰著《三国史》读后 | 1995·4 |
| 张其凡 | 宋太宗论 | 1987·2 |
| 张其凡 | "均贫富"口号毋庸置疑 | 1989·4 |
| 张和声 | 阿诺德·汤因比的史学观 | 1988·3 |
| 张国刚 | 唐代藩镇类型及其动乱特点 | 1983·4 |
| 张国刚 | 唐代府兵渊源与番役 | 1989·6 |
| 张国刚 | 唐代团结兵问题辨析 | 1996·4 |
| 张国刚 | 本土化：重建中国社会形态理论的根本 | 2000·2 |
| 张国刚 | 二十世纪隋唐五代史研究的回顾与展望 | 2001·2 |
| 张国庆 | 评《契丹族文化史》 | 1996·1 |
| 张国辉 | 十九世纪后半期中国钱庄的买办化 | 1963·6 |
| 张国辉 | 中国近代煤矿企业中的官商关系与资本主义 | |
| | 的发生问题 | 1964·3 |
| 张国辉 | 论洋务派与洋奴哲学 | 1976·5 |
| 张国辉 | 论外国资本对洋务企业的贷款 | 1982·4 |
| 张国辉 | 十九世纪后半期中国票号业的发展 | 1985·2 |

张国辉　中国新式企业的发动和封建势力的阻挠　　1986·2

张国辉　从开滦煤矿联营看近代煤矿业发展状况　　1992·4

张奇方　关于"五种生产方式"问题的意见

　　　　——给《历史研究》编者的信　　　　　　2001·2

张定河　论美国联邦制的确立及其历史作用　　　　1992·6

张建华　中法《黄埔条约》交涉

　　　　——以拉萼尼与耆英之间的来往照会函件

　　　　为中心　　　　　　　　　　　　　　　2001·2

张建华　以《路标》为界：俄国自由主义知识分子的

　　　　思想波澜　　　　　　　　　　　　　　2003·5

张建国　西汉刑制改革新探　　　　　　　　　　　1996·6

张泽咸　略评《南朝经济试探》　　　　　　　　　1965·5

张秉楠　稷下学宫与百家争鸣　　　　　　　　　　1990·5

张若达　五四时期的胡适其人　　　　　　　　　　1959·6

张英莉　中国古代生产技术在日本的传播和影响　　1984·5

张金龙　李唐出于赵郡李氏说　　　　　　　　　　1993·5

张金龙　北魏洛阳里坊制度探微　　　　　　　　　1999·6

张金龙　北魏前期禁卫武官制度考论

　　　　——以史籍记载为中心　　　　　　　　2003·3

张金光　商鞅变法后秦的家庭制度　　　　　　　　1988·6

张金光　秦乡官制度及乡、亭、里关系　　　　　　1997·6

张金光　银雀山汉简中的官社经济体制　　　　　　2001·5

张亭连　我们决心和吴晗这种不拿枪的敌人斗争到底　1966·3

张俊彦　李大钊与新文化运动　　　　　　　　　　1959·8

张冠增　中世纪西欧城市的商业垄断　　　　　　　1993·1

张契尼　日本京都大学的五四运动研究　　　　　　1982·6

张宪文　民国档案与民国史学术讨论会述略　　　　1988·2

张宪文　民国史研究述评　　　　　　　　　　　　1995·2

张恒寿　试论两汉时代的社会性质　　　　　　　　1957·9

| 张恒寿 | 关于中国封建土地所有制讨论中的若干问题 | 1962·2 |
| 张政烺 | 甲骨文"肖"与"肖田" | 1978·3 |
| 张政烺 | 斯人离世去 业绩在人间 | |
| | ——悼念尹达同志 | 1983·5 |
| 张春桥 | 论对资产阶级的全面专政 | 1975·2 |
| 张显清 | 明代官绅优免和庶民"中户"的徭役负担 | 1986·2 |
| 张洪祥 | 中国抗日根据地历史国际学术讨论会综述 | 1985·1 |
| 张济顺 | 城市研究与上海研究国际学术讨论会综述 | 1992·3 |
| 张济顺 | 沦陷时期上海的保甲制度 | 1996·1 |
| 张祖国 | 二十世纪上半叶日本在中国大陆的国策会社 | 1986·6 |
| 张荣明 | 中国社会形态及相关理论问题学术研讨会 | |
| | 述评 | 2000·2 |
| 张荣强 | 《嘉禾吏民田家莂》"二年常限"解 | 2003·6 |
| 张荫桐 | "伯尔尼游记"的再评价 | 1957·7 |
| 张轶东 | 中英两国最早的接触 | 1958·5 |
| 张闻玉 | 关于《武成》的几个问题 | |
| | ——兼评《释〈武成〉与金文月相》 | 1999·2 |
| 张顺洪 | 战后英国关于殖民地公职人员的政策 | |
| | (1945—1965) | 2003·6 |
| 张家驹 | 赵匡胤论 | 1958·6 |
| 张振鹍 | 介绍"中国海关与中法战争" | |
| | ——近代史工作者的一本重要参考书 | 1957·9 |
| 张振鹍 | 帝国主义侵略中国领土西藏的罪恶历史 | 1959·5 |
| 张振鹍辑译 | 孙中山对外关系中的几件史料 | 1981·4 |
| 张晓校 | 世界现代史研究会学术讨论会综述 | 1990·6 |
| 张根福 | 抗战时期浙江省的人口迁移与地域分布 | 2000·4 |
| 张海英 | 许檀著《明清时期山东商品经济的发展》 | 1999·4 |
| 张海鹏 | 李秀成——修正主义和投降派的一面镜子 | 1976·1 |
| 张海鹏 | 中国近代史的"两个过程"及有关问题 | 1984·4 |

张海鹏　湖北军政府"谋略处"考异　1987·4

张海鹏　孙中山社会主义思想研究评说　1991·5

张海鹏　黄兴与武昌首义　1993·1

张爱琴　明代徽州田契研究　1983·5

张继平　纳粹党的崛起与德国小资产阶级　1985·4

张继平　"奇怪战争"不奇怪

　　　　——第二次世界大战初期"西线无战事"

　　　　说质疑　1987·6

张耕华　关于历史认识论的几点思考　1995·4

张资珙　宋应星的"天工开物"

　　　　——"元素发现史"增释之一　1956·11

张铁生　从东非史上看中非关系　1963·2

张培瑜　关于历史年代计数的规范化问题　1991·4

张培瑜　《大衍历议》与今本《竹书纪年》　1999·3

张敏谦　从殖民地走向独立的弗吉尼亚　1993·2

张盛发　雅尔塔体制的形成与苏联势力范围的确立　2000·1

张维华　试论曹魏屯田与西晋占田上的某些问题　1956·9

张维熊　对邓拓同志"从万历到乾隆"一文的商榷与补充

　　　　——并试论处理和运用实地调查材料的方法　1958·1

张雪慧　意大利中国学研究之现状　1989·6

张鸿雁　魏晋南北朝时期劳动者阶层结构的特点　1986·5

张博泉　金代女真"牛头地"问题研究　1981·4

张博泉　辽金"二税户"研究　1983·2

张惠泉　"钦定士阶条例"逸文　1957·8

张翔凤　国家、地方、民众的互动与社会变迁国际学术

　　　　研讨会综述　2003·1

张慎恒　青年毛泽东世界观的转变　1980·5

张蓉初　悼念苏联历史学家安娜·米哈伊洛夫娜·

　　　　潘克拉托娃　1957·10

| 张锡勤 | 康有为《中日和约书后》的写作时间 | 1991·3 |
| 张静如 | 以社会史为基础深化党史研究 | 1991·1 |
| 张德信 | 关于农民战争任务和作用问题的商榷 | 1980·4 |
| 张德信 | 明代诸王分封制度述论 | 1985·5 |
| 张德信 | 关于明代田土管理系统问题 | 1990·4 |
| 张德钧 | 关于曹植的评价问题 | 1957·2 |
| 张德钧 | 谭嗣同思想述评 | 1962·3 |
| 张镇强 | 帝国主义问题学术讨论会综述 | 1988·1 |
| 张懋镕 | 周人不用日名说 | 1993·5 |
| 张耀美 | 也谈中国近代历史前进发展的线索 | |
| | ——与张海鹏同志商榷 | 1984·6 |
| 彤　心 | 彼得一世的对外侵略扩张 | 1977·1 |
| 志　力 | 涅维尔斯科依——十九世纪中叶沙俄侵略 | |
| | 黑龙江地区的急先锋 | 1975·4 |
| 怀　辛 | 关于何心隐的著作 | 1958·9 |
| 时　达 | 决定性的历史转变 | |
| | ——纪念遵义会议四十周年 | 1975·1 |
| 时　达 | 坚持团结　反对分裂 | |
| | ——批判张国焘右倾分裂主义路线 | 1975·6 |
| 时佑平 | 应该重新探讨摩尔根的原始社会分期法 | 1981·1 |
| 时春荣 | 论当代美国黑人文化的复兴 | 1991·2 |
| 时殷弘 | 美国与吴庭艳独裁政权的确立 | 1991·6 |
| 时殷弘 | 美国与现代中国 | |
| | ——《中美关系史（1911—1950）》评析 | 1995·2 |
| 时殷弘 | 权力欲望与改革尝试：贝利亚在1953年 | 1999·5 |
| 旷天伟 | 论十六国时期少数部族政权的兵役 | 1991·6 |
| 李　民 | 高宗"亮阴"与武丁之治 | 1987·2 |
| 李　民 | 殷墟的生态环境与盘庚迁殷 | 1991·1 |
| 李　玉 | 《中外旧约章汇编》求疵一则 | 2000·5 |

| | | |
|---|---|---|
| 李 华 | 明清以来北京的工商行会 | 1978·4 |
| 李 华 | 邓拓与历史科学 | 1986·3 |
| 李 帆 | 评《中国东北农业史》 | 1996·4 |
| 李 成 | 要继续批孔 | 1976·1 |
| 李 达 | 辛亥革命五十周年学术讨论会开幕词 | 1961·6 |
| 李 侃 | "苦肉缓兵计"是主观唯心主义的典型 | 1964·5-6 |
| 李 侃 | 中国近代"儒法斗争"驳议 | 1977·3 |
| 李 侃 | 论中国近代历史上的封建顽固派 | 1978·11 |
| 李 侃 | 戊戌维新与中国近代思想文化史 | 1983·5 |
| 李 侃 | 清末士大夫思想演变的缩影 | |
| | ——读《忘山庐日记》 | 1984·2 |
| 李 侃 | 论张元济 | 1985·1 |
| 李 侃 | 孙中山与传统儒学 | 1986·5 |
| 李 侃 | 《蔡元培传》读后 | 1987·4 |
| 李 侃 | 略谈黎澍史学思想的特色 | 1989·2 |
| 李 侃 | 祝愿与断想 | 1989·5 |
| 李 凭 | 北魏离散诸部问题考实 | 1990·2 |
| 李 岫 | 全国第五届洋务运动史讨论会综述 | 1990·2 |
| 李 林 | 论史学主体认识的一致性 | 1988·6 |
| 李 晓 | 北宋榷茶制度下官府与商人的关系 | 1997·2 |
| 李 晔 | 第五届近百年中日关系史国际研讨会综述 | 1999·1 |
| 李 原等 | 国内史学动态（5则） | 1962·1 |
| 李 浩 | 从士族郡望看牛李党争的分野 | 1999·4 |
| 李 浩 | "关中郡姓"辨析 | 2000·5 |
| 李 涵 | 武汉大学历史系一九五六年的教学与科学 | |
| | 研究工作 | 1957·6 |
| 李 笠 | 史记商兑录 | 1959·7 |
| 李 晴 | 怎样评价李秀成及其《自述》 | 1979·1 |
| 李 锐 | 青年毛泽东的思想方向 | 1979·1 |

| 李 锐 | 五四运动中的青年毛泽东 | 1979·5 |
|---|---|---|
| 李 新 | 西安事变初探 | 1979·11 |
| 李 新 | 《中华民国史》第一编序言 | 1981·4 |
| 李 新 | 《中国新民主主义革命史》（多卷本）序言和 | |
| | 第一卷结束语 | 1982·5 |
| 李 新 | 关于中国近现代历史分期问题 | 1983·4 |
| 李 新 | 文与史 | 1984·1 |
| 李 新 | 史与论 | 1984·4 |
| 李 新 | 文笔·论笔·史笔 | 1984·5 |
| 李 新 | 论抗日战争 | 1986·1 |
| 李 新 | 论军阀的分化及结局 | 1990·1 |
| 李 埏 | 论我国的"封建的土地国有制" | 1956·8 |
| 李 埏 | 试论殷商奴隶制向西周封建制的过渡问题 | 1961·3 |
| 李 埏 | 略论唐代的"钱帛兼行" | 1964·1 |
| 李 埏 | 《史记·货殖列传》引《老子》疑义试析 | 1999·4 |
| 李 瑚 | 批判荣孟源在对待史料上的恶劣作风 | 1957·11 |
| 李一氓 | "人曰"，不是"八日"而是"人日" | 1980·1 |
| 李义彬 | 为什么说五四运动是新民主主义革命的开始 | 1963·2 |
| 李义彬 | 国家主义派的形成及其在第一次国内革命 | |
| | 战争时期的反动活动 | 1965·5 |
| 李义彬 | 关于李大钊同志的生年月日问题 | 1978·9 |
| 李义彬 | 关于李大钊在北京大学任职的时间 | 1979·10 |
| 李义彬 | 南京国民政府的联苏制日方针 | 1991·1 |
| 李义彬 | 苏联与西安事变 | 1993·5 |
| 李士仪 | 用毛泽东思想作武器，和一切反党 | |
| | 反社会主义言行斗争到底 | 1966·2 |
| 李工真 | 纳粹经济纲领与德意志"经济改革派" | 2001·4 |
| 李小江 | 历史、史学与性别·两种资源 双重困境 | 2002·6 |

李中清　摘掉人口决定论的光环
　　　　——兼谈历史人口研究的思路与方法　　2002·1
李丹阳　苏俄在华发表的第一个文件
　　　　——关于文本内容与发表背景的研究　　2003·4
李丹慧　新疆苏联侨民问题的历史考察（1945—1965）　2003·3
李元良　马汉的海上实力论　　　　　　　　　1978·2
李元明　拿破仑帝国是法国资产阶级革命的最后阶段　1975·5
李元明　沙皇俄国的欧洲政策　　　　　　　　1976·6
李元明　论拿破仑法典　　　　　　　　　　　1979·2
李双璧　康有为严复变革思想比较　　　　　　1990·3
李天石　唐宋时期典身性质的变化及其意义　　1993·3
李天纲　上海学术界座谈黎澍学术思想纪要　　1989·3
李少兵　民国时期的佛学与科学思潮　　　　　1997·4
李开元　史学理论的层次模式和史学多元化　　1986·1
李文治　论清代前期的土地占有关系　　　　　1963·5
李文治　论清代后期江浙皖三省原太平天国占领区
　　　　土地关系的变化　　　　　　　　　　1981·6
李文治　明清时代的地租　　　　　　　　　　1986·1
李文治　中国封建社会土地关系与宗法宗族制　1989·5
李文海　清末灾荒与辛亥革命　　　　　　　　1991·5
李文海　甲午战争与灾荒　　　　　　　　　　1994·6
李长莉　王晓秋著《近代中日关系史研究》　　1998·4
李长之　司马迁生年为建元六年辨　　　　　　1955·6
李世安　1943 年中英废除不平等条约的谈判和香港问题　1993·5
李世安　英国与冷战的起源　　　　　　　　　1999·4
李世洞　美国历史资料的搜集与管理　　　　　1979·11
李兰琴　试论 20 世纪 30 年代德国对华政策　　1989·1
李巨廉　论太平洋战前美国远东战略及其演变　1982·6
李平生　全国第五届洋务运动史学术讨论会综述　1990·2

李正宇　荣新江著《归义军史研究——唐宋时代敦煌

　　　　历史考索》　　　　　　　　　　　　　　1998·1

李石叔　秦和汉初的地主阶级政权与封建所有制　　1975·3

李永玉　鸦片战争期间搁浅台湾英船性质考　　　　2003·2

李永采　论对偶婚从夫居形态及在家庭史上的地位　1989·6

李永胜　清帝退位前夕梁启超与袁世凯关系　　　　2000·6

李玉刚　孙中山对俄国二月革命和十月革命的反应　1994·6

李玉贞　关于参加共产国际第一、二次代表大会的

　　　　中国代表　　　　　　　　　　　　　　　1979·6

李玉尚　近代中国的鼠疫应对机制

　　　　　　——以云南、广东和福建为例　　　　2002·1

李龙牧　李大钊同志和五四时期马克思主义思想的宣传　1957·5

李龙牧　论"五四"新文化运动及其统一战线　　　1962·2

李龙牧　关于五四运动的几个问题　　　　　　　　1963·3

李龙潜　对邓拓同志"从万历到乾隆"一文的商榷

　　　　与补充

　　　　　　——并试论处理和运用实地调查材料的方法　1958·1

李伟国　宋代经济生活中的市侩　　　　　　　　　1992·2

李光灿　巴黎公社和马克思主义战略和策略思想的发展　1961·2

李光灿　孙中山的民权主义　　　　　　　　　　　1962·6

李华兴　他山之石　可以攻玉

　　　　　　——评《剑桥中国晚清史》　　　　　1988·2

李华兴　梁启超与中国近代化　　　　　　　　　　1991·3

李华兴　中国社会史研究笔谈·方兴未艾　任重道远　1993·2

李华瑞　中国烧酒起始探微　　　　　　　　　　　1993·5

李向平　西周春秋时期士阶层宗法制度研究　　　　1986·5

李向平　西周春秋时期庶人宗法组织研究　　　　　1989·2

李向军　清代救灾的制度建设与社会效果　　　　　1995·5

李安山　依附理论与历史研究　　　　　　　　　　1992·6

| | | |
|---|---|---|
| 李安山 | 日不落帝国的崩溃 | |
| | ——论英国非殖民化的"计划"问题 | 1995·1 |
| 李廷江 | 戊戌维新前后的中日关系 | |
| | ——日本军事顾问与清末军事改革 | 1999·2 |
| 李传军 | 二十世纪魏晋南北朝史研究 | 2002·5 |
| 李伯重 | 资本主义萌芽研究与现代中国史学 | 2000·2 |
| 李伯重 | 英国模式、江南道路与资本主义萌芽 | 2001·1 |
| 李伯重 | 楚材晋用:中国水转大纺车与英国阿克莱 | |
| | 水力纺纱机 | 2002·1 |
| 李伯重 | 历史、史学与性别·问题与希望:有感于 | |
| | 中国妇女史研究现状 | 2002·6 |
| 李伯祥 | 关于十九世纪三十年代鸦片进口和白银外流的 | |
| | 数量 | 1980·5 |
| 李启烈 | 朝鲜科学院历史科学研究动态 | 1957·12 |
| 李启烈 | 关于朝鲜史的若干问题(评王辑五著 | |
| | 《亚洲各国史纲要》朝鲜部分) | 1958·11 |
| 李均明 | 《居延汉简甲乙编》释文补正举隅 | 1982·5 |
| 李均明 | 汉简所反映的关津制度 | 2002·3 |
| 李希泌 | 中古人民友谊的发展 | 1964·1 |
| 李怀印 | 晚清及民国时期华北村庄中的乡地制 | |
| | ——以河北获鹿县为例 | 2001·6 |
| 李时岳 | 甲午战争前三十年间反洋教运动 | 1958·6 |
| 李时岳 | 辛亥革命时期东三省革命与反革命的斗争 | 1959·6 |
| 李时岳 | 从洋务、维新到资产阶级革命 | 1980·1 |
| 李时岳 | 李鸿章和轮船招商局 | 1982·4 |
| 李时岳 | 中国近代史主要线索及其标志之我见 | 1984·2 |
| 李时岳 | 关于"半殖民地半封建"的几点思考 | 1988·1 |
| 李时岳 | 洋务派的历史任务及其他 | 1989·4 |
| 李秀石 | 日本历史教科书问题剖析(1947—2002) | 2002·5 |

李良玉　第二届中国社会史学术研讨会述评　　　　1989·4

李运明　西方社会史学术讨论会述要　　　　　　1993·1

李里峰　从"事件史"到"事件路径"的历史
　　　　——兼论《历史研究》两组义和团研究论文　2003·4

李其驹　建党前后的李达同志　　　　　　　　　1979·8

李国华　清末海洋观与海军建设　　　　　　　　1990·5

李学昆　扼杀历史科学的恶霸行径
　　　　——再驳戚本禹对翦伯赞同志的诬陷　　1978·10

李学勤　从学术源流方面评杨荣国著"中国古代思想史"
　　　　　　　　　　　　　　　　　　　　　1956·9

李学勤　可耻的慕尼黑事件　　　　　　　　　　1958·12

李学勤　柳宗元《天对》在中国唯物主义史上的
　　　　科学地位
　　　　——兼看哲学党性原理的具体表现　　　1963·2

李学勤　小盂鼎与西周制度　　　　　　　　　　1987·5

李学勤　《吴越文化新探》读后　　　　　　　　1989·3

李学勤　先秦人名的几个问题　　　　　　　　　1991·5

李学勤　甲骨学的七个课题　　　　　　　　　　1999·5

李宗一　尚贤堂与孔孟之道　　　　　　　　　　1976·3

李宝臣　大顺用兵北京试论　　　　　　　　　　1982·3

李明仁　一八八四年香港罢工运动　　　　　　　1958·3

李明臣　我们决心和吴晗这种不拿枪的敌人斗争到底　1966·3

李治安　成吉思汗生年问题补正　　　　　　　　1996·1

李治安　元代行省制的特点与历史作用　　　　　1997·5

李治安　元代"常朝"与御前奏闻考辨　　　　　2002·5

李治寰　从制糖史谈石蜜与冰糖　　　　　　　　1981·2

李泽厚　论孙中山的"民生主义"思想
　　　　——纪念中山先生九十生辰　　　　　　1956·11

李泽厚　论严复　　　　　　　　　　　　　　　1977·2

| 李泽厚 | 章太炎剖析 | 1978·3 |
|---|---|---|
| 李泽厚 | 太平天国思想散论 | 1978·7 |
| 李泽厚 | 二十世纪初中国资产阶级革命派思想论纲 | 1979·6 |
| 李泽厚 | 梁启超王国维简论 | 1979·7 |
| 李细珠 | 张之洞与《江楚会奏变法三折》 | 2002·2 |
| 李绍明 | 关于羌族古代史的几个问题 | 1963·5 |
| 李绍明 | 老沙皇侵略我国西藏的罪行是掩盖不住的 | 1977·1 |
| 李茂高 | 论"防鬼反为先" | |
| | ——驳李秀成问题讨论中的几种论调 | 1965·5 |
| 李金明 | Zaitun 非"刺桐"而是"缎子" | 1998·4 |
| 李金明 | 陈尚胜著《"怀夷"与"抑商":明代海洋 | |
| | 力量兴衰研究》 | 1998·5 |
| 李金铮 | 二十年来中国近代乡村经济史的新探索 | 2003·4 |
| 李修松 | 徐夷迁徙考 | 1996·4 |
| 李修松 | 上古时期中国东南地区的太阳崇拜 | 2002·2 |
| 李剑鸣 | 美国印第安人保留地制度的形成与作用 | 1993·2 |
| 李剑鸣 | 两个世界文明汇合与北美印第安人的 | |
| | 历史命运 | 1992·1 |
| 李剑鸣 | 评《富兰克林·D·罗斯福时代》 | 1996·4 |
| 李剑鸣 | 美国独立战争爆发前的政治辩论及其意义 | 2000·4 |
| 李剑鸣 | 英国的殖民地政策与北美独立运动的兴起 | 2002·1 |
| 李剑萍 | 民国教育史及其研究中的几个问题 | |
| | ——李华兴主编《民国教育史》读后 | 2000·3 |
| 李思延 | 游侠批判 | 1975·4 |
| 李思延 | 孔丘是个阴谋家 | 1976·2 |
| 李春放 | 论伊朗现代伊斯兰政治模式 | 2001·6 |
| 李显春 | 《海瑞骂皇帝》和《海瑞罢官》的反动实质 | |
| | 是掩盖不了的 | 1966·3 |
| 李显荣等 | 国外史学动态（7 则） | 1961·3 |

李显荣　沙俄向外扩张的工具
　　　　——论俄国泛斯拉夫主义的反动实质　　1977·4
李树苗　清末民初的两次户口人口调查　　　　1997·1
李树槐　跟随朱总司令的片断回忆　　　　　　1977·3
李洪岩　近四十年来史论关系研究综述　　　　1992·2
李洪岩　夏曾佑及其史学思想　　　　　　　　1993·5
李洪林　揭批"四人帮"是一场历史性大决战　　1978·3
李洪林　翦伯赞同志十年祭
　　　　——驳戚本禹对翦伯赞同志的诬陷　　1978·9
李洪林　打破党史禁区　　　　　　　　　　　1979·1
李炳俊　土地革命中阶级政策的变化与共产国际的关系　1983·3
李祖基　论清代移民台湾之政策
　　　　——兼评《中国移民史》之"台湾的
　　　　　　移民垦殖"　　　　　　　　　　2001·3
李祖桓　对邹知白"李永和蓝朝鼎起义始末"一文的
　　　　商榷及补充　　　　　　　　　　　　1956·12
李祖弼　厦门大学历史系在跃进中　　　　　　1958·10
李祖德　论西汉的货币改制
　　　　——兼论西汉的"重农抑商"政策　　1965·3
李祖德　评"四人帮"歪曲秦汉之际阶级斗争
　　　　历史的奇谈怪论　　　　　　　　　　1976·6
李禹阶　"区域社会比较"国际学术研讨会综述　1997·2
李荣华　中国近代史分期问题的讨论（来稿摘要）　1957·3
李荣昌　国外有关中国资产阶级研究概述　　　1983·3
李荣昌　国外洋务运动研究概述　　　　　　　1985·3
李家瑞　古代云南用贝币的大概情形　　　　　1956·9
李家瑞　用文物补正南诏及大理国的纪年　　　1958·7
李恩民　戊戌时期的科技近代化趋势　　　　　1990·6
李振宏　"终极原因"与"相互作用"　　　　　1986·3

| | | |
|---|---|---|
| 李振宏 | 论史家主体意识 | 1988·3 |
| 李振宏 | 秦汉时制研究 | 1993·6 |
| 李振宏 | 汉代屯戍生活中的古典人道精神 | 2001·5 |
| 李晓东 | 从《日书》看秦人鬼神观及秦文化特征 | 1987·4 |
| 李晓岑 | 中国纸和造纸法传入印巴次大陆的路线 | 1992·2 |
| 李晓岗 | 战后美国犹太人民族凝聚力的盛衰 | 1997·2 |
| 李晓路 | 唐代定户等赀中包括土地 | 1985·3 |
| 李晓路 | 唐代中央集权之变化与方镇的产生 | 1989·3 |
| 李根蟠 | 二十世纪的中国古代经济史研究 | 1999·3 |
| 李根蟠 | 长江下游稻麦复种的形成和发展 | |
| | ——以唐宋时代为中心的讨论 | 2002·5 |
| 李桂芝 | 契丹贵族大会钩沉 | 1999·6 |
| 李润苍 | 章太炎是什么派？ | |
| | ——与唐振常同志商榷 | 1979·7 |
| 李竞能 | 论洪仁玕的《资政新篇》 | 1959·12 |
| 李躬圃 | 《亨莱农书》的学术价值 | 1991·5 |
| 李躬圃 | 从《继承愚思录》看日本业主家族经营 | |
| | 传统思想 | 1994·3 |
| 李维汉 | 回忆新民学会 | 1979·3 |
| 李银河 | 试论我国建设社会主义时期反封建残余的斗争 | |
| | | 1979·9 |
| 李鸿启 | 试论殷代奴隶制向西周封建制的过渡问题 | 1961·3 |
| 李鸿彬 | 评《满族的部落与国家》 | 1996·5 |
| 李鸿然 | 鲁迅与历史遗产 | 1978·2 |
| 李喜所 | 武昌起义后的农村变动 | 1982·2 |
| 李喜所 | 关于传教士与晚清现代化关系的思考 | |
| | ——评《美国传教士与晚清中国现代化》 | 1998·2 |
| 李惠贤 | 关于汪伪政权问题学术讨论会综述 | 1986·5 |
| 李琳琦 | 明清徽州书院的官学化与科举化 | 2001·6 |

李斌城　中国封建社会的佃农有什么样的人身自由？

　　　　——与胡如雷同志商榷　　　　　　　　1965·6

李裕民　匡谬辨诬　端正学风

　　　　——答高纪春对《司马光日记校注》的批评 1999·3

李鼎芳　对"关于两汉社会性质问题的探讨"一文中

　　　　所引"史记"两"汉书"的解释的意见　　1956·7

李殿福　商先起源于幽燕说　　　　　　　　　　1985·5

李瑞良　鲁迅和历史科学　　　　　　　　　　　1955·6

李锡厚　论辽朝的政治体制　　　　　　　　　　1988·3

李锡厚　辽金时期契丹及女真族社会性质的演变　1994·5

李锡厚　评《辽夏金经济史》　　　　　　　　　1995·3

李锦全　中山大学历史系一九五六年度的教学和科学

　　　　研究工作　　　　　　　　　　　　　　1957·1

李锦全　中山大学历史系三年级同学的生产实习情况 1957·1

李锦全　中山大学历史系批判资产阶级学术思想的

　　　　情况　　　　　　　　　　　　　　　1958·10

李德清　宋代女口考辨　　　　　　　　　　　　1983·5

李植枏　《世界史纲》在编写中　　　　　　　　1982·4

李燕捷　也谈中国封建土地所有权的主要标准　　1983·2

李燕捷　隋代的输籍定样法　　　　　　　　　　1995·2

李衡梅　我国原始社会婚姻形态研究　　　　　　1986·2

李衡眉　昭穆制度与周人早期婚姻形式　　　　　1990·2

李衡眉　古史传说中帝王的性别问题　　　　　　1994·4

李衡眉　昭穆制度与宗法制度关系论略　　　　　1996·2

杜　勇　金文"生称谥"新解　　　　　　　　　2002·3

杜　真　关于中国资本主义萌芽问题的讨论　　　1956·7

杜　梭　唐代户部使司与原户部司异同辨　　　　1990·2

杜　敬　土地改革中的阶级路线　　　　　　　　1987·2

杜升云　陈久金著《回回天文学史研究》　　　　1998·1

| 杜文君 | 应当全面评价瞿秋白 | 1979·12 |
| 杜文凯 | 关于两汉社会性质问题的探讨 | 1955·1 |
| 杜斗城 | 杨富学著《回鹘之佛教》 | 1999·4 |
| 杜汉鼎 | 评《中外历史年表》 | 1959·8 |
| 杜玉书 | 研究儒法斗争和整个阶级斗争的历史 占领 | |
| | 史学阵地 | 1976·1 |
| 杜玉亭 | 忽必烈平大理国是否引起傣族大量南迁 | 1978·2 |
| 杜石然 | 科技史上三大发明的重大意义 | 1978·6 |
| 杜金铭 | 从史料运用上略论两汉社会性质问题 | |
| | ——"关于两汉社会性质问题的探讨" | |
| | 读后评 | 1956·11 |
| 杜恂诚 | 虞洽卿简论 | 1981·3 |
| 杜恂诚 | 十九世纪中日资本主义现代化成败原因浅析 | 1983·1 |
| 杜恂诚 | 买办与洋务企业 | 1984·5 |
| 杜恂诚 | 从1883年上海金融风潮看中国资产阶级的 | |
| | 产生 | 1987·6 |
| 杜恂诚 | 北洋政府时期国家资本主义的中断 | 1989·2 |
| 杜恂诚 | 北洋时期中国新式银行在对外贸易中的作用 | 1991·3 |
| 杜晓云 | 研究春秋史的最新资料 | |
| | ——《侯马盟书》出版 | 1978·3 |
| 杜德凤 | 关于"天朝田亩制度"的几个问题 | 1960·1-2 |
| 杜魏华 | 中央苏区第四次反"围剿"战争始末 | 1981·4 |
| 束世澂 | 夏代和商代的奴隶制 | 1956·1 |
| 束世澂 | 关于封建社会土地制度的几个基本问题 | 1960·6 |
| 束世澂 | 孔子《春秋》 | 1962·1 |
| 束景南 | 《太玄》创作年代考 | 1981·5 |
| 来新夏 | 试论清光绪末年的广西人民大起义 | 1957·11 |
| 来新夏 | 读戴逸同志编著的《中国近代史稿》(第一卷) | 1959·5 |
| 来新夏 | 清代目录学成就浅述 | 1981·2 |

杨 讷　元代农村社制研究　　　　　　　　　　　1965·4
杨 讷　释"天完"　　　　　　　　　　　　　　1978·1
杨 讷　《辍耕录》中的"扶箕诗"不是农民军的口号

　　　　　　　　　　　　　　　　　　　　　1978·2
杨 讷　评《隋末农民战争与反佛浪潮》　　　　　1978·7
杨 讷　再谈"扶箕诗"　　　　　　　　　　　　1979·4
杨 汰　关于"永贞革新"的提法　　　　　　　　1976·3
杨 明　对《唐宋之际农民阶级内部构成的变动》

　　　　两条材料的辨正　　　　　　　　　　　1983·3
杨 旸　明代流人在东北　　　　　　　　　　　　1985·4
杨 柄　要从战略学的高度研究农民战争

　　　　　——从《唐末农民战争战略初探》谈起　1986·4
杨 洁　妇女口述史国际学术研讨会综述　　　　　1999·2
杨 宽　论南北朝时期炼钢技术的重要发明　　　　1956·4
杨 宽　关于西周农业生产工具和生产技术的讨论　1957·10
杨 宽　论战国时代齐国复辟的历史教训　　　　　1975·2
杨 宽　我国历史上铁农具的改革及其作用　　　　1980·5
杨 宽　西周中央政权机构剖析　　　　　　　　　1984·1
杨 铭　巴人源出东夷考　　　　　　　　　　　　1999·6
杨 超　从学术源流方面评杨荣国著《中国古代思想史》

　　　　　　　　　　　　　　　　　　　　　1956·9
杨 豫　魏尔事件辨证　　　　　　　　　　　　　1990·3
杨一民　汉代豪强经济的历史地位　　　　　　　　1983·5
杨小佛　杨杏佛与中国民权保障同盟　　　　　　　1978·12
杨升南　商代人牲身份的再考察　　　　　　　　　1988·1
杨升南　商代的财政制度　　　　　　　　　　　　1992·5
杨天石　《龙华会章程》探微　　　　　　　　　　1979·9
杨天石　何天炯与孙中山

　　　　　——宫崎滔天藏书札研究　　　　　　　1987·5

| | | |
|---|---|---|
| 杨天石 | "中山舰事件"之谜 | 1988·2 |
| 杨天石 | 抗战前期日本"民间人士"和蒋介石集团的 | |
| | 秘密谈判 | 1990·1 |
| 杨天石 | 中山舰事件之后 | 1992·5 |
| 杨天石 | 黄郛与塘沽协定善后交涉 | 1993·3 |
| 杨天石 | 蒋介石与前期北伐战争的战略策略 | 1995·2 |
| 杨天石 | 30年代初期国民党内部的反蒋抗日潮流 | |
| | ——读台湾所藏胡汉民资料之一 | 1998·1 |
| 杨天石 | 四一二政变前夕的吴稚晖 | |
| | ——近世名人未刊函电过眼录 | 2003·6 |
| 杨天宏 | 太平天国的租赋关系 | 1987·5 |
| 杨天宏 | 中国非基督教运动（1922—1927） | 1993·6 |
| 杨天宏 | 清季首批自开商埠考 | 1998·2 |
| 杨天宏 | 密勒氏报"中国当今十二位大人物"问卷 | |
| | 调查分析 | 2002·3 |
| 杨丙昆 | 中国第一个红色政权 | |
| | ——海陆丰苏维埃 | 1958·8 |
| 杨令侠 | 加拿大魁北克省分离运动的历史渊源 | 1997·2 |
| 杨宁一 | 明治时期日本人的自我认识 | 2000·3 |
| 杨巨平 | 奥尔弗斯教及其主要影响 | 1993·4 |
| 杨玉生 | 德国纳粹主义的若干历史特征 | 1991·6 |
| 杨生民 | 关于中国封建土地所有制的一些问题 | |
| | ——与胡如雷同志商榷 | 1981·3 |
| 杨生民 | 论春秋战国的市 | 1996·3 |
| 杨生茂 | 美国外交政策史三论 | |
| | ——为《美国外交政策史》所作的导言 | 1991·2 |
| 杨生茂 | 论乔治·班克拉夫特史学 | |
| | ——兼释"鉴别吸收"和"学以致用" | 1999·2 |
| 杨立文 | 一八四八年巴黎无产阶级的六月起义 | 1956·7 |

杨立强　上海商团与辛亥革命　　　　　　　　　　1980・3

杨立强　"近代中国资产阶级研究"讨论会综述　　　1983・6

杨立强　近年来国外近代中国资产阶级研究述评　　1989・2

杨伟立　汉代是奴隶社会还是封建社会?　　　　　1956・2

杨兴梅　南京国民政府禁止妇女缠足的努力及其成效　1998・3

杨兴梅　从劝导到禁罚:清季四川反缠足努力述略　2000・6

杨向奎　释"不玄冥"　　　　　　　　　　　　　1955・1

杨向奎　有关中国古史分期的若干问题　　　　　　1956・5

杨向奎　释"执驹"　　　　　　　　　　　　　　1957・10

杨向奎　批判向达的反马克思主义的历史观点　　　1957・11

杨向奎　关于中国封建社会土地制度问题　　　　　1961・3

杨向奎　斯人离世去　业绩在人间

　　　　　　——悼念尹达同志　　　　　　　　1983・5

杨向奎　关于方以智和中国传统哲学思想的讨论　　1985・1

杨向奎　对《历史研究》的希望　　　　　　　　　1989・5

杨向奎　戴东原哲学思想分析　　　　　　　　　　1989・5

杨成良　十九世纪美国的德意志和爱尔兰移民之比较　2001・3

杨余练　清廷对吉林边疆少数民族地区的统治　　　1982・6

杨孝臣　论幸德秋水　　　　　　　　　　　　　　1982・4

杨寿川　论明清之际云南"废贝行钱"的原因　　　1980・6

杨志本　北洋海军覆灭原因再探讨　　　　　　　　1992・4

杨志军　渤海国货币经济初探　　　　　　　　　　1991・2

杨志玖　《探微集》述略

　　　　　　——纪念郑天挺先生　　　　　　　　1982・3

杨志玖　元代回回人的政治地位　　　　　　　　　1984・3

杨志玖　元代的吉普赛人——啰哩回回　　　　　　1991・3

杨志玖　再论马可波罗书的真伪问题　　　　　　　1994・2

杨志玖　马可波罗到过中国

　　　　　　——对《马可波罗到过中国吗?》的回答　1997・3

| | | |
|---|---|---|
| 杨志玖 | 刺桐与缎子 | 1999·4 |
| 杨际平 | 释"僇力本业，耕织致栗帛多者复其身" | 1977·1 |
| 杨际平 | 唐代户等与田产 | 1985·3 |
| 杨际平 | 唐前期的杂徭与色役 | 1994·3 |
| 杨际平 | 秦汉农业：精耕细作抑或粗放耕作 | 2001·4 |
| 杨典求 | 美洲国家组织的历史演变及其作用 | 1980·2 |
| 杨典求 | 中国与墨西哥的首次立约建交及其影响 | 1981·6 |
| 杨典求 | 中国和拉丁美洲的早期贸易关系 | 1984·4 |
| 杨国桢 | 台湾与大陆大小租契约关系的比较研究 | 1983·4 |
| 杨国强 | 曾国藩简论 | 1987·6 |
| 杨学琛 | 关于清代皇庄的几个问题 | 1965·3 |
| 杨学琛 | 关于清代的"逃人法" | |
| | ——兼论满族阶级斗争的特点和作用 | 1979·10 |
| 杨学琛 | 清代旗地的性质及其变化 | 1963·3 |
| 杨宗亮 | "拜上帝会"子虚乌有考 | 1995·1 |
| 杨宗遂 | "波士顿茶会"及其汉译名之辨正 | 1979·10 |
| 杨宗遂 | 再谈"波士顿茶会" | 1982·5 |
| 杨尚奎 | 创业艰难百战多 | |
| | ——回忆陈毅同志在赣粤边 | |
| | 坚持三年游击战争 | 1977·6 |
| 杨武泉 | 评庄周故里为蒙城说 | 1980·1 |
| 杨武泉 | 西汉晚期至萧齐海南岛不在大陆王朝版图之外 | 1989·6 |
| 杨若薇 | 论契丹族的婚姻制度 | 1980·5 |
| 杨若薇 | 辽朝"纠"之探讨 | 1986·1 |
| 杨诗浩 | 介绍《瓜分中国的斗争和美国的门户开放 | |
| | 政策（1895—1900 年）》 | 1958·11 |
| 杨诗浩 | 一则史实的订正 | |
| | ——读《俄国在满洲》新译本 | 1981·3 |
| 杨雨青 | 国家利益：苏俄对在华合作者的选择 | 1999·4 |

| 杨奎松 | 1946 年国共两党斗争与马歇尔调处 | 1990·5 |
|---|---|---|
| 杨奎松 | 华德事件与新中国对美政策的确定 | 1994·5 |
| 杨奎松 | 抗战时期中国共产党对日军事战略方针的演变 | 1995·4 |
| 杨奎松 | 孙中山的西北军事计划及其夭折 | |
| | ——国民党谋求苏俄军事援助的最后尝试 | 1996·3 |
| 杨奎松 | 张学良反蒋问题之探讨 | 1997·6 |
| 杨奎松 | 美苏冷战的起源及对中国革命的影响 | 1999·5 |
| 杨奎松 | 中苏国家利益与民族情感的最初碰撞 | |
| | ——以《中苏友好同盟互助条约》签订为背景 | 2001·6 |
| 杨奎松 | 走向"三二〇"之路 | 2002·6 |
| 杨威理 | 马克思恩格斯著作集的出版 | 1958·5 |
| 杨威理 | 列宁著作集的出版 | 1958·7 |
| 杨威理 | 在第一国际时期马克思和恩格斯反对巴枯宁主义的斗争 | 1958·10 |
| 杨宪邦 | 中庸之道与折中主义 | 1976·2 |
| 杨柳桥 | "有教无类"古解 | 1978·4 |
| 杨树达 | 关涉周代史实的铭文五篇 | 1954·2 |
| 杨树达 | 耐林顾金文说 | 1954·6 |
| 杨荣国 | 邵雍思想批判 | 1960·5 |
| 杨荣国 | 桑弘羊的哲学思想 | 1974·1 |
| 杨晓敏 | 论清季轮船招商局的性质 | 1980·4 |
| 杨康荪 | 宋代官田包佃述论 | 1985·5 |
| 杨得志 | 毛主席指挥我们打胜仗 | |
| | ——回顾解放华北的峥嵘岁月 | 1978·2 |
| 杨得志 | 强渡大渡河的红军勇士是多少个? | 1982·4 |
| 杨鸿年 | 隋唐金吾之职掌 | 1983·5 |
| 杨富学 | 契丹族源传说借自回鹘论 | 2002·2 |

| | | |
|---|---|---|
| 杨朝明 | 鲁国礼乐传统研究 | 1995·3 |
| 杨渭生 | 《客斋逸史》献疑 | 1979·9 |
| 杨渭生 | 《解开〈宋会要〉之谜》读后 | 1997·3 |
| 杨瑞华 | 《南诏统治者蒙氏家族属于彝族之新证》质疑 | |
| | | 1996·1 |
| 杨瑞贞 | 清末广州外贸与地区经济 | 1993·6 |
| 杨德兴 | 吴晗讲的是黄世仁的话 | 1966·2 |
| 杨德华 | 读周良霄、顾菊英著《元代史》 | 1995·2 |
| 杨遵道 | 中国人民大学第六次科学讨论会上关于 | |
| | "中国近代史分期问题"的讨论 | 1956·7 |
| 杨遵道 | 中国人民大学中国历史教研室讨论 | |
| | 科学研究工作大跃进的情况 | 1958·8 |
| 杨翰球 | 十五至十七世纪中西航海贸易势力的兴衰 | 1982·5 |
| 杨耀坤 | 北魏末年北镇暴动分析 | 1978·11 |
| 杨耀坤 | 《宋书》《氐胡传》与《萧思话传》记时辨误 | 1983·2 |
| 杨耀坤 | 再辨陈寿"索米"说 | 1991·1 |
| 汪　钦 | 评李有义先生研究西藏的论著中 | |
| | 有关历史部分 | 1959·4 |
| 汪　熙 | 有关1857—59年印度民族起义的几个问题 | 1959·8 |
| 汪　熙 | 从轮船招商局看洋务派经济活动的历史作用 | 1963·2 |
| 汪　熙 | 从英美烟公司看帝国主义的经济侵略 | 1976·4 |
| 汪　熙 | 论郑官应 | 1982·1 |
| 汪　熙 | 试论洋务派官督商办企业的性质与作用 | 1983·6 |
| 汪　熙 | 研究中国近代史的取向问题 | |
| | ——外因、内因或内外因结合 | 1993·5 |
| 汪小烜 | 吴简所见"肿足"解 | 2001·4 |
| 汪宁生 | 释"武王伐纣前歌后舞" | 1981·4 |
| 汪征鲁 | 隋唐之际地主阶级的局部更新 | 1983·1 |
| 汪征鲁 | 魏晋南朝官职中的"言秩"与"不言秩" | 1990·6 |

汪征鲁　唯物史观的历史命运
　　　　——关于马克思文本解读的思考　　　　　2003·2
汪杼庵　十三行与屈大钧广州竹枝词　　　　　　1957·6
汪荣祖　也论戊戌政变前后的康有为　　　　　　1999·2
汪桂海　汉印制度杂考　　　　　　　　　　　　1997·3
汪维懋　匈奴龙城考辨　　　　　　　　　　　　1983·2
汪敬虞　十九世纪外国在华银行势力的扩张及其对中国
　　　　通商口岸金融市场的控制　　　　　　　1963·5
汪敬虞　十九世纪外国侵华企业中的华商附股活动　1965·4
汪敬虞　再论中国资本主义和资产阶级的产生　　1983·5
汪敬虞　略论中国资本主义产生的历史条件　　　1984·2
汪敬虞　洋务派不能承担发展中国资本主义的历史任务

　　　　　　　　　　　　　　　　　　　　　　1985·4
汪敬虞　中国近代社会、近代资产阶级和资产阶级革命

　　　　　　　　　　　　　　　　　　　　　　1986·6
汪敬虞　建省前后的台湾经济　　　　　　　　　1987·5
汪敬虞　近代中国资本主义的发展和不发展　　　1988·5
汪敬虞　试论近代中国的买办阶级　　　　　　　1990·3
汪敬虞　十九世纪外国在华金融活动中的银行与洋行　1994·1
汪敬虞　中国人口的昨天：一项有价值的研究
　　　　——读《中国近代人口史》　　　　　　1994·5
汪敬虞　外国在华金融活动中的银行与银行团
　　　　(1895—1927)　　　　　　　　　　　　1995·3
汪敬虞　近代中国金融活动中的中外合办银行　　1998·1
汪朝光　抗战胜利后国民党政策研究　　　　　　1995·6
汪朝光　1946年早春中国民主化进程的顿挫
　　　　——以政协会议及国共关系为中心的研究　2000·6
汪朝光　战后国民党对共政策的重要转折
　　　　——国民党六届二中全会再研究　　　　2001·4

| 汪朝光 | 光影中的沉思 | |
| | ——关于民国时期电影史研究的 | |
| | 回顾与前瞻 | 2003·1 |
| 汪槐龄 | 对"中国历史纲要"元代部分的意见 | 1958·7 |
| 汪澍白 | 青年毛泽东世界观的转变 | 1980·5 |
| 沈 予 | "四·一二"反革命政变与帝国主义关系再 | |
| | 探讨 | 1984·4 |
| 沈 予 | "田中外交"的对华政策 | 1988·1 |
| 沈 予 | 论抗日战争期间日蒋的"和平交涉" | 1993·2 |
| 沈 予 | 关于《田中奏折》若干问题的再探讨 | 1995·2 |
| 沈 元 | 《急就篇》研究 | 1962·3 |
| 沈 元 | 洪秀全和太平天国革命 | 1963·1 |
| 沈 汉 | 爱德华·汤普逊的史学思想 | 1987·6 |
| 沈 坚 | 维金时代：冲突与交融 | 1989·5 |
| 沈 坚 | 古凯尔特人初探 | 1999·6 |
| 沈 坚 | 古色雷斯人透视 | 2002·2 |
| 沈 思 | 剖析林彪"六个战术原则"的反动本质 | 1975·1 |
| 沈 寂 | 辛亥革命时期的岳王会 | 1979·10 |
| 沈卫荣 | 元朝中央政府对西藏的统治 | 1988·3 |
| 沈大德 | 用系统科学方法使历史科学定量化 | 1986·4 |
| 沈仁安 | 日本史学新流派析 | 1983·1 |
| 沈仁安 | "倭"、"倭人"辨析 | 1987·2 |
| 沈长云 | 关于奴隶制几个基本理论问题的探讨 | 1989·1 |
| 沈长云 | 论殷周之际的社会变革 | |
| | ——为王国维诞辰120周年及逝世70周年 | |
| | 而作 | 1997·6 |
| 沈长云 | 认清中国古代非西方历史发展道路的特色 | 2000·2 |
| 沈长云 | 先秦史研究的百年回顾与前瞻 | 2000·4 |

沈永兴　"四人帮"的影射史学与"洋为帮用"的
　　　　反革命阴谋　　　　　　　　　　　　　　1978·9
沈志华　苏联出兵中国东北：目标和结果　　　　　1994·5
沈志华　俄国档案文献：保管、解密和利用　　　　1998·5
沈志华　1948年苏南冲突起因的历史考察
　　　　——来自俄国及东欧国家解密档案的
　　　　　新证据　　　　　　　　　　　　　　　1999·4
沈志华　中苏条约谈判中的利益冲突及其解决　　　2001·2
沈志华　冷战史新研究与档案文献的收集和利用　　2003·1
沈宗灵　略论罗马法的发展及其历史影响　　　　　1978·12
沈定平　明末李自成起义军中的两条路线　　　　　1976·3
沈松勤　北宋台谏制度与党争　　　　　　　　　　1998·4
沈祖炜　论晚清的国家资本主义　　　　　　　　　1983·6
沈祖炜　近几年国内近代中国资产阶级研究述评　　1989·2
沈祖炜　丁日初著《近代中国的现代化与资本家阶级》
　　　　　　　　　　　　　　　　　　　　　　1997·5
沈家驹　中央民族学院举行民族学对象、任务的
　　　　报告讨论会　　　　　　　　　　　　　　1957·4
沈颂金　二十世纪简帛的发现与研究　　　　　　　2003·6
沈敏华　试论西欧从奴隶社会向封建社会的过渡
　　　　——与胡玉堂先生商榷　　　　　　　　1981·1
沈渭滨　论"防鬼反为先"
　　　　——驳李秀成问题讨论中的几种论调　　　1965·5
沈渭滨　上海商团与辛亥革命　　　　　　　　　　1980·3
沈渭滨　太平军二破江南大营战役研究　　　　　　1982·3
沈渭滨　"近代中国资产阶级研究"讨论会综述　　1983·6
沈渭滨　中国近代军事史研究述评　　　　　　　　1987·2
沈渭滨　为近代中国革新派巨人画像
　　　　——评《康有为大传》　　　　　　　　　1990·2

| 沈渭滨 | 评《上海史》 | 1990·4 |
|---|---|---|
| 沈雁冰 | 关于《重评〈多余的话〉》的两封信 | 1979·9 |
| 沈�璆 | 在美国的华裔妇女 | 1981·2 |
| 沈福伟 | 文单国与朱江国新论 | 2003·5 |
| 沈镜如 | 戊戌变法与日本 | 1954·6 |
| 沙 丁 | 美洲国家组织的历史演变及其作用 | 1980·2 |
| 沙 丁 | 中国与墨西哥的首次立约建交及其影响 | 1981·6 |
| 沙 丁 | 中国和拉丁美洲的早期贸易关系 | 1984·4 |
| 沙 知 | 吐鲁番佃人文书里的唐代租佃关系 | 1963·1 |
| 狄德满 | 义和团与天主教徒在华北的武装冲突 | 2002·5 |
| 纳古单夫 | 元代的重要蒙文文献：《十善福白史册》 | 1982·6 |
| 纽仲勋 | 李孝聪著《欧洲收藏部分中文古地图叙录》 | 1997·5 |
| 肖 甡 | 第一次国共合作统一战线的形成 | 1981·2 |
| 肖之兴 | 清代的几个新疆 | 1979·8 |
| 肖之兴 | 葱岭上的乾隆纪功碑 | 1977·6 |
| 肖之兴 | 关于匈奴西迁过程的探讨 | 1978·7 |
| 肖劲光 | 北伐纪实 | 1984·3 |
| 肖祥明 | 吴晗所宣扬的"三勤"是他和党争夺青年的 | |
| | 一张"王牌" | 1966·3 |
| 肖裕声 | 中央苏区第四次反"围剿"战争始末 | 1981·4 |
| 肖德恩 | 《海瑞骂皇帝》和《海瑞罢官》的反动实质 | |
| | 是掩盖不了的 | 1966·3 |
| 芮坤改 | 论晚清的铁路建设与资金筹措 | 1995·4 |
| 苏 星 | 只有社会主义能够救中国 | |
| | ——学习《毛泽东选集》第五卷关于农业 | |
| | 合作化问题的光辉论述 | 1977·2 |
| 苏小东 | 从徐建寅禀看丁汝昌的指挥失误 | 1994·6 |
| 苏双碧 | 石达开参与诛杨密议质疑 | 1979·2 |
| 苏双碧 | 近代中国反侵略斗争中的四个层次五种力量 | 1986·6 |

苏双碧　一位辛勤耕耘的史学家
　　　　——纪念吴晗诞生七十五周年、逝世十五周年　1984·3
苏仲湘　论"支那"一词的起源与荆的历史和文化　　1979·4
苏位智　义和团运动100周年国际学术讨论会综述　　2001·1
苏寿桐　略论李秀成　　　　　　　　　　　　　　　1964·4
苏诚鉴　谈《史记·大宛列传》叙大宛之役　　　　　1979·12
苏晋仁　《宋书·百官志》考异　　　　　　　　　　1985·2
苏基朗　中国经济史的空间与制度：宋元闽南个案的
　　　　启示　　　　　　　　　　　　　　　　　　2003·1
苏崇民　满铁史概述　　　　　　　　　　　　　　　1982·5
苏智良　杜月笙其人　　　　　　　　　　　　　　　1988·2
苏智良　侵华日军慰安妇制度略论　　　　　　　　　1998·4
苏智良　中国"慰安妇"问题国际学术研讨会综述　　2000·3
谷　斯　"四人帮"反革命丑史的可耻辩护
　　　　——评康立的《论张良政治立场的转变》　1977·1
谷春帆　调查、搜集有关中国近代资本主义萌芽资料
　　　　的建议　　　　　　　　　　　　　　　　　1956·9
谷霁光　泛论唐末五代的私兵和亲军、义儿　　　　　1984·2
谷霁光　论西周的彻和庸　　　　　　　　　　　　　1962·4
迟云飞　湖南时务学堂考实　　　　　　　　　　　　1988·6
邱　捷　孙中山张作霖的关系与《孙文越飞宣言》　1997·2
邱　捷　清末文献中的广东"绅商"　　　　　　　　2001·2
邱　捷　广州商团与商团事变
　　　　——从商人团体角度的再探讨　　　　　　　2002·2
邱久荣　淝水之战双方兵力略释　　　　　　　　　　1980·2
邱汉生　唯物主义者王安石　　　　　　　　　　　　1958·10
邱汉生　李贽的进步思想　　　　　　　　　　　　　1959·7
邱汉生　泰州学派的杰出思想家李贽　　　　　　　　1964·1
邱汉生　宋明理学与宗法思想　　　　　　　　　　　1979·11

| | | |
|---|---|---|
| 邱树森 | 韩山童、刘福通首义颖州考 | 1980·6 |
| 邱澎生 | 由放料到工厂:清代前期苏州棉布字号的 | |
| | 经济与法律分析 | 2002·1 |
| 邵 秦 | "台湾"名称由来考略 | 1982·2 |
| 邵 勤 | 析"民本" | |
| | ——对先秦至西汉"民本"思想的考察 | 1985·6 |
| 邵 雍 | 对《义和团运动发展阶段中的民间秘密教门》 | |
| | 的几点意见 | 2003·1 |
| 邵 雯 | 秋瑾出生年代初考 | 1978·11 |
| 邵云瑞 | 重评《天津讲话》 | 1980·2 |
| 邵循正 | 一九○五年四月中国工人反抗帝国主义 | |
| | 资本家的斗争 | 1954·2 |
| 邵循正 | 辛亥革命前五十年间外国侵略者 | |
| | 和中国买办化军阀官僚势力的关系 | 1954·4 |
| 邵循正 | 成吉思汗生年问题 | 1962·2 |
| 邵鼎勋 | 美国资产阶级对日本的初期掠夺 | |
| | (一七九一——一八六六) | 1956·9 |
| 邵鼎勋 | 美日帝国主义在武装干涉苏维埃远东时期的 | |
| | 矛盾和斗争(一九一七——一九二二年) | 1957·8 |
| 邵鼎勋 | 中国第一次革命战争时期的美日勾结 | |
| | (一九二三——一九二八) | 1958·8 |
| 邵鼎勋 | 日本维新时代美国的远东政策 | 1960·1-2 |
| 邹小站 | 中国近代思想史研究方法学术讨论会综述 | 2003·1 |
| 邹文楷 | 井冈山精神永放光芒 | 1975·3 |
| 邹有恒 | 论战后日本农地改革 | 1985·3 |
| 邹晓昇 | 二十年来中国近代乡村经济史的新探索 | 2003·4 |
| 邹启宇 | 中泰关系史上的一个疑案 | |
| | ——关于素可泰国王坤兰甘亨是否访问过 | |
| | 中国的问题 | 1980·5 |

闵光沛　评《高级印度史》　　　　　　　　　　　　　1987·3

闵承启　吴明炫和吴明烜　　　　　　　　　　　　　　1981·4

阿　风　明清时期徽州妇女在土地买卖中的权利与地位

　　　　　　　　　　　　　　　　　　　　　　　2000·1

阿尔贝·索布尔　法国大革命在近代世界历史上的

　　　　　　　　地位

　　　　　　　　　　——比较研究　　　　　　　　1982·4

陆　震　关于社会史研究的学科对象诸问题　　　　　　1987·1

陆　震　中国社会史研究笔谈·以"人"为轴心展开

　　　　社会史研究　　　　　　　　　　　　　　　1993·2

陆庆夫　唐宋间敦煌粟特人之汉化　　　　　　　　　　1996·6

陆宏基　中古人民友谊的发展　　　　　　　　　　　　1964·1

陆钊珑　关于竹林之游的时间　　　　　　　　　　　　1978·7

陆庭恩　罗得西亚的种族主义是怎样产生的　　　　　1978·11

陆品晶　读新发表的陈独秀四封书信手稿　　　　　　　1979·5

陆品晶注释　鲁迅研究室供稿　陈独秀书信　　　　　　1979·5

陆象淦　沙皇俄国对罗马尼亚的侵略扩张

　　　　与比萨拉比亚问题　　　　　　　　　　　　1976·4

陆象淦　光辉的斗争篇章

　　　　　　——罗马尼亚独立一百周年　　　　　　1977·2

陆象淦　罗马尼亚举行独立一百周年国际学术会议　　　1977·4

陆象淦　达契亚文明与达契亚国家的形成　　　　　　　1980·5

陆景琪　国内史学动态（1则）　　　　　　　　　　　1960·3

程耀明　引用资料要准确　　　　　　　　　　　　　　1977·2

陇　军　坚持团结　反对分裂

　　　　　　——批判张国焘右倾分裂主义路线　　　1975·6

陈　力　中国先秦史学会成立　　　　　　　　　　　　1982·5

陈　飞　唐代进士科"止试策"考论

　　　　　　——兼及"三场试"之成立　　　　　　2002·3

陈　中　把"四人帮"杂志《学习与批判》押上审判台
　　　　——清算《学习与批判》攻击周总理的
　　　　罪行　　　　　　　　　　　　　　　1977·1
陈　石　但泽危机和英德关系　　　　　　　　1982·2
陈　伟　秦苍梧、洞庭二郡刍论　　　　　　　2003·5
陈　江　"买东西"考　　　　　　　　　　　　1996·6
陈　炎　略论海上"丝绸之路"　　　　　　　　1982·3
陈　直　从秦汉史料中看屯田采矿铸钱三种制度　1955·6
陈　直　汉晋过所通考　　　　　　　　　　　1962·6
陈　枬　记南开大学第二次科学报告讨论会历史学
　　　　分会情况　　　　　　　　　　　　　1956·12
陈　质　关于唐代均田制与租庸调法问题的讨论　1956·11
陈　述　哈喇契丹说
　　　　——兼论拓拔改姓和元代清代的国号　1956·2
陈　述　谈辽金元"烧饭"之俗　　　　　　　1980·5
陈　勇　刘裕与晋宋之际的寒门士族　　　　　1984·6
陈　勇　简评《从分散到整体的世界史》（中古分册）1993·5
陈　勇　论光武帝"退功臣而进文吏"　　　　1995·4
陈　垣　研究历史应当厚今薄古·厚今薄古是今日
　　　　史学界必需走的道路　　　　　　　　1958·5
陈　绛　林乐知与《中国教会新报》　　　　　1986·4
陈　钧　张之洞经济思想散论　　　　　　　　1991·5
陈　钧　张之洞经济伦理思想探真　　　　　　1993·4
陈　兼　一九三七至一九四一年美国的对德政策　1983·4
陈　兼　〔德〕迪特·海茵茨希著《走向联盟的艰难
　　　　历程：1945—1950年苏联与中共关系研究》1999·6
陈　兼　"冷战史新研究"：源起、学术特征及其批判　2003·3
陈　兼　张曙光著《经济冷战：美国对华经济禁运和
　　　　中苏同盟》　　　　　　　　　　　　2003·4

| | | |
|---|---|---|
| 陈　原 | 美国侵华"专使"顾盛在中国 | 1964·4 |
| 陈　峰 | 北宋枢密院长贰出身变化与以文驭武方针 | 2001·2 |
| 陈　振 | 《〈容斋逸史〉献疑》质疑 | 1980·2 |
| 陈　崧 | 杨杏佛简论 | 1985·2 |
| 陈　崧 | 30年代关于文化问题的论争 | 1991·2 |
| 陈　敏 | 苏联"军事史杂志"创刊号 | 1959·6 |
| 陈　铮 | 唐绍仪与辛亥南北议和 | 1990·3 |
| 陈　铮 | 精审赅备的《孙中山年谱长编》 | 1993·1 |
| 陈　絜 | 重论"咸为成汤说" | 2002·2 |
| 陈　践 | 敦煌藏文写卷 P·T·1083、1085 号研究 | |
| | ——吐蕃占有敦煌时期的民族关系探索 | 1984·5 |
| 陈　锋 | 清代中央财政与地方财政的调整 | 1997·5 |
| 陈　锋 | 清代前期奏销制度与政策演变 | 2000·2 |
| 陈　雁 | 近代中国经济与社会学术讨论会综述 | 2001·4 |
| 陈之宏 | 〔德〕迪特·海茵茨希著《走向联盟的艰难 | |
| | 历程：1945—1950 年苏联与中共关系研究》 | 1999·6 |
| 陈千钧 | 论"资治通鉴" | |
| | ——与聂崇岐、王崇武两先生商榷 | 1957·7 |
| 陈仁霞 | 陶德曼调停新论 | 2003·6 |
| 陈孔立 | 《说"合力"》置疑 | 1988·3 |
| 陈文桂 | 土地革命战争时期党的地权政策的演变 | 1982·4 |
| 陈文桂 | 提倡学术自由　繁荣历史科学 | |
| | ——首都部分史学工作者座谈会纪要 | 1985·2 |
| 陈文桂 | 在开拓中探索 | |
| | ——评《武汉国民政府史》 | 1988·5 |
| 陈文海 | 论法国封建专制时期督办官集团的社会政治 | |
| | 特征 | 1996·2 |
| 陈文海 | 《撒利克法典》在法国中世纪后期的复兴和 | |
| | 演化 | 1998·6 |

| | | |
|---|---|---|
| 陈文海 | 中世纪法兰西王室徽章研究 | |
| | ——百合花象征主义的神学渊源及内涵 | 2000·5 |
| 陈长琦 | 魏晋南朝的资品与官品 | 1990·6 |
| 陈长琦 | 魏晋九品官人法再探讨 | 1995·6 |
| 陈业新 | 两汉时期气候状况的历史学再考察 | 2002·4 |
| 陈永宏 | 读《中国古代北方民族文化史》专题文化卷 | 1996·6 |
| 陈永龄 | 对我国藏族、维吾尔族和傣族部分地区解放前 | |
| | 农奴制度的初步研究 | 1962·5 |
| 陈汉楚 | 巴黎公社和无产阶级民主 | 1979·1 |
| 陈玉书 | 关于土族的来源问题 | 1962·6 |
| 陈玉龙 | 迈进中的越南民主共和国的历史科学 | 1957·8 |
| 陈玉龙 | 读《越史丛考》 | 1983·6 |
| 陈玉黑 | 《水浒》的成书及其社会背景 | 1975·6 |
| 陈生玺 | 清初剃发令的实施与汉族地主阶级的派系斗争 | |
| | | 1985·4 |
| 陈石之 | 评"四人帮"发言人梁效 | 1977·4 |
| 陈石之 | 二评"四人帮"发言人梁效 | 1977·5 |
| 陈立仪 | 十九世纪后半期上海商业的演变 | 1986·1 |
| 陈立柱 | 夏文化北播及其与匈奴关系的初步考察 | 1997·4 |
| 陈匡时 | 复旦大学历史系教学与科学研究的跃进 | 1958·9 |
| 陈光崇 | 《资治通鉴》述论 | 1978·11 |
| 陈吕范 | 忽必烈平大理国是否引起傣族大量南迁 | 1978·2 |
| 陈在正 | 台湾建省方案形成过程的考察 | 1987·5 |
| 陈旭麓 | 论宋教仁 | 1961·5 |
| 陈旭麓 | 中国近代史上的革命与改良 | 1980·6 |
| 陈旭麓 | 论"中体西用" | 1982·5 |
| 陈旭麓 | 关于中国近代史线索的思考 | 1988·3 |
| 陈旭麓 | 太平天国的悲喜剧 | 1991·1 |
| 陈红民 | 九一八事变后的胡汉民 | 1986·3 |

| | | |
|---|---|---|
| 陈红民 | 中华民国史国际学术讨论会综述 | 1995·2 |
| 陈红民 | 第四次中华民国史国际学术讨论会述评 | 2001·1 |
| 陈邦怀 | 《小屯南地甲骨》中所发现的若干重要史料 | 1982·2 |
| 陈丽菲 | 侵华日军慰安妇制度略论 | 1998·4 |
| 陈丽菲 | 中国"慰安妇"问题国际学术研讨会综述 | 2000·3 |
| 陈启伟 | 评梁效某顾问 | 1977·4 |
| 陈启能 | 关于苏联苏维埃时期史学史分期问题的讨论 | 1961·1 |
| 陈启能 | 国外史学动态（5则） | 1961·1 |
| 陈启能 | "四人帮"的影射史学与"洋为帮用" | |
| | 的反革命阴谋 | 1978·9 |
| 陈启能 | 关于产生资本主义的"历史必然性"问题 | |
| | ——对马克思给查苏利奇的信的理解 | 1982·1 |
| 陈启能 | 西方史学的发展趋势 | 1993·3 |
| 陈志强 | 拜占廷军区制和农兵 | 1996·5 |
| 陈志强 | 拜占廷《农业法》研究 | 1999·6 |
| 陈志强 | 历史研究变革大趋势下的世界史重构 | 2003·1 |
| 陈连开 | 商先起源于幽燕说 | 1985·5 |
| 陈其泰 | 朴学家的理性探求 | |
| | ——论王鸣盛史学 | 1990·1 |
| 陈其泰 | 晚清公羊学的发展轨迹 | 1996·5 |
| 陈叔平 | 巴黎公社工资政策的研究 | 1962·6 |
| 陈叔平 | 巴黎公社原则与按劳分配 | 1978·8 |
| 陈宝良 | 明代的社与会 | 1991·5 |
| 陈尚胜 | 唐代的新罗侨民社区 | 1996·1 |
| 陈尚胜 | 明与清前期海外贸易政策比较 | |
| | ——从万明《中国融入世界的步履》一书 | |
| | 谈起 | 2003·6 |
| 陈忠龙 | 关于"考证"文章的意见 | 1981·3 |

陈昌远　商族起源地望发微

　　　　——兼论山西垣曲商城发现的意义　　　　1987·1

陈明光　"量出制入"与两税法的制税原则　　　1986·1

陈明光　唐代后期并存着两个户部司吗

　　　　——对《唐代户部使司与原户部司异同

　　　　辨》的质疑　　　　　　　　　　　　　1992·6

陈明光　孙吴三项财政措施作用析疑　　　　　　1995·5

陈明光　"调均贫富"与"斟酌贫富"

　　　　——从孔子的"患不均"到唐代的"均平"

　　　　思想　　　　　　　　　　　　　　　　1999·2

陈明光　中国古代赋役制度史研究的回顾与展望　2001·1

陈国灿　六朝时期南方经济作物种植　　　　　　1993·5

陈泽远等　国内史学动态2则　　　　　　　　　1960·4

陈泽宪　十九世纪盛行的契约华工制　　　　　　1963·1

陈诗启　明代的工匠制度　　　　　　　　　　　1955·6

陈诗启　甲午战前中国农村手工棉纺织业的变化和资本

　　　　主义生产的成长　　　　　　　　　　　1959·2

陈诗启　论中国近代海关行政的几个特点　　　　1980·5

陈诗启　清末税务处的设立和海关隶属关系的改变　1987·3

陈诗启　从总税务司职位的争夺看中国近代海关的作用　1991·2

陈诗启　纪念《历史研究》创刊四十周年·

　　　　《历史研究》鼓舞了我的中国海关史研究　1994·1

陈诗启　南京政府的关税行政改革　　　　　　　1995·3

陈贤春　元代粮食亩产探析　　　　　　　　　　1995·4

陈质之　中国近代经济史资料丛刊的编纂　　　　1958·8

陈金渊　"狼沟浦"考订　　　　　　　　　　　　1981·1

陈剑安　民国时期孙中山与会党关系研究　　　　1990·2

陈春声　中国社会史研究笔谈·中国社会史研究必须

　　　　重视田野调查　　　　　　　　　　　　1993·2

陈春声　乡村故事与社区历史的建构
　　　　——以东凤村陈氏为例兼论传统乡村社会的
　　　　"历史记忆"　　　　　　　　　　　　　2003·5
陈显泗　两千年来中柬人民的友好关系　　　　　　1978·9
陈树良　乡村故事与社区历史的建构
　　　　——以东凤村陈氏为列兼论传统乡村社会
　　　　的"历史记忆"　　　　　　　　　　　　2003·5
陈美东　观测实践与我国古代立法的演进　　　　　1983·4
陈哲夫　第一次国内革命战争时期陈独秀的右倾机会
　　　　主义剖析　　　　　　　　　　　　　1960·1—2
陈家泽　从两种小生产的转化看中国封建社会的长期
　　　　延续　　　　　　　　　　　　　　　　1982·1
陈恩林　先秦两汉文献中所见周代诸侯五等爵　　　1994·6
陈恩林　鲁、齐、燕的始封及燕与邶的关系　　　　1996·4
陈振江　义和团几个问题的辨析　　　　　　　　　1981·1
陈振江　近代经世思潮的演变　　　　　　　　　　1991·3
陈桥驿　论郦学研究及其学派的形成与发展　　　　1983·6
陈桥驿　评《北京历史地图集》　　　　　　　　　1989·5
陈桥驿　评《西安历史地图集》　　　　　　　　　1997·3
陈梧桐　明初空印案发生年代考　　　　　　　　　1982·3
陈梧桐　读《中国边疆民族管理机构沿革史》　　　1994·6
陈梧桐　一部将南明史研究推向新水平的佳作
　　　　——评顾诚著《南明史》　　　　　　　　1998·1
陈梧桐　黄启臣著《澳门通史》　　　　　　　　　1999·6
陈祥超　意大利法西斯运动的阶级性质　　　　　　1988·4
陈祥超　意大利法西斯主义职团制　　　　　　　　1991·6
陈继民　北京师范大学第一次科学讨论会中关于历史
　　　　科学论文的讨论　　　　　　　　　　　1956·7

陈继民　高师文史教学大纲讨论会关于历史科目教学
　　　　大纲讨论情况的简介　　　　　　　　　　1956·10
陈造福　十九世纪以前中国和印度尼西亚关系考略　1980·3
陈铁健　井冈山道路永放光芒
　　　　　　——学习《井冈山的斗争》等光辉著作　1976·5
陈铁健　三大法宝是夺取革命胜利的主要武器
　　　　　　——学习《〈共产党人〉发刊词》　　1976·6
陈铁健　一桩异乎寻常的反党事件
　　　　　　——评"四人帮"伪造党史的罪恶活动　1977·3
陈铁健　章太炎与《高桥杜氏祠堂记》　　　　　　1979·2
陈铁健　重评《多余的话》　　　　　　　　　　　1979·3
陈铁健　《中国新民主主义革命史》（多卷本）序言和
　　　　第一卷结束语　　　　　　　　　　　　　1982·5
陈铁健　论西路军
　　　　　　——读徐向前《历史的回顾》札记　　1987·2
陈铁健　王学及其现代命运　　　　　　　　　　　1994·4
陈铁健　西安事变简论
　　　　　　——读《西安事变新探》札记　　　　1997·1
陈高华　元代的海外贸易　　　　　　　　　　　　1978·3
陈高华　宋元和明初的马球　　　　　　　　　　　1984·4
陈高华　舍儿别与舍儿别赤的再探讨　　　　　　　1989·2
陈高华　《元史》纂修考　　　　　　　　　　　　1990·4
陈高华　元代饮茶习俗　　　　　　　　　　　　　1994·1
陈高华　从《老乞大》《朴通事》看元与高丽的经济
　　　　文化交流　　　　　　　　　　　　　　　1995·3
陈高华　中国海外交通史研究的回顾与展望　　　　1996·1
陈高华　元朝的土地登记和土地籍册　　　　　　　1998·1
陈高华　《湛然居士文集》中"杨行省"考　　　　2000·3
陈高华　《二十世纪的中国科举制度史研究》的一点补充　2001·3

| 陈寅恪 | 记唐代之李武韦杨婚姻集团 | 1954・1 |
| 陈寅恪 | 论韩愈 | 1954・2 |
| 陈崇武 | "自由、平等、博爱"口号究竟是何时提出？ | |
| | | 1978・12 |
| 陈崇武 | 评罗伯斯比尔 | 1979・10 |
| 陈崇武 | 罗伯斯庇尔早期生活研究 | 1985・2 |
| 陈崇武 | 读《法国通史简编》 | 1991・4 |
| 陈崇武 | 中国的法国史研究 | 1998・3 |
| 陈得芝 | 《关于元代的驿传》一文的资料问题 | 1959・7 |
| 陈得芝 | 关于沈括的《熙宁使虏图抄》 | 1978・2 |
| 陈得芝 | 元察罕脑儿行宫今地考 | 1980・1 |
| 陈捷先 | 评郑海麟著《钓鱼台列屿之历史与法理研究》 | 1999・6 |
| 陈梦家 | 西周文中的殷人身分 | 1954・6 |
| 陈梦家 | 商殷与夏周的年代问题 | 1955・2 |
| 陈雪白 | 民族学在历史科学中的地位 | |
| | ——中央民族学院第二次民族学学科讨论会 | |
| | 纪要 | 1957・6 |
| 陈剩勇 | 清代社学与中国古代官办初等教育体制 | 1995・6 |
| 陈善学 | 华东师范大学历史系教师科学研究概况 | 1956・12 |
| 陈惠雄 | 近代中国家庭棉纺织业的多元分解 | 1990・2 |
| 陈景彦 | 二战期间在日本的中国劳工 | 1998・2 |
| 陈智超 | 光华医专不是帝国主义办的 | 1981・5 |
| 陈智超 | 《宋会要辑稿》的前世现世和来世 | 1984・4 |
| 陈智超 | 金元真大道教史补 | 1986・6 |
| 陈琳国 | 两晋九品中正制与选官制度 | 1987・3 |
| 陈登原 | 唐代均田制为闲手耕弃地说 | 1958・3 |
| 陈谦平 | 中华民国史国际学术讨论会综述 | 1995・2 |
| 陈谦平 | 1943年中英关于西藏问题的交涉 | 1996・4 |
| 陈谦平 | 第四次中华民国史国际学术讨论会述评 | 2001・1 |

陈谦平　西藏革命党与中国国民党关系考　　　　　2002·3

陈意新　二十世纪早期西方合作主义在中国的传播
　　　　和影响　　　　　　　　　　　　　　2001·6

陈意新　史景迁著《文字叛逆》　　　　　　　　　2002·1

陈意新　马尔萨斯理论和清代以来的中国人口
　　　　——评美国学者近年来的相关研究　　　2002·1

陈蒲清　唐晓文歪曲史料一例　　　　　　　　　　1977·6

陈锡祺　纪念《历史研究》创刊四十周年·
　　　　《历史研究》杂志与孙中山研究　　　　　1994·1

陈鹏鸣　仓修良、叶建华著《章学诚评传》　　　　1997·5

陈鹏鸣　吴怀祺著《中国史学思想史》　　　　　　1998·4

陈碧笙　一六四六年郑成功海上起兵经过　　　　　1978·8

陈群哲等　国内史学动态2则　　　　　　　　　　1959·11

陈群哲等　国内史学动态（6则）　　　　　　　　1960·1-2

陈德昌　对百年前上海是一片荒凉渔村说法的疑义　1957·1

陈慧生　十月革命对中国先进分子的影响　　　　　1957·11

陈翰笙　古代中国与尼泊尔的文化交流　　　　　　1961·2

# 八　画

单冠初　日本侵华的"以战养战"政策　　　　　　1991·4

单周尧　《"有教无类"古解》质疑　　　　　　　1978·12

周　军　徐铉其人与宋初"贰臣"　　　　　　　　1989·4

周　同　令彝考释中的几个问题　　　　　　　　　1959·4

周　荔　宋代的茶叶生产　　　　　　　　　　　　1985·6

周　钢　美国西部野马的驯养使用与保护　　　　　2001·3

周　舵　论历史规律　　　　　　　　　　　　　　1987·5

周一川　清末留日学生中的女性　　　　　　　　　1989·6

周一良　论诸葛亮　　　　　　　　　　　　　　　1954·3

周一良　西洋"汉学"与胡适　　　　　　　　　　　　1955·2

周一良　诸葛亮和法家路线　　　　　　　　　　　　　1974·1

周一良　孙中山的革命活动与日本

　　　　　——兼论宫崎寅藏与孙中山的关系　　　　1981·4

周一良　唐代的书仪与中日文化关系　　　　　　　　　1984·1

周一良　书仪源流考　　　　　　　　　　　　　　　　1990·5

周广远　帝国主义入侵对近代中国经济发展的影响

　　　　　——对西方学者一些观点的评介　　　　　1988·4

周允隆　关于在1924—1933年期间德国人民支援中国

　　　　革命的一些事实　　　　　　　　　　　　　1959·9

周天游　两汉复仇盛行的原因　　　　　　　　　　　　1991·1

周天游　中国社会史研究笔谈·探微知著　活现历史　　1993·2

周天游　中国社会史研究的新趋向

　　　　　——"地域社会与传统中国"国际学术

　　　　　　会议综述　　　　　　　　　　　　　　1995·1

周天游　二十世纪的中国秦汉史研究　　　　　　　　　2003·2

周世秀　巴西的发现与开拓对欧洲的影响　　　　　　　1992·1

周东平　关于科举制起源的几点意见　　　　　　　　　1984·6

周以光　"奇怪战争"时期的法国战略　　　　　　　　1990·2

周生春　李白与碎叶　　　　　　　　　　　　　　　　1978·7

周用宜　评王钟翰主编《中国民族史》　　　　　　　　1995·4

周伟洲　评黄烈著《中国古代民族史研究》　　　　　　1988·4

周年昌　评《魏晋南北朝隋初唐史》上册　　　　　　　1964·4

周年昌　评"四人帮"歪曲秦汉之际阶级斗争历史的

　　　　奇谈怪论　　　　　　　　　　　　　　　　1976·6

周传儒　史学大师王国维　　　　　　　　　　　　　　1981·6

周兴樑　"宋案"后孙中山对袁世凯的态度　　　　　　1991·6

周兴樑　论辛亥革命时期的广东军政府　　　　　　　　1993·3

周兴樑　从何香凝为蒋介石证婚说起　　　　　　　　　1994·4

周自生 对"天京事变"几个有关问题的探讨
　　　　——兼与郭毅生同志商榷　　　　　　1979・3
周自强 中国奴隶社会向封建社会转变时期的
　　　　阶级斗争　　　　　　　　　　　　　1964・5－6
周达甫 改正法国汉学家沙畹对印度出土汉文碑的误解　1957・6
周苏平 读《秦汉交通史稿》　　　　　　　　　1995・3
周良霄 明代苏松地区的官田与重赋问题　　　　1957・10
周良霄 关于成吉思汗　　　　　　　　　　　　1962・4
周良霄 关于农民战争任务和作用问题的商榷　　1980・4
周良霄 有关达靼族属的若干问题　　　　　　　1995・6
周良霄 元代旅华的西方人
　　　　——兼答马可波罗到过中国吗？　　　2001・3
周谷城 圭田辨　　　　　　　　　　　　　　　1954・6
周谷城 论世界历史发展的形势　　　　　　　　1961・2
周远廉 关于清代皇庄的几个问题　　　　　　　1965・3
周叔莲 关于资产阶级法权理论的历史考察　　　1977・4
周叔莲 "四人帮"——半殖民地半封建旧中国的
　　　　招魂巫师　　　　　　　　　　　　　1978・7
周国林 评《崩溃与重建中的困惑——魏晋风度研究》　1995・1
周学军 明清江南儒士群体的历史变动　　　　　1993・1
周宝珠 千仓渠科条碑记与宋代农田水法　　　　1995・6
周建忠 荆门郭店一号楚墓墓主考论
　　　　——兼论屈原生平研究　　　　　　　2000・5
周绍泉 徽州文书与徽学　　　　　　　　　　　2000・1
周俊旗 周学熙实业集团与中国近代化国际学术
　　　　讨论会综述　　　　　　　　　　　　1991・5
周南京 略论英布战争的性质　　　　　　　　　1978・11
周南京 菲律宾华侨将军刘亨赙生平事迹考　　　1981・3
周洪宇 陶行知生年考　　　　　　　　　　　　1983・2

周秋光　萍浏醴会党起义檄文辨析　1989·5
周振甫　从"四人帮"的假批孔看影射史学的破产　1978·3
周振鹤　从汉代"部"的概念释县乡亭里制度　1995·5
周晓虹　试论社会史研究的若干理论问题　1997·3
周积明　《四库全书总目》批评方法论　1988·5
周积明　二十世纪的中国文化史研究　1997·6
周颂伦　1927年蒋介石与田中义一密约述实　1998·3
周继中　韩光辉著《北京历史人口地理》　1998·3
周维衍　《蛮书校注》读后　1965·6
周维衍　古夜郎三题　1979·11
周维衍　台湾历史地理中的几个问题　1978·10
周惠泉　民族文化史研究的重要进展
　　　　——评《中国古代北方民族文化史》
　　　　（民族文化卷）　1994·4
周溯源　关于历史创造者问题的新思考　1989·3
国　　　中国共产党人领导举行的第一次"五一"
　　　　劳动节纪念大会　1958·6
国光红　齐长城肇建原因再探　2000·1
孟广林　中国比较史学讨论会述要　1991·5
孟广林　近百年来西方的西欧封建理论　1995·2
孟广林　中古前期英国封建王权与世俗贵族的关系　1997·1
孟广林　中世纪前期的英国封建王权与基督教会　2000·2
孟广耀　秦始皇时期的社会经济　1976·3
孟世凯　殷商时代田猎活动的性质与作用　1990·4
孟宪实　中央、地方的矛盾与长安三年括户　2001·4
孟彦弘　《中国移民史》的史料及史实问题　2001·3
孟彦弘　释"还民"　2001·4
孟繁清　于求实中创新
　　　　——读《元史研究论稿》　1994·4

| | | |
|---|---|---|
| 季云飞 | 中法战争期间清政府的抗法保台策略 | 1995·6 |
| 季平子 | 丰岛海战 | 1980·4 |
| 季美林 | 中国纸和造纸法输入印度的时间和地点问题 | 1954·4 |
| 季美林 | 中国蚕丝输入印度问题的初步研究 | 1955·4 |
| 季美林 | 试论一八五七——一八五九年印度大起义的起因性质和影响 | 1957·5 |
| 季美林 | 原始佛教的历史起源问题 | 1965·3 |
| 季美林 | 一张有关印度制糖法传入中国的敦煌残卷 | 1982·1 |
| 季美林 | 对《一张有关印度制糖法传入中国的敦煌残卷》的一点补充 | 1982·3 |
| 季美林 | 古代印度沙糖的制造和使用 | 1984·1 |
| 季美林 | 三十五年祝辞 | 1989·5 |
| 季美林 | 再谈浮屠与佛 | 1990·2 |
| 季美林 | 白糖问题 | 1995·1 |
| 学 穆 | 中国史学会上海分会动态汇报 | 1957·7 |
| 定宜庄 | 历史、史学与性别·妇女史与社会性别史研究的史料问题 | 2002·6 |
| 官文娜 | 日本历史上的养子制及其文化特征 | 2003·2 |
| 宜 军 | 回顾中央红军长征在川南的革命事迹 | 1975·5 |
| 宝成关 | 梁启超的民权观与卢梭主权在民说 | 1994·3 |
| 宝成关 | 郭世佑著《晚清政治革命新论》 | 1999·3 |
| 尚 芳 | 也谈素可泰国王来访问题 | 1981·1 |
| 尚 定 | 陈寅恪文化历史主义通观 | 1992·4 |
| 尚 钺 | 中国资本主义生产因素的萌芽及其增长 | 1955·3 |
| 尚 钺 | 先秦生产形态之探讨 | 1956·7 |
| 尚 钺 | 有关中国资本主义萌芽问题的二三事 | 1959·7 |
| 尚 钺 | 有关历史人物评价的几个问题 | 1964·3 |
| 尚明轩 | 揭穿荣孟源抄袭剽窃的丑恶面目 | 1957·12 |
| 居之芬 | 日本对华北经济的统制和掠夺 | 1995·2 |

| | | |
|---|---|---|
| 岳庆平 | 中国家族制度的系统研究 | |
| | ——评《中国家族制度史》 | 1993·2 |
| 岳纯之 | 丁鼎著《牛僧孺年谱》 | 1998·5 |
| 庞　朴 | 评"四人帮"的假批孔 | 1976·6 |
| 庞　朴 | 孔子思想的再评价 | 1978·8 |
| 庞　朴 | "枚卜"新证 | 1980·1 |
| 庞　朴 | 继承五四 超越五四 | 1989·2 |
| 庞　朴 | 初读郭店楚简 | 1998·4 |
| 庞　朴 | 三重道德论 | 2000·5 |
| 庞卓恒 | 中西封建专制制度的比较研究 | 1981·2 |
| 庞卓恒 | 西欧封建社会延续时间较短的根本原因 | 1983·1 |
| 庞卓恒 | 应对封建社会农民状况多做具体估算 | 1983·4 |
| 庞卓恒 | 封建社会历史比较研究的几个问题 | 1985·1 |
| 庞卓恒 | 历史运动的层次和历史比较研究的层次 | 1985·5 |
| 庞卓恒 | 历史学的本体论、认识论、方法论 | 1988·1 |
| 庞卓恒 | 纪念《历史研究》创刊四十周年·历史学 | |
| | 需要与发展学结合 | 1994·1 |
| 庞卓恒 | 从多样性探寻规律 | |
| | ——马克思《历史学笔记》的启示 | 1994·2 |
| 庞卓恒 | 弘扬唯物史观的科学理性 | |
| | ——与蒋大椿先生商榷 | 2002·1 |
| 庞卓恒 | 研究西欧封建王权的新理路 | |
| | ——读孟广林《英国封建王权论稿》 | 2002·5 |
| 房建昌 | 近代中印西段边界史略 | 1997·5 |
| 房德邻 | 维新派政治纲领的演变 | 1989·6 |
| 房德邻 | 《大同书》起稿时间考 | |
| | ——兼论康有为早期大同思想 | 1995·3 |
| 昆　骏 | 决定性的历史转变 | |
| | ——纪念遵义会议四十周年 | 1975·1 |

| | | |
|---|---|---|
| 昆　骏 | 文化大革命是阶级斗争 | 1976·3 |
| 易建平 | 论古代非专制政治地区发展的差异 | 1998·6 |
| 易建平 | 酋邦与专制政治 | 2001·5 |
| 易建平 | 部落联盟还是民族 | |
| | ——对摩尔根和恩格斯有关论述的再思考 | 2003·5 |
| 易素梅 | 唐宋妇女史研究与历史学国际学术研讨会综述 | 2002·2 |
| 松　涛 | 介绍朝鲜两部历史新著 | 1959·8 |
| 林　弘 | "历史完形论"批判 | |
| | ——评周谷城先生的反动史学"理论" | 1965·1 |
| 林　田 | 长征的胜利是毛主席革命路线的壮丽凯歌 | 1975·6 |
| 林　刚 | 试论大生纱厂的市场基础 | 1985·4 |
| 林　杰 | 《海瑞骂皇帝》和《海瑞罢官》是反党反社会 | |
| | 主义的两株大毒草 | 1966·2 |
| 林　彪 | 人民战争胜利万岁 | |
| | ——纪念中国人民抗日战争胜利二十周年 | 1965·4 |
| 林　春 | 论生产力在历史发展中的作用 | 1977·5 |
| 林　春 | 试论我国建设社会主义时期反封建残余的斗争 | |
| | | 1979·9 |
| 林　健 | 西方近代科学传来中国后的一场斗争 | |
| | ——清初汤若望和杨光先关于天文历法的 | |
| | 论争 | 1980·2 |
| 林中泽 | 西欧中世纪教会法中的婚姻与性 | 1997·4 |
| 林仁川 | 清代福建人口向台湾的流动 | 1983·2 |
| 林文勋 | 宋代四川茶产量考辨 | 1991·5 |
| 林文森 | 学习鲁迅在斗争中改造世界观 | 1977·1 |
| 林文照 | 科技史上三大发明的重大意义 | 1978·6 |
| 林代昭 | 论"五四"时期的百家争鸣 | 1979·4 |
| 林加坤 | 评恩格斯关于《家庭、私有制和国家的 | |
| | 起源》的若干修改 | 1979·3 |

| 林正秋 | 南宋时期杭州的经济与文化 | 1979·12 |
| 林甘泉 | 封建社会一定要从领主制开始吗？ | 1962·2 |
| 林甘泉 | 中国封建土地所有制的形成 | 1963·1 |
| 林甘泉 | 农民革命与投降主义路线 | 1975·6 |
| 林甘泉 | 论秦始皇——兼评"四人帮"的唯心史观 | 1978·4 |
| 林甘泉 | 哲人不萎，风范长存 | |
| | ——悼念侯外庐同志 | 1988·1 |
| 林甘泉 | 重读《历史研究》发刊词 | 1989·5 |
| 林甘泉 | 文化性格与历史发展 | |
| | ——评《河殇》关于中国传统文化性格的 | |
| | 错误观点 | 1990·1 |
| 林甘泉 | 郭沫若与中国传统思想文化 | 1992·2 |
| 林甘泉 | 二十世纪的中国历史学 | 1996·2 |
| 林甘泉 | 新的起点：世纪之交的中国历史学 | 1997·4 |
| 林立平 | 唐宋时期商人社会地位的演变 | 1989·1 |
| 林亚杰 | 纪念陈寅恪国际学术讨论会综述 | 1988·6 |
| 林华国 | 清政府与义和团关系辨 | 1985·2 |
| 林华国 | 庚子围攻使馆事件考 | 1991·3 |
| 林同奇 | 柯文新著《在中国发现历史》评介 | 1986·1 |
| 林庆元 | 章太炎是小资产阶级思想家 | 1985·4 |
| 林齐模 | 近代中国茶叶国际贸易的衰减 | |
| | ——以对英国出口为中心 | 2003·6 |
| 林启彦 | 论中英两国政府处理林维喜事件的 | |
| | 手法与态度 | 2000·2 |
| 林聿时 | 在历史研究中运用阶级观点和历史主义的问题 | |
| | | 1963·6 |
| 林伯渠 | 太平革命以前中国经济、社会、政治的分析 | 1984·6 |
| 林寿晋 | 东晋南北朝时期矿冶铸造业的恢复与发展 | 1955·6 |
| 林志纯 | 孔孟书中所反映的古代中国城市国家制度 | 1980·3 |

| | | |
|---|---|---|
| 林金水 | 利玛窦在中国的活动与影响 | 1983 · 1 |
| 林金水 | 明清之际士大夫与中西礼仪之争 | 1993 · 2 |
| 林金枝 | 从福建侨乡族谱看南洋华侨史的若干问题 | 1984 · 4 |
| 林金树 | 向明史研究深度和广度前进的讨论会 | 1988 · 2 |
| 林金树 | 关于明代田土管理系统问题 | 1990 · 4 |
| 林剑鸣 | 中国封建地主阶级产生的两条途径 | 1984 · 4 |
| 林剑鸣 | 从秦人价值观看秦文化的特点 | 1987 · 3 |
| 林剑鸣 | 西汉戊己校尉考 | 1990 · 2 |
| 林剑鸣 | 秦汉政治生活中的神秘主义 | 1991 · 4 |
| 林剑鸣 | 会稽"淫风"考 | 1995 · 1 |
| 林悟殊 | 论高昌"俗事天神" | 1987 · 4 |
| 林悟殊 | 纪念陈寅恪教授国际学术研讨会述评 | 2000 · 2 |
| 林祥庚 | 殷契周弃时代社会性质再认识 | 1987 · 2 |
| 林祥瑞 | 清代前期福建地主经济的若干特点 | 1985 · 1 |
| 林铁钧 | 清初的抗清斗争和农民军的联明抗清策略 | 1978 · 12 |
| 林敦奎 | 评"中国历史概要" | 1956 · 8 |
| 林被甸 | 现代化研究在中国的兴起与发展 | 1998 · 5 |
| 林然昌 | 实事求是是毛泽东思想的灵魂 | |
| | ——纪念毛泽东同志诞辰八十五周年 | 1978 · 12 |
| 林锦源 | 论中英两国政府处理林维喜事件的手法 与态度 | 2000. 2 |
| 林增平 | 太平天国革命推动中国资本主义发展的问题 有待进一步探索 | 1979 · 10 |
| 林增平 | 革命派、改良派的离合与清末民初政局 | 1986 · 3 |
| 林增平 | 孙中山民主革命思想的形成 | 1987 · 1 |
| 林增平 | 近代湖湘文化试探 | 1988 · 4 |
| 林蕴晖 | 胡绳晚年对新民主主义与过渡时期总路线的 思考拾零 | 2002 · 3 |
| 林耀华 | 苏联民族学近年来的成就 | 1956 · 10 |

林耀华　对我国藏族、维吾尔族和傣族部分地区
　　　　解放前农奴制度的初步研究　　　　　1962·5
林耀华　关于"民族"一词的使用和译名的问题　1963·2
林绍权　关于《隋代江南士人的浮沉》的来信　1997·4
欧阳军喜　五四新文化运动与儒学：误解及其他　1999·3
欧阳军喜　五四运动研究历程回顾与检视座谈会综述　1999·3
武　寅　论日本近代家族国家　　　　　　　　1992·3
武　寅　论明治宪法体制的内在结构　　　　　1996·3
武尔洪　纪律是执行路线的保证　　　　　　　1975·6
武玉环　辽代斡鲁朵探析　　　　　　　　　　2000·2
武任年　评吴晗的反党反社会主义反马克思主义的
　　　　历史人物评价　　　　　　　　　　　1966·2
武安隆　日本知识阶层在吸收外来文化中的作用及心态
　　　　　　　　　　　　　　　　　　　　　1993·3
武建国　试论均田制中永业田的性质　　　　　1981·3
武建国　论均田制土地授受方式
　　　　　　——兼论均田制实施范围　　　　1987·5
武新立　中国的家谱及其学术价值　　　　　　1988·6
竺沙雅章　陈垣与桑原骘藏　　　　　　　　　1991·3
经君健　校对一条史料　　　　　　　　　　　1962·6
罗　敏　中国关于战后越南问题的认识与实践
　　　　（1942—1946）　　　　　　　　　　2003·5
罗　琨　从我国早期畜牧民的产生看第一次社会大分工　1988·5
罗　新　吴简中的"督军粮都尉"简　　　　　2001·4
罗元信　也谈"剥皮实草"的真实性　　　　　2001·4
罗凤礼　二十世纪西方史学的演变　　　　　　1996·5
罗尔纲　金田起义事实考　　　　　　　　　　1954·3
罗尔纲　绍兴太平天国壁画调查记　　　　　　1956·2
罗尔纲　南京如意里太平天国壁画考证　　　　1956·5

罗尔纲　关于我写李秀成自述考证的几点说明　　　　　1963·4

罗尔纲　忠王李秀成苦肉缓兵计考　　　　　　　　　　1964·4

罗尔纲　对"四人帮"的历史学界"一片黑暗"论的
　　　　有力批驳

　　　　　——建国以来十七年间太平天国史工作的成就

　　　　　　　　　　　　　　　　　　　　　　　　1978·7

罗尔纲　天德王洪大泉问题的补充证据　　　　　　　　1979·6

罗尔纲　再论《天朝田亩制度》　　　　　　　　　　　1984·1

罗尔纲　我对综合体史书体裁的探索　　　　　　　　　1987·1

罗尔纲　重考"洪宣娇"从何而来　　　　　　　　　　1987·5

罗尔纲　纪念《历史研究》创刊四十周年·我与
　　　　《历史研究》　　　　　　　　　　　　　　　1994·1

罗永生　唐前期三省地位的变化　　　　　　　　　　　1992·2

罗华庆　略论清末资政院议员　　　　　　　　　　　　1992·6

罗志田　林纾的认同危机与民初的新旧之争　　　　　　1995·5

罗志田　济南事件与中美关系的转折　　　　　　　　　1996·2

罗志田　读《敌对与冲突的由来——美国对新中国的
　　　　政策与中美关系（1949—1950）》　　　　　1996·4

罗志田　传教士与近代中西文化竞争　　　　　　　　　1996·6

罗志田　中外矛盾与国内政争：北伐前后章太炎的
　　　　"反赤"活动与言论　　　　　　　　　　　　1997·6

罗志田　思想观念与社会角色的错位：戊戌前后湖南
　　　　新旧之争再思

　　　　　——侧重王先谦与叶德辉　　　　　　　　　1998·5

罗志田　后现代主义与中国研究：《怀柔远人》的
　　　　史学启示　　　　　　　　　　　　　　　　1999·1

罗志田　从科学与人生观之争看后五四时期对五四基本
　　　　理念的反思　　　　　　　　　　　　　　　1999·3

罗志田　大纲与史：民国学术观念的典范转移　　　　　2000·1

罗志田　史料的尽量扩充与不看二十四史
　　　　——民国新史学的一个诡论现象　　　　2000·4
罗志田　新旧能否两立：二十年代《小说月报》对于
　　　　整理国故的态度转变　　　　　　　　　2001·3
罗志田　抵制东瀛文体：清季围绕语言文字的思想论争　2001·6
罗志田　见之于行事：中国近代史研究的可能走向
　　　　——兼及史料、理论与表述　　　　　　2002·1
罗志刚　第二次世界大战爆发前后的南斯拉夫对外政策
　　　　　　　　　　　　　　　　　　　　　　1987·6
罗志刚　1933—1940 年希特勒德国在东南欧的
　　　　经济扩张　　　　　　　　　　　　　　1990·2
罗绍文　米苩为西域人后裔考　　　　　　　　　1988·2
罗祖基　"商鞅变法"促进奴隶使用制度发展说
　　　　——兼与叶玉华先生商榷　　　　　　　1956·9
罗荣渠　外国新书介绍——一位国际无产阶级战士的
　　　　回忆录　　　　　　　　　　　　　　　1957·9
罗荣渠　关于中苏关系的一批新发现文件　　　　1957·9
罗荣渠　门罗主义的起源和实质
　　　　——美国早期扩张主义思想的发展　　　1963·6
罗荣渠　论拿破仑专政和法国资产阶级强化国家机器
　　　　的历史教训　　　　　　　　　　　　　1979·6
罗荣渠　关于中美关系史和美国史研究中的一些问题　1980·3
罗荣渠　略论历史发展的伟大动力与终极原因的
　　　　内在联系　　　　　　　　　　　　　　1980·5
罗荣渠　扶桑国猜想与美洲的发现　　　　　　　1983·2
罗荣渠　有关开创世界史研究新局面的几个问题　1984·3
罗荣渠　现代化理论与历史研究　　　　　　　　1986·3
罗荣渠　西方现代化史学思潮的来龙去脉　　　　1987·1
罗荣渠　论一元多线历史发展观　　　　　　　　1989·1

| 罗荣渠 | 15 世纪中西航海发展取向的对比与思索 | 1992・1 |
| 罗荣渠 | 纪念《历史研究》创刊四十周年・展望二十一世纪史学的一点浮想 | 1994・1 |
| 罗荣渠 | "现代化"的历史定位与对现代世界发展的再认识 | 1994・3 |
| 罗荣渠 | 新历史发展观与东亚的现代化进程 | 1996・5 |
| 罗新本 | 两晋南朝的秀才、孝廉察举 | 1987・3 |
| 罗新本 | 郡国大中正考 | 1994・5 |
| 罗福惠 | 评《剑桥中国晚清史》的文化观 | 1988・1 |
| 罗福惠 | 新视角下得与失——评《剑桥中国晚清史》有关辛亥革命部分 | 1989・1 |
| 罗福惠 | 评《晚清经济政策与改革措施》 | 1996・6 |
| 罗福惠 | 张岂之主编《中国近代史学学术史》 | 1997・6 |
| 罗澍伟 | 西学在封建末期的中国与日本 | 1981・3 |
| 罗耀九 | 明代中叶的雇佣劳动是资本主义性质的吗？ | 1961・1 |
| 罗耀九 | 再论明朝万历年间雇佣劳动的性质 | 1962・4 |
| 苑书义 | 评太平军二次西征的"最佳方略" | 1982・3 |
| 苑书义 | 李鸿章与维新运动 | 1984・5 |
| 苑书义 | "孙中山劝李鸿章革命"说质疑 | 1991・2 |
| 若　思 | 关于"波罗毬"一词的商榷 | 1959・8 |
| 范　宁 | 论魏晋时代知识分子的思想分化及其社会根源 | 1955・4 |
| 范中义 | 关于"西洋" | 1979・7 |
| 范中义 | "三保太监"名号的由来 | 1982・4 |
| 范中义 | 明代海防述略 | 1990・3 |
| 范中义 | 明代军事思想简论 | 1996・5 |
| 范文澜 | 试论中国自秦汉时成为统一国家的原因 | 1954・3 |
| 范文澜 | 看看胡适的"历史的态度"和"科学的方法" | 1955・3 |

| 范文澜 | 研究历史应当厚今薄古·风气与条件 | 1958·5 |
| 范文澜 | 反对放空炮 | 1961·3 |
| 范文澜 | 中国历史上的民族斗争与融合 | 1980·1 |
| 范邦瑾 | 唐代蕃坊考略 | 1990·4 |
| 范若愚 | 唐晓文吹捧"柳下跖"居心何在？ | 1977·6 |
| 范金民 | 清代江南棉布字号探析 | 2002·1 |
| 范金民 | 夫马进著《中国善会善堂史研究》 | 2002·5 |
| 范铁成 | 评《高级印度史》 | 1987·3 |
| 茅家琦 | 对十九世纪五十年代中外关系的一点看法 | |
| | ——太平天国失败原因辨析 | 1981·4 |
| 茅家琦 | 试析咸丰帝拒绝"借师助剿"的原因 | 1983·3 |
| 茅海建 | 鸦片战争时期的中英兵力 | 1983·5 |
| 茅海建 | 定海之战考实 | 1990·6 |
| 茅海建 | 鸦片战争与不平等条约 | 1992·4 |
| 茅海建 | 三元里抗英史实辨正 | 1995·1 |
| 茅海建 | 入城与修约：论叶名琛的外交 | 1998·6 |
| 茅海建 | 戊戌变法期间光绪帝对外观念的调适 | 2002·6 |
| 郑 史 | 沙俄武装侵占我国帕米尔地区的历史真相 | 1977·6 |
| 郑 轩 | 金沙水拍云崖暖 | |
| | ——记中央红军巧渡金沙江时遵纪爱民 | |
| | 的事迹 | 1975·5 |
| 郑 涵等 | 国内外史学动态（3 则） | 1960·6 |
| 郑 群 | 做坚定的新生事物的促进派 | |
| | ——学习列宁《伟大的创举》等著作的体会 | |
| | | 1976·1 |
| 郑 群 | 佛罗伦萨市民人文主义者的实践与 | |
| | "积极生活"思想 | 1988·6 |
| 郑一奇 | 八里桥究竟在哪里？ | 1978·4 |
| 郑人瑞 | 中俄《布连斯奇界约》的换文日期 | 1980·4 |

| 郑天挺 | 关于徐一夔《织工对》 | 1958·1 |
| 郑天挺 | 清入关前满洲族的社会性质 | 1962·6 |
| 郑文光 | 从我国古代神话探索天文学的起源 | 1976·4 |
| 郑则生 | 尚贤堂与孔孟之道 | 1976·3 |
| 郑会欣 | 1933年的中美棉麦借款 | 1988·5 |
| 郑会欣 | 扬子电气、淮南矿路两公司的创立与国有企业私营化 | 1998·3 |
| 郑会欣 | 中国建设银公司股份的演变 | 1999·3 |
| 郑师渠 | 晚清国粹派的文化观 | 1992·6 |
| 郑师渠 | 近代中国的文化民族主义 | 1995·5 |
| 郑佩欣 | 租调征收方法和"输籍定样"——与李燕捷先生商榷 | 1996·1 |
| 郑学檬 | 五代时期长江流域及江南地区的农业经济 | 1985·4 |
| 郑学檬 | 唐代德两朝党争和两税法 | 1992·4 |
| 郑学檬 | 中国古代赋役制度史研究的回顾与展望 | 2001·1 |
| 郑昌淦 | 批判陶希圣"前资本主义社会论"的反动观点 | 1958·12 |
| 郑昌淦 | 中国古代农民在革命战争中所建立的政权的性质问题 | 1962·1 |
| 郑昌淦 | 论唐宋封建庄园的特征——与邓广铭同志商榷之一 | 1964·2 |
| 郑昌淦 | 井田制的破坏和农民的分化——兼论商鞅变法的性质及其作用 | 1979·7 |
| 郑炳山 | 菲律宾华侨将军刘亨赙生平事迹考 | 1981·3 |
| 郑振满 | 经济史研究的科学化追求与人文关怀——读《市场机制与社会变迁——18世纪广东米价分析》 | 1994·5 |
| 郑振满 | 二十世纪的清史研究 | 2003·3 |
| 郑彭年 | 佛教海上传入中国之研究 | 1995·2 |

郑慧生　卜辞中贵妇的社会地位考述　　　　　1981·6

郑慧生　上读法

　　　　——上古典籍读法之谜　　　　　　1997·3

金卫星　美国对德绥靖的"韦尔斯计划"　　　1995·4

金世铸　揭开华俄道胜银行的内幕　　　　　　1977·6

金正耀　唐代道教外丹　　　　　　　　　　　1990·2

金兆梓　封邑邦国方辨　　　　　　　　　　　1956·2

金光耀　1949—1950年英国对新中国的承认　1994·5

金光耀　顾维钧与华盛顿会议　　　　　　　　1997·5

金光耀　国民党在美国的游说活动

　　　　——以顾维钧为中心的讨论　　　　　2000·4

金光耀　顾维钧与中国外交国际学术讨论会综述　2000·6

金再及　试论八七会议到"六大"的工作转变　1983·1

金再及　南京国民政府对"一二八"事变的方针　1992·3

金冲及　对于中国近代历史分期问题的意见　　1955·2

金冲及　论孙中山革命思想的形成和兴中会的成立　1960·5

金冲及　辛亥革命时期章炳麟的政治思想　　　1961·4

金冲及　论黄兴　　　　　　　　　　　　　　1962·3

金冲及　孙中山在临时政府时期的斗争　　　　1980·2

金冲及　同盟会领导的武装起义二题　　　　　1984·1

金冲及　护国运动中的几种政治力量　　　　　1986·2

金冲及　试论孙中山晚年的道路　　　　　　　1987·1

金冲及　民初同盟会人的几种社会政治方案　　1991·1

金冲及　纪念《历史研究》创刊四十周年·当代人

　　　　应该写当代史　　　　　　　　　　1994·1

金冲及　华北事变和抗日救亡高潮的兴起　　　1995·4

金冲及　杜重远和《新生》周刊　　　　　　　2000·5

金式武　招魂研究　　　　　　　　　　　　　1998·6

金成基　从清初的吏治看封建官僚政治　　　　1980·1

金成基　范文程简论　1982·5

金自强　评《秦汉农民战争史》　1963·4

金旭东　《科举制起源辨析》之商榷　1984·6

金希教　抵制美货运动时期中国民众的"近代性"　1997·4

金志霖　试论西欧中世纪城市与封建主的关系　1990·4

金志霖　中世纪英国行会和雇佣工人

　　　　——兼论雇佣工人与生产资料　1990·6

金志霖　资本主义萌芽的最初形态与雇佣工人

　　　　——再论雇佣工人与生产资料的关系　1992·3

金科言　山西票号学术讨论会在太原举行　1982·5

金重远　法国"新史学"简介　1986·2

金普森　《兴国土地法》对《井冈山土地法》的一个

　　　　原则改正　1982·2

金景芳　奴隶社会的阶级结构　1959·10

金景芳　井田制的发生和发展　1965·4

金景芳　论儒法　1977·5

金景芳　中国古代史分期商榷（上）　1979·2

金景芳　中国古代史分期商榷（下）　1979·3

金景芳　经学与史学　1984·1

金景芳　论孔子思想的两个核心　1990·5

金景芳　古籍考辨四题　1994·1

金景芳　谈礼　1996·6

金锡亨　关于《世界通史》（苏联科学院编）有关

　　　　朝鲜的叙述的严重错误　1963·5

金毓黻　关于大顺军领袖李自成被害地点的考证　1956·6

金毓黻　关于忠王李秀成自传原稿真伪问题的再商榷　1957·1

金熙一　关于《世界通史》（苏联科学院编）有关

　　　　朝鲜的叙述的严重错误　1963·5

驷　铁　秦汉时期租佃关系的发生与发展　1959·12

# 九　画

| | | |
|---|---|---|
| 侯文富 | 美国国家安全委员会第 81/1 号文件 | |
| | 形成问题研究 | 1996・6 |
| 侯外庐 | 中国封建社会土地所有制形式的问题 | |
| | ——中国封建社会发展规律商兑之一 | 1954・1 |
| 侯外庐 | 批判梁漱溟反动的历史观点及其复古主义 | 1956・1 |
| 侯外庐 | 汉代白虎观宗教会议与神学法典白虎通义 | |
| | ——兼论王充对白虎观神学的批判 | 1956・5 |
| 侯外庐 | 论中国封建制的形成及其法典化 | 1956・8 |
| 侯外庐 | 孙中山的哲学思想及其同政治思想的联系 | 1957・2 |
| 侯外庐 | 方以智——中国的百科全书派大哲学家（上篇） | |
| | ——论启蒙学者方以智的悲剧生平及其唯物 | |
| | 主义思想 | 1957・6 |
| 侯外庐 | 方以智——中国的百科全书派大哲学家 | |
| | （下篇） | 1957・7 |
| 侯外庐 | 学习先进理论、加强我们的思想战线 | |
| | ——为纪念苏联十月社会主义革命四十 | |
| | 周年而作 | 1957・10 |
| 侯外庐 | 研究历史应当厚今薄古・古史领域中 | |
| | “厚今薄古”方针的斗争意义 | 1958・5 |
| 侯外庐 | 唯物主义者王安石 | 1958・10 |
| 侯外庐 | 中国封建社会前后期的农民战争及其纲领 | |
| | 口号的发展 | 1959・4 |
| 侯外庐 | 李贽的进步思想 | 1959・7 |
| 侯外庐 | 吕才的唯物主义思想 | 1959・9 |
| 侯外庐 | 十六世纪中国的进步的哲学思潮概述 | 1959・10 |
| 侯外庐 | 悼念杜国庠同志 | 1961・1 |

侯外庐 论刘知几的学术思想
　　　　——纪念刘知几诞辰一千三百周年　　　　1961·2
侯外庐 柳宗元《天对》在中国唯物主义史上的
　　　　科学地位
　　　　——兼看哲学党性原理的具体表现　　　　1963·2
侯外庐 中国封建社会前期的不同哲学流派及其发展　1964·1
侯外庐 深切悼念郭沫若同志　　　　　　　　　　　1978·7
侯外庐 我对中国社会史的研究　　　　　　　　　　1984·3
侯旭东 北朝乡里制与村民的生活世界
　　　　——以石刻为中心的考察　　　　　　　　2001·6
侯旭东 三国吴简两文书初探　　　　　　　　　　　2001·4
侯杨方 宣统年间的人口调查
　　　　——兼评米红等人论文及其他有关研究　　1998·6
侯杨方 民国时期全国人口统计数字的来源　　　　　2000·4
侯建新 中世纪英国农民个人力量的增长与自然
　　　　经济的解体　　　　　　　　　　　　　　1987·3
侯建新 西欧向近代社会转型的动因　　　　　　　　1991·3
侯建新 中世纪晚期的商品化与现代化启动　　　　　1994·5
侯建新 西欧法律传统与资本主义的兴起　　　　　　1999·2
侯绍庄 怎样理解郭沫若同志的古代史分期学说
　　　　——兼评金景芳先生的《中国古代史
　　　　分期商榷》　　　　　　　　　　　　　　1979·8
侯树栋 从古法到神法
　　　　——中古后期南德农民法律意识的变化　　2001·5
侯样祥 抗战前后国共关系新解
　　　　——评《失去的机会》　　　　　　　　　1994·3
侯雄飞 西安事变和平解决原因新探　　　　　　　　1987·2
保罗·阿·科恩　美国的中国近代史研究　　　　　1980·2
俞 江 两种清末宪法草案稿本的发现及初步研究　　1999·6

俞旦初　为在历史科学中贯彻党的"百家争鸣"政策
　　　　而斗争　　　　　　　　　　　　　　　1960·4
俞辛焞　巴黎和会与五四运动　　　　　　　　　1979·5
俞辛焞　美国对日政策与太平洋战争的爆发　　　1979·12
俞辛焞　二次革命时期孙中山的反袁策略与日本的关系
　　　　　　　　　　　　　　　　　　　　　　1988·1
俞辛焞　孙中山对日态度再认识　　　　　　　　1990·3
俞金尧　从历史人口学到家庭历史学　　　　　　1995·1
俞金尧　马尔萨斯人口理论的社会文化基础　　　1996·6
俞金尧　中世纪晚期和近代早期欧洲的寡妇改嫁　2000·5
郗志群　封建科举、职官中的"官年"
　　　　　　——从杨守敬的乡试硃卷谈起　　　2003·4
修朋月　评李兴盛著《中国流人史》　　　　　　1996·2
冒怀辛　关于方以智和中国传统哲学思想的讨论　1985·1
南　木　评蒋孟引著《第二次鸦片战争》　　　　1965·5
南　史等　国内史学动态（6则）　　　　　　　1961·2
南　谷　论战国时期的食封贵族　　　　　　　　1975·6
南　景　从经济危机的不断深化看资本主义制度的
　　　　必然灭亡　　　　　　　　　　　　　　1975·2
南　景　苏修是怎样变社会主义所有制为
　　　　资本主义所有制的　　　　　　　　　　1975·4
南炳文　从"三言"看明代奴仆　　　　　　　　1985·6
南炳文　二十世纪的中国明史研究　　　　　　　1999·2
哈全安　麦地那国家土地关系初探　　　　　　　1994·5
哈全安　从白色革命到伊斯兰革命
　　　　　　——伊朗现代化的历史轨迹　　　　2001·6
姚　旭　从抗战结束到内战全面爆发期间的几个历史
　　　　问题　　　　　　　　　　　　　　　　1978·11

| 姚大力 | 以"大断事官"制到中书省 | |
| | ——论元初中枢机构的体制演变 | 1993·1 |
| 姚小鸥 | 《公莫巾舞歌行》考 | 1998·6 |
| 姚文元 | 评新编历史剧《海瑞罢官》 | 1965·6 |
| 姚文元 | 评"三家村" | |
| | ——《燕山夜话》《三家村札记》的 | |
| | 反动本质 | 1966·3 |
| 姚文元 | 论林彪反党集团的社会基础 | 1975·2 |
| 姚玉民 | 西方社会史学术讨论会述要 | 1993·1 |
| 姚玉民 | 李廷江著《日本财界与辛亥革命》 | 1998·2 |
| 姚会元 | 近代汉口钱庄研究 | 1990·2 |
| 姚纯安 | 清末群学辨证 | |
| | ——以康有为、梁启超、严复为中心 | 2003·5 |
| 姚国旺 | 西汉官制尊右尊左考 | 1987·3 |
| 姚雪垠 | 李自成自何处入豫? | 1978·5 |
| 姚薇元 | 关于《道光洋艘征抚记》的作者问题 | 1959·12 |
| 姚薇元 | 再论《道光洋艘征抚记》的祖本和作者 | 1981·4 |
| 姜 伟 | 中国日本史学会在沈阳举行第二次年会 | 1982·6 |
| 姜 进 | 历史研究的非线性化及其方法论问题 | |
| | ——对近年来洋务运动史研究的一个检讨 | 1986·1 |
| 姜 涛 | 洪秀全"登极"史实辨正 | 1993·1 |
| 姜 铎 | 中国洋务运动与日本明治维新在 | |
| | 经济发展上的比较 | 1963·1 |
| 姜 铎 | 重评洋务运动 | 1979·2 |
| 姜 铎 | 要恰当地评价洋务运动的积极作用 | |
| | ——答徐泰来同志 | 1980·6 |
| 姜 铎 | 略论洋务企业的性质 | 1985·6 |
| 姜 铎 | 慈禧与洋务运动 | 1991·4 |
| 姜 铎 | 洋务运动研究的回顾 | 1997·2 |

姜　密　　中国古代非"户绝"条件下的遗嘱继承制度　　2002·2

姜华宣　　第一次国共合作统一战线的形成　　1981·2

姜伯勤　　隋末奴军起义试探　　1963·4

姜伯勤　　隋末农民战争与反佛浪潮　　1978·2

姜伯勤　　中国田客制、部曲制与英国维兰制的比较研究

　　　　　　　　　　　　　　　　　　　　　　　　1984·4

姜伯勤　　从判文看唐代市籍制的终结　　1990·3

姜椿芳　　马克思主义在中国　　1958·12

姜椿芳　　第四次国际党史会议　　1958·11

姜椿芳　　匈牙利苏维埃共和国四十周年纪念学术报告会

　　　　　情况　　1959·4

姜椿芳　　匈牙利苏维埃革命和中国人民的革命斗争　　1959·5

姜椿芳等　国外史学动态4则　　1959·11

姜德昌　　东北师范大学历史系教师的科学研究工作　　1956·9

宫韵史　　五一国际劳动节的起源、发展及其在中国的

　　　　　四十年　　1960·5

宫韵史　　1937年—1945年间国民党统治区工人阶级的

　　　　　状况　　1960·3

思　斌　　清史研究的新成果：《清朝开国史研究》　　1982·4

施　丁　　司马迁写当代史　　1979·7

施　丁　　论司马迁的"通古今之变"　　1980·2

施　丁　　论司马光主编《资治通鉴》　　1986·4

施　丁　　成一家之言

　　　　　——评白寿彝著《中国史学史》第一册　　1987·2

施　丁　　班固与《汉书》的史学思想　　1992·4

施　庆　　吴晗所鼓吹的是反党反社会主义的"战斗精神"　　1966·2

施　进　　法国近代史上肯定和否定雅各宾专政的斗争　　1976·3

施　诚　　论中古西欧"上帝的和平"运动　　2001·1

施一揆　　元代地契　　1957·9

| | | |
|---|---|---|
| 施一揆 | 南京大学历史系教学改革及科学研究的新途径 | 1958·12 |
| 施一揆 | 《关于元代的驿传》一文的资料问题 | 1959.7 |
| 施伟青 | 施琅进军澎湖几个问题的考订 | 1997·6 |
| 施伟青 | 《说"合力"》置疑 | 1988·3 |
| 施宣圆 | 上海将影印出版《徐光启遗著》 | 1983·1 |
| 施鉴思 | 希特勒德国的崛起和第二次世界大战的爆发 | 1976·5 |
| 施德福 | 万紫千红、百花争妍 | 1958·9 |
| 柏　劲 | 凯恩斯主义（资料） | 1975·1 |
| 柏　经 | 货币的出现与原始社会公有制的瓦解 | 1975·2 |
| 柏　青 | 《水浒》为什么这样塑造宋江 | 1975·5 |
| 柏　青 | 革命就是解放生产力<br>——读《商君书》札记 | 1975·6 |
| 柏　绿 | 学术讨论需要好的风气 | 1980·6 |
| 查昌国 | 友与两周君臣关系的演变 | 1998·5 |
| 柯　文 | 《在中国发现历史》新序 | 1996·6 |
| 柯　文 | 义和团、基督徒和神<br>——从宗教战争角度看1900年的义和团斗争 | 2001·1 |
| 柯　史 | 中国共产党是抗日战争的领导者<br>——兼批林彪一篇投降主义的反党文章 | 1975·5 |
| 柯文南 | 关于忠王宝剑的若干问题<br>——与罗尔纲先生商榷 | 1985·1 |
| 柯昌基 | 宋代雇佣关系的初步探索 | 1957·2 |
| 柳　植 | 十月革命与历史的选择性 | 1988·5 |
| 柳义南 | 评谢国桢著《南明史略》 | 1958·9 |
| 柳春藩 | 吉林大学历史系学生在本省进行文物普查 | 1958·11 |
| 柳春藩 | 吉林大学历史系科学研究近况 | 1959·8 |
| 段　渝 | 巴蜀古代城市的起源、结构和网络体系 | 1993·1 |

段云章　评 1913 年孙中山访日　　　　　　　　1991・4

段云章　1923 年后孙中山与日本的关系　　　　　1993・2

段本洛　历史上苏南多层次的工业结构　　　　　1988・5

段启咸　建党前后的李达同志　　　　　　　　　1979・8

段启增　关于原始社会一些问题的讨论　　　　　1982・4

段启增　国外报刊译载《历史研究》发表的论文　1982・5

段治文　近代中国科学观发展三形态　　　　　　1990・6

段鼎周　对"封民"的一点补充意见　　　　　　1982・6

段德智　法国大革命的新阐释

　　　　　——读《法兰西风格：大革命的政治文化》1993・6

洪　序　西晋李重驳恬和一事发生时间的商榷　　1958・6

洪　城　太平天国关于团结问题的历史经验　　　1975・3

洪　城　试论先秦法家的战备思想　　　　　　　1975・4

洪　城　戚继光的治军思想　　　　　　　　　　1975・6

洪　城　在继续革命的道路上奋勇登攀

　　　　　——学习毛主席的词《水调歌头·重上

　　　　　井冈山》　　　　　　　　　　　　　1976・1

洪　城　不斗争就不能进步

　　　　　——学习党内两条路线斗争史　　　　1976・4

洪　城　具有世界历史意义的伟大贡献

　　　　　——学习毛泽东关于无产阶级专政下继续

　　　　　革命的理论　　　　　　　　　　　　1976・5

洪　楼　长沙马王堆三号汉墓出土帛书简介　　　1974・1

洪广思　利用《水浒》识别投降派　　　　　　　1975・5

洪焕椿　十至十三世纪中国科学的主要成就　　　1959・3

洪焕椿　清初农民军的联明抗清问题　　　　　　1978・5

洪焕椿　明清封建专制政权对资本主义萌芽的阻碍1981・5

洪善思　历代关于商鞅变法的两派论争　　　　　1976・3

洛　阳　山东大学历史科学论文的宣读讨论会　　1956・7

狭间直树　何天炯与孙中山
　　　　　——宫崎滔天藏书札研究　　　　　　1987·5
狭间直树　"三大政策"与黄埔军校　　　　　　1988·2
狭间直树　关于梁启超称颂"王学"问题　　　　1998·5
祖　慧　科举制定义再商榷　　　　　　　　　2003·6
祚　新　综合大学文史教学大纲审定会简况　　1956·9
祝　卓　韩光辉著《北京历史人口地理》　　　1998·3
祝总斌　西汉宰相制度变化的原因　　　　　　1986·2
祝总斌　评田余庆著《东晋门阀政治》　　　　1993·1
禹硕基　论日本奴隶制向封建制的过渡　　　　1982·2
科大卫　宗族与地方社会的国家认同
　　　　　——明清华南地区宗族发展的意识
　　　　　　形态基础　　　　　　　　　　　2000·3
胡　平　清末民初的两次户口人口调查　　　　1997·1
胡　成　近代江南农村的工价及其影响
　　　　　——兼论小农与经营式农场衰败的关系　2000·6
胡　绳　中国近代历史的分期问题　　　　　　1954·1
胡　绳　社会历史的研究怎样成为科学
　　　　　——论现代中国资产阶级唯心主义历史学
　　　　　在这个问题上的混乱观念　　　　　1956·11
胡　绳　辛亥革命中的反帝、民主、工业化问题　1981·5
胡　绳　论孙中山的社会主义思想　　　　　　1987·1
胡　绳　如何建设中国新文化
　　　　　——在纪念《历史研究》创刊40周年
　　　　　座谈会上的讲话　　　　　　　　　1995·1
胡　绳　关于撰写《从五四运动到人民共和国成立》
　　　　　一书的谈话　　　　　　　　　　　2001·3
胡　戟　陈寅恪与中国中古史研究　　　　　　2001·4

| 胡　滨 | 十九世纪末帝国主义瓜分中国铁路利权的阴谋活动（一八九八——一八九九） | 1956・5 |
|---|---|---|
| 胡　滨 | 李鸿章和轮船招商局 | 1982・4 |
| 胡　嘉 | 评傅衣凌著明清时代社会经济史研究论文集两种 | 1959・3 |
| 胡一雅 | 农民革命与投降主义路线 | 1975・6 |
| 胡代聪 | 葡萄牙殖民者侵占澳门前在中国的侵略活动 | 1959・3 |
| 胡礼忠 | 近年来国外近代中国资产阶级研究述评 | 1989・2 |
| 胡玉堂 | 西欧从奴隶社会向封建社会过渡中的几个问题 | 1980・1 |
| 胡玉堂 | 中世纪西欧的政权、教权与封建制度 | 1981・5 |
| 胡光明 | 首届商会与近代中国国际学术讨论会综述 | 1998・6 |
| 胡如雷 | 论武周的社会基础 | 1955・1 |
| 胡如雷 | 唐代均田制研究 | 1955・5 |
| 胡如雷 | 关于中国封建社会形态的一些特点 | 1962・1 |
| 胡如雷 | 唐末农民战争的历史作用 | 1963・1 |
| 胡如雷 | 关于唐代韩柳之争的几个问题 | 1977・4 |
| 胡如雷 | 唐代牛李党争研究 | 1979・6 |
| 胡如雷 | 唐太宗民族政策的局限性 | 1982・6 |
| 胡如雷 | 唐"开元之治"时期宰相政治探微 | 1994・1 |
| 胡如雷 | 隋朝统一新探 | 1996・2 |
| 胡庆钧 | 解放前凉山彝族社会性质研究述评 | 1963・2 |
| 胡庆钧 | 明代水西彝族的奴隶制度 | 1964・5-6 |
| 胡宏起 | 汉代兵力论考 | 1996・3 |
| 胡宝国 | 关于九品中正制的几点意见 | 1988・1 |
| 胡宝国 | 汉晋之际的汝颍名士 | 1991・5 |
| 胡念贻 | 《水浒》的成书及其社会背景 | 1975・6 |
| 胡厚宣 | 殷代农作施肥说 | 1955・1 |
| 胡厚宣 | 释"余一人" | 1957・1 |

| | | |
|---|---|---|
| 胡厚宣 | 说贵田 | 1957·7 |
| 胡厚宣 | 批判向达的反马克思主义的历史观点 | 1957·11 |
| 胡厚宣 | 殷卜辞中的上帝和王帝（上） | 1959·9 |
| 胡厚宣 | 殷卜辞中的上帝和王帝（下） | 1959·10 |
| 胡厚宣 | 纪念《历史研究》创刊四十周年· | |
| | 学习《历史研究》注意质量问题 | 1994·1 |
| 胡思庸 | 林文忠公家书考伪 | 1962·6 |
| 胡思庸 | 汪士铎思想剖析 | 1978·2 |
| 胡春洞 | 谈玛雅文明的起源 | 1983·1 |
| 胡昭曦 | 论汉晋的氐羌和隋唐以后的羌族 | 1963·2 |
| 胡钟达 | 再评五种生产方式说 | 1986·1 |
| 胡珠生 | 汉代奴隶制说的根本缺陷在那里？ | |
| | ——对"再论汉代是奴隶社会"一文的意见 | |
| | | 1957·7 |
| 胡珠生 | 义和团的前身是祖师会 | 1958·3 |
| 胡珠生 | 正气会及其《会序》三题 | 1984·6 |
| 胡珠生 | 兴浙会和保哲会是两个团体 | 1988·1 |
| 胡珠生 | 自立会历史新探 | 1988·5 |
| 胡逢祥 | 论辛亥革命时期的国粹主义史学 | 1985·5 |
| 胡绳武 | 论孙中山革命思想的形成和兴中会的成立 | 1960·5 |
| 胡绳武 | 辛亥革命时期章炳麟的政治思想 | 1961·4 |
| 胡绳武 | 论黄兴 | 1962·3 |
| 胡绳武 | 孙中山在临时政府时期的斗争 | 1980·2 |
| 胡绳武 | 孙中山让位于袁世凯的历史环境 | 1987·1 |
| 胡道静 | 徐光启研究农学历程的探索 | 1980·6 |
| 胡道静 | 谈古籍的普查和情报 | 1982·4 |
| 胡新生 | 异性史官与周代文化 | 1994·3 |
| 荒　村 | 印度尼西亚历史问题研究会议的召开 | 1958·5 |
| 荣孟源 | 俄国一九〇五年革命对中国的影响 | 1954·2 |

| 荣新江 | 甘州回鹘成立史论 | 1993·5 |
|---|---|---|
| 荣新江 | 西域史研究的回顾与展望 | 1998·2 |
| 荣新江 | 王素著《高昌史稿·统治编》 | 1999·3 |
| 荣新江 | 敦煌归义军曹氏统治者为粟特后裔说 | 2001·1 |
| 费 路 | 《古代东方与希腊罗马古典时期的生产关系》 | 1958·8 |
| 费国庆 | 关于《宋代户口》一文辽代部分的意见 | 1958·8 |
| 贺昌群 | 论西汉的土地占有形态 | 1955·2 |
| 贺昌群 | 关于宗族、宗部的商榷 | |
| | ——评"魏晋南北朝史论丛" | 1956·11 |
| 贺昌群 | 升斗辨 | 1958·6 |
| 贺昌群 | 论黄巾农民起义的口号 | 1959·6 |
| 贺昌群 | 秦汉间个体小农的形成和发展 | 1959·12 |
| 贺昌群 | 秦末农民起义的原因及其历史作用 | 1961·6 |
| 贺昌群 | 东汉更役戍役制度的废止 | 1962·5 |
| 赵 丰 | 唐代西域的练价与货币兑换比率 | 1993·6 |
| 赵 冈 | 从宏观角度看中国的城市史 | 1993·1 |
| 赵 清 | 中国社会史研究笔谈·切近现实 重视近现代 | |
| | 社会史 | 1993·2 |
| 赵 亲 | 辛亥革命前后的中国工人运动 | 1959·2 |
| 赵 俊 | 马克思主义史学的个案研究 | |
| | ——评《吕振羽和他的历史学研究》 | 1994·4 |
| 赵 津 | 租界与中国近代房地产业的诞生 | 1993·6 |
| 赵 晗 | 陈兼著《毛泽东的中国与冷战》 | 2002·5 |
| 赵人俊 | 明政府镇压矿工起义告示牌的发现 | 1957·1 |
| 赵文坦 | 《元史·刘黑马传》"七万户"蠡测 | 2000·6 |
| 赵世玲 | 乔治·勒费弗尔史学浅论 | 1986·5 |
| 赵世超 | 《周礼》成书年代的成功探索 | |
| | ——评彭林著《〈周礼〉主体思想与成书 | |
| | 年代研究》 | 1993·1 |

| | | |
|---|---|---|
| 赵世超 | 巡守制度试探 | 1995・3 |
| 赵世超 | 浴日和御日 | 2003・3 |
| 赵世瑜 | 明清时期华北庙会研究 | 1992・5 |
| 赵世瑜 | 中国社会史研究笔谈・社会史研究呼唤理论 | 1993・2 |
| 赵世瑜 | 历史人物传记应该怎样写 | |
| | ——《乾隆皇帝全传》读后 | 1996・3 |
| 赵世瑜 | 再论社会史的概念问题 | 1999・2 |
| 赵世瑜 | 黑山会的故事：明清宦官政治与民间社会 | 2000・4 |
| 赵世瑜 | 二十世纪中国社会史研究的回顾与思考 | 2001・6 |
| 赵世瑜 | 谣谚与新史学 | |
| | ——张守常《中国近世谣谚》读后 | 2002・5 |
| 赵世瑜 | 历史、史学与性别・历史人类学：发现历史 | |
| | 时期女性的历史记忆是否有了可能 | 2002・6 |
| 赵平安 | 秦西汉误释未释官印考 | 1999・1 |
| 赵幼文 | 曹魏屯田制述论 | 1958・4 |
| 赵矢元 | 读《忠王李秀成自传原稿笺证》增订本 | 1959・3 |
| 赵云林 | 《明史・赵南星传》勘误一则 | 1980・6 |
| 赵立人 | 程璧光与护法运动 | 1999・3 |
| 赵立行 | 宗教与世俗的平衡及其相互制约 | |
| | ——意大利人文主义者的宗教观 | 2002・2 |
| 赵光贤 | 读范著中国通史简编修订本第一册 | 1954・6 |
| 赵光贤 | 释"蔑历" | 1956・11 |
| 赵光贤 | 从天象上推断武王伐纣之年 | 1979・10 |
| 赵光贤 | 说《逸周书・世俘》篇并拟武王伐纣日程表 | 1986・6 |
| 赵光贤 | 古代汉苗二族关系史辩误 | 1989・5 |
| 赵光贤 | 关于琉璃河1193号周墓的几个问题 | 1994・2 |
| 赵吉惠 | 当代历史认识论的反省与重建 | 1993・4 |
| 赵庆和 | 法国资产阶级革命与近代科学 | 1977・5 |

赵有福　试论编写和研究"四史"的重大意义

　　　　——编选《北京四史丛书》的几点体会　　1965·1

赵红州　从英国皇家学会的早期历史看自然科学领域的

　　　　阶级斗争　　　　　　　　　　　　　　　1976·3

赵纪彬　吕才的唯物主义思想　　　　　　　　　　1959·9

赵轶峰　历史认识的相对性　　　　　　　　　　　1988·1

赵克尧　论魏晋南北朝的坞壁　　　　　　　　　　1980·6

赵希鼎　清代各省的政治制度　　　　　　　　　　1980·3

赵秀玲　中国乡里制度研究及展望　　　　　　　　1998·4

赵和平　唐代士卒、庶族问题讨论会综述　　　　　1984·4

赵和曼　古代中国与柬埔寨的海上交通　　　　　　1985·6

赵金钰　苏杭甬铁路借款和江浙人民的拒款运动　　1959·9

赵金钰　论章炳麟的政治思想　　　　　　　　　　1964·1

赵昆生　尹湾《集簿》"春种树"解　　　　　　　　2001·1

赵俪生　有关井田制的一些辨析　　　　　　　　　1980·4

赵俪生　《管子》与齐国历史的关系　　　　　　　1988·4

赵春晨　吴晗的"古为今用"是反党反社会主义的

　　　　借古非今　　　　　　　　　　　　　　　1966·2

赵春晨　第四届洋务运动史讨论会综述　　　　　　1988·2

赵春晨　晚清洋务派与教案　　　　　　　　　　　1988·4

赵荣光　"满汉全席"名实考辨　　　　　　　　　　1995·3

赵振绩　女真族系源流考异　　　　　　　　　　　1995·5

赵效民　土地革命中阶级政策的变化与共产国际的关系

　　　　　　　　　　　　　　　　　　　　　　1983·3

赵涤贤　试论北宋变法派军事改革的成功　　　　　1997·6

赵捷民　瓦德西拳乱笔记的译注问题　　　　　　　1956·10

赵淑敏　"税专"与中国海关的人事制度　　　　　　1989·2

赵锡元　关于"夏代和商代的奴隶制"一文所引用的

　　　　甲骨文材料　　　　　　　　　　　　　　1957·10

赵锡元　对《试述殷代的奴隶制度和国家的形成》
　　　　一文的意见　　　　　　　　　　　　　　　　1959·11

赵增延　土地革命中阶级政策的变化与共产国际的关系

　　　　　　　　　　　　　　　　　　　　　　　　1983·3

赵德馨　中国近代史分期问题的讨论（来稿摘要）　　1957·3

赵德馨　读《中国近代史稿》（第一卷）　　　　　　1959·12

赵德馨　论太平天国的城市政策　　　　　　　　　　1993·2

赵璞珊　西洋医学在中国的传播　　　　　　　　　　1980·3

郝思德　渤海国货币经济初探　　　　　　　　　　　1991·2

郝春文　东晋南北朝时期的佛教结社　　　　　　　　1992·1

郝春文　敦煌文献与历史研究的回顾和展望　　　　　1998·1

郦永庆　从档案看鸦片战争期间清政府的对外政策
　　　　　　——兼论统治集团内部的斗争问题　　　1990·2

郦永庆　神光寺公案辨析　　　　　　　　　　　　　1992·6

郦家驹　跃进中的科学院历史研究所第二所　　　　　1958·7

钞晓鸿　明清人的"奢靡"观念及其演变
　　　　　　——基于地方志的考察　　　　　　　　2002·4

钞晓鸿　二十世纪的清史研究　　　　　　　　　　　2003·3

钟　锷　历史真相不容歪曲
　　　　　　——关于《中俄尼布楚条约》的几个问题　1975·2

钟　锷　涅维尔斯科依——十九世纪中叶沙俄侵略
　　　　黑龙江地区的急先锋　　　　　　　　　　　1975·4

钟　锷　中俄《瑷珲条约》与苏修霸权逻辑　　　　　1976·4

钟民岩　历史的见证
　　　　　　——明代奴儿干永宁寺碑文考释　　　　1974·1

钟纪周　略论洪秀全的农民革命路线　　　　　　　　1976·1

钟叔河　论郭嵩涛　　　　　　　　　　　　　　　　1984·1

钟青生等　毛主席啊，我们世世代代怀念您！　　　　1976·5

钟肇鹏　董仲舒的儒法合流的政治思想　　　　　　　1977·3

闻　军　论李商隐的《无题》诗　　　　　　　　　　　1975·2

闻　军　"仕途捷径"析　　　　　　　　　　　　　　1975·5

闻少华　一个投降派的典型——汪精卫　　　　　　　　1976·4

闻继宁　批判的历史精神

　　　　　——胡适历史哲学思想初探　　　　　　　1994·4

项观奇　《中国古代史分期讨论五十年》读后　　　　　1983·6

项观奇　论五种生产方式理论的形成　　　　　　　　　1987·6

须　立　中国现代史学会一九八二年年会学术讨论综述

　　　　　　　　　　　　　　　　　　　　　　　　　1983·1

饶怀民　萍浏醴起义史料的真伪问题

　　　　　——与《萍浏醴会党起义檄文辨伪》一文

　　　　　商榷　　　　　　　　　　　　　　　　　1995·6

骆宏路　新编《中国资本主义萌芽问题论文集》即将

　　　　　出版　　　　　　　　　　　　　　　　　1982·6

骆宝善　关于章炳麟政治立场转变的几篇佚文　　　　　1982·5

骆承烈　鸦片战争中镇江抗英的史料　　　　　　　　　1978·4

# 十　　画

哲　军　必须加强无产阶级对资产阶级的专政

　　　　　——读《国家与革命》　　　　　　　　　1975·1

唐　兰　关于商代社会性质的讨论（对于省吾先生

　　　　　"从甲骨文看商代社会性质"一文的意见）　1958·1

唐　思　沙皇俄国海上霸权主义的彻底破产　　　　　　1975·1

唐　星　批判吴枫的《隋唐五代史》　　　　　　　　　1958·9

唐力行　论徽商与封建宗族势力　　　　　　　　　　　1986·2

唐力行　明清徽州的家庭与宗族结构　　　　　　　　　1991·1

唐力行　徽州方氏与社会变迁

　　　　　——兼论地域社会与传统中国　　　　　　　1995·1

| 唐力行 | 吴仁安著《明清时期上海地区的著姓望族》 | 1998·2 |
| 唐力行 | "家庭·社区·大众心态变迁"国际学术研讨会述评 | 1999·1 |
| 唐力行 | 从碑刻看明清以来苏州社会的变迁<br>——兼与徽州社会比较 | 2000·1 |
| 唐力行 | 国家、地方、民众的互动与社会变迁国际学术研讨会综述 | 2003·1 |
| 唐上意 | 中法战争中的张之洞 | 1983·5 |
| 唐上意 | 也谈中法战争起于何时 | 1990·1 |
| 唐文权 | 苏州工商各业公所的兴废 | 1986·3 |
| 唐文权 | 评《剑桥中国晚清史》的文化观 | 1988·1 |
| 唐文权 | 新视角下的得与失<br>——评《剑桥中国晚清史》有关辛亥革命部分 | 1989·1 |
| 唐文基 | 明中叶东南地区徭役制度的变革 | 1981·2 |
| 唐文基 | 明代的铺户及其买办制度 | 1983·5 |
| 唐长孺 | 南朝的屯、邸、别墅及山泽占领 | 1954·3 |
| 唐长孺 | 范长生与巴氏据蜀的关系 | 1954·4 |
| 唐长孺 | 均田制度的产生及其破坏 | 1956·2 |
| 唐长孺 | 关于武则天统治末年的浮逃户 | 1961·6 |
| 唐长孺 | 试论魏末北镇镇民暴动的性质 | 1964·1 |
| 唐长孺 | 论曹操法家路线的形成 | 1975·1 |
| 唐长孺 | 喜谈史学战线的新变化 | 1976·1 |
| 唐长孺 | 读《颜氏家训·后娶篇》论南北嫡庶身分的差异 | 1994·1 |
| 唐宇元 | 关于中国封建社会阶级矛盾的一些问题<br>——与胡如雷、蔡美彪同志商榷 | 1964·5-6 |
| 唐宝林 | 试论陈独秀与托派的关系 | 1981·6 |
| 唐宝林 | 重评共产国际指导中国大革命的路线 | 2000·2 |

唐振常　论章太炎　　　　　　　　　　　　　　　　　　1978・1

唐振常　为《吴虞集》出版说几句话　　　　　　　　　　1986・1

唐振常　关于以西方之新复中国之旧的思考　　　　　　　1988・2

唐振常　痛定思黎澍　　　　　　　　　　　　　　　　　1989・2

唐耕耦　唐代前期的兵募　　　　　　　　　　　　　　　1981・4

唐耕耦　唐代课户、课口诸比例释疑　　　　　　　　　　1983・3

唐陶华　向中国封建土地国有制论者质疑　　　　　　　　1960・6

唐盛德　评麦哲伦　　　　　　　　　　　　　　　　　　1985・2

唐嘉弘　关于刘仪顺的史料　　　　　　　　　　　　　1956・10

唐嘉弘　略论夏商周帝王的称号及国家政体　　　　　　　1985・4

唐赞功　从云梦秦简看秦代社会的主要矛盾　　　　　　　1977・5

夏　芗　写群众的历史，为群众写历史　　　　　　　　　1965・5

夏东元　论清季轮船招商局的性质　　　　　　　　　　　1980・4

夏东元　盛宣怀与袁世凯　　　　　　　　　　　　　　　1987・6

夏东元　110 年中国近代史应以戊戌变法为分段线　　　　1989・4

夏东元　纪念《历史研究》创刊四十周年・谈历史学
　　　　　与现实　　　　　　　　　　　　　　　　　　1994・1

夏立安　现代墨西哥社会持久稳定的原因　　　　　　　　1993・6

夏应元　中国禅僧东渡日本及其影响　　　　　　　　　　1982・3

夏良才　评孔教会　　　　　　　　　　　　　　　　　　1975・5

夏良才　孙中山的民生主义与摩里斯・威廉的《社会史观》

　　　　　　　　　　　　　　　　　　　　　　　　　1988・1

夏良才　王韬的近代舆论意识和《循环日报》的创办　　　1990・2

夏良才　海关与中国近代化的关系
　　　　　——论中国海关驻伦敦办事处　　　　　　　　1991・2

夏季亭　评《冒险、失败与崛起——20 世纪德意志史》

　　　　　　　　　　　　　　　　　　　　　　　　　1994・5

夏林根　中国近代军事史研究述评　　　　　　　　　　　1987・2

夏春涛　太平天国对《圣经》态度的演变　　　　　　　　1992・1

夏春涛　二十世纪的太平天国史研究　　　　　　　　　2000·2
夏晓和　《清史稿》中几条陨石资料的错漏　　　　　　1980·3
夏维中　宋代乡村基层组织衍变的基本趋势
　　　　　——与《宋代乡里两级制度质疑》一文商榷
　　　　　　　　　　　　　　　　　　　　　　　　　2003·4
夏瑰琦　明清时期"六经皆史"说的社会意义　　　　　1983·6
夏甄陶　春秋战国时代的奴隶制　　　　　　　　　　　1956·6
容应萸　自立军起义前后的容闳与康梁　　　　　　　　1994·3
容肇祖　驳马非百"关于管子轻重篇的著作年代问题"　1958·1
席岫峰　关于契丹婚姻制度的商榷　　　　　　　　　　1993·2
倪　亭　美国史研究会举行第三届年会　　　　　　　　1982.4
徐　规　宋太祖誓约辨析　　　　　　　　　　　　　　1986·4
徐　勇　日本的军部政治化与法西斯主义的确立　　　　1988·4
徐　勇　《尉缭子》逸文蠡测　　　　　　　　　　　　1997·2
徐　洛　"克莱夫登集团"和英国绥靖政策　　　　　　1986·5
徐　浩　中世纪英国农村的行政、司法及教区体制与
　　　　　农民的关系　　　　　　　　　　　　　　　1986·1
徐　浩　英国中世纪的法律结构与法制传统　　　　　　1990·6
徐　浩　英国农村封建生产关系向资本主义的转变　　　1991·5
徐　浩　中世纪晚期英国农村的变迁与现代化的启动
　　　　　——评《现代化第一基石》　　　　　　　　1992·3
徐　浩　论中世纪晚期英国农村生产要素市场　　　　　1994·3
徐　浩　地主与英国农村现代化的启动　　　　　　　　1999·1
徐　蓝　评1941年英美参谋会谈　　　　　　　　　　1992·6
徐　蓝　评1938年初英格索尔的伦敦之行　　　　　　1994·4
徐　蓝　从"橙色"计划到"彩虹"计划
　　　　　——太平洋战争前美国的战略演变　　　　　1996·6
徐　蓝　关于1940年美英"驱逐舰换基地"协定的
　　　　　历史考察　　　　　　　　　　　　　　　　2000·4

| | | |
|---|---|---|
| 徐　瑜 | 唐代潮汐学家窦叔蒙及其《海涛志》 | 1978·6 |
| 徐　燕 | 从抗战结束到内战全面爆发期间的 | |
| | 几个历史问题 | 1978·11 |
| 徐夕明 | 我不认为"天朝田亩制度"的性质是反动的 | 1959·9 |
| 徐云霞 | 一八四八年匈牙利革命与沙俄的 | |
| | 反革命武装镇压 | 1978·3 |
| 徐公恃 | 《水浒》的成书及其社会背景 | 1975·6 |
| 徐方平 | 中英早期茶叶贸易 | |
| | ——写于马戛尔尼使华200周年之际 | 1994·3 |
| 徐以骅 | 美国史研究会举行第三届年会 | 1982.4 |
| 徐中舒 | 论西周是封建制社会 | |
| | ——兼论殷代社会性质 | 1957·5 |
| 徐中舒 | 论《战国策》的编写及有关苏秦诸问题 | 1964·1 |
| 徐中舒 | 《羌族史稿》序 | 1983·1 |
| 徐元基 | 从《商务叹》看郑观应对官督商办的态度 | 1984·5 |
| 徐世华 | 关于中共"二大"代表和中央委员名单的 | |
| | 考证 | 1981·2 |
| 徐正林 | 近代英国"大农业"体制新论 | 1995·3 |
| 徐守成 | 落花生并非"外来" | 1958·12 |
| 徐旭生 | 井田新解并论周朝前期士农不分的含义 | 1961·4 |
| 徐有威 | 力行社与西安事变 | 1998·1 |
| 徐志锐 | 二进制数学创始者通辨 | 1985·5 |
| 徐时仪 | 《"买东西"考》献疑 | 1998·2 |
| 徐连达 | 唐代监察制度述论 | 1981·5 |
| 徐连达 | 汉唐科举异同论 | 1990·5 |
| 徐宗勉 | 论"五四"时期的反封建思想革命 | 1979·5 |
| 徐宗勉 | 失败者的探索 | |
| | ——1913—1915年间关于中国如何实现 | |
| | 民主政治的讨论 | 1984·4 |

徐宗勉　早期马克思主义者对社会主义与民主关系的
　　　　认识　　　　　　　　　　　　　　　　　　1992·5
徐宗勉　黎澍的"考求历史真实"及其他　　　　　　1998·5
徐宗勉　胡绳史论二题
　　　　　　——读书笔记　　　　　　　　　　　　2002·3
徐明德　意大利汉学家卫匡国墓地考　　　　　　　　1981·4
徐松巍　刘家和著《古代中国与世界》　　　　　　　1997·6
徐松巍　任爽著《南唐史》　　　　　　　　　　　　1998·4
徐茂明　"家庭·社区·大众心态变迁"国际学术
　　　　研讨会述评　　　　　　　　　　　　　　　1999·1
徐思彦　深入开展戊戌维新运动史研究
　　　　　　——部分史学工作者座谈《戊戌变法史》　1985·5
徐思彦整理　关于历史创造者问题的讨论　　　　　　1986·2
徐思彦　20世纪20年代劳资纠纷问题初探　　　　　1992·5
徐思彦　胡适与中国新文化国际学术研讨会综述　　　1995·5
徐祖根　试论封建社会中农民的平均主义
　　　　　　——兼与董楚平先生商榷　　　　　　　1980·4
徐顺娟等　国外史学动态（4则）　　　　　　　　　1960·5
徐顺娟等　国外史学动态（6则）　　　　　　　　　1962·1
徐泰来　也评洋务运动　　　　　　　　　　　　　　1980·4
徐泰来　洋务运动研究的回顾　　　　　　　　　　　1982·4
徐雪寒　新知书店的战斗历程　　　　　　　　　　　1982·5
徐葆初　读《埃及近代史》　　　　　　　　　　　　1986·5
徐鼎新　中国商会研究综述　　　　　　　　　　　　1986·6
徐嵩龄　一九二四年孙中山的北伐与广州商团事变　　1956·3
徐新吾　中国和日本棉纺织业资本主义萌芽的比较研究
　　　　　　　　　　　　　　　　　　　　　　　　1981·6
徐新吾　中日两国缫丝手工业资本主义萌芽比较研究
　　　　　　　　　　　　　　　　　　　　　　　　1983·6

| 徐楚影 | 中古人民友谊的发展 | 1964·1 |
| 晁福林 | 关于"王侯将相宁有种乎" | 1978·5 |
| 晁福林 | 殷墟卜辞中的商王名号与商代王权 | 1986·5 |
| 晁福林 | 论平王东迁 | 1991·6 |
| 晁福林 | 春秋时期的鬼神观念及其社会影响 | 1995·5 |
| 晁福林 | 探讨有中国特色的社会形态理论 | 2000·2 |
| 晁福林 | 论中国古史的氏族时代 | |
| | ——应用长时段理论的一个考察 | 2001·1 |
| 晏绍祥 | 简评《从分散到整体的世界史》（上古分册） | 1990·5 |
| 晏绍祥 | 雅典首席将军考辨 | 2002·2 |
| 柴 平 | 耶律大石北奔年代考 | 1994·6 |
| 粟式祖等 | 国内史学动态（4 则） | 1961·5 |
| 栾成显 | 明代黄册人口登载事项考略 | 1998·2 |
| 桑 兵 | 清末兴学热潮与社会变迁 | 1989·6 |
| 桑 兵 | 庚子保皇会的勤王谋略及其失败 | 1993·1 |
| 桑 兵 | 甲午战后台湾内渡官绅与庚子勤王运动 | 1995·6 |
| 桑 兵 | 晚清民国时期的国学研究与西学 | 1996·5 |
| 桑 兵 | 伯希和与近代中国学术界 | 1997·5 |
| 桑 兵 | 陈寅恪与清华研究院 | 1998·4 |
| 桑 兵 | 日本在中国接受西方近代思想中的作用 | |
| | ——梁启超个案国际研讨会述评 | 1999·1 |
| 桑 兵 | 近代中国学术的地缘与流派 | 1999·3 |
| 桑 兵 | 纪念陈寅恪教授国际学术研讨会述评 | 2000·2 |
| 桑 兵 | 东方考古学协会述论 | 2000·5 |
| 桑 兵 | 近代学术转承：从国学到东方学 | |
| | ——傅斯年《历史语言研究所工作之旨趣》 | |
| | 解析 | 2001·3 |
| 桑 兵 | 章太炎晚年北游讲学的文化象征 | 2002·4 |

桑　兵　梁启超的东学、西学与新学
　　　　　——评狭间直树《梁启超·明治日本·西方》
　　　　　　　　　　　　　　　　　　　　　　2002·6

桑　兵　横看成岭侧成峰：学术视差与胡适的学术地位
　　　　　　　　　　　　　　　　　　　　　　2003·5

桑咸之　为什么说五四运动是新民主主义革命的开始　1963·2

殷　晴　古代于阗的南北交通　　　　　　　　　　1992·3

殷世伦　学习列宁的伟大遗产　　　　　　　　　1959·11

殷叙彝　十月革命对中国革命的影响　　　　　　1957·10

殷叙彝　马克思和恩格斯反对机会主义的斗争　　　1958·7

殷叙彝　五四新文化运动　　　　　　　　　　　1959·4

殷瑞远　读《近代留学生与中外文化》　　　　　1994·4

浦江清　屈原生年月日的推算问题　　　　　　　1954·1

浩　力　必须遵守学术规范
　　　　　——从"强国之梦"系列丛书说起　　　1997·2

海　陆　铁人传　　　　　　　　　　　　　　　1975·6

海　林　"世界近代史上资本主义国家现代化与资产
　　　　　阶级的历史作用"讨论会纪要　　　　1987·1

涂文学　第六届全国洋务运动史讨论会述评　　　1992·6

砺　冰　"法令滋彰"还是"法物滋彰"?
　　　　　——读帛书本《老子》札记　　　　　1976·2

秦　志　评《美国对亚太政策的演变，1776—1995》　1997·3

秦　晖　汉"金"新论　　　　　　　　　　　　1993·5

秦　翰　评叶玉华先生的几篇文章　　　　　　　1958·6

秦进才　《张之洞家书》辨伪　　　　　　　　　2000·2

秦钦峙　华侨对越南经济文化发展的贡献　　　　1979·6

秦晓鹰　新沙皇的一支招魂曲
　　　　　——评苏修叛徒集团为巴枯宁翻案　　1977·5

秦晓鹰　苏丹人民反殖斗争史上的光辉一页

　　　　——一八八一年至一八八五年的马赫迪

　　　　武装起义　　　　　　　　　　　　1978·3

竞　军　全局在胸　胜利在握

　　　　——学习《关于平津战役的作战方针》1974·1

索文清　一九〇八年第十三世达赖喇嘛晋京朝觐考 2002·3

翁　飞　海峡两岸纪念刘铭传逝世一百周年

　　　　学术研讨会综述　　　　　　　　　1996·2

翁有为　南京政府行政督察专员制废止时间考 2003·1

翁俊雄　隋代均田制研究　　　　　　　　　1984·4

翁俊雄　《通典·州郡门》所载唐代州县建置

　　　　与户口数字系年考　　　　　　　　1986·4

翁俊雄　开元、天宝之际的逃户　　　　　　1991·4

翁俊雄　唐后期民户大迁徙与两税法　　　　1994·3

耿　虎　也谈中央与地方的矛盾和长安三年括户

　　　　——与孟宪实先生商榷　　　　　　2003·1

耿云志　胡适与"五四"时期的新文化运动　1979·5

耿云志　评胡适的历史学成就及其理论和方法 1983·4

耿云志　孙中山的民权主义与辛亥革命的结局 1986·6

耿云志　孙中山早期思想和活动的几个问题　1989·5

耿云志　孙中山与梁启超关于中国现代化的选择 1990·5

耿云志　胡适整理国故平议　　　　　　　　1992·2

耿云志　孙中山宪法思想刍议　　　　　　　1993·4

耿云志　中国新文化的源流及其趋向　　　　1994·2

耿云志　略论梁启超谋救光绪皇帝的活动（1898 年

　　　　9 月—1900 年 9 月）　　　　　　1999·4

耿世民　唆里迷考　　　　　　　　　　　　1980·2

聂宝璋　川江航权是怎样丧失的？　　　　　1962·5

聂宝璋　从美商旗昌轮船公司的创办与发展看买办的作用 1964·2

聂宝璋　十九世纪六十年代外国在华洋行势力的扩张　　1984·6

聂宝璋　1870 至 1895 年在华洋行势力的扩张　　1987·1

聂紫霞　研究儒法斗争和整个阶级斗争的历史　占领
　　　　史学阵地　　1976·1

莫世祥　明代广西大藤峡瑶族人民的反孔斗争　　1975·2

莫世祥　护国运动时期商人心理研究　　1986·4

莫世祥　孙中山香港之行

　　　　——近代香港英文报刊中的孙中山史料研究　　1997·3

袁　明　四十年代后期中美关系史研究的动向　　1985·6

袁　明　新中国成立前后的美国对华政策观　　1987·3

袁　林　秦《为田律》农田规划制度再释　　1992·4

袁　觉　外国新书介绍　　1957·7

袁　霞　宋代户口　　1957·3

袁一堂　北宋钱荒：从币制到流通体制的考察　　1991·4

袁一堂　北宋的市籴与民间货币流通　　1994·5

袁定中　关于太平天国革命的性质问题

　　　　——兼评郭毅生"略论太平天国革命的
　　　　性质"一文　　1957·8

袁定中　那拉氏反动的一生　　1958·10

袁英光　"战国策派"反动史学观点批判　　1959·1

袁英光　唐初政权与政争的性质问题

　　　　——唐初武德、贞观年间的阶级斗争与
　　　　统治阶级内部斗争　　1964·2

袁英光　夏燮与《明通鉴》研究　　1980·1

袁英光　王著《魏晋南北朝史》评介　　1982·1

袁英光　陈寅恪对隋唐史研究的贡献　　1988·6

袁英光　略论王国维与陈寅恪　　1992·1

袁祖亮　十六国北朝人口蠡测

　　　　——与王育民同志商榷　　1991·2

袁祖亮　中国古代人口史研究回顾与展望　　　　　　1996·5

袁家和等　国内史学动态（10 则）　　　　　　　　1961·6

袁深波　乌兰布通考　　　　　　　　　　　　　　　1978·8

袁继成　武汉工人纠察队交枪事件的考察　　　　　　1980·6

袁森坡　乌兰布通之战考察　　　　　　　　　　　　1983·4

诸葛计　驳"四人帮"在农民战争问题上的反马克思

　　　　主义谬论　　　　　　　　　　　　　　　　1977·1

诸葛计　林彪反党集团故伎的重演

　　　　　　——评李时的一篇反党乱军黑文　　　　1977·6

诸葛计　且看庐山真面目

　　　　　　——评广东某"史学权威"　　　　　　1978·5

诸葛计　宋慈及其《洗冤集录》　　　　　　　　　　1979·4

诸葛计　《明末农民战争史》简评　　　　　　　　　1987·5

贾　岩　评"中国历史概要"　　　　　　　　　　　1956·8

贾大泉　宋代四川地区的茶业和茶政　　　　　　　　1980·4

贾维诚　批判荣孟源在对待史料上的恶劣作风　　　　1957·11

贾敬颜　西夏学研究的回顾与展望

　　　　　　——兼评《文海研究》　　　　　　　　1986·1

贾熟村　太平天国革命的性质问题

　　　　　　——对郭毅生"论新兴市民等级在天平天国

　　　　　　　革命中的作用"一文的看法　　　　　1957·8

贾熟村　淮军初建的几个问题　　　　　　　　　　　1988·4

逄振镐　东夷及其史前文化试论　　　　　　　　　　1987·3

郭　锋　唐代道制的改革与三级制地方行政体制的形成

　　　　　　　　　　　　　　　　　　　　　　　2002·6

郭卫东　《江南善后章程》及相关问题　　　　　　　1995·1

郭卫东　"照会"与中国外交文书近代范式的初构　　2000·3

郭大钧　从"九·一八"到"八·一三"国民党政府

　　　　对日政策的演变　　　　　　　　　　　　　1984·6

郭丹彤　纳尔迈调色板和古代埃及统一　2000・5

郭化若　《孙子兵法》评介　1977・3

郭化若　红军从游击战到运动战的伟大战略转变
　　　　毛主席伟大革命实践回忆之一　1977・5

郭化若　横扫七百里的辉煌胜利
　　　　——毛主席伟大革命实践回忆之二　1978・1

郭化若　粉碎蒋介石亲自指挥的第三次"围剿"
　　　　——毛主席伟大革命实践回忆之三　1979・9

郭少棠　文化的冲击与超越：当代香港史学　2003・1

郭世佑　筹划庚子勤王运动期间梁、孙关系真相　1998・5

郭世佑　梁启超佚函中的绑架刘学询方案　2000・2

郭圣铭　文艺复兴时期西欧的史学　1981・2

郭汉民　太平天国与晚清政治　1993・3

郭存孝供稿　新发现的太平天国告谕三件　1981・2

郭存孝　关于新发现的太平天国告谕三件的考释　1981・2

郭庆昌　对宋大仁先生《中国和阿拉伯的医疗交流》
　　　　一文的意见　1959・6

郭希华　抗日战争时期中国损失调查及赔偿问题　1995・5

郭沂纹　评《美国军事史纲》　1993・4

郭沂纹　读《英国政治制度史》　1996・5

郭沂纹　刘文涛著《伟大的解放者——林肯》　1999・6

郭宝林　北宋的州县学　1988・2

郭松义　清代403宗民刑案例中的私通行为考察　2000・3

郭松义　历史、史学与性别·开展性别是研究需要做
　　　　大量基础性工作　2002・6

郭沫若　开展历史研究，迎接文化建设高潮
　　　　——为《历史研究》发刊而作　1954・1

郭沫若　侈靡篇的研究　1954・3

郭沫若　《太史公行年考》有问题　1955・6

| | | |
|---|---|---|
| 郭沫若 | 研究历史应当厚今薄古 | 1958·5 |
| 郭沫若 | 关于中国古史研究中的两个问题 | 1959·6 |
| 郭沫若 | 由郑成功银币的发现说到郑氏经济政策的转变 | |
| | | 1963·1 |
| 郭沫若 | 再谈有关郑成功银币的一些问题 | 1963·2 |
| 郭沫若 | 郭沫若同志关于《资本论》一处译文的信 | 1964·3 |
| 郭沫若 | 捧读《毛泽东选集》第五卷 | |
| | ——调寄《沁园春》 | 1977·3 |
| 郭润涛 | 中国近代社会史研究述评 | 1993·1 |
| 郭培贵 | 《明代外国官生在华留学及科考》质疑 | 1997·5 |
| 郭瑞祥 | 关于"人民群众是历史的创造者" | |
| | ——兼与黎澍同志商榷 | 1986·3 |
| 郭德宏 | 关于党的民主革命总路线基本思想的形成 | 1980·1 |
| 郭德宏 | 试论大革命时期的土地斗争 | 1983·2 |
| 郭毅生 | 论新兴市民等级在太平天国革命中的作用 | 1956·3 |
| 郭毅生 | 如何评价杨秀清 | |
| | ——太平天国的"五主"、"八位万岁"与 | |
| | "天京事变"的考察 | 1978·6 |
| 郭毅生 | 《天朝田亩制度》的经济背景及其性质 | |
| | ——关于农民平均主义的评价问题 | 1981·3 |
| 郭毅生 | 太平天国史研究的一座丰碑 | |
| | ——评罗尔纲著《太平天国史》 | 1992·4 |
| 郭毅生 | 太平天国壁画人物论 | 1996·6 |
| 郭豫庆 | 近代英国"大农业"体制新论 | 1995·3 |
| 郭豫明 | 东、西捻军究竟于何时何地分军？ | 1981·2 |
| 郭曦晓 | 宁案与中美外交 | 1992·5 |
| 钱　杭 | 中国古代世系学研究 | 2001·6 |
| 钱大群 | 《唐律疏议》结构及书名辨析 | 2000·4 |
| 钱小明 | 国外有关中国资产阶级研究概述 | 1983·3 |

钱学森　用系统科学方法使历史科学定量化　　　　1986·4
钱宝琮　从春秋到明末的历法沿革　　　　　　　　1960·3
钱剑夫　汉代"案比"制度的渊源及其流演　　　　1988·3
钱乘旦　英国王权的发展及文化与社会内涵　　　　1991·5
钱乘旦　20 世纪英国政治制度的继承与变异　　　　1995·2
钱乘旦　中国的英国史研究　　　　　　　　　　　1997·5
陶飞亚　晚清"西学源于中学"说　　　　　　　　1987·4
陶飞亚　《哈佛燕京学社》补正　　　　　　　　　1999·6
陶飞亚　耶稣家庭与中国的基督教乌托邦　　　　　2002·1
陶飞亚　东亚基督教的再诠释：近代东西文化交流国际
　　　　学术讨论会述评　　　　　　　　　　　2003·1
陶文钊　1949—1950 年美国对华政策与承认问题　1993·4
陶文钊　太平洋战争期间的香港问题　　　　　　　1994·5
陶文钊　开罗会议是美国对华政策的转折点吗?　　1995·6
陶文钊　费正清与美国的中国学　　　　　　　　　1999·1
陶季邑　正气会二题　　　　　　　　　　　　　　1990·6
钱小明　国外洋务运动研究概述　　　　　　　　　1985·3
顾　宁　关于亚洲冷战的中美对话国际学术讨论会综述

　　　　　　　　　　　　　　　　　　　　　2002·2
顾　诚　李岩质疑　　　　　　　　　　　　　　　1978·5
顾　诚　"古元真龙皇帝"试释　　　　　　　　　1979·8
顾　诚　明帝国的疆土管理体制　　　　　　　　　1989·3
顾　诚　沈万三及其家族事迹考　　　　　　　　　1999·1
顾卫民　广州通商制度与鸦片战争　　　　　　　　1989·1
顾长声　传教士与近代中西文化交流　　　　　　　1989·3
顾章义　第二次世界大战与非洲的觉醒　　　　　　1963·5
顾颉刚　《尚书·大诰》今译（摘要）　　　　　　1962·4
顾銮斋　论雅典奴隶制民主政治的形成　　　　　　1996·4
高　军　对曹操屯田的几点看法　　　　　　　　　1975·1

| 高 亨 | 《十大经》》初论 | 1975·1 |
| 高 岱 | "殖民主义"与"新殖民主义"考释 | 1998·2 |
| 高 岱 | 英法殖民地行政管理体制特点评析 | |
| | （1850—1945） | 2000·4 |
| 高 敏 | 关于西晋占田、课田制的几个问题 | 1983·3 |
| 高 敏 | 秦汉邮传制度考略 | 1985·3 |
| 高 敏 | 曹魏士家制度的形成与演变 | 1989·5 |
| 高 敏 | 两晋时期兵户制考略 | 1992·6 |
| 高 敏 | 东汉魏晋时期州郡兵制度的演变 | 1996·3 |
| 高 敏 | 魏晋南朝"送故"制度考略 | 2000·6 |
| 高 蓓 | 陈兼著《毛泽东的中国与冷战》 | 2002·5 |
| 高 毅 | 福柯史学刍议 | 1994·6 |
| 高力克 | 福泽谕吉与梁启超近代化思想比较 | 1992·2 |
| 高大伦 | 尹湾汉墓木牍《集簿》中户口统计资料研究 | 1998·5 |
| 高小斯 | 秦末农民大起义的原因何在？ | 1977·2 |
| 高世瑜 | "中国封建地主阶级研究"学术讨论会述要 | 1984·3 |
| 高世瑜 | 唐玄宗崇道浅论 | 1985·4 |
| 高世瑜 | 中国社会史第三次研讨会综述 | 1991·1 |
| 高世瑜 | 历史、史学与性别·关于妇女史研究的几点 | |
| | 思考 | 2002·6 |
| 高乐才 | 日本"百万户移民"国策评析 | 1999·3 |
| 高全朴 | "五四"时期李大钊同志反对资产阶级改良 | |
| | 主义的斗争 | 1959·6 |
| 高兴祖 | 日军第十六师团南京中山门外屠杀真相 | 1995·4 |
| 高纪春 | 攻瑕批谬 意在求全 | |
| | ——评《司马光日记校注》 | 1997·4 |
| 高志辛 | 评《魏晋南北朝隋初唐史》上册 | 1964·4 |
| 高春常 | 英国历史传统与北美奴隶制的起源 | 2001·2 |
| 高鸿志 | 关于乍浦镇江之役的旗军 | 1958·6 |

高鸿志　孙中山致威尔逊的三封电函　　　　　　1994·4
高聪明　论宋代的货币地租
　　　　——与包伟民商榷　　　　　　　　　1992·5

# 十　一　画

商　传　历史、史学与性别·传统史学、新史学与
　　　　社会性别史　　　　　　　　　　　　2002·6
商　传　史学传统与晚明史研究　　　　　　　　2003·1
商　鼎等　国外史学动态（10 则）　　　　　　1962·4
商　鼎等　国外史学动态（9 则）　　　　　　　1962·5
商鸿逵　明清之际山海关战役的真相考察　　　　1978·5
崔　丕　美国国家安全委员会第 13/2 号文件形成探微　1992·3
崔　丕　美国关于日本战争赔款政策的演变　　　1995·4
崔　丕　美国国家安全委员会第 81/1 号文件形成问题
　　　　研究　　　　　　　　　　　　　　　1996·6
崔　丕　美国经济遏制战略与高新技术转让限制　2000·1
崔　丕　美国《共同防卫援助统制法（1951）》的形成
　　　　及其影响　　　　　　　　　　　　　2002·3
崔在容　西汉京畿制度的特征　　　　　　　　　1996·4
崔连仲　古代印度的种姓制度　　　　　　　　　1977·4
崔明德　唐代西北少数民族人口初探　　　　　　1997·5
常　征　谁是坎儿井的创造者？兼辨大宛国弎师城　1982·3
常　悟　关于中国奴隶制向封建制过渡的问题　　1959·3
常宗虎　社会史浅论　　　　　　　　　　　　　1995·1
常建华　中国社会史研究十年　　　　　　　　　1997·1
常建华　二十世纪的中国宗族研究　　　　　　　1999·5

常建华　聚焦于明清以来的中国
　　　　——明清以来的中国社会国际学术讨论会
　　　　综述　　　　　　　　　　　　　　2000・1
常新民　中华人民共和国成立十年来在解决国内民族
　　　　问题方面的成就　　　　　　　　　1960・1-2
康　民　"文景之治"辨　　　　　　　　　　1976・2
康　立　论张良政治立场的转变　　　　　　1974・1
康　立　《十大经》的思想和时代　　　　　1975・3
戚本禹　评李秀成自述
　　　　——并同罗尔纲、梁岵庐、吕集义等先生
　　　　商榷　　　　　　　　　　　　　　1963・4
戚本禹　怎样对待李秀成的投降变节行为?　1964・4
戚本禹　为革命而研究历史　　　　　　　　1965・6
戚立煌　中国封建社会"农民政权"的两重性及其
　　　　向封建性政权转化的必然性　　　　1962・3
戚其章　关于西周社会性质的问题　　　　　1955・5
戚其章　方伯谦被杀是一桩冤案吗?
　　　　——与季平子同志商榷　　　　　　1981・6
戚其章　要抓住史学研究中的重要问题　　　1982・2
戚其章　关于中国近代史基本线索的几点意见　1985・6
戚其章　论乙未割台的历史背景　　　　　　1994・6
戚其章　甲午战争赔款问题考实　　　　　　1998・3
戚其章　中日甲午战争史研究的世纪回顾　　2000・1
戚国淦　十六世纪中英政治制度比较　　　　1987・4
戚国淦　西方社会史名著:《失去的世界》　1994・3
曹　之　英山毕昇考　　　　　　　　　　　1996・5
曹屯裕　吴晗所宣扬的"三勤"是他和党争夺青年的
　　　　一张"王牌"　　　　　　　　　　1966・3
曹文柱　六朝时期江南社会风气的变迁　　　1988・2

曹文柱　两晋之际流民问题的综合考察　1991·2

曹文柱　二十世纪魏晋南北朝史研究　2002·5

曹月堂　《士人与社会》（秦汉魏晋南北朝卷）评介　1994·3

曹永年　试论东晋末年农民起义的变质　1965·2

曹永年　秦始皇时期的社会经济　1976·3

曹永年　柔然源于杂胡考　1981·2

曹永年　早期拓跋鲜卑的社会状况和国家的建立　1987·5

曹永年　《明后期长城沿线的民族贸易市场》考误　1996·3

曹伯言　王船山历史观研究　1965·5

曹国祉　太平天国杂税考　1958·3

曹树基　对明代初年田土数的新认识

　　　　——兼论明初边卫所辖的民籍人口　1996·1

曹树基　鼠疫流行与华北社会的变迁（1580—1644年）　1997·1

曹树基　是学术创新，还是低水平的资料编纂？

　　　　——评杨子慧主编《中国历代人口统计

　　　　资料研究》　1998·1

曹树基　太平天国战争对苏南人口的影响　1998·2

曹树基　我的一点说明　2001·3

曹树基　马尔萨斯理论和清代以来的中国人口

　　　　——评美国学者近年来的相关研究　2002·1

曹贵林　李岩述论　1964·4

曹贵林　论大顺政权的性质

　　　　——与孙祚民先生商榷　1965·1

曹贵林　明末李自成起义军中的两条路线　1976·3

曹特金　巴黎公社的可耻叛徒

　　　　——评苏修对巴黎公社历史经验的歪曲　1976·1

曹特金　新沙皇的一支招魂曲

　　　　——评苏修叛徒集团为巴枯宁翻案　1977·5

曹道衡　试论王船山思想的几个问题　1964·4

梁　效　农民战争的伟大历史作用
　　　　——学习《中国革命和中国共产党》的
　　　　　一点体会　　　　　　　　　　　　1974·1
梁　效　论陈胜吴广农民大起义的历史功勋　　1975·1
梁　效　论李商隐的《无题》诗　　　　　　　1975·2
梁　效　等级制度与林彪复辟资本主义的阴谋　1975·3
梁　效　洋务运动与洋奴哲学　　　　　　　　1975·5
梁从诫　胡适不是研究历史，而是歪曲和捏造历史
　　　　——在批判胡适历史观点讨论会上的发言　1955·3
梁元生　《哈佛燕京学社》补正　　　　　　　1999·6
梁方仲　十三种《食货志》介绍　　　　　　　1981·1
梁占军　意埃战争爆发后法英在对意制裁问题上的
　　　　合作与分歧　　　　　　　　　　　　2001·4
梁玉魁　关于中华民国工党的性质问题　　　　1959·6
梁任葆　对束著"洪秀全"一书的意见　　　　1957·1
梁任葆　石达开回师广西的斗争及其和大成国的关系　1957·9
梁其姿　麻风隔离与近代中国　　　　　　　　2003·5
梁英明　北京市历史学会成立　　　　　　　　1961·1
梁茂信　美国革命时期黑奴制合法地位的确立　1997·6
梁茂信　当代美国大都市区中心城市的困境　　2001·6
梁尚贤　试论大革命时期的土地斗争　　　　　1983·2
梁森泰　关于唐初政权性质的几个问题　　　　1965·6
梅伟强　苏丹人民反殖斗争史上的光辉一页
　　　　——一八八一年至一八八五年的
　　　　　马赫迪武装起义　　　　　　　　　1978·3
盛　斌　周学熙资本集团的垄断倾向　　　　　1986·4
盛邦和　19世纪与20世纪之交的日本亚洲主义　2000·3
章　清　近代中国留学生发言位置转换的学术意义
　　　　——兼析近代中国知识样式的转型　　1996·4

章　清　"学术社会"的建构与知识分子的"权势网络"

　　　　——《独立评论》群体及其角色与身份　　2002·4

章开沅　中国近代史分期问题的讨论（来稿摘要）　1957·3

章开沅　论张謇的矛盾性格　　　　　　　　　　1963·3

章开沅　论同盟会的性质及其内部分歧　　　　1978·11

章开沅　辛亥革命史研究中的一个问题　　　　　1981·4

章开沅　辛亥革命与江浙资产阶级　　　　　　　1981·5

章开沅　关于改进研究中国资产阶级方法的若干意见　1983·5

章开沅　民族运动与中国近代史的基本线索　　　1984·3

章开沅　从离异到回归

　　　　——孙中山与传统文化的关系　　　　　1987·1

章开沅　法国大革命与辛亥革命　　　　　　　　1989·4

章开沅　献身甘作万矢的 论著求为百世师　　　1989·5

章开沅　《俱分进化论》的忧患意识　　　　　　1989·5

章开沅　愤悱·讲画·变力

　　　　——对外反应与中国近代化　　　　　　1991·2

章开沅　到底是谁在制造伪证？

　　　　——驳田中正明著《南京大屠杀之虚构》

　　　　　对贝德士的诋毁　　　　　　　　　　1999·2

章开沅　"讲述老百姓自己的故事"

　　　　——评介艾尔松的《爱达荷华人往事》　2001·4

章开沅　张汤交谊与辛亥革命　　　　　　　　　2002·1

章百家　抗日战争时期国共两党的对美政策　　　1987·3

章百家　1945—1955 年中美关系史学术讨论会述评　1987·3

章百家　美国对华政策新解

　　　　——评《从赫尔利到马歇尔》　　　　　1990·4

章伯锋　"西原借款"与日皖勾结　　　　　　　1977·6

章伯锋　《田中奏折》的真伪问题　　　　　　　1979·2

章伯锋　皖系军阀与日本帝国主义的关系　　　　1982·6

| 章鸣九 | 评戚本禹的《爱国主义还是卖国主义?》 | 1979·12 |
| 章鸣九 | 洋务运动研究的回顾 | 1982·4 |
| 章鸣九 | 近几年国内关于洋务运动的研究 | 1985·3 |
| 章鸣九 | 洋务运动后期进步知识分子的改革思想 | 1985·6 |
| 章鸣九 | 商会档案整理情况介绍 | 1987·4 |
| 章鸣九 | 论李鸿章的变法思想 | 1989·6 |
| 章冠英 | 关于汉民族何时形成的一些问题的商榷 | 1956·11 |
| 章冠英 | 两晋南北朝时期民族大变动中的廪君蛮 | 1957·2 |
| 粘尚友 | 厦门大学历史系第二次科学讨论会 | 1957·7 |
| 粘尚友 | 厦门大学历史系 一九五六年——一九五七年的<br>教学与科学研究工作 | 1957·11 |
| 菲 铭 | 庄周故里辨 | 1979·10 |
| 萧国亮 | 清代两淮盐商的奢侈性消费及其经济影响 | 1982·4 |
| 萧国亮 | 论清代纲盐制度 | 1988·5 |
| 萧致治 | 中英早期茶叶贸易<br>——写于马戛尔尼使华200周年之际 | 1994·3 |
| 萧致治 | 黄兴首次赴日时间及其思想转变小考 | 1999·1 |
| 萨 那等 | 国外学术动态(5则) | 1961·2 |
| 阎守诚整理 | 唐代士卒、庶族问题讨论会综述 | 1984·4 |
| 阎守诚 | 重农抑商试析 | 1988·4 |
| 阎来恩 | 关于1942年能否开辟第二战场之我见<br>——与石磊、金重远同志商榷 | 1984·6 |
| 阎步克 | 春秋战国时"信"观念的演变及其社会原因 | 1981·6 |
| 阎步克 | 秦政、汉政与文吏、儒生 | 1986·3 |
| 阎步克 | 周齐军阶散官制度异同论 | 1998·2 |
| 阎步克 | "品位—职位"视角中的传统官阶制五期演化 | 2001·2 |
| 阎步克 | 北齐官品的年代问题 | 2001·3 |
| 阎步克 | 从《秩律》论战国秦汉间禄秩序列的纵向<br>伸展 | 2003·5 |

阎崇年　袁崇焕籍贯考　1982·1

阎崇年　中国封建贵族史的开山之作

　　　　——评《清代八旗王公贵族兴衰史》　1987·2

阎崇年　《无圈点老档》及乾隆抄本名称诠释　1998·3

阎康年　科学技术和产业革命的内在机制与世界历史

　　　　发展　1992·2

阎照祥　论英国贵族政治权势在近代的延续　1991·4

阎照祥　论近代晚期英国内阁权力的扩张　1993·4

隋　斌　哲军始终坚持对资产阶级的全面专政

　　　　——学习列宁关于巩固无产阶级专政的

　　　　　　理论和实践的体会　1975·6

隗瀛涛　西方宗教势力在长江上游地区的拓展　1991·3

隗瀛涛　纪念《历史研究》创刊四十周年·创新扶青是

　　　　《历史研究》的两大特色　1994·1

黄　乃　黄兴在辛亥武昌首义以后　1982·2

黄　伟　古老黄河展新容　1975·6

黄　苇　论宋元地方志书　1983·3

黄　彦　太平天国有一个"革命哲学思想体系"吗?

　　　　——兼评哲学史研究中的一种思潮　1978·12

黄　彦　介绍孙中山《致郑藻如书》　1980·6

黄　彦　介绍《孙中山全集》第一卷　1981·5

黄　彦　请为《介绍〈孙中山全集〉第一卷》勘误数处

　　　　1982·2

黄　洋　希腊城邦社会的农业特征　1996·4

黄　洋　希腊城邦的公共空间与政治文化　2001·5

黄　洋　民主政治诞生2500周年?

　　　　——当代西方雅典民主政治研究　2002·6

黄　坤　梁启超多变论　1987·4

黄　浩　昏礼起源考辨　1996·1

| | | |
|---|---|---|
| 黄　烈 | 释汉简中有关汉代社会性质诸例 | 1957・6 |
| 黄　烈 | 五胡汉化与五胡政权的关系 | 1963・3 |
| 黄　烈 | 评《魏晋南北朝隋初唐史》上册 | 1964・4 |
| 黄　烈 | 有关氏族来源和形成的一些问题 | 1965・2 |
| 黄　烈 | 魏晋南北朝民族关系的几个理论问题 | 1985・3 |
| 黄　烈 | 郭沫若史学思想与西方文化的影响 | 1992・2 |
| 黄　真 | 关于《庶民的胜利》的发表和《Bolshevism 的胜利》的写作 | 1980・4 |
| 黄　振 | 美国革命对法国大革命的影响 | 1989・4 |
| 黄子通 | 春秋战国时代的奴隶制 | 1956・6 |
| 黄山松 | 中国宋史国际学术会议讨论会述要 | 1985・5 |
| 黄中业 | "粪种"解 | 1980・5 |
| 黄今言 | 汉代期门羽林考释 | 1996・2 |
| 黄永年 | 唐代两税法杂考 | 1981・1 |
| 黄立人 | 抗日战争时期工厂内迁的考察 | 1994・4 |
| 黄立茀 | 苏联新经济政策时期农村的雇佣关系 | 1988・5 |
| 黄汉民等 | 国内史学动态（8 则） | 1962・3 |
| 黄光域 | 关于赫德致金登干的书信 | 1979・12 |
| 黄光域 | 第二次鸦片战争时英军所掠广州各官衙档案的下落 | 1980・3 |
| 黄兴涛 | 读《奕䜣慈禧政争记》 | 1991・4 |
| 黄朴民 | 先秦诸子军事思想异同初探 | 1996・5 |
| 黄约瑟 | 读三本李世民传记 | 1987・5 |
| 黄约瑟 | "大唐商人"李延孝与九世纪中日关系 | 1993・4 |
| 黄自敬 | 关于巴中县苏维埃政府禁烟布告 | 1958・8 |
| 黄启臣 | 清代前期海外贸易的发展 | 1986・4 |
| 黄怀信 | 利簋铭文再认识 | 1998・6 |
| 黄丽镛 | 魏源《海国图志》研究——魏源史学研究之二 | 1963・4 |

| 黄时鉴 | 中国古代对陨石的记载和认识 | 1976·4 |
|---|---|---|
| 黄时鉴 | 火长 | 1978·3 |
| 黄时鉴 | 元好问与蒙古国关系考辨 | 1981·1 |
| 黄时鉴 | 关于茶在北亚和西域的早期传播 | 1993·1 |
| 黄时鉴 | 《光明之城》伪书考 | 2001·3 |
| 黄明光 | 明代外国官生在华留学及科考 | 1995·3 |
| 黄佩瑾 | 魏晋南北朝的农奴制人身依附关系 | 1985·2 |
| 黄宗智 | 发展还是内卷？十八世纪英国与中国 | |
| | ——评彭慕兰《大分岔：欧洲，中国及现代世界经济的发展》 | 2002·4 |
| 黄定天 | 二十世纪的中俄关系史研究 | 1999·4 |
| 黄绍湘 | 开创我国美国史研究新局面的浅见 | 1984·1 |
| 黄绍湘 | 美国的总统制 | 1989·3 |
| 黄绍湘 | 《美国工人运动史》评介 | 1994·6 |
| 黄金山 | 汉代家庭成员的地位和义务 | 1988·2 |
| 黄思骏 | 英国学者论印度农民起义 | 1977·5 |
| 黄思骏 | 论印度柴明达尔地权制度 | 1983·5 |
| 黄思骏 | 三十五年来我国史学界关于印度史若干重大问题的争论 | 1984·6 |
| 黄思骏 | 印度中世纪早期国王赐赠土地与封建制的产生 | 1992·5 |
| 黄思骏 | 中印两国在近代觉醒过程中的经验教训 | |
| | ——评《东方的觉醒》 | 1993·1 |
| 黄思骏 | 英国殖民统治时期印度农业的商品化 | 1995·3 |
| 黄春高 | 14—16世纪英国租地农场的历史考察 | 1998·3 |
| 黄美真 | 沦陷时期的上海工运 | 1994·4 |
| 黄宽重 | 海峡两岸宋史研究动向 | 1993·3 |
| 黄晓芬 | 从《日书》看秦人鬼神观及秦文化特征 | 1987·4 |
| 黄爱平 | 清初学术发展规律的有益探索 | |
| | ——评《清初学术思辨录》 | 1994·4 |

| | | |
|---|---|---|
| 黄留珠 | 秦简"敖童"解 | 1997·5 |
| 黄盛璋 | 周都丰镐与金文中的葊京 | 1956·10 |
| 黄盛璋 | 释初吉 | 1958·4 |
| 黄盛璋 | 楚王城 | 1960·1–2 |
| 黄盛璋 | 大丰段铭制作的年代、地点与史实 | 1960·6 |
| 黄盛璋 | 关于古代中国与尼泊尔的文化交流 | 1962·1 |
| 黄盛璋 | 文单国——老挝历史地理新探 | 1962·5 |
| 黄盛璋 | 关于中国纸和造纸法传入印巴次大陆的时间和路线问题 | 1980·1 |
| 黄盛璋 | 唐代户口的分布与变迁 | 1980·6 |
| 黄盛璋 | 曹操主持开凿的运河及其贡献 | 1982·6 |
| 黄盛璋 | "汉匈奴破醢房长"及其有关史实发覆 | 1994·2 |
| 黄逸峰 | 中国洋务运动与日本明治维新在经济发展上的比较 | 1963·1 |
| 黄逸峰 | 关于旧中国买办阶级的研究 | 1964·3 |
| 黄逸峰 | 帝国主义侵略中国的一个重要支柱——买办阶级 | 1965·1 |
| 黄逸峰 | 五卅运动中的大资产阶级 | 1965·3 |
| 黄逸峰 | 重评洋务运动 | 1979·2 |
| 黄逸峰 | 要恰当地评价洋务运动的积极作用——答徐泰来同志 | 1980·6 |
| 黄惠贤 | 试论魏末北镇镇民暴动的性质 | 1964·1 |
| 黄道炫 | 王学及其现代命运 | 1994·4 |
| 黄鉴晖 | 清代帐局初探 | 1987·4 |
| 黄彰健 | 释《武成》与金文月相——兼论《晋侯稣编钟》及武王伐纣年 | 1998·2 |
| 黄壁荣等 | 国内史学动态（8则） | 1962·4 |
| 龚书铎 | 近代中国文化结构的变化 | 1985·1 |
| 龚书铎 | 辛亥革命与文化 | 1989·5 |

龚书铎　还中国近代史以本来面貌　　　　　　　　　　1990·1
龚书铎　读《奕䜣慈禧政争记》　　　　　　　　　　　1991·4
龚延明　宋代官吏的管理制度　　　　　　　　　　　　1991·6
龚延明　中国历代职官别名研究　　　　　　　　　　　1998·6
龚延明　科举制定义再商榷　　　　　　　　　　　　　2003·6

# 十 二 画

傅　孙　评唐晓文的三篇代表作　　　　　　　　　　　1978·1
傅子凌　明清档案馆历史档案整理工作在大跃进中　　　1959·1
傅白芦　反思中的探索
　　　　　——评《再思集》关于发展中国历史学的
　　　　　　见解　　　　　　　　　　　　　　　　　1987·3
傅衣凌　我对于明代中叶以后雇佣劳动的再认识　　　　1961·3
傅衣凌　关于中国封建社会后期经济发展的若干问题的
　　　　　考察　　　　　　　　　　　　　　　　　　1963·4
傅衣凌　明末南方的"佃变"、"奴变"　　　　　　　　1975·5
傅衣凌　清代农业资本主义萌芽问题的一个探索
　　　　　——江西新城《大荒公禁栽秧约》一篇
　　　　　　史料的分析　　　　　　　　　　　　　　1977·5
傅志明　焦达峰、陈作新被杀一案析疑　　　　　　　　1985·6
傅贵九　《东华录》作者新证　　　　　　　　　　　　1984·5
傅贵九　蒋氏《东华录》作者补证　　　　　　　　　　1989·6
傅振伦　方志——史料的宝库　　　　　　　　　　　　1978·5
傅璇琮　关于唐代登科记的考索　　　　　　　　　　　1984·3
喻权域　宝瓶口和沱江是李冰之前开凿的　　　　　　　1978·1
喻松青　道教的起源和形成　　　　　　　　　　　　　1963·5
喻松青　明清时期的民间秘密宗教　　　　　　　　　　1987·2
喻松青　《转天图经》新探　　　　　　　　　　　　　1988·2

嵇文甫　批判胡适的多元历史观　　　　　　　　　　　1955·4

嵇文甫　王船山与李卓吾　　　　　　　　　　　　　　1961·6

嵇文甫　王船山的史学方法论　　　　　　　　　　　　1962·2

彭　卫　中国社会史研究笔谈·时代体验与历史

　　　　知识的汇合　　　　　　　　　　　　　　　1993·2

彭　华　陈寅恪"种族与文化"观辨微　　　　　　　　2000·1

彭　明　五四时期的李大钊和陈独秀　　　　　　　　　1962·6

彭　明　论五四时期的理性精神　　　　　　　　　　　1989·3

彭　明　纪念《历史研究》创刊四十周年·祝贺与希望

　　　　　　　　　　　　　　　　　　　　　　　1994·1

彭　明　评《中华民国史》第二编第五卷　　　　　　　1997·1

彭　林　五帝史研究的方法问题

　　　　　　——评骆宾基《金文新考》　　　　　　1989·3

彭　林　《周礼》五行思想新探　　　　　　　　　　　1990·3

彭　海　关于马可波罗在扬州的时间　　　　　　　　　1980·2

彭小瑜　新巴比伦神庙经济中的"喜尔库"　　　　　　1988·2

彭小瑜　中世纪西欧教会法对教会与国家关系的理解

　　　　和规范　　　　　　　　　　　　　　　　2000·2

彭邦炯　《甲骨文合集》的反顾与《甲骨文合集补编》

　　　　的编纂　　　　　　　　　　　　　　　　1999·5

彭坤元　苏丹人民反殖斗争史上的光辉一页

　　　　——一八八一年至一八八五年的马赫迪

　　　　　　武装起义　　　　　　　　　　　　　1978·3

彭忠德　《贞观政要》的版本和佚文　　　　　　　　　2002·6

彭泽益　清代广东洋行制度的起源　　　　　　　　　　1957·1

彭泽益　关于洪大全的历史问题　　　　　　　　　　　1957·9

彭泽益　鸦片战后十年间银贵钱贱波动下的中国经济

　　　　与阶级关系　　　　　　　　　　　　　　1961·6

| | | |
|---|---|---|
| 彭泽益 | 从明代官营织造的经营方式看江南丝织业生产的性质 | 1963·2 |
| 彭泽益 | 清代前期江南织造的研究 | 1963·4 |
| 彭泽益 | 十九世纪后期中国城市手工业商业行会的重建和作用 | 1965·1 |
| 彭泽益 | 广州十三行续探 | 1981·4 |
| 彭泽益 | 鸦片战争前广州新兴的轻纺工业 | 1983·3 |
| 彭泽益 | 自贡盐业的发展及井灶经营的特点 | 1984·5 |
| 彭泽益 | 中国经济史研究中的计量问题 | 1985·3 |
| 彭泽益 | 中国行会史研究的几个问题 | 1988·6 |
| 彭泽益 | 清代"广州体系时期"中外商人之间的竞争 | 1992·5 |
| 彭南生 | 评《中国早期资产阶级概论》 | 1993·6 |
| 彭南生 | 也论近代农民离村原因——兼与王文昌同志商榷 | 1999·6 |
| 彭南生 | 经济发展与社会变迁国际学术研讨会综述 | 2001·1 |
| 彭树智 | 凯末尔和凯末尔主义 | 1981·5 |
| 彭树智 | 青年阿富汗派的历史作用 | 1983·4 |
| 彭树智 | 甘地思想的整体性和独特性 | 1985·6 |
| 彭树智 | 从伊斯兰改革主义到阿拉伯民族主义 | 1991·3 |
| 彭树智 | 阿富汗与古代东西方文化交往 | 1994·2 |
| 彭家礼 | 清末英国为南非金矿招募华工始末 | 1983·3 |
| 彭裕商 | 高山仰止——徐中舒先生百年诞辰纪念 | 1998·6 |
| 彭裕商 | 新邑考 | 2000·5 |
| 彭裕商 | 西周金文所见夷厉二王在位年数及相关问题 | 2002·3 |
| 彭慕兰著 史建云译 | 世界经济史中的近世江南:比较与综合观察——回应黄宗智先生 | 2003·4 |
| 敬 一 | 《近三百年人物年谱知见录》即将出版 | 1983·1 |
| 恭 轩 | 慈禧太后摧残学生爱国运动的"懿旨" | 1956·9 |

| | | |
|---|---|---|
| 斯维至 | 关于殷周土地所有制的问题 | 1956·4 |
| 斯维至 | 早周的历史初探 | 1978·9 |
| 斯维至 | 从周原出土蚌雕人头像谈严允文化的一些问题 | 1996·1 |
| 斯维至 | 《逸周书校补注译》评介 | 1997·4 |
| 景 爱 | 左右史分职说质疑 | 1979·1 |
| 景 爱 | 鲸川之海考 | 1979·9 |
| 景 爱 | 辽金史研究会举行第一次学术讨论会 | 1982·5 |
| 曾 庸 | 读"有关西周社会性质的几个问题"后的意见 | 1957·8 |
| 曾小华 | 论宋代的资格法 ——兼论中国古代任官资格制度 | 1992·6 |
| 曾文经 | 论汉民族的形成 | 1955·1 |
| 曾业英 | 尚贤堂与孔孟之道 | 1976·3 |
| 曾业英 | 民元前后的江亢虎和中国社会党 | 1980·6 |
| 曾业英 | 蔡锷与"二次革命" | 1983·1 |
| 曾业英 | 云南护国起义的酝酿与发动 | 1986·2 |
| 曾业英 | 民国初年的民主党 | 1991·5 |
| 曾业英 | 《香港历史问题资料选评》读后 | 1996·2 |
| 曾业英 | 论一九二八年的东北易帜 | 2003·2 |
| 曾武秀 | 中国历代尺度概述 | 1964·3 |
| 曾勉之 | 建党前后的李达同志 | 1979·8 |
| 曾宪楷 | 批判陶希圣"前资本主义社会论"的反动观点 | 1958·12 |
| 曾昭璇 | 元代南海测验在林邑考 ——郭守敬未到中、西沙测量纬度 | 1990·5 |
| 曾昭耀 | 加强拉丁美洲史研究刍议 | 2000·6 |
| 曾景忠 | 试论中国抗日战争的西线战场 | 1996·2 |
| 曾醒时 | 评《从分散到整体的世界史》（现代分册） | 1991·4 |

焦树安　二进位制数学创始者辨正　　　　　　　　1984·4

然娜·柯尔曼诺娃　波兰人民共和国十五年来历史
　　　　　科学的成就　　　　　　　　　　　　　1959·8

程　纯　试论西欧从奴隶社会向封建社会的过渡
　　　　　——与胡玉堂先生商榷　　　　　　　　1981·1

程　洪　美国关于中国近现代史研究的趋势与特点　1988·4

程　歗　民间宗教与义和团揭帖　　　　　　　　　1983·2

程　歗　晚清乡村社会的洋教观
　　　　　——对教案的一种文化心理解释　　　　1995·5

程　歗　社区精英群的联合和行动
　　　　　——对梨园屯一段口述史料的解说　　　2001·1

程人乾　《新编波兰史》（四卷）　　　　　　　　1958·5

程人乾　第八届波兰历史学家代表大会　　　　　　1958·11

程人乾　波兰抗俄民族英雄——科希秋什科　　　　1976·4

程人乾　一九三九年的德波战争
　　　　　——帝国主义发动突然袭击一例　　　　1978·2

程人乾　论近代以来的世界民族主义　　　　　　　1996·1

程中原　关于张闻天同志的早年活动　　　　　　　1980·2

程中原　订正一条张闻天早年活动的史料　　　　　1980·4

程民生　宋代粮食生产的地域差异　　　　　　　　1991·2

程民生　略论宋代地域文化　　　　　　　　　　　1995·1

程兆奇　南京大屠杀中的日军屠杀令研究　　　　　2002·6

程应镠　谈历史人物的研究　　　　　　　　　　　1984·2

程绍海　从邯郸刻石看胜保招降的历史伪案　　　　1981·4

程显煜　意大利人文主义者的矛盾性和复杂性　　　1987·2

程显煜　罗马教皇与罗马文艺复兴　　　　　　　　1988·1

程秋原　关于美国简明史的几点意见　　　　　　　1954·4

程美宝　陈寅恪与牛津大学　　　　　　　　　　　2000·3

程美宝　区域研究取向的探索

　　　　——评杨念群著《儒学地域化的近代形态》

　　　　　　　　　　　　　　　　　　　2001·1

程美宝　由爱乡而爱国：清末广东乡土教材的国家话语

　　　　　　　　　　　　　　　　　　　2003·4

程涛平　春秋时期楚国的平民阶层　　　　1983·6

程涛平　楚国野地居民社会形态研究　　　1990·1

程舒伟　美国的香港政策（1942—1960）　1997·3

程溯洛　《宋史·龟兹传》补正

　　　　——兼论高昌回鹘王国中的双王制　1987·3

童　斌　日本史学界关于西乡隆盛的争论　1977·3

童　斌　日本史学界关于明治维新的争论　1977·5

童　斌　日本发掘研究—万八千年前的陶器　1978·4

童　超　东晋南朝时期的移民浪潮与土地开发　1987·4

童书业　从租佃制度与隶属农民的身分探讨古巴比伦

　　　　社会的性质　　　　　　　　　　1956·5

童书业　论宗法制与封建制的关系

　　　　——评黄子通"宗法制度与等级制度

　　　　　是不是封建制度的特征？"　　　1957·8

童书业　评《景德镇陶瓷史稿》　　　　　1959·12

童怀周　文化大革命中的陈毅同志　　　　1979·2

舒　焚　两宋说话人讲史的史学意义　　　1987·4

葆　斌　沙皇俄国对巴尔干的侵略扩张　　1975·6

葆　斌　不可抗拒的革命洪流

　　　　——学习毛主席的词《念奴娇·鸟儿问答》　1976·1

葆　斌　沙皇俄国是三次瓜分波兰的罪魁　1976.4

葛兆光　洛阳与汴梁：文化重心与政治重心的分离

　　　　——关于11世纪80年代理学历史

　　　　　与思想的考察　　　　　　　　2000·5

葛兆光　重绘近代思想、社会与学术地图
　　　　——评罗志田著《权势转移：近代中国的
　　　　　思想、社会与学术》　　　　　　　　　2001·1
葛兆光　《新史学》之后
　　　　——1929 年的中国历史学界　　　　　　　2003·1
葛志毅　荀子学辨　　　　　　　　　　　　　　　　1996·3
葛承雍　中国社会史研究的新趋向
　　　　——"地域社会与传统中国"国际学术会议
　　　　　综述　　　　　　　　　　　　　　　　1995·1
葛承雍　读周积明著《纪昀评传》　　　　　　　　　1997·2
葛承雍　唐代长安一个粟特家庭的景教信仰　　　　　2001·3
葛贤惠　清前期的粮食调剂　　　　　　　　　　　　1988·4
葛金芳　关于北宋官田私田化政策的若干问题　　　　1982·3
葛金芳　唐宋之际农民阶级内部构成的变动　　　　　1983·1
葛剑雄　略论我国封建社会各阶级人口增长的
　　　　不平衡性　　　　　　　　　　　　　　　1982·6
葛剑雄　秦汉时期的人口迁移与文化传播　　　　　　1992·4
葛剑雄　宋代人口新证　　　　　　　　　　　　　　1993·6
葛剑雄　是学术创新，还是低水平的资料编纂？
　　　　——评杨子慧主编《中国历代人口统计
　　　　　资料研究》　　　　　　　　　　　　　1998·1
葛剑雄　二十世纪中国历史地理研究　　　　　　　　2002·3
董小川　美国政教分离制度的历史思考　　　　　　　1998·4
董为奋　《乌尔纳姆法典》和乌尔第三王朝早期社会　1984·5
董方奎　论"滦州兵谏"和"士官三杰"　　　　　　　1981·1
董方奎　吴禄贞组织的"立宪军"一词的出处　　　　1983·6
董楚平　从生产关系的基础看奴隶与农奴最根本的区别　1956·8
董楚平　论平均主义的功过与农民战争的成败　　　　1980·1
董楚平　《国语》"防风氏"笺证　　　　　　　　　1993·5

| | | |
|---|---|---|
| 董楚平 | 越国王室迁葬考 | 1997・1 |
| 蒋大椿 | 论与史的关系考察 | 1982・4 |
| 蒋大椿 | 历史学与马克思唯物史观的形成 | 1983・2 |
| 蒋大椿 | 自然科学的发展与历史唯物主义的形成 | 1986・2 |
| 蒋大椿 | 近四十年来史论关系研究综述 | 1992・2 |
| 蒋大椿 | 评《香港当代史学研究》 | 1996・2 |
| 蒋大椿 | 当代中国史学思潮与马克思主义历史观的发展 | 2001・4 |
| 董正华 | 现代化研究在中国的兴起与发展 | 1998・5 |
| 董守义 | 东北地区中日关系史讨论会简介 | 1981・1 |
| 蒋寿康整理 | 中国宋史国际学术会讨论会述要 | 1985・5 |
| 蒋孟引 | 从对亚罗事件的分析看陈恭禄先生的历史观点 | 1958・12 |
| 董治安 | 《十大经》》初论 | 1975・1 |
| 蒋逸人 | 关于宋代以王小波李顺及张余等为首的农民起义的几个问题 | 1958・5 |
| 蒋逸人 | 《社会主义神髓》的最早中译本 | 1982・4 |
| 蒋福亚 | 中国历史上的皇权和忠君观念 | 1994・2 |
| 蒋福亚 | 何兹全著《三国史》读后 | 1996・3 |
| 湖 | 中国自然科学史第一次科学讨论会 | 1956・8 |
| 谟研 | "四・一二"反革命叛变与资产阶级 | 1977・2 |
| 谢刚 | 论孙中山的"平均地权" | 1980・4 |
| 谢宏 | 覆灭前的哀鸣——评梁效《论李商隐的〈无题〉诗》 | 1977・2 |
| 谢放 | 张之洞与戊戌政制改革 | 1997・6 |
| 谢放 | "绅商"词义考析 | 2001・2 |
| 谢天佑 | 驳法家"长期反复辟"论 | 1978・3 |
| 谢尔盖・齐赫文斯基 | 五四运动前夜俄国政治、文化对中国的若干影响 | 1989・4 |

| 谢尔盖·斯卡兹金 | 关于苏联历史科学的新工作 | 1961·2 |
| 谢本书 | 论蔡锷 | 1979·11 |
| 谢国桢 | 有关明末清初农民起义作用资料的札记 | 1962·3 |
| 谢重光 | 魏晋隋唐佛教特权的盛衰 | 1987·6 |
| 谢重光 | 张弓著《汉唐佛寺文化史》 | 1998·5 |
| 谢桂华 | 评"四人帮"歪曲秦汉之际阶级斗争历史的奇谈怪论 | 1976·6 |
| 谢桂华 | 《居延汉简甲乙编》释文补正举隅 | 1982·5 |
| 谢桂华 | 二十世纪简帛的发现与研究 | 2003·6 |
| 谢琏造 | 巴黎公社和法国社会各阶级 | 1961·2 |
| 谢维扬 | 二十一世纪中国古史研究面对的主要问题 | 2003·1 |
| 谢菊曾 | 一九三五年上海白银风潮概述 | 1965·2 |
| 谢雪桥 | "田中外交"的对华政策 | 1988·1 |
| 雅飞 | 南非种族主义的形成和发展 | 1977·5 |
| 韩昇 | 司马氏与中国佛教传播日本 | 1990·6 |
| 韩昇 | "魏伐百济"与南北朝时期东亚国际关系 | 1995·3 |
| 韩昇 | 南北朝隋唐士族向城市迁徙与社会变迁 | 2003·4 |
| 韩明 | 孙中山让位于袁世凯原因新议 | 1986·5 |
| 韩铁 | 第一次世界大战到新政初期美国的合作自由主义 | 1988·6 |
| 韩琦 | 墨西哥大庄园制的形成及其经济结构 | 1990·5 |
| 韩琦 | 论拉丁美洲殖民制度的遗产 | 2000·6 |
| 韩大成 | 对黎澍同志"关于中国资本主义萌芽问题的考察"一文的几点意见 | 1956·7 |
| 韩长耕 | 关于古代日本称中国六朝为吴 | 1979·2 |
| 韩东育 | 徂徕学与日本早期近代化的思想启蒙 | 2002·5 |
| 韩吉彦 | 论新罗国家的社会经济结构的性质——以 M·H·朴同志的论文为中心 | 1957·11 |
| 韩志远 | 《元代分封制度研究》读后 | 1993·5 |

| 韩连琪 | 春秋战国时代的农村公社 | 1960·4 |

韩国磐　唐代的均田制与租庸调　1955·5

韩国磐　从均田制到庄园经济的变化　1959·5

韩国磐　根据敦煌和吐鲁番发现的文件略谈有关唐代
田制的几个问题　1962·4

韩国磐　对史学研究的几点管见　1984·2

韩国磐　苻坚论略　1986·1

韩国磐　关于卿事寮　1990·4

韩国磐　南北朝隋唐与百济新罗的往来　1994·2

韩承文　一八四八年匈牙利革命与沙俄的
反革命武装镇压　1978·3

韩养民　中国风俗文化与地域视野　1991·5

韩恒煜　中国封建社会的佃农有什么样的人身自由？
——与胡如雷同志商榷　1965·6

韩树峰　吴简中的口算钱　2001·4

韩荣璋　中央苏区第四次反"围剿"战争始末　1981·4

韩晓燕　评赵世瑜著《吏与中国传统社会》　1995·4

韩康信　殷代人种问题考察　1980·2

韩蓝田　关于《文心雕龙》的"神理"、"玄圣"及其他
1981·2

韩儒林　元朝中央政府是怎样管理西藏地方的　1959·7

韩儒林　论成吉思汗　1962·3

韩儒林　元代诈马宴新探　1981·1

颉　刚　战国策之古本与今本　1957·9

鲁迅遗稿　嵇康集考　1954·2

鲁子健　落下闳与黄门老工考　1980·5

# 十 三 画

楼　劲　汉唐科举异同论　1990·5

| 楼均信 | 评刘宗绪主编的《世界近代史》 | 1992·6 |
| 楼均信 | 五十年来中国的法国大革命史研究 | 2003·5 |
| 满云龙 | 共和修正派与当代美国思想史学 | 1990·4 |
| 满运龙 | 马萨诸塞政治体制的确立 | 1992·5 |
| 满都尔图 | 试论原始公社末期土地私有制的发展 | 1976·4 |
| 简修炜 | 魏晋南北朝时期劳动者阶层结构的特点 | 1986·5 |
| 群 力 | 从历史上看阿拉伯东方各国人民的解放斗争 | 1958·7 |
| 群 哲 | 雅克萨战争是中国抗击沙俄侵略的正义战争 | |
| | ——驳苏修歪曲雅克萨战争性质的谬论 | 1975·4 |
| 群 策 | 中国新民主主义革命时期的农民问题 | 1964·3 |
| 蒙 默 | 关于中国封建土地所有制的形式问题 | 1961·1 |
| 蒙 默 | 试论汉代西南民族中的"夷"与"羌" | 1985·1 |
| 蒙文通 | 从宋代的商税和城市看中国封建社会的 | |
| | 自然经济 | 1961·4 |
| 蒙文通遗著 | 百越民族考 | 1983·1 |
| 蓝 勇 | 明清时期的皇木采办 | 1994·6 |
| 虞和平 | 近代商会的法人社团性质 | 1990·5 |
| 虞和平 | 鸦片战争后通商口岸行会的近代化 | 1991·6 |
| 虞和平 | 中国近代社会史研究述评 | 1993·1 |
| 虞和平 | 略论民国时期的人力资源开发 | 1998·2 |
| 虞明英 | 评《魏晋南北朝隋初唐史》上册 | 1964·4 |
| 裔昭印 | 从家庭和私人生活看古雅典妇女的地位 | 2000·2 |
| 裘忱耀 | 汉代著名产铜地丹阳考 | 1957·2 |
| 詹立波 | 《孙膑兵法》初探 | 1975·2 |
| 詹立波 | 毛主席的无产阶级革命路线是我军的生命线 | |
| | ——学习《中国革命战争的战略问题》 | 1976·6 |
| 赖元晋 | 18世纪启蒙史学的地位和贡献 | 1991·4 |
| 路 遥 | 冠县梨园屯教案与义和拳运动 | 1986·5 |
| 路 遥 | 义和团运动发展阶段中的民间秘密教门 | 2002·5 |

路尔铭　为什么说五四运动是新民主主义革命的开始　1963·2

路新生　崔述与顾颉刚　1993·4

雷泳仁　中国拉丁美洲史研究回顾　2000·5

雷维鼎　三年来楚史研究简介　1983·1

靳　南　"言谈者必轨与法"

　　　　——韩非关于在意识形态领域里的

　　　　法治思想　1975·2

靳　南　阶级斗争是纲 其余都是目　1976·2

靳　砺　是"咎亡"不是"咎在"

　　　　——关于《订孔》一九〇五年版中的

　　　　一个错字　1975·4

靳一舟　太平天国研究述评　1961·2

靳久廉　苏修是怎样变社会主义所有制为资本主义

　　　　所有制的　1975·4

靳贷同　李贽与《水浒》　1976·6

鲍正廷　关于十九世纪三十年代鸦片进口和

　　　　白银外流的数量　1980·5

鲍雨立　孔府的族权统治　1975·1

## 十　四　画

嘉　弘　四川大学科学讨论会关于历史科学论文的

　　　　讨论　1956·7

嘉　弘　四川大学历史系关于中国古代史分期问题的

　　　　讨论　1957·1

嘉　弘　四川大学第二次科学讨论会历史系分会概况　1957·4

廖一中　论清政府与义和团的关系　1980·3

廖大珂　试论宋代市舶司官制的演变　1998·3

廖名春　"六经"次序探源　2002·2

廖永武　周恩来同志的早期革命活动　　　　　　　1977·1

廖学盛等　国外史学动态（11 则）　　　　　　　1962·3

廖学盛　从古希腊罗马史看奴隶占有制社会的

　　　　　若干问题　　　　　　　　　　　　　1995·5

廖学盛　《古代希腊土地制度研究》读后　　　　　1997·1

廖宗麟　《刘永福历史草》的史料价值　　　　　　1988·5

廖宗麟　《请缨日记》辨误　　　　　　　　　　　1996·2

廖宗麟　刘永福并未任职台湾民主国　　　　　　　1997·4

廖盖隆　无产阶级专政下继续革命的指路明灯

　　　　　　——纪念毛主席光辉著作《关于正确处理

　　　　　　人民内部矛盾的问题》发表二十周年　1977·3

漆　侠　中国封建地主阶级的形成和演变　　　　　1983·5

漆　侠　范仲淹集团与庆历新政

　　　　　　——读欧阳修《朋党论》书后　　　　1992·3

漆　侠　从对《辽史》列传的分析看辽国家体制　　1994·1

熊月之　1842—1860 年西学在中国的传播　　　　1994·4

熊沛彪　九一八事变后日本的对华外交及战略意图

　　　　　　——兼论南京国民政府的对策　　　　1998·4

熊崇善　建党前后的李达同志　　　　　　　　　　1979·8

熊德基　《太平经》的作者和思想及其与黄巾和

　　　　　天师道的关系　　　　　　　　　　　　1962·4

熊德基　唐代民族政策初探　　　　　　　　　　　1982·6

端木正　近年来国外拿破仑史学的一些动态　　　　1978·6

端木正　一部新出的拿破仑传记

　　　　　　——评介让·蒂拉尔的《拿破仑》　　1980·5

端木正　富有年鉴学派特色的《旧制度法国历史词典》1983·2

缪　钺　陶潜不为五斗米折腰新释　　　　　　　　1957·1

缪　钺　对于"陶潜不为五斗米折腰新释"的商榷　1957·10

缪　钺　再论皮日休参加黄巢起义军的问题　　　　1958·2

缪文远　评《中国国家与法的历史参考书》第一分册　1959・7

缪楚黄　中国工农红军长征概述　1954・2

瞿象乾　法国侵占下的阿尔及利亚（一八三〇年——
　　　　一九五七）　1958・6

# 十 五 画

蔡万进　尹湾汉简《元延二年日记》所载汉代
　　　　气象资料　2002・4

蔡元培　《中国经济史长编》序言　1985・1

蔡少卿　论太平天国与天地会的关系　1978・6

蔡少卿　关于洪大全的身份　1979・6

蔡少卿　回顾与前瞻
　　　　——关于社会史研究的几个问题　1989・4

蔡永贵　关于十九世纪三十年代鸦片进口和
　　　　白银外流的数量　1980・5

蔡尚思　论章炳麟思想的阶级性　1962・1

蔡尚思　王国维的学问、思想及死因　1985・4

蔡美彪　阶级斗争是历史发展的动力
　　　　——论胡适派反动的历史观及其流毒　1955・3

蔡美彪　《国史旧闻》应该批判　1958・11

蔡美彪　对中国农民战争史讨论中几个问题的商榷　1961・4

蔡美彪　契丹的部落组织和国家的产生　1964・5－6

蔡美彪　元代圆牌两种之考释　1980・4

蔡美彪　《西夏史稿》读后　1982・4

蔡美彪　历史地理学的巨大成果　1984・6

蔡美彪　大清国建号前的国号、族名与纪年　1987・3

蔡美彪　陈寅恪对蒙古学的贡献及其治学方法　1988・6

蔡美彪　学习黎澍治学的独创精神　1989・2

蔡美彪　坚持马克思主义 推进百家争鸣　　　　　　1989·5
蔡美彪　读陈垣编《道家金石略》书后　　　　　　　1991·3
蔡美彪　试说辽耶律氏萧氏之由来　　　　　　　　　1993·5
蔡美彪　辽代后族与辽季后妃三案　　　　　　　　　1994·2
蔡美彪　拉施特《史集》所记阿合马案释疑　　　　　1999·3
蔡家麒　鄂伦春族马匹私有制的产生与发展　　　　　1965·2
蔡起贤　太平天国北征将领林凤祥　　　　　　　　　1957·4
蔡鸿生　突厥法初探　　　　　　　　　　　　　　　1965·5
蔡鸿生　俄罗斯馆与《资本论》中的王茂荫　　　　　1989·3
蔡鸿生　"商队茶"考释　　　　　　　　　　　　　1982·6
蔡德金　关于汪伪政权问题学术讨论会综述　　　　　1986·5
裴长洪　西原借款与寺内内阁的对华策略　　　　　　1982·5
裴京汉　国民革命时期的反帝问题
　　　　　——济南惨案后的反日运动与国民政府的
　　　　　对策　　　　　　　　　　　　　　　　　2001·4
裴默农　春秋外交人才的遴选　　　　　　　　　　　1994·4
谭世遵　试论殷代奴隶制向西周封建制的过渡问题　　1961·3
谭其骧　"新土地的开发者"，还是入侵中国的强盗？　1974·1
谭其骧　自汉至唐海南岛历史政治地理
　　　　　——附论梁隋间高凉洗夫人功业及隋唐
　　　　　高凉冯氏地方势力　　　　　　　　　　　1988·5
谭其骧　再论海南岛建置沿革　　　　　　　　　　　1989·6
谭其骧　俗传中国史朝代起讫纪年匡谬　　　　　　　1991·6
谭彼岸　俄国民粹主义对同盟会的影响　　　　　　　1959·1
谭彼岸　关于上海小刀会"义兴公司"的性质　　　　1980·3
谭英华　试论博克尔的史学　　　　　　　　　　　　1980·6
谭英华　十六至十七世纪西方历史思想的更新　　　　1987·4
谭惠中　关于北魏均田制的实质　　　　　　　　　　1963·5

阚思静　新沙皇的一支招魂曲

　　　　——评苏修叛徒集团为巴枯宁翻案　　　1977·5

赫　忱　拿破仑是"坚持进步，反对倒退"的吗？　1978·4

鲜于浩　试论川路租股　　　　　　　　　　　　1982·2

鲜于浩　四川保路同志会未设会长副会长　　　　1993·4

暴鸿昌　"高煦之叛"辨　　　　　　　　　　　　1988·2

樊百川　批判荣孟源在对待史料上的恶劣作风　　1957·11

樊百川　中国手工业在外国资本主义侵入后的遭遇和

　　　　命运　　　　　　　　　　　　　　　　1962·3

樊百川　辛亥革命是儒法斗争吗？　　　　　　　1977·1

樊百川　二十世纪初期中国资本主义发展的概况与

　　　　特点　　　　　　　　　　　　　　　　1983·4

樊树志　"古为帮用"的恶劣表演

　　　　——清算《学习与批判》利用历史反党的

　　　　罪行　　　　　　　　　　　　　　　　1977·3

樊洪业　"赛先生"与新文化运动

　　　　——科学社会史的考察　　　　　　　　1989·3

潘君祥　国外有关中国资产阶级研究概述　　　　1983·3

潘君祥　国外洋务运动研究概述　　　　　　　　1985·3

潘君祥　十九世纪后半期上海商业的演变　　　　1986·1

潘君祥　辛亥革命与上海国货运动　　　　　　　1992·1

潘其风　殷代人种问题考察　　　　　　　　　　1980·2

潘念慈　关于元代的驿传　　　　　　　　　　　1959·2

潘振平　鸦片战争后的"开眼看世界"思想　　　　1986·1

潘振平　全国首次青年史学工作者学术会议综述　1992·1

潘润涵　苏联史学界重新评价伊万四世的讨论　　1957·7

潘润涵　外国新书介绍

　　　　——法兰西第二帝国的崩溃和第三共和国的

　　　　产生　　　　　　　　　　　　　　　　1957·10

潘润涵　介绍"苏联历史"杂志创刊号　　　　　　　1957·11

潘润涵　苏联"历史问题"杂志上对德国一九一八年
　　　　十一月革命问题的讨论　　　　　　　　　1957·12

潘润涵　工业革命与英国社会的近代化　　　　　　　1983·6

潘梓年　中国科学院哲学社会科学学部报告　　　　　1955·4

澜　思　道家与西汉儒法斗争　　　　　　　　　　　1975·3

翦伯赞　关于两汉的官私奴婢问题　　　　　　　　　1954·4

翦伯赞　第九次青年汉学家会议纪要　　　　　　　　1956·12

翦伯赞　"新冒出来"的史学体系还是"旧的传统史学
　　　　体系"的翻版?　　　　　　　　　　　　　1960·3

禣锐光　《清史稿》中几条陨石资料的错漏　　　　　1980·3

颜　燕　《明史·袁崇焕传》勘误二则　　　　　　　1981·4

颜太龙　伟大的战士，火热的斗争
　　　　　——回忆周恩来总理在西安事变到抗战胜利
　　　　　　期间国共斗争几次重大事件中的
　　　　　　光辉事迹　　　　　　　　　　　　　1977·1

颜海英　托勒密时期埃及奴隶制评析　　　　　　　　1996·6

黎　先　第二国际的投降主义　　　　　　　　　　　1976·4

黎　虎　刘知几为武则天制造了舆论吗?　　　　　　1978·8

黎　虎　蜀汉"南中"政策二三事　　　　　　　　　1984·4

黎　虎　殷代外交制度初探　　　　　　　　　　　　1988·5

黎　虎　北魏前期的狩猎经济　　　　　　　　　　　1992·1

黎　虎　唐代的市舶使与市舶管理　　　　　　　　　1998·3

黎　凯　试论编写和研究"四史"的重大意义
　　　　　——编选《北京四史丛书》的几点体会　　1965·1

黎　洪　试论我党"八大"的伟大历史意义　　　　　1979·4

黎　澍　论社会主义在中国的传播　　　　　　　　　1954·3

黎　澍　一九○五年俄国革命和中国　　　　　　　　1955·1

黎　澍　关于中国资本主义萌芽问题的考察　　　　　1956·4

| 黎　澍 | 十月革命和中国工人运动 | 1958·2 |
| 黎　澍 | 中国的近代始于何时？ | 1959·3 |
| 黎　澍 | 是马克思列宁主义还是私人科学 | 1960·1-2 |
| 黎　澍 | 关于中国革命的发生和胜利的原因 | 1960·6 |
| 黎　澍 | "四人帮"对中国历史学的大破坏 | |
| | ——评所谓研究儒法斗争史的骗局 | 1977·2 |
| 黎　澍 | 评"四人帮"的封建专制主义 | 1977·6 |
| 黎　澍 | 消灭封建残余影响是中国现代化的重要条件 | 1979·1 |
| 黎　澍 | 中国社会科学三十年 | 1979·11 |
| 黎　澍 | 马克思主义与中国历史学 | 1983·2 |
| 黎　澍 | 马克思主义对历史学的要求 | 1984·1 |
| 黎　澍 | 论历史的创造及其他 | 1984·5 |
| 黎　澍 | 《洋务运动史论文选》序 | 1985·2 |
| 黎　澍 | 《龙云传》序言 | 1986·2 |
| 黎　澍 | 历史的创造者和创造历史的动力 | |
| | ——答祝伟坡同志 | 1986·3 |
| 黎　澍 | 孙中山上书李鸿章事迹考辨 | 1988·3 |
| 黎　澍 | 中西文化问题 | 1989·3 |
| 黎小龙 | 义门大家庭的分布与宗族文化的区域特征 | 1998·2 |
| 燕　霄 | 资产阶级民主派为什么会变成走资派？ | 1976·3 |

## 十 六 画

| 穆朝庆 | 两宋户籍制度问题 | 1982·1 |
| 穆朝庆 | 宋代中央官府吏制述论 | 1990·6 |
| 薄洁萍 | 乱伦禁忌：中世纪基督教会对世俗婚姻的限制 | |
| | | 2003·6 |
| 薛　实 | 《拿破仑法典》与法国资本主义所有制的 | |
| | 巩固和发展 | 1975·5 |

| | | |
|---|---|---|
| 薛　虹 | 库页岛在历史上的归属问题 | 1981·5 |
| 薛汉伟 | 巴黎公社原则与按劳分配 | 1978·8 |
| 薛宗正 | 突骑施汗国的兴亡 | 1984·3 |
| 薛宗正 | 唐碛西节度使的置废 | 1993·6 |
| 薛清泉 | 研究儒法斗争和整个阶级斗争的历史 | |
| | 占领史学阵地 | 1976·1 |
| 薛理勇 | 也释《汉书》"日有九道"和"月有十九道" | 1982·6 |
| 薛衔天 | 海兰泡惨案死难人数究竟有多少? | 1980·1 |
| 薛瑞录 | 全国清史学术讨论会在北戴河举行 | 1982·6 |
| 薛鹏志 | 中国海关史第二次国际学术研讨会综述 | 1991·2 |

# 十 七 画

| | | |
|---|---|---|
| 戴　禾 | 中国古代生产技术在日本的传播和影响 | 1984·5 |
| 戴　逸 | 中国近代史的分期问题 | 1956·6 |
| 戴　逸 | 戊戌时代的思想解放 | 1958·9 |
| 戴　逸 | 实事求是 勇于创新 | 1978·8 |
| 戴　逸 | 战士·学者·良师 | |
| | ——悼念尚钺同志 | 1982·2 |
| 戴　逸 | 邓拓与历史科学 | 1986·3 |
| 戴　逸 | 四库全书和法国百科全书 | |
| | ——为纪念法国革命二百周年而作 | 1989·2 |
| 戴　逸 | 历史学家的过去与现在 | 1989·5 |
| 戴　逸 | 纪念陈垣与开展区域文化研究 | 1991·3 |
| 戴　逸 | 一场得不偿失的战争 | |
| | ——论乾隆朝金川之一役 | 1993·3 |
| 戴　逸 | 世纪之交中国历史学的回顾与展望 | 1998·6 |
| 戴一峰 | 论清末海关兼管常关 | 1989·6 |
| 戴一峰 | 评陈诗启著《中国近代海关史》 | 1994·6 |

戴园晨　论我国封建土地国有制的生产关系　　　　1962·5

戴孟桃　《社会主义神髓》的最早中译本　　　　　1982·4

戴学稷　复旦大学历史系的教学与科学研究概况　　1956·8

戴学稷　上海史学工作者座谈筹建历史研究所　　　1956·11

戴学稷　一九〇〇年内蒙古西部地区各族人民的反帝

　　　　斗争　　　　　　　　　　　　　　　　　1960·6

戴学稷　西方殖民者在河套鄂尔多斯等地的罪恶活动

　　　　——帝国主义利用天主教侵略中国的

　　　　一个实例　　　　　　　　　　　　　　　1964·5—6

戴建国　天一阁藏明抄本《官品令》考　　　　　　1999·3

戴建国　唐《开元二十五年令·田令》研究　　　　2000·2

戴振海　驳"四人帮"的历史学界"一片黑暗"论　1978·4

戴超武　梁茂信著《美国移民政策研究》　　　　　1998·2

戴超武　中印边界冲突与苏联的反应和政策　　　　2003·3

戴超武　冷战中的中国与周边关系国际学术研讨会

　　　　综述　　　　　　　　　　　　　　　　　2003·3

戴鸿森　《秦政记》的一个句读问题　　　　　　　1978·11

霜　木　冷战起源刍议——兼论意识形态在国际

　　　　关系中的作用　　　　　　　　　　　　　1999·4

## 十八画及以上

魏　辛等　国外史学文摘（6篇）　　　　　　　　1961·5

魏　辛等　国外史学文摘（10篇）　　　　　　　 1961·6

魏伍祖　全国洋务运动史学术讨论会简况　　　　　1983·1

魏光奇　地方自治与直隶"四局"　　　　　　　　1998·2

魏君弟　汉代是奴隶社会还是封建社会？　　　　　1956·2

魏良弢　关于喀喇汗王朝的起源及其名称　　　　　1982·2

魏良弢　喀喇汗王朝起源回鹘说补证　　　　　　　1983·2

魏良弢　西辽时期汉文化对中亚的影响　　　　　　1985·4

魏良弢　明代及清初土鲁番统治者世系
　　　　——兼述东察合台汗国之变迁　　　　　1986·6

魏良弢　义儿·儿皇帝　　　　　　　　　　　　1991·1

魏明孔　读瞿林东著《中国史学散论》　　　　　1994·3

魏明经　论民族的定义及民族的实质　　　　　　1956·4

魏金玉　明清时代佃农的农奴地位　　　　　　　1963·5

魏崇武　金代理学发展初探　　　　　　　　　　2000·3

魏道明　中国古代遗嘱继承制度质疑　　　　　　2000·6

瞿同祖　清律的继承和变化　　　　　　　　　　1980·4

瞿林东　略谈《隋书》的史论　　　　　　　　　1979·8

瞿林东　《史学概论》年底出版　　　　　　　　1982·4

瞿林东　论《通典》的方法和旨趣　　　　　　　1984·5

瞿林东　柳宗元史论的理论价值和历史地位　　　1988·4

瞿林东　评《河殇》的学风　　　　　　　　　　1990·1

瞿林东　中国古代史学理论发展大势　　　　　　1992·2

瞿静涵　从民谣看太平天国的政策制度　　　　　1956·10

瀚　若　鲁迅战斗在广州　　　　　　　　　　　1976·5

A·C·B·寇瑟　中世纪时期阿塞拜疆与中国的
　　　　　　　　经济和文化关系　　　　　　　1958·2

B·Γ·谢班科夫　十七世纪前半期的中俄关系　　1958·5

B·B·多马舍夫斯基　　B·Γ·谢班科夫
　论中国和日本的史料对于研究苏联远东区自上古至
　十七世纪历史的价值　　　　　　　　　　　　1957·12

B·纳武莫夫　杰出的俄国汉学家——雅金夫·比丘林　1958·1

Brian G·Martin　青帮和国民党政权：杜月笙对上海
　　　　　　　　政治的作用（1927—1937）　　1992·5

O·施律德尔　德国工人运动的传统　　　　　　1960·3

# 其　他

《七里营人民公社史》编写组　七里营人民公社的诞生　1974·1
《人民日报》通讯员　《人民日报》记者
　　教育战线今胜昔
　　　　——北大历史系以阶级斗争为纲，广泛发动群众，
　　　　回击右倾翻案风　1976·1
《人民日报》等　文化大革命永放光芒　1976·3
《人民日报》等社论　在斗争中建设党　1976·4
《人民日报》等社论　亿万人民的共同心愿　1976·5
《人民教育》编辑部　《历史研究》编辑部
　　"四人帮"尊法丑剧的幕前幕后　1978·5
上钢五厂工人理论小组
　　从《论语》地位的演变看批孔斗争的长期性　1974·1
上钢五厂第二中心实验室工人理论组等
　　韩非对《老子》思想的批判改造　1975·3
《上海市南京路史话》编写组
　　新生和巨变
　　　　——《上海市南京路史话》片段　1975·1
上海市造纸木材工业公司工人写作组
　　是谁发明了造纸法　1976·5
上海市重型机械制造公司工人历史研究小组
　　中国古代史讲座：第三讲　奴隶制向封建制过渡的
　　大变革时期——春秋、战国　1975·4
上海重型机械制造公司工人历史研究小组
　　世上无难事　只要肯登攀　1976·1
上海第五钢铁厂工人理论学习小组
　　中国古代史讲座：第七讲　封建社会的继续发展和统一的
　　多元民族国家的进一步形成——宋、辽、金、元　1976·2

大连机车车辆工厂厂史编写组

　　坚定不移地走自力更生奋发图强的道路

　　　　——大连机车车辆工厂简史　　　　　　1976·5

大连红旗造船厂动力科历史研究组

　　中国古代史讲座：

　　第一讲　漫长的、无阶级的原始社会　　　　1975·3

广东历史学会　广东历史学会1960年年会关于

　　　　　　　　若干学术问题讨论意见的综述　1961·1

广东哲学社会科学学会联合会通讯组等

　　国内史学动态（17则）　　　　　　　　　　1961·3

广州部队某部"塔山英雄团"　回顾塔山阻击战　1975·2

广西壮族自治区通志馆等

　　广西、南京等地史学界纪念太平天国起义

　　一百一十周年　　　　　　　　　　　　　　1961·1

广西省太平天国文史调查团

　　拜上帝会成立前金门地区的阶级斗争　　　　1955·5

广西桂平金田公社贫下中农理论小组

　　太平天国与天地会

　　　　——谈金田起义时的两条路线斗争　　　1976·1

中山大学历史系　对范文澜中国通史简编修订本

　　　　　　　　第一编的意见　　　　　　　　1955·1

中央民族学院研究部通讯组

　　中央民族学院一九五六年科学讨论会关于少数民族

　　历史问题的讨论　　　　　　　　　　　　　1956·8

中央民族学院院刊编辑室

　　中央民族学院研究部研究计划　　　　　　　1956·12

中共八四八七〇部队委员会

　　发扬南泥湾精神　把革命工作做到底　　　　1975·4

中共天津市委党校理论组

真假马克思主义的试金石

——国际共产主义运动史上围绕无产阶级专政

问题的斗争（一）　　　　　　　　　　　　1975·3

中共天津市委党校理论组

真假马克思主义的试金石

——国际共产主义运动史上围绕无产阶级专政

问题的斗争（二）　　　　　　　　　　　　1975·4

中共灵璧县委宣传部编　安徽人民出版社供稿

大地主卓廷懋家罪恶史　　　　　　　　　　1965·4

中共梁山县委《水浒》评论组

农民起义的光辉历史不容歪曲　　　　　　　1975·6

中共巢县县委宣传部编　安徽人民出版社供稿

一个贫农的经历

——唐家义翻身史　　　　　　　　　　　　1965·2

中共栖霞县委宣传部编　山东人民出版社供稿

牟二黑血腥发家录　　　　　　　　　　　　1965·2

中国人民大学中国历史教研室近代现代史组

评尚钺同志关于明清社会结构的若干观点　　1958·12

中国人民解放军河北省承德军分区理论组

中国古代史讲座：

第二讲　奴隶社会的形成和发展

——夏、商、西周　　　　　　　　　　　　1975·3

中国人民解放军河北省承德军分区理论组

把颠倒了的历史再颠倒过来　　　　　　　　1976·1

中国历史博物馆明清组

中国古代史讲座：

第八讲　封建社会的衰落和资本主义的萌芽

——明、清　　　　　　　　　　　　　　　1976·3

《中国历代人口统计资料研究》编委会
　学术讨论应当是科学、积极和健康的
　　——评葛剑雄、曹树基《是学术创新，还是
　　低水平的资料编纂》　　　　　　　　　　1998·6
中国社会科学院写作组
　"四人帮"是马克思主义哲学社会科学的死敌　1978·10
五二九七七部队理论组　南开大学美国史研究室
　资本主义发展史上最黑暗的一章
　　——西方殖民者奴役和贩卖黑人的血腥罪行　1976·6
内蒙古大学蒙古史教研室
　谎言改变不了历史
　　——驳苏修篡改我国准噶尔部历史的无耻谰言　1976·2
历史一所情报小组　科学院历史研究所第一所
　　　　　　　　　研究工作五年跃进　　　　1958·7
历史三所通讯小组　科学院历史研究所第三所的
　　　　　　　　　跃进指标　　　　　　　　1958·7
历史研究所一、二、三所　大字报集锦　　　　1958·9
历史研究所第一、二所第二组
　《敦煌资料》第一辑内容介绍　　　　　　　1958·11
历史研究所《中国史稿》编写组
　史学领域的阶级斗争与"四人帮"的
　反革命复辟野心　　　　　　　　　　　　　1976·6
《历史研究》《晋阳学刊》记者
　中国封建主义研究方法论问题讨论会综述　　1982·5
《历史研究》编者　大家都来提倡自由讨论　　1978·4
天津车站工人理论小组
　曾国藩的《家书》与林彪的"教子经"　　　1974·1

天津站业余大学南站车间历史班　南开大学历史系中国古代史组
　　中国古代史讲座：第五讲　封建社会缓慢、曲折发展
　　的时期
　　　　——东汉、三国、两晋南北朝　　　　　　　1975·6
天津市文化局考古发掘队
　　渤海湾西岸考古调查和海岸线变迁研究　　　　　1966·1
天津市宝坻县小靳庄大队理论小组
　　农民反孔斗争史话（续完）　　　　　　　　　　1975·1
天津师范大学历史系　批判钱穆的《国史大纲》　　1959·2
天津师大历史系
　　关于中国农民战争发展规律问题的一场争论　　1960·1-2
天津港务局轮驳公司等
　　工人贵族是无产阶级队伍中的蛀虫
　　　　——十九世纪中叶英国工联主义对工人运动的危害　1976·5
开封制药厂　开封师范学院宋史组
　　略谈钟相杨幺农民起义的革命纲领　　　　　　　1975·5
开滦煤矿唐山矿　五二八五六部队
　　唐山震区人民永远怀念毛主席　　　　　　　　　1976·5
文学研究所近代文学组
　　第二次国内革命战争时期鲁迅在文化战线上的斗争　1976·4
《世界上古史纲》编写组
　　亚细亚生产方式——不成其为问题的问题　　　　1980·2
《世界上古史纲》编写组　亚细亚生产方式与国家　1982·3
北京二七机车车辆厂工人理论组
北京大学历史系批判组
　　反霸斗争的锐利思想武器
　　　　——学习列宁关于帝国主义的论述　　　　　1974·1
北京大学历史系通讯员
　　北京大学科学讨论会中有关历史科学论文的讨论情况　1956·7

北京大学历史系 "中国史纲要"讨论会纪录 1957·4

北京大学历史系三年级三班研究小组

  关于隋唐史研究中的一个理论问题 1958·12

北京大学历史系世界史专业二年级工农兵学员

  不要忘记马克思主义的最起码的常识

      ——学习列宁对布哈林折衷主义的批判 1976·1

北京大学哲学系中国哲学史组

  历史唯心主义的标本 1977·2

北京大学、清华大学大批判组

  教育革命的方向不容篡改 1976·1

北京大学、清华大学大批判组

  回击科技界的右倾翻案风 1976·1

北京市大兴县红星公社大白楼大队理论小组

  不断巩固农村社会主义阵地 1975·2

北京市东升人民公社马甸生产队贫下中农

  贫下中农不许吴晗反党反社会主义 1966·3

北京市北郊木材厂

北京师范大学党史系、历史系大批判组

  蒋介石是祸国殃民的大儒 1975·1

北京市财贸干校理论组

  复辟狂唱出的反复辟高调

      ——批判梁效、康力歪曲西汉历史的谬论 1977·2

北京市总工会工人理论小组

北京师范学院工人理论学习小组

  必须限制资产阶级法权

      ——学习《哥达纲领批判》的一点体会 1975·2

北京市顺义县人民武装部 北京师范大学中共党史系

  铜墙铁壁

      ——记焦庄户地道战 1975·4

北京市顺义县天竺公社理论组　北京师范大学历史系
　中国古代史讲座：第六讲 封建社会的高度发展和
　经济文化的繁荣——隋、唐　　　　　　　　　1976·1
北京光学仪器厂工人理论组等　了解一点社会发展史　1975·3
北京师大历史系
　在门头沟结合生产劳动进行历史研究的研究总结　1958·11
北京师大历史系七四级工农兵学员　世界史组教师
　决不能同妄图勾销阶级斗争的人一道走　　　　　1976·2
北京师范学院历史系学术批判小组
　复古主义是资本主义的思想武器
　　——批判吴晗的反动历史观　　　　　　　　　1966·3
北京师范学院《西铺村史》编写组
　发扬"穷棒子"精神坚定地走社会主义道路
　　——河北省遵化县西铺村村史片断　　　　　　1975·3
北京汽修五厂历史研究小组
　反对投降派的锐利武器
　　——学习《无产阶级革命和叛徒考茨基》的体会　1976·1
北京部队炮兵理论组　一场惊心动魄的搏斗
　　——列宁重病期间和逝世以后斯大林为首的
　　　联共党中央同托洛茨基派篡党夺权阴谋
　　　活动的斗争　　　　　　　　　　　　　　　1977·2
四川大学历史系调查队　四川大学历史调查革命史料　1959·8
本刊记者　本刊召开座谈会 纪念创刊四十周年　　　1994·6
本刊评论员　在斗争中培养壮大工农兵理论队伍　　　1974·1
本刊评论员　在斗争中努力学习马列著作和毛主席著作　1976·5
本刊评论员　只有忠实于事实 才能忠实于真理　　　1979·7
本刊评论员　努力开创历史研究的新局面　　　　　　1983·1
本刊评论员　把历史的内容还给历史　　　　　　　　1987·1
本刊编辑部　中华人民共和国的十年　　　　　　　　1959·10

本刊编辑部　伟大的革命斗争产生伟大的领袖　　　　1976·6

本刊编辑部　《历史研究》的遭遇

　　　　　　和"四人帮"利用历史反党的阴谋　　　　1976·6

本刊编辑部　痛打落水狗梁效、罗斯鼎　　　　　　　1976·6

本刊编辑部　都来重视造就史学新人　　　　　　　　1981·3

本刊编辑部　国内史学界关于中国近代资产阶级的研究

　　　　　　　　　　　　　　　　　　　　　　　　1983·4

本刊编辑部　关于本刊专有版权和使用权的声明　　　2000·1

石油化工科学研究院　我国古代石油、天然气的

　　　　　　　　　　开发与儒法斗争　　　　　　　1975·4

辽宁大学历史系　与束是澂先生商榷从奴隶制

　　　　　　向封建制过渡的规律问题　　　　　　　1961·1

华中师范学院工农业文化教育考察团历史系分团

　　红安县建苏社的发展史　　　　　　　　　　　1959·1

华中师范学院工农业文化教育考察团历史系分团

　　华中师范学院系在红安调查工农文化文教事业的收获　1959·1

华东师大历史系

　　华东师范大学历史系科学研究在大跃进中　　　1958·11

安徽师范大学中文系写作组　论曹操的法治路线　1974·1

曲阜师范学院大批派组　论孔丘的反动"仁学"　1976·4

江西共大简史编写组

　　江西共产主义劳动大学在斗争中前进　　　　　1976·3

江西省赣州专区社联调查组

　　历史的真实宣告"清官论"的破产　　　　　　1966·2

江苏清江棉纺织厂织布乙班青年理论小组

　　太平天国后期的反投降反分裂斗争　　　　　　1976·2

苏联驻华大使馆新闻处

　　关于第二十五届国际东方学家代表大会　　　　1959·9

苏联驻华大使馆新闻处　国外史学动态（5则）　1960·3

苏联驻华大使馆新闻处　国外史学动态3则　　　　　1960·4

国营七○○厂工人理论组　政治谣言与篡权复辟　　　1976·3

武汉大学历史系通讯组

　武汉大学历史系为编写地方党史进行调查研究　　　1959·4

武汉市革命文物管理办公室　华中师范学院历史系

　大革命时期毛主席在武汉　　　　　　　　　　　　1977·5

武汉哲学社会科学研究所历史组

　武汉哲学社会科学研究所历史组的研究活动　　　　1959·6

武汉港务局工人理论小组

武汉大学历史系世界史教研室

　英国资产阶级革命与土地所有制的变革　　　　　　1975·3

武昌农讲所纪念馆　武汉大学历史系

　毛泽东同志主办的中央农民运动讲习所　　　　　　1977·5

罗马尼亚人民共和国驻华大使馆新闻处

　罗马尼亚人民共和国历史科学的发展　　　　　　　1959·9

保加利亚驻华大使馆新闻处等　国外史学动态（5则）1961·5

南开大学历史系　良好的开端　　　　　　　　　　1958·10

南开大学历史系

　关于中国封建土地所有制问题的讨论　　　　　　1960·1-2

南开大学历史系中国社会史研究室

　中国社会史研究综述　　　　　　　　　　　　　　1987·1

南京化学工业公司工人理论小组

　无产阶级专政是我们传家的法宝

　　　——《马克思、恩格斯、列宁论无产阶级专政》

　　　　语录的历史背景　　　　　　　　　　　　　1975·3

哈尔滨车辆工厂厂史编写组

哈尔滨师范学院历史系写作组

　三十六棚工人的抗俄斗争

　　　——哈尔滨车辆工厂厂史片段　　　　　　　　1976·3

总政治部理论组　在毛主席伟大旗帜下战斗的光辉一生

　　　　　——记罗荣桓同志　　　　　　　　　1978·9

泉州海外交通史博物馆

　　泉州海外交通史博物馆正式开幕　　　　　　1959·8

贵阳学院历史系

　　对尚钺主编"中国历史纲要"的一些意见　　1956·3

首钢石景山钢铁公司炼钢厂工人理论小组

　　满腔热情地支持革命的新生事物

　　　　　——学习马克思对待巴黎公社的态度　1976·1

铁道部南口机车车辆厂机械厂工人理论组

北京大学历史系中国古代史教研组

　　中国古代史讲座：第四讲　统一的中央集权

　　封建国家的建立和巩固——秦、西汉　　　　1975·5

《淮河新篇》写作组　淮河今昔　　　　　　　　1975·4

朝农简史编写组

　　一所崭新的社会主义大学

　　　　　——朝阳农学院简史　　　　　　　　1976·2

湖北孝感县老屋公社理论小组

华中师范学院历史系大批判组

　　戳穿"董永行孝"的骗局　　　　　　　　　1975·3

湖南哲学社会科学研究所现代史组

　　陈独秀的投降主义与马日事变　　　　　　　1975·6

湖南哲学社会科学研究所现代史组

　　第一次国内革命战争时期的湖南农民运动　　1976·6

湖南哲学社会科学研究所现代史组

　　秋收起义和向井冈山进军　　　　　　　　　1977·4

湖南哲学社会科学研究所

　　领导中国革命的伟大起点

　　　　　——毛主席早期在湖南的革命活动　　1978·3

湖南哲学社会科学研究所

  领导中国革命的伟大起点（续完）

    ——毛主席早期在湖南的革命活动     1978·4

湖南哲学社会科学研究所现代史组

人民解放军铁道兵政治学院政治教研室

  贺龙同志在湘鄂西和湘鄂川黔的革命斗争     1978·8

湖南哲学社会科学研究所现代史组、文学组

  平江起义     1979·2

福建师范大学历史系理论组   林祥谦烈士传     1976·1

福建师范大学历史系理论组

  马尾船政局早期工人的生活与斗争     1976·4

解放军五二八七五部队理论小组

  发展经济   巩固政权

    ——读晁错《论贵粟疏》     1975·4

解放军某部九连理论小组

  晁错抗击匈奴的战略思想     1975·1

  一封初次发表的太平军紧急文书     1977·4

  一封揭露沙皇独占东三省野心的电报     1977·5

中共中央关于华国锋同志任中共中央第一副主席、

  国务院总理的决议     1976·2

中国共产党中央委员会 中华人民共和国全国人民代表

  大会常务委员会 中华人民共和国国务院 中国共产党

  中央军事委员会 告全党全军全国各族人民书     1976·5

在伟大的领袖和导师毛泽东主席追悼大会上中国共产党

  中央委员会第一副主席、国务院总理华国锋

  同志致悼词     1976·5

中国共产党中央委员会 中华人民共和国全国人民代表

　　大会常务委员会 中华人民共和国国务院 中国共产党

　　中央军事委员会 关于建立伟大的领袖和导师

　　毛泽东主席纪念堂的决定　　　　　　　　　　　1976·5

中共中央关于出版《毛泽东选集》和筹备出版

　　《毛泽东全集》的决定　　　　　　　　　　　　1976·5

中共中央关于撤销邓小平党内外一切职务的决议　　1976·2

中国史学会首次学术年会筹备工作纪要　　　　　　1982·3

中国社会科学院筹备召开五四运动六十周年学术讨论会

　　　　　　　　　　　　　　　　　　　　　　　1979·5

为巩固无产阶级专政而研究历史（短评）　　　　　1974·1

"以其昏昏　使人昭昭"（小资料）　　　　　　　　1976·4

本刊编辑部邀请学术工作者座谈儒法斗争问题　　　1977·4

全国妇联征集中国妇女运动历史资料启事　　　　　1980·1

评注吴晗胡适通信　　　　　　　　　　　　　　　1966·3

辛亥革命五十周年学术讨论会讨论的一些问题　　　1961·6

教育部召开师范院校中国古代史及中世纪史

　　教学大纲讨论会　　　　　　　　　　　　　　1956·8

盛宣怀档案中关于"东南互保"的资料　　　　　　1981·1

章太炎给谭献的一封信　　　　　　　　　　　　　1977·3

鲁迅对《水浒》的评论　　　　　　　　　　　　　1975·5

# 分类索引

## 一 历史学的理论、历史与方法

开展历史研究，迎接文化建设高潮

 ——为"历史研究"发刊而作 　郭沫若 1954·1

中国封建社会土地所有制形式的问题

 ——中国封建社会发展规律商兑之一 　侯外庐 1954·1

中国近代历史的分期问题 　胡 绳 1954·1

中国近代历史的分期问题的商榷 　孙守任 1954·6

与范文澜同志论划分中国奴隶社会与封建社会的

 标准问题 　吴大琨 1954·6

对于中国近代历史分期问题的意见 　金冲及 1955·2

论民族的定义及民族的实质 　魏明经 1956·4

有关中国古史分期的若干问题 　杨向奎 1956·5

中国农民战争和宗教的关系 　孙祚民 1956·5

中国近代史的分期问题 　戴 逸 1956·6

论中国封建制的形成及其法典化 　侯外庐 1956·8

论我国的"封建的土地国有制" 　李 埏 1956·8

从生产关系的基础看奴隶与农奴最根本的区别

 　董楚平 1956·8

论不同国家从奴隶占有制向封建制过渡的

 几个共同的规律性 　弗·尼·尼基甫洛夫 1956·10

社会历史的研究怎样成为科学

　　——论现代中国资产阶级唯心主义历史学在

　　　这个问题上的混乱观念　　　　　　胡　绳　1956·11

对中国近代史分期问题的商榷　　　　　王仁忱　1956·12

我们在研究古代史中所存在的一些问题　日　知　1956·12

中国近代史分期问题的讨论（来稿摘要）

　　　　　章开沅　孙正容　李荣华　赵德馨　毛健予　1957·3

中国古代史分期问题的关键何在？　　　日　知　1957·8

学习先进理论、加强我们的思想战线

　　——为纪念苏联十月社会主义革命四十周年而作

　　　　　　　　　　　　　　　　　　侯外庐　1957·10

由奴隶制向封建制过渡的一个实例　　　刘尧汉　1958·3

研究历史应当厚今薄古

　郭沫若　范文澜　陈　垣　侯外庐　吕振羽　刘大年　1958·5

从对亚罗事件的分析看陈恭禄先生的历史观点　蒋孟引　1958·12

中国的近代始于何时？　　　　　　　　黎　澍　1959·3

关于中国奴隶制向封建制过渡的问题　　常　悟　1959·3

关于历史上的民族融合问题　　　　　　吕振羽　1959·4

中国封建社会前后期的农民战争及其纲领口号的

　发展　　　　　　　　　　　　　　　侯外庐　1959·4

关于中国古史研究中的两个问题　　　　郭沫若　1959·6

中国近代史研究的几个问题　　　　　　刘大年　1959·10

关于中国封建土地所有制问题的讨论

　　　　　　　　　　　　　　南开大学历史系　1960·1

是马克思列宁主义还是私人科学？　　黎　澍　1960·1-2

"新冒出来"的史学体系还是"旧的传统

　史学体系"的翻版？　　　　　　　　翦伯赞　1960·3

关于封建土地所有制问题的商榷　　　　田泽滨　1960·6

向中国封建土地国有制论者质疑　　　　唐陶华　1960·6

关于封建社会土地制度的几个基本问题　　　束世澂　1960·6

关于中国封建社会土地制度问题　　　　　　杨向奎　1961·3

对中国农民战争史讨论中几个问题的商榷　　蔡美彪　1961·4

关于中国农民战争史上几个问题的商榷　　　戎　笙　1961·5

关于中国农民战争中皇权主义的问题　　　　孙祚民　1961·5

关于中国封建社会形态的一些特点　　　　　胡如雷　1962·1

关于中国封建社会农民战争性质的商榷　　　白寿彝　1962·1

关于封建社会土地所有制的形成问题

　　　　　　　　　　　　蒙　默　孙达人　1962·1

对中国封建社会"农民政权"性质问题的商榷

　　　　　　　　　　　　　　　叶孝信　1962·1

中国古代农民在革命战争中所建立的政权的性质

　　问题　　　　　　　　　　　　郑昌淦　1962·1

关于中国封建土地所有制讨论中的若干问题　张恒寿　1962·2

封建社会一定要从领主制开始吗？　　　　　林甘泉　1962·2

新中国的历史科学　　　　　　　　　　　　刘大年　1962·2

关于资本主义发生的历史和逻辑　　　　　　吴传启　1962·4

论我国封建土地国有制的生产关系　　　　　戴园晨　1962·5

中国封建土地所有制的形成　　　　　　　　林甘泉　1963·1

关于"民族"一词的使用和译名的问题　　　林耀华　1963·2

中国近代史诸问题　　　　　　　　　　　　刘大年　1963·3

马克思主义阶级分析方法和历史研究

　　——评刘节《怎样研究历史才能为当前政治服务》

　　　　　　　　　　　　　　　张玉楼　1963·3

论历史主义和阶级观点　　　　　　　　　　宁　可　1963·4

景颇族农村公社土地制度的历史考察

　　——土地的村社公有制向私有制的过渡　朱家桢　1963·6

论中国近代史上的人民群众　　　　　　　　刘大年　1964·1

关于封建土地所有制形式讨论中的几个问题　马克垚　1964·2

论马克思主义的历史主义　　　　　　　　宁　可　1964·3

有关历史人物评价的几个问题　　　　　　尚　钺　1964·3

关于中国封建社会阶级矛盾的一些问题

　　——与胡如雷、蔡美彪同志商榷　　唐宇元　1964·5－6

亚洲历史怎样评价？　　　　　　　　　　刘大年　1965·3

写群众的历史，为群众写历史　　　　　　夏　芗　1965·5

中国封建社会的佃农有什么样的人身自由

　　——与胡如雷同志商榷　　　韩恒煜　李斌城　1965·6

关于调查研究方法的几点体会　　　　　　刘林元　1966·1

统一是中国历史发展的主流　　　　　　　田志松　1975·1

提倡不同学派平等地讨论问题　　　　本刊评论员　1978·12

消灭封建残余影响是中国现代化的重要条件　黎　澍　1979·1

只有农民战争才是封建社会发展的真正动力吗？

　　　　　　　　　　　　　　　　　　戎　笙　1979·4

如何认识封建生产方式的共同规律　　　　马克尧　1979·9

农民与反封建　　　　　　　　　　　　　王小强　1979·10

中国社会科学三十年　　　　　　　　　　黎　澍　1979·11

从洋务、维新到资产阶级革命　　　　　　李时岳　1980·1

中国历史上的民族斗争与融合　　　　　　范文澜　1980·1

论平均主义的功过与农民战争的成败　　　董楚平　1980·1

亚细亚生产方式——不成其为问题的问题

　　　　　　　　　　　《世界上古代纲》编写组　1980·2

试论封建社会中农民的平均主义

　　——兼与董楚平先生商榷　　　　　徐祖根　1980·4

关于农民战争任务和作用问题的商榷　周良霄　张德信　1980·4

略论历史发展的伟大动力与终极原因的内在联系

　　　　　　　　　　　　　　　　　　罗荣渠　1980·5

《亚细亚生产方式——不成其为问题的问题》

　　一文质疑　　　　　　　　　　　　宋　敏　1980·5

也谈"亚细亚生产方式" 何祚榕 1980·5

中国古代史分期问题分歧的原因何在？ 王思治 1980·5

处理历史上民族关系的几个重要准则

　　——读范文澜《中国历史上的民族斗争与融合》

　　　　　　　　　　　　　　　　孙祚民 1980·5

试论博克尔的史学 谭英华 1980·6

学术讨论需要的学风 柏绿 1980·6

应该重新探讨摩尔根的原始社会分期法 时佑平 1981·1

中西封建专制制度的比较研究 庞卓恒 1981·2

试论中国封建社会长期延续的原因 刘昶 1981·2

论一些民族直接过渡到封建社会的原因

　　和共同特征 王正平 1981·2

太平天国研究的历史和方法 王庆成 1981·3

关于中国封建土地所有制的一些问题

　　——与胡如雷同志商榷 杨生民 1981·3

中国封建社会的经济结构与资本主义萌芽 方行 1981·4

中国封建社会的典型性与长期延续原因 刘修明 1981·6

从两种小生产的转化看中国封建社会的

　　长期延续 陈家泽 1982·1

关于产生资本主义的"历史必然性"问题

　　——对马克思给查苏利奇的信的理解 陈启能 1982·1

谈地名学与历史研究 史为乐 1982·1

要抓住史学研究中的重要问题 戚其章 1982·2

谈古籍的普查和情报 胡道静 1982·4

论与史的关系考察 蒋大椿 1982·4

略论伏尔泰的史学家地位 张广智 1982·5

试论历史与现实的联系与区别 孙思白 1982·6

略论我国封建社会各阶级人口增长的不平衡性

　　　　　　　　　　　　　　　　葛剑雄 1982·6

法国大革命史编纂学中的进步传统　　　　　　　王养冲　1982·6

努力开创历史研究的新局面　　　　　本刊评论员　1983·1

日本史学新流派析　　　　　　沈仁安　宋成有　1983·1

马克思主义与中国历史学　　　　　　　　黎　澍　1983·2

历史是多样性的统一　　　　　　　　　丁伟志　1983·2

历史学与马克思唯物史观的形成　　　　蒋大椿　1983·2

也谈中国封建土地所有权的主要标准　　李燕捷　1983·2

地理环境和社会发展　　　　　　　　　王正平　1983·2

关于中国近现代历史分期问题　　　　　李　新　1983·4

评胡适的历史学成就及其理论和方法　　耿云志　1983·4

试论"通史家风"　　　　　　　　　　许凌云　1983·4

关于改进研究中国资产阶级方法的若干意见　章开沅　1983·5

中国封建地主阶级的形成和演变　　漆　侠　高树林　1983·5

中国封建社会前期地主阶级剖析　　　　田昌五　1983·5

文与史　　　　　　　　　　　　　　　李　新　1984·1

马克思主义对历史学的要求　　　　　　黎　澍　1984·1

经学与史学　　　　　　　　　　　　　金景芳　1984·1

开创我国美国史研究新局面的浅见　　　黄绍湘　1984·1

说"成一家之言"　　　　　　　　　　白寿彝　1984·1

中国近代史主要线索及其标志之我见　　李时岳　1984·2

对史学研究的几点管见　　　　　　　　韩国磐　1984·2

谈历史人物的研究　　　　　　　　　　程应镠　1984·2

百年来关于国家起源史研究的实际和理论　日　知　1984·2

我对中国社会史的研究　　　　　　　　侯外庐　1984·3

什么是历史科学理论

　　——历史科学理论学科建设探讨之一　宁　可　1984·3

有关开创世界史研究新局面的几个问题　罗荣渠　1984·3

民族运动与中国近代史的基本线索　　　章开沅　1984·3

史与论　　　　　　　　　　　　　　　李　新　1984·4

中国近代史的"两个过程"及有关问题　　张海鹏　1984·4

中国封建地主阶级产生的两条途径　　林剑鸣　1984·4

文笔·论笔·史笔　　李　新　1984·5

论历史的创造及其他　　黎　澍　1984·5

也谈中国近代历史前进发展的线索

　　——与张海鹏同志商榷　　张耀美　1984·6

太平革命以前中国经济、社会、政治分析

　　　　　　　　吴玉章　林伯渠　1984·6

中国封建社会的特点　　王仲荦　1985·1

论历史研究的对象　　刘大年　1985·3

中国经济史研究中的计量问题　　彭泽益　1985·3

关于《论历史的创造及其他》的信

　　——致黎澍同志　　吴　江　1985·4

历史运动的层次和历史比较研究的层次　　庞卓恒　1985·5

论辛亥革命时期的国粹主义史学　　胡逢祥　1985·5

关于中国近代史基本线索的几点意见　　戚其章　1985·6

要重视和加强史学方法论研究　　吴廷嘉　1986·1

历史研究的非线性化及其方法论问题

　　——对近年来洋务运动史研究的一个检讨　　姜　进　1986·1

史学理论的层次模式和史学多元化　　李开元　1986·1

再评五种生产方式说　　胡钟达　1986·1

自然科学的发展与历史唯物主义的形成　　蒋大椿　1986·2

略论中国史学研究方法的变迁

　　——《中外封建社会劳动者状况比较研究

　　论文集》代序　　田居俭　1986·2

费尔南·布罗代尔的史学方法　　张芝联　1986·2

法国"新史学"简介　　金重远　1986·2

"终极原因"与"相互作用"　　李振宏　1986·3

现代化理论与历史研究　　罗荣渠　1986·3

关于"人民群众是历史的创造者"

　　——兼与黎澍同志商榷　　　　　　　郭瑞祥　1986·3

历史的创造者和创造历史的动力

　　——答祝伟坡同志　　　　　　　　　黎　澍　1986·3

简论朗克与朗克史学　　　　　　　　　　王晴佳　1986·3

《历史研究》的创刊与"百家争鸣"方针的提出　刘大年　1986·4

用系统科学方法使历史科学定量化

　　　　　　　钱学森　沈大德　吴廷嘉　1986·4

要从战略学的高度研究农民战争

　　——从《唐末农民战争战略初探》谈起　杨　柄　1986·4

近二十年的苏联史学理论　　　　　　　　于　沛　1986·4

乔治·勒费弗尔史学浅论　　　　　　　　赵世玲　1986·5

地理环境在社会发展中的作用　　　　　　宁　可　1986·6

把历史的内容还给历史　　　　　　本刊评论员　1987·1

开展社会史研究　　　　　　　　　　　　冯尔康　1987·1

关于社会史研究的学科对象诸问题　　　　陆　震　1987·1

我对综合体史书体裁的探索　　　　　　　罗尔纲　1987·1

西方现代史学流派的特征与方法　　　　　朱孝远　1987·2

意大利人文主义者的矛盾性和复杂性　　　程显煜　1987·2

说"合力"　　　　　　　　　　　　　　刘大年　1987·4

试论历史规律　　　　　　　　王　和　周　舵　1987·5

论五种生产方式理论的形成　　　　　　　项观奇　1987·6

爱德华·汤普逊的史学思想　　　　　　　沈　汉　1987·6

历史学的本体论、认识论、方法论　　　　庞卓恒　1988·1

历史认识对象的特点　　　　　　　　　　王正平　1988·1

历史认识的相对性　　　　　　　　　　　赵轶峰　1988·1

侯外庐与马克思主义历史学　　　　　　　刘大年　1988·1

关于"半殖民地半封建"的几点思考　　　李时岳　1988·1

论史家主体意识　　　　　　　　　　　　李振宏　1988·3

"合力"辨
　　——兼与刘大年同志商榷　　　　　　吴廷嘉　1988·3
《说"合力"》质疑　　　　　陈孔立　施伟青　1988·3
阿诺德·汤因比的史学观　　　　　　　　张和声　1988·3
中国近代史研究的规范问题　　　　　　　张亦工　1988·3
关于中国近代史线索的思考　　　　　　　陈旭麓　1988·3
饶勒斯的史学　　　　　　　　　　　　　马胜利　1988·4
中国的家谱及其学术价值　　　　　　　　武新立　1988·6
论史学主体认识的一致性　　　　　　　　李　林　1988·6
陈寅恪对隋唐史研究的贡献　　　　　　　袁英光　1988·6
陈寅恪对蒙古学的贡献及其治学方法　　　蔡美彪　1988·6
略谈黎澍史学思想的特色　　　　　　　　李　侃　1989·2
学习黎澍治学的独创精神　　　　　　　　蔡美彪　1989·2
马克思主义史学在东西方历史命运的考察　马雪萍　1989·3
现代历史心理学的产生和发展　　　　　　朱孝远　1989·3
关于历史创造者问题的新思考　　　　　　周溯源　1989·3
回顾与前瞻
　　——关于社会史研究的几个问题　蔡少卿　孙　江　1989·4
110年中国近代史应以戊戌变法为分段线　夏东元　1989·4
中国社会史学科建设刍议　　　　　　　　王家范　1989·4
论吕振羽史学　　　　　　　　　　　　　朱政惠　1989·4
中国封建社会土地关系与宗法宗族制　　　李文治　1989·5
还中国近代史以本来面貌　　　　　　　　龚书铎　1990·1
翦伯赞与中国历史科学的理论建设　　　　王学典　1990·3
"批判的历史哲学"的批判　　　　　　　田晓文　1990·3
关于资本主义起源问题　　　　　　　　　何顺果　1990·3
二十世纪的西方史学与当前的新取向
　　——兼论中国史学的优势及前景　　　马雪萍　1990·5

浅谈马克思主义对社会史研究的贡献

 ——对常宗虎先生《社会史浅论》的

  两点质疑         王先明  1991·1

以社会史为基础深化党史研究    张静如  1991·1

当代西方人本主义历史哲学     田晓文  1991·1

愤悱·讲画·变力

 ——对外反应与中国近代化    章开沅  1991·2

纪念陈垣与开展区域文化研究    戴 逸  1991·3

关于历史年代计数的规范化问题   张培瑜  1991·4

18 世纪启蒙史学的地位和贡献   赖元晋  1991·4

中国风俗文化与地域视野     韩养民  1991·5

郭沫若与中国马克思主义史学    田居俭  1992·2

郭沫若与中国传统思想文化     林甘泉  1992·2

郭沫若史学思想与西方文化的影响   黄 烈  1992·2

郭沫若治史的个性特色      刘茂林  1992·2

中国古代史学理论发展大势     瞿林东  1992·2

科学技术和产业革命的内在机制与世界历史

 发展             阎康年  1992·2

城市史研究略论         皮明庥  1992·3

中国佛教哲学的历史演变      方立天  1992·3

依附理论与历史研究       李安山  1992·6

从宏观角度看中国的城市史     赵 冈  1993·1

中国社会史研究笔谈      王家范等  1993·2

西方史学的发展趋势       陈启能  1993·3

我国近年的西方历史哲学研究    于 沛  1993·3

当代历史认识论的反省与重建    赵吉惠  1993·4

史官文化的演进         王 东  1993·4

研究中国近代史的取向问题

 ——外因、内因或内外因结合    汪 熙  1993·5

夏曾佑及其史学思想 李洪岩 1993·5

我国世界史学科的发展历史及前景 齐世荣 1994·1

世界历史与比较研究之我见 朱 寰 1994·1

从多样性探寻规律

　　——马克思《历史学笔记》的启示 庞卓恒 1994·1

资本主义起源理论问题的检讨 马克垚 1994·1

"现代化"的历史定位与对现代世界发展的

　再认识 罗荣渠 1994·3

批判的历史精神

　　——胡适历史哲学思想初探 闻继宁 1994·4

福柯史学刍议 高 毅 1994·6

近百年来西方的西欧封建王权理论 孟广林 1995·2

关于历史认识论的几点思考 张耕华 1995·4

论近代以来的世界民族主义 程人乾 1996·1

波普尔历史哲学的再认识 启 良 1996·1

外国史学理论的引入和回响 于 沛 1996·3

历史人物传记应该怎样写

　　——《乾隆皇帝全传》读后 赵世瑜 1996·3

二十世纪西方史学的演变 罗凤礼 1996·5

《在中国发现历史》新序 柯 文 1996·6

马尔萨斯人口理论的社会文化基础 俞金尧 1996·6

关于封建社会的一些新认识 马克垚 1997·1

试论社会史研究的若干理论问题 周晓虹 1997·3

新的起点：世纪之交的中国历史学 林甘泉 1997·4

关于谱学研究的几点意见 仓修良 1997·5

现代化研究在中国的兴起与发展 林被甸 董正华 1998·5

黎澍的"考求历史真实"及其他 徐宗勉 1998·5

世纪之交中国历史学的回顾与展望 戴 逸 1998·6

学术讨论应当是科学、积极和健康的
　　——评葛剑雄、曹树基《是学术创新，还是
　　低水平的资料编纂?》
　　　　　　　《中国历代人口统计资料研究》编委会　1998·6
费正清与美国的中国学　　　　　　　　　　陶文钊　1999·1
再论社会史的概念问题　　　　　　　　　　赵世瑜　1999·2
论乔治·班克拉夫特史学
　　——兼释"鉴别吸收"和"学以致用"　　杨生茂　1999·2
邓广铭与二十世纪的宋代史学　　　　　　　刘浦江　1999·5
郭沫若关于历史编纂体裁的思考.　　　　　 王戎笙　2000·1
社会形态与历史规律再认识笔谈　　　　　 何兆武等　2000·2
傅斯年的史学思想和史学著作　　　　　　　何兹全　2000·4
加强拉丁美洲史研究刍议　　　　　　　　　曾昭耀　2000·6
关于"五种生产方式"问题的意见
　　——给《历史研究》编者的信　　　　　张奇方　2001·2
关于撰写《从五四运动到人民共和国成立》
　　一书的谈话　　　　　　　　　　　　　胡　绳　2001·3
"理解"：二十世纪西方历史学的追求　　　 王加丰　2001·3
当代中国史学思潮与马克思主义历史观的发展
　　　　　　　　　　　　　　　　　　　　蒋大椿　2001·4
历史事实、历史记忆与历史心性　　　　　　王明珂　2001·5
弘扬唯物史观的科学理性
　　——与蒋大椿先生商榷　　　　　吴　英　庞卓恒　2002·1
见之于行事：中国近代史研究的可能走向
　　——兼及史料、理论与表述　　　　　　罗志田　2002·1
马尔萨斯理论和清代以来的中国人口
　　——评美国学者近年来的相关研究　曹树基　陈意新　2002·1

摘掉人口决定论的光环

　　——兼谈历史人口研究的思路与方法

　　　　　　　　　　　　　王　丰　李中清　2002・1

历史、史学与性别（笔谈）　郭松义　高世瑜　商　传

　　　　　　　　赵世瑜　定宜庄　李伯重　李小江　2002・6

历史认识：主体意识和主体的创造性　　　　于　沛　2003・1

论中国考古学与历史学的关系　　　　　　　朱凤瀚　2003・1

二十一世纪中国古史研究面对的主要问题　　谢维扬　2003・1

史学传统与晚明史研究　　　　　　　　　　商　传　2003・1

中国生态史学的进步及其意义

　　——以秦汉生态史研究为中心的考察　　王子今　2003・1

文化的冲击与超越：当代香港史学　　　　　郭少棠　2003・1

历史研究变革大趋势下的世界史重构　　　　陈志强　2003・1

冷战史新研究与档案文献的收集和利用　　　沈志华　2003・1

唯物史观的历史命运

　　——关于马克思主义文本解读的思考　　汪征鲁　2003・2

"冷战史新研究"：源起、学术特征及其批判

　　　　　　　　　　　　　陈　兼　余伟民　2003・3

从"事件史"到"事件路径"的历史

　　——兼论《历史研究》两组义和团研究论文　李里峰　2003・4

# 二　中国古代史

## （一）先秦

寿县出土楚器铭文研究　　　　　　　　　　朱德熙　1954・1

屈原生年月日的推算问题　　　　　　　　　浦江清　1954・1

关涉周代史实的铭文五篇　　　　　　　　　杨树达　1954・2

佹麛篇的研究　　　　　　　　　　　　　　郭沫若　1954・3

论周代社会史料的运用问题　　　　　　　　岑仲勉　1954・6

西周文中的殷人身分 陈梦家 1954·6

耐林觚金文说 杨树达 1954·6

圭田辨 周谷城 1954·6

关于西周的社会性质问题 王思治 杜文凯 王汝丰 1955·1

殷代农作施肥说 胡厚宣 1955·1

释"不玄冥" 杨向奎 1955·1

商殷与夏周的年代问题 陈梦家 1955·2

关于西周社会性质的问题 戚其章 1955·5

夏代和商代的奴隶制 束世澂 1956·1

战国社会封建化过程 叶玉华 1956·1

封邑邦国方辨 金兆梓 1956·2

关于西周社会性质问题的讨论
　　——答戚其章先生 吴大琨 1956·3

"吕览" 浧滩与 "服赋" 单阏 "淮南" 丙子之
　通考 刘坦 1956·4

关于殷周土地所有制的问题 斯维至 1956·4

略谈卜辞中 "武丁诸父之称谓" 及 "殷代王位
　继承法"
　　——读陈梦家先生 "甲骨断代学" 四篇记 刘启益 1956·4

中国古代医学和哲学的关系
　　——从黄帝内经来看中国古代医学的科学成就 任继愈 1956·5

论殷代生产资料的所有制形式 朱本源 1956·6

春秋战国时代的奴隶制 黄子通 夏甄陶 1956·6

对 "夏代和商代的奴隶制" 一文的意见 许顺湛 1956·6

先秦生产形态之探讨 尚钺 1956·7

对杨向奎先生古史问题的几点意见 张心澂 1956·8

"商鞅变法" 促进奴隶使用制度发展说
　　——兼与叶玉华先生商榷 罗祖基 1956·9

周都丰镐与金文中的莠京 黄盛璋 1956·10

释"蒐历" 赵光贤 1956·11
关于"管子""轻重"篇的著作年代问题 马非百 1956·12
释"余一人" 胡厚宣 1957·1
"七月"诗中的历法问题 华钟彦 1957·2
爰田（辕田）解 王毓铨 1957·4
论西周是封建制社会
　　——兼论殷代社会性质 徐中舒 1957·5
有关西周社会性质的几个问题 王玉哲 1957·5
试论商鞅变法的性质 冉昭德 1957·6
说贵田 胡厚宣 1957·7
论宗法制与封建制的关系
　　——评黄子通"宗法制度与等级制度是不是
　　　封建制度的特征?" 童书业 1957·8
读"有关西周社会性质的几个问题"后的意见 曾 庸 1957·8
战国策之古本与今本 顾 刚 1957·9
关于西周农业生产工具和生产技术的讨论 杨 宽 1957·10
关于"夏代和商代的奴隶制"一文所引用的
　　甲骨文材料 赵锡元 1957·10
释"执驹" 杨向奎 1957·10
关于商代社会性质的讨论（对于省吾先生
　　"从甲骨文看商代社会性质"一文的意见） 唐 兰 1958·1
驳马非百"关于管子轻重篇的著作年代问题" 容肇祖 1958·1
周都丰镐位置商榷 王世民 1958·2
释初吉 黄盛璋 1958·4
评叶玉华先生的几篇文章 秦 翰 1958·6
驳唐兰先生"关于商代社会性质的讨论" 于省吾 1958·8
令彝考释中的几个问题 周 同 1959·4
殷卜辞中的上帝和王帝（上） 胡厚宣 1959·9
殷卜辞中的上帝和王帝（下） 胡厚宣 1959·10

奴隶社会的阶级结构 　　　　　　　　　　　金景芳 1959·10

略论图腾与宗教起源和夏商图腾 　　　　　　于省吾 1959·11

对"试述殷代的奴隶制度和国家的形成"一文

　　的意见 　　　　　　　　　　　　　　　赵赐元 1959·11

楚王城 　　　　　　　　　　　　　　　　　黄盛璋 1960·1

春秋战国时代的农村公社 　　　　　　　　　韩连琪 1960·4

大丰殷铭制作的年代、地点与史实 　　　　　黄盛璋 1960·6

试论殷商奴隶制向西周封建制的过渡问题

　　　　　　　李　埏　朱惠荣　谭世遵　李鸿启 1961·3

井田新解并论周朝前期士农不分的含义 　　　徐旭生 1961·4

岁、时起源初考 　　　　　　　　　　　　　于省吾 1961·4

孔子《春秋》 　　　　　　　　　　　　　　束世澂 1962·1

《尚书·大诰》今译（摘要） 　　　　　　　顾颉刚 1962·4

论西周的彻和庸 　　　　　　　　　　　　　谷霁光 1962·4

从《尚书》研究论到《大诰》校译 　　　　　平　心 1962·5

《周易》史事索隐 　　　　　　　　　　　　平　心 1963·1

战国秦汉时代纺织业技术的进步 　　　　　　孙毓棠 1963·3

论《战国策》的编写及有关苏秦诸问题 　　　徐中舒 1964·1

论春秋时代鲁国和晋国的社会特点兼及儒家和

　　法家产生的历史背景 　　　　　　　　　应永深 1964·1

周代土地制度和它的演变 　　　　　　　　　何兹全 1964·3

井田制的发生和发展 　　　　　　　　　　　金景芳 1965·4

试论原始公社末期土地私有制的发展 　　　满都尔图 1976·4

从我国古代神话探索天文学的起源 　　　　　郑文光 1976·4

中国古代对陨石的记载和认识 　　　　　　　黄时鉴 1976·4

论荀况对儒家思想的批判继承 　　　　　　　孔　繁 1977·1

释"僇力本业，耕织致粟帛多者复其身" 　　　杨际平 1977·1

评《论"黔首"》 　　　　　　　　　　　　　刘斯奋 1977·1

"盗跖"考辨 　　　　　　　　　　　　　　　邬　蒙 1977·2

论荀况宇宙观的形而上学特征　　　　　　　包遵信　1977·4

论儒法　　　　　　　　　　　　　　　　　金景芳　1977·5

关于孔丘诛少正卯　　　　　　　　　　　　延　陵　1978·1

释"天完"　　　　　　　　　　　　　　　　杨　讷　1978·1

评公孙龙　　　　　　　　　　　　　　　　王德裕　1978·1

宝瓶口和沱江是李冰之前开凿的　　　　　　喻权域　1978·1

驳法家"长期反复辟"论　　　　谢天佑　王家范　1978·3

甲骨文"肖"与"肖田"　　　　　　　　　张政烺　1978·3

研究春秋史的最新资料

　　——《侯马盟书》出版　　　　　　　　杜晓云　1978·3

"有教无类"古解　　　　　　　　　　　　杨柳桥　1978·4

孔子思想的再评价　　　　　　　　　　　　庞　朴　1978·8

早周的历史初探　　　　　　　　　　　　　斯维至　1978·9

人殉、奴隶制与孔丘的"爱人"思想

　　——评柏青《驳孔丘反对人殉说》　　　田居俭　1978·9

《"有教无类"古解》质疑　　　　　　　　单周尧　1978·12

井田制的破坏和农民的分化

　　——兼论商鞅变法的性质及其作用　　　郑昌淦　1979·7

从天象上推断武王伐纣之年　　　　　　　　赵光贤　1979·10

庄周故里辨　　　　　　　　　　　　　　　菲　铭　1979·10

"人曰",不是"八日"而是"人日"　　　李一氓　1980·1

评庄周故里为蒙城说　　　　　　　　　　　杨武泉　1980·1

"枚卜"新证　　　　　　　　　　　　　　庞　朴　1980·1

殷代人种问题考察　　　　　　　韩康信　潘其风　1980·2

孔孟书中所反映的古代中国城市国家制度　　林志纯　1980·3

百里奚与孟明视为一人辨　　　　　　　　　马非百　1980·3

有关井田制的一些辨析　　　　　　　　　　赵俪生　1980·4

孟元老其人　　　　　　　　　　　　　　　孔宪易　1980·4

"粪种"解　　　　　　　　　　　　　　　黄中业　1980·5

从《春秋》"称人"之例再论亚洲古代民主政治

　　　　　　　　　　　　　　　　　　　日　知　1981·3

释"武王伐纣前歌后舞"　　　　　　　　　汪宁生　1981·4

春秋战国时"信"观念的演变及其社会原因　阎步克　1981·6

卜辞中贵妇的社会地位考述　　　　　　　　郑慧生　1981·6

《小屯南地甲骨》中所发现的若干重要史料　陈邦怀　1982·2

对"封民"的一点补充意见　　　　　　　　段鼎周　1982·6

西周春秋金文中的诸侯爵称　　　　　　　　王世民　1983·3

春秋时期楚国的平民阶层　　　　　　　　　程涛平　1983·6

商族的来源地望试探　　　　　　　　　　　王玉哲　1984·1

西周中央政权机构剖析　　　　　　　　　　杨　宽　1984·1

二进位制数学创始者辨正　　　　　　　　　焦树安　1984·4

殷周的外服及其演变　　　　　　　　　　　王冠英　1984·5

战国时期楚封君初探　　　　　　　　　　　何　浩　1984·5

《海经》新探　　　　　　　　　　　　　　何幼琦　1985·2

关于商代称王的封国君长的探讨　　　　　　齐文心　1985·2

略论夏商周帝王的称号及国家政体　　　　　唐嘉弘　1985·4

商先起源于幽燕说　　　干志耿　李殿福　陈连开　1985·5

析"民本

　　——对先秦至西汉"民本"思想的考察　　邵　勤　1985·6

我国原始社会婚姻形态研究　　　　　　　　李衡梅　1986·2

商朝官制及其历史特点　　　　　　　　　　王贵民　1986·4

战国到西汉未曾实行"提封田"的田亩制度　王煦华　1986·4

殷墟卜辞中的商王名号与商代王权　　　　　晁福林　1986·5

西周春秋时期士阶层宗法制度研究　　　　　李向平　1986·5

说《逸周书·世俘》篇并拟武王伐纣日程表　赵光贤　1986·6

从春秋战国封建主形成看政治的决定作用　　刘泽华　1986·6

商族起源地望发微

　　——兼论山西垣曲商城发现的意义　　　陈昌远　1987·1

高宗"亮阴"与武丁之治　　　　　　　李　民　1987·2

殷契周弃时代社会性质再认识　　　　林祥庚　1987·2

东夷及其史前文化试论　　　　　　　逄振镐　1987·3

战国时期的"士"　　　　　　　　　刘泽华　1987·4

小盂鼎与西周制度　　　　　　　　　李学勤　1987·5

商代人牲身份的再考察　　　　　　　杨升南　1988·1

《管子》与齐国历史的关系　　　　　赵俪生　1988·4

殷代外交制度初探　　　　　　　　　黎　虎　1988·5

从我国早期畜牧民的产生看第一次社会大分工

　　　　　　　　罗　琨　张永山　1988·5

商鞅变法后秦的家庭制度　　　　　　张金光　1988·6

对《应该怎样研究上古的神话与历史》的

　　几点答复　　　　　　　　　　　何　新　1988·6

古代汉苗二族关系史辨误　　　　　　赵光贤　1989·5

西周春秋时期的国家形式　　　　　　何兹全　1989·5

论对偶婚从夫居形态及在家庭史上的地位　李永采　1989·6

由《史记》鲧禹的失统谈鲧禹传说的史影　王宇信　1989·6

楚国野地居民社会形态研究　　　　　程涛平　1990·1

昭穆制度与周人早期婚姻形式　　　　李衡眉　1990·2

中国婚礼的产生与演变　　　　　　　王玉波　1990·4

殷商时代田猎活动的性质与作用　　　孟世凯　1990·4

《越绝书》是一部地方史　　　　　　仓修良　1990·4

关于卿事寮　　　　　　　　　　　　韩国磐　1990·4

论孔子思想的两个核心　　　　　　　金景芳　1990·5

稷下学宫与百家争鸣　　　　　　　　张秉楠　1990·5

殷墟卜辞所见商王室宗庙制度　　　　朱凤瀚　1990·6

殷墟的生态环境与盘庚迁殷　　　　　李　民　1991·1

秦人的族源及迁徙路线　　　　　　　王玉哲　1991·3

西周采邑制度述略　　　　　　　　　吕文郁　1991·3

夏商人口初探　　　　　　　　　　　　　　　　宋镇豪　1991·4

王字本义试探　　　　　　　　　　　　　　　　齐文心　1991·4

先秦人名的几个问题　　　　　　　　　　　　　李学勤　1991·5

商周人际关系思想的发展与演变　　　　　　　　王　和　1991·5

论平王东迁　　　　　　　　　　　　　　　　　晁福林　1991·6

《侈靡》篇新探　　　　　　　　　　　　　　　庄春波　1991·6

中山武公新论　　　　　　　　田卫平　王　晋　1992·2

商代的财政制度　　　　　　　　　　　　　　　杨升南　1992·5

先秦山东地区宗法研究　　　　　　　　　　　　王钧林　1992·6

周人不用日名说　　　　　　　　　　　　　　　张懋镕　1993·5

《国语》"防风氏"笺证　　　　　　　　　　　　董楚平　1993·5

古籍考辨四题　　　　　　　　　　　　　　　　金景芳　1994·1

西周莽京地望的再探讨　　　　　　　　　　　　王玉哲　1994·1

关于琉璃河1193号周墓的几个问题　　　　　　　赵光贤　1994·2

异性史官与周代文化　　　　　　　　　　　　　胡新生　1994·3

古史传说中帝王的性别问题　　　　　　　　　　李衡眉　1994·4

春秋外交人才的遴选　　　　　　　　　　　　　裴默农　1994·4

文王非纣臣考辨
　　——兼论文王的文治武功　　　　　　　　　王慎行　1994·5

商代婚姻的运作礼规　　　　　　　　　　　　　宋镇豪　1994·6

先秦两汉文献中所见周代诸侯五等爵　　　　　　陈恩林　1994·6

巡守制度试探　　　　　　　　　　　　　　　　赵世超　1995·3

鲁国礼乐传统研究　　　　　　　　　　　　　　杨朝明　1995·3

楚辞中所见殷族先公考　　　　　　　　　　　　江林昌　1995·5

春秋时期的鬼神观念及其社会影响　　　　　　　晁福林　1995·5

《左传》中的人本思想与民本思想　　　　　　　刘家和　1995·6

从周原出土蚌雕人头像谈严允文化的一些问题　斯维至　1996·1

昏礼起源考辨　　　　　　　　　　　　　　　　黄　浩　1996·1

昭穆制度与宗法制度关系论略　　　　　　　　　李衡眉　1996·2

徐夷迁徙考　　　　　　　　　　　　　　李修松　1996·4

鲁、齐、燕的始封及燕与郱的关系　　　　陈恩林　1996·4

周代燕国考　　　　　　　　　　　　　　曲英杰　1996·5

先秦诸子军事思想异同初探　　　　　　　黄朴民　1996·5

谈礼　　　　　　　　　　　　　　　　　金景芳　1996·6

近百年来的殷墟甲骨文研究　　　　　　　朱凤瀚　1997·1

越国王室迁葬考　　　　　　　　　　　　董楚平　1997·1

先秦货币二考　　　　　　　　　　　　　白奏川　1997·2

《尉缭子》逸文蠡测　　　　　　　　　　徐　勇　1997·2

夏文化北播及其与匈奴关系的初步考察　　陈立柱　1997·4

论殷周之际的社会变革
　　——为王国维诞辰 120 周年及逝世 70 周年而作
　　　　　　　　　　　　　　　　　　　沈长云　1997·6

释《武成》与金文月相
　　——兼论《晋侯稣编钟》及武王伐纣年　黄彰健　1998·2

周原甲骨属性与商周之际祭礼的变化　　　王　晖　1998·3

初读郭店楚简　　　　　　　　　　　　　庞　朴　1998·4

友与两周君臣关系的演变　　　　　　　　查昌国　1998·5

利簋铭文再认识　　　　　　　　　　　　黄怀信　1998·6

西周国家的历史作用　　　　　　　　　　王玉哲　1999·2

关于《武成》的几个问题
　　——兼评《释〈武成〉与金文月相》　　张闻玉　1999·2

"调均贫富"与"斟酌贫富"
　　——从孔子的"患不均"到唐代的"均平"
　　　思想　　　　　　　　　　　　　　陈明光　1999·2

《大衍历议》与今本《竹书纪年》　　　　张培瑜　1999·3

甲骨学的七个课题　　　　　　　　　　　李学勤　1999·5

《甲骨文合集》的反顾与《甲骨文合集补编》
　　的编纂　　　　　　　　　　彭邦炯　马季凡　1999·5

中国现存最古的私家著述《孙子兵法》　　　　　　何炳棣　1999·5

巴人源出东夷考　　　　　　　　　　　　　　　　杨　铭　1999·6

齐长城肇建原因再探　　　　　　　　　　　　　　国光红　2000·1

孟子"夫妇有别"论小议

　　——兼与金景芳先生商榷　　　　　　　　　刘文刚　2000·3

三重道德论　　　　　　　　　　　　　　　　　　庞　朴　2000·5

荆门郭店一号楚墓墓主考论

　　——兼论屈原生平研究　　　　　　　　　　周建忠　2000·5

《商颂》与商汤之"亳"　　　　　　　　　　　　江林昌　2000·5

新邑考　　　　　　　　　　　　　　　　　　　　彭裕商　2000·5

西周春秋吴都迁徙考　　　　　　　　　　　　　　王　晖　2000·5

论中国古史的氏族时代

　　——应用长时段理论的一个考察　　　　　　晁福林　2001·1

盘古考源　　　　　　　　　　　　　　　　　　　王　晖　2002·2

上古时期中国东南地区的太阳崇拜　　　　　　　　李修松　2002·2

金文"生称谥"新解　　　　　　　　　　　　　　杜　勇　2002·3

西周金文所见夷厉二王在位年数及相关问题　　　　彭裕商　2002·3

浴日和御日　　　　　　　　　　　　　　　　　　赵世超　2003·3

《叔夨方鼎》"王乎殷厥士贅叔夨"解　　　　　　刘宗汉　2003·3

殷卜辞所见先公配偶考　　　　　　　　　　　　　朱彦民　2003·6

## （二）秦汉

汉代"亭"与"乡""里"不同性质不同行政

　系统说

　　——"十里一亭……十亭一乡"辨正　　　　王毓铨　1954·2

试论中国自秦汉时成为统一国家的原因　　　　　　范文澜　1954·3

论诸葛亮　　　　　　　　　　　　　　　　　　　周一良　1954·3

关于两汉的官私奴婢问题　　　　　　　　　　　　翦伯赞　1954·4

论匈奴部落国家的奴隶制　　　　　　　　　　　　马长寿　1954·5

说秦汉到明末官手工业和封建制度的关系

　　　　　　　　　　白寿彝　王毓铨　1954·5

关于两汉社会性质问题的探讨

　　　　　　王思治　杜文凯　王汝丰　1955·1

试论汉民族的形成　　　　　　　　曾文经　1955·1

论西汉的土地占有形态　　　　　　贺昌群　1955·2

论汉民族的形成　　　　　　　　　张正明　1955·4

从秦汉史料中看屯田采矿铸钱三种制度　陈　直　1955·6

《太史公行年考》有问题　　　　　郭沫若　1955·6

司马迁生年为建元六年辨　　　　　李长之　1955·6

汉代是奴隶社会还是封建社会？　杨伟立　魏君弟　1956·2

读郭沫若先生"太史公行年考有问题"后　王达津　1956·3

汉代白虎观宗教会议与神学法典白虎通义

　　——兼论王充对白虎观神学的批判　侯外庐　1956·5

对"关于两汉社会性质问题的探讨"一文中

　　所引"史记"两"汉书"的解释的意见　李鼎芳　1956·7

再论汉代是奴隶社会　　　　　　　王思治　1956·9

关于汉民族何时形成的一些问题的商榷　章冠英　1956·11

从史料运用上略论两汉社会性质问题

　　——"关于两汉社会性质问题的探讨"读后评

　　　　　　　　　　　　　　杜金铭　1956·11

汉代著名产铜地丹阳考　　　　　　裘㤄耀　1957·2

关于白族族源问题　　　　　　　　王叔武　1957·4

释汉简中有关汉代社会性质诸例　　黄　烈　1957·6

汉代奴隶制说的根本缺陷在那里？

　　——对"再论汉代是奴隶社会"一文的意见　胡珠生　1957·7

试论两汉时代的社会性质　　　　　张恒寿　1957·9

汉晋时期的"西南夷"　　　　　　尤　中　1957·12

升斗辨　　　　　　　　　　　　　贺昌群　1958·6

关于汉代生产奴隶与生产力水平问题　　　　冉昭德　1958·8
"关于白族族源问题"质疑　　　　　　　　　王　忠　1958·8
曹操年表　　　　　　　　　　　　　　　　　江　耦　1959·3
论黄巾农民起义的口号　　　　　　　　　　贺昌群　1959·6
史记商兑录　　　　　　　　　　　　　　　　李　笠　1959·7
试论"太平经"　　　　　　　　　　　　　　戎　笙　1959·11
秦汉间个体小农的形成和发展　　　　　　　贺昌群　1959·12
秦汉时期租佃关系的发生与发展　　　　　　驷　铁　1959·12
秦末农民起义的原因及其历史作用　　　　　贺昌群　1961·6
《急就篇》研究　　　　　　　　　　　　　沈　元　1962·3
《太平经》的作者和思想及其与黄巾和天师道
　　的关系　　　　　　　　　　　　　　　熊德基　1962·4
东汉更役戍役制度的废止　　　　　　　　　贺昌群　1962·5
汉晋过所通考　　　　　　　　　　　　　　陈　直　1962·6
论汉晋的氐羌和隋唐以后的羌族　　　　　　胡昭曦　1963·2
道教的起源和形成　　　　　　　　　　　　喻松青　1963·5
关于羌族古代史的几个问题　　　　　　　　李绍明　1963·5
评《〈急救篇〉研究》　　　　　　　孙　森　1964·5-6
有关氏族来源和形成的一些问题　　　　黄　烈　1965·2
论西汉的货币改制
　　——兼论西汉的"重农抑商"政策　　　李祖德　1965·3
论秦末农民起义的历史根源和社会后果　　　田昌五　1965·4
从汉初统治看"让步政策论"的破产　　　　向东生　1966·2
长沙马王堆三号汉墓出土帛书简介　　　　　洪　楼　1974·1
《十大经》的思想和时代　　　　　　　　　康　立　1975·3
秦末农民大起义的原因何在?　　　　　　　高小斯　1977·2
匈奴西迁及其在欧洲的活动　　　　　　　　齐思和　1977·3
董仲舒的儒法合流的政治思想　　　　　　　钟肇鹏　1977·3
从云梦秦简看秦代社会的主要矛盾　　　　　唐赞功　1977·5

论秦律的阶级本质

  ——读云梦秦律札记       吴荣曾 1977・5

秦汉的统一与哲学思想的变革

  ——"四人帮"歪曲历史的罪证之一  任继愈 1977・6

评盐铁会议           张 烈 1977・6

他们在修补唯心主义的避难所

  ——驳"四人帮"在评价秦始皇问题上的

    反动观点         宇 清 1978・1

助"帮"为虐的"诸葛亮研究"

  ——评"梁效"某教授的《诸葛亮和

    法家路线》        田居俭 1978・4

论秦始皇

  ——兼评"四人帮"的唯心史观   林甘泉 1978・4

关于"王侯将相宁有种乎"      晁福林 1978・5

"功比轵侯"解          朱桂昌 1978・5

关于匈奴西迁过程的探讨      肖之兴 1978・7

东汉金城郡治地理位置考      王仁康 1978・10

"闾左"辨疑          卢南乔 1978・11

《秦政记》的一个句读问题     戴鸿森 1978・11

杜仓相秦考          马非百 1978・12

汉魏之际封建说        何兹全 1979・1

论秦始皇的是非功过    刘泽华 王连升 1979・2

司马迁写当代史        施 丁 1979・7

论"文景之治"         张大可 1979・7

古夜郎三题          周维衍 1979・11

怎样正确评价吕后        邓经元 1979・12

谈《史记・大宛列传》叙大宛之役  苏诚鉴 1979・12

也谈"万岁"          朱立平 1980・1

对《"万岁"考》的两点意见    张世正 1980・1

论司马迁的"通古今之变"　　　　　　　　施　丁　1980・2

古代居延道路　　　　　　　　　　　　　　王北辰　1980・3

汉代酿酒业探讨　　　　　　　　余华青　张廷皓　1980・5

落下闳与黄门老工考　　　　　　　　　　　鲁子健　1980・5

《太玄》创作年代考　　　　　　　　　　　束景南　1981・5

"九道"概述　　　　　　　　　　　　　　王胜利　1982・2

谁是坎儿井的创造者?

　　——兼辨大宛国贰师城　　　　　　　　常　征　1982・3

略论海上"丝绸之路"　　　　　　　　　　陈　炎　1982・3

《居延汉简甲乙编》释文补正举隅　谢桂华　李均明　1982・5

也释《汉书》"日有九道"和"月有十九道"　薛理勇　1982・6

曹操主持开凿的运河及其贡献　　　　　　　黄盛璋　1982・6

百越民族考　　　　　　　　　　蒙文通遗著　1983・1

匈奴龙城考辨　　　　　　　　　　　　　　汪维懋　1983・2

略论秦汉时期的园圃业　　　　　　　　　　余华青　1983・3

汉魏之际的青徐豪霸问题　　　　　　　　　田余庆　1983・3

汉代豪强经济的历史地位　　　　　　　　　杨一民　1983・5

"汉以孝治天下"发微　　　　　　　　　　刘修明　1983・6

"宦官"与"太监"　　　　　　　　　　　王　硕　1983・6

论轮台诏　　　　　　　　　　　　　　　　田余庆　1984・2

蜀汉"南中"政策二三事　　　　　　　　　黎　虎　1984・4

试论汉代西南民族中的"夷"与"羌"　　　蒙　默　1985・1

秦汉邮传制度考略　　　　　　　　　　　　高　敏　1985・3

试论两汉豪强地主坞壁　　　　　　　　　　刘华祝　1985・5

宦官三题

　　——王硕《"宦官"与"太监"》补正　何冠彪　1985・6

西汉宰相制度变化的原因　　　　　　　　　祝总斌　1986・2

秦政、汉政与文吏、儒生　　　　　　　　　阎步克　1986・3

从秦人价值观看秦文化的特点　　　　　　　林剑鸣　1987・3

西汉官制尊右尊左考　　　　　　　　　　　　姚国旺　1987・3

从《日书》看秦人鬼神观及秦文化特征

　　　　　　　　　　　　　　李晓东　黄晓芬　1987・4

两汉的历史转折　　　　　　　　　　　　　　刘修明　1987・6

汉代家庭成员的地位和义务　　　　　　　　　黄金山　1988・2

汉代"案比"制度的渊源及其流演　　　　　　钱剑夫　1988・3

也谈汉代官制的尚左与尚右　　　　　　　　　庄春波　1988・3

自汉至唐海南岛历史政治地理

　　——附论梁隋间高凉洗夫人功业及隋唐高凉

　　　　冯氏地方势力　　　　　　　　　　　谭其骧　1988・5

秦汉长城与北边交通　　　　　　　　　　　　王子今　1988・6

说张楚

　　——关于"亡秦必楚"问题的探讨　　　　田余庆　1989・2

《隆中对》再认识　　　　　　　　　　　　　田余庆　1989・5

西汉晚期至萧齐海南岛不在大陆王朝版图之外　杨武泉　1989・6

再论海南岛建置沿革　　　　　　　　　　　　谭其骧　1989・6

再谈浮屠与佛　　　　　　　　　　　　　　　季羡林　1990・2

秦汉时期的内河航运　　　　　　　　　　　　王子今　1990・2

西汉戊己校尉考　　　　　　　　　　　　　　林剑鸣　1990・2

两汉复仇盛行的原因　　　　　　　　　　　　周天游　1991・1

秦汉政治生活中的神秘主义　　　　　　　　　林剑鸣　1991・4

汉晋之际的汝颖名士　　　　　　　　　　　　胡宝国　1991・5

古代于阗的南北交通　　　　　　　　　　　　殷　晴　1992・3

秦汉时期的人口迁移与文化传播　　　　　　　葛剑雄　1992・4

班固与《汉书》的史学思想　　　　　　　　　施　丁　1992・4

《汉书》中的天人关系　　　　　　　　　　　许殿才　1992・4

秦《为田律》农田规划制度再释　　　　　　　袁　林　1992・4

黄巾起义先驱与巫及原始道教的关系

　　——兼论"黄巾"与"黄神越章"　　　　方诗铭　1993・3

汉"金"新论 　　　　　　　　　　　　秦　晖　1993·5
秦汉时制研究 　　　　　宋会群　李振宏　1993·6
"汉匈奴破酓虏长"及其有关史实发覆 　　黄盛璋　1994·2
汉代功曹、五官掾考 　　　　　　　　宋一夫　1994·5
郡国大中正考 　　　　　　　　　　　罗新本　1994·5
会稽"淫风"考 　　　　　　　　　　林剑鸣　1995·1
秦汉时期气候变迁的历史学考察 　　　王子今　1995·2
佛教海上传入中国之研究 　　吴廷璆　郑彭年　1995·2
释"张角李弘毒流汉季"
　　——"李家道"与汉晋南北朝的"李弘"起义
　　　　　　　　　　　　　　　　　方诗铭　1995·2
论光武帝"退功臣而进文吏" 　　　　陈　勇　1995·4
从汉代"部"的概念释县乡亭里制度 　　周振鹤　1995·5
孙吴三项财经措施作用析疑 　　　　　陈明光　1995·5
论"黄神越章"
　　——兼谈黄巾口号的意义及相关问题 　刘昭瑞　1996·1
汉代期门羽林考释 　　　　　　　　　黄今言　1996·2
汉代兵力论考 　　　　　　　　　　　胡宏起　1996·3
东汉魏晋时期州郡兵制度的演变 　　　高　敏　1996·3
西汉京畿制度的特征 　　　　　〔韩〕崔在容　1996·4
西汉刑制改革新探 　　　　　　　　　张建国　1996·6
汉印制度杂考 　　　　　　　　　　　汪桂海　1997·3
秦汉公文文书与官僚行政管理 　　　　卜宪群　1997·4
秦简"敖童"解 　　　　　　　　　　黄留珠　1997·5
秦乡官制度及乡、亭、里关系 　　　　张金光　1997·6
中国乡里制度研究及展望 　　　　　　赵秀铃　1998·4
尹湾汉墓木牍《集簿》中户口统计资料研究　高大伦　1998·5
秦西汉误释未释官印考 　　　　　　　赵平安　1999·1
西南丝绸之路研究的认识误区 　　　　吴　焯　1999·1

《史记·货殖列传》引《老子》疑义试析　　　　　李　延　1999·4

尹湾《集簿》"春种树"解　　　　　王子今　赵昆生　2001·1

"品位—职位"视角中的传统官阶制五期演化　阎步克　2001·2

匈奴汉国的政治与氏羌　　　　　　　　　吕一飞　2001·2

秦汉农业：精耕细作抑或粗放耕作　　　　杨际平　2001·4

"六经"次序探源　　　　　　　　　　　廖名春　2002·2

汉简所反映的关津制度　　　　　　　　　李均明　2002·3

两汉时期气候状况的历史学再考察　　　　陈业新　2002·4

尹湾汉简《元延二年日记》所载汉代气象资料

　　　　　　　　　　　　　　　　　　蔡万进　2002·4

银雀山汉简中的官社体制　　　　　　　　张银光　2002·5

汉代屯戍生活中的古典人道精神　　　　　李振宏　2002·5

求才令与汉魏嬗代　　　　　　　　　　　卫广来　2002·5

张家山汉简《盖庐》中的兵阴阳家　　　　田旭东　2002·6

汉代的流言与讹言　　　　　　　　　　　吕宗力　2003·2

从《秩律》论战国秦汉间禄秩序列的纵向伸展　阎步克　2003·5

秦苍梧、洞庭二郡刍论　　　　　　　　　陈　伟　2003·5

### （三）魏晋南北朝

嵇康集考　　　　　　　　　　　　　　鲁迅遗稿　1954·2

魏晋玄学中的社会政治思想和它的政治背景

　　　　　　　　　　　　　　　汤用彤　任继愈　1954·3

南朝的屯、邸、别墅及山泽占领　　　　　唐长孺　1954·3

范长生与巴氏据蜀的关系　　　　　　　　唐长孺　1954·4

论魏晋时代知识分子的思想分化及其社会根源　范　宁　1955·4

东晋南北朝时期矿冶铸造业的恢复与发展　林寿晋　1955·6

论"齐名要术"——我国现存最早的完整农书　万国鼎　1956·1

论南北朝时期炼钢技术的重要发明　　　　杨　宽　1956·4

西晋的土地和赋税制度　　　　　　　　　王天奖　1956·7

试论曹魏屯田与西晋占田上的某些问题　　　　　张维华　1956·9

陶潜不为五斗米折腰新释　　　　　　　　　　　缪　钺　1957·1

关于曹植的评价问题　　　　　　　　　　　　　张德钧　1957·2

两晋南北朝时期民族大变动中的廪君蛮　　　　　章冠英　1957·2

对于"陶潜不为五斗米折腰新释"的商榷

　　　　　　　　　　　　　　张志明　缪　钺　1957·10

曹魏屯田制述论　　　　　　　　　　　　　　　赵幼文　1958·4

西晋李重驳赵恬和一事发生时间的商榷　　　　　洪　序　1958·6

寇谦之的著作与思想　　　　　汤用彤　汤一介　1961·5

论汉晋南朝的封建庄园制度　　　　　　　　　　刘毓璜　1962·3

五胡汉化与五胡政权的关系　　　　　　　　　　黄　烈　1963·3

关于北魏均田制的实质　　　　　　　　　　　　谭惠中　1963·5

府兵制度化时期西魏北周社会的特殊矛盾

　　及其解决

　　　——兼论府兵的渊源和性质　　　　　　　朱维铮　1963·6

试论魏末北镇镇民暴动的性质　　　唐长孺　黄惠贤　1964·1

试论东晋末年农民起义的变质　　　　　　　　　曹永年　1965·2

试论汉魏西晋时期北方各族的内迁　　　　　　　吕名中　1965·6

关于竹林之游的时间　　　　　　　　　　　　　陆钊珑　1978·7

北魏末年北镇暴动分析　　　　　　　　　　　　杨耀坤　1978·11

淝水之战双方兵力略释　　　　　　　　　　　　邱久荣　1980·2

刘勰前后期思想"存在原则分歧"吗?

　　　——和王元化同志商榷　　　　　　　　　马宏山　1980·5

论魏晋南北朝的坞壁　　　　　　　　　　　　　赵克尧　1980·6

柔然源于杂胡考　　　　　　　　　　　　　　　曹永年　1981·2

关于《文心雕龙》的"神理"、"玄圣"及其他

　　　　　　　　　　　　　　　　　　　　　韩蓝田　1981·2

论东晋南北朝道教的变革与发展　　　　　　　　刘　琳　1981·5

嘎仙洞拓跋焘祝文石刻考　　　　　　　　　　　佟柱臣　1981·6

关于西晋占田、课田制的几个问题 　　　　　高　敏　1983・3

中国田客制、部曲制与英国维兰制的比较研究

　　　　　　　　　　　　　　　　　姜伯勤　1984・4

刘裕与晋宋之际的寒门士族 　　　　　　　　陈　勇　1984・6

魏晋南北朝的农奴制人身依附关系 　　　　　黄佩瑾　1985・2

魏晋南北朝民族关系的几个理论问题 　　　　黄　烈　1985・3

蒲鲜万奴国号考辨 　　　　　　　　　　　　王慎荣　1985・5

苻坚论略 　　　　　　　　　　　　　　　　韩国磐　1986・1

东晋南朝侨姓世族之婚媾

　　——陈郡谢氏个案研究 　　　　　　　叶妙娜　1986・3

魏晋南北朝时期劳动者阶层结构的特点

　　　　　　　　　　　　简修炜　张鸿雁　1986・5

十六国北朝人口考察 　　　　　　　　　　　王育民　1987・2

两晋九品中正制与选官制度 　　　　　　　　陈琳国　1987・3

两晋南朝的秀才、孝廉察举 　　　　　　　　罗新本　1987・3

东晋南朝时期的移民浪潮与土地开发 　　　　童　超　1987・4

早期拓跋鲜卑的社会状况和国家的建立 　　　曹永年　1987・5

魏晋隋唐佛教特权的盛衰 　　　　　　　　　谢重光　1987・6

关于九品中正制的几点意见 　　　　　　　　胡宝国　1988・1

六朝时期江南社会风气的变迁 　　　　　　　曹文柱　1988・2

"均贫富"口号毋庸质疑 　　　　　　　　　张其凡　1989・4

曹魏士家制度的形成与演变 　　　　　　　　高　敏　1989・5

北魏离散诸部问题考实 　　　　　　　　　　李　凭　1990・2

魏晋南朝官职中的"言秩"与"不言秩" 　　汪征鲁　1990・6

魏晋南朝的资品与官品 　　　　　　　　　　陈长琦　1990・6

中古盂兰盆节的民族化衍变 　　　　　　　　张　弓　1991・1

再辨陈寿"索米"说 　　　　　　　　　　　杨耀坤　1991・1

义儿·儿皇帝 　　　　　　　　　　　　　　魏良弢　1991・1

两晋之际流民问题的综合考察 　　　　　　　曹文柱　1991・2

十六国北朝人口蠡测

  ——与王育民同志商榷       袁祖亮   1991·2

论十六国时期少数部族政权的兵役    旷天伟   1991·6

孙吴建国的道路         田余庆   1992·1

东晋南北朝时期的佛教结社     郝春文   1992·1

北魏前期的狩猎经济       黎　虎   1992·1

北魏国号与正统问题       何德章   1992·3

两晋时期兵户制考略       高　敏   1992·6

西魏北周的赐姓与乡兵的府兵化  〔韩〕朴汉济   1993·4

六朝时期南方经济作物种植   方如金　陈国灿   1993·5

读《颜氏家训·后娶篇》论南北嫡庶身分的

  差异           唐长孺   1994·1

南北朝隋唐与百济新罗的往来    韩国磐   1994·2

魏晋时期的上品与起家官品     张旭华   1994·3

陈朝崇佛与般若三论的复兴     严耀中   1994·4

"魏伐百济"与南北朝时期东亚的国际关系   韩　昇   1995·3

魏晋九品官人法再探讨      陈长琦   1995·6

贺兰部落离散问题

  ——北魏"离散部落"个案考察之一   田余庆   1997·2

沮渠氏北凉建置年号规律新探     王　素   1998·4

《公莫巾舞歌行》考       姚小鸥   1998·6

北魏洛阳里坊制度探微      张金龙   1999·6

魏晋南朝"送故"制度考略     高　敏   2000·6

《代歌》、《代记》和北魏国史

  ——国史之狱的史学史考察    田余庆   2001·1

北齐官品的年代问题       阎步克   2001·3

吴简中所见"调"应是"户调"    王　素   2001·4

释"还民"          孟彦弘   2001·4

吴简中的口算钱        韩树峰   2001·4

三国吴简两文书初探　　　　　　　侯旭东　2001·4
吴简所见"肿足"解　　　　　　　　汪小烜　2001·4
吴简中所见"关邸阁"试解　　　　　刘　聪　2001·4
"竹林七贤"考　　　　　　　　　　王晓毅　2001·5
北朝乡里制与村民的生活世界
　　——以石刻为中心的考察　　　侯旭东　2001·6
关于陈文帝祭"胡公"
　　——陈朝帝室姓氏探讨　　　　严耀中　2003·1
北魏前期禁卫武官制度考论
　　——以史籍记载为中心　　　　张金龙　2003·3
吴简《嘉禾吏民田家莂》"二年常限"解　张荣强　2003·6

（四）隋唐五代

记唐代之李武韦杨婚姻集团　　　　陈寅恪　1954·1
南诏史略论　　　　　　　　　　　向　达　1954·2
南诏统治者蒙氏家族族系新证　　　刘尧汉　1954·2
论韩愈　　　　　　　　　　　　　陈寅恪　1954·2
中国纸和造纸法输入印度的时间和地点问题　季羡林　1954·4
唐代租庸调法的研究　　　　　　　邓广铭　1954·4
论武周的社会基础　　　　　　　　胡如雷　1955·1
租庸调与均田有无关系　　　　　　岑仲勉　1955·5
唐代的均田制与租庸调　　　　　　韩国磐　1955·5
唐代均田制研究　　　　　　　　　胡如雷　1955·5
均田制度的产生及其破坏　　　　　唐长孺　1956·2
论玄奘留学印度与有关中国佛教史上的一些
　　问题　　　　　　　　　　　　石　峻　1956·10
关于唐代均田制与租庸调法问题的讨论　陈　质　1956·11
蛮书"河赕"小考　　　　　　　　刘尧汉　1957·2
从王涣墓志解决了晚唐史一两个问题　岑仲勉　1957·9

敦煌唐代差科簿考释 王永兴 1957·12

再论皮日休参加黄巢起义军的问题 缪 钺 1958·2

论突厥人和突厥汗国的社会变革（上） 马长寿 1958·3

论突厥人和突厥汗国的社会变革（下） 马长寿 1958·4

唐代均田制为闲手耕弃地说 陈登原 1958·3

用文物补正南诏及大理国的纪年 李家瑞 1958·7

关于隋唐史研究中的一个理论问题

　　——评陈寅恪先生的"种族—文化论"观点

　　　　北京大学历史系三年级三班研究小组 1958·12

从均田制到庄园经济的变化 韩国磐 1959·5

唐代西藏马毬戏传入长安 阴法鲁 1959·6

关于"波罗毬"一词的商榷 若 思 1959·8

吕才的唯物主义思想 侯外庐 赵纪彬 1959·9

论刘知几的学术思想

　　——纪念刘知几诞辰一千三百周年 侯外庐 1961·2

唐代宗初年的江南农民起义 宁 可 1961·3

关于武则天统治末年的浮逃户 唐长孺 1961·6

根据敦煌和吐鲁番发现的文件略谈有关唐代

　　田制的几个问题 韩国磐 1962·4

对唐至五代租佃契约经济内容的分析 孙达人 1962·6

关于土族的来源问题 陈玉书 1962·6

唐末农民战争的历史作用 胡如雷 1963·1

吐鲁番佃人文书里的唐代租佃关系 沙 知 1963·1

柳宗元《天对》在中国唯物主义史上的科学地位

　　——兼看哲学党性原理的具体表现 侯外庐 李学勤 1963·2

论二王八司马政治革新的历史意义 王芸生 1963·3

隋末奴军起义试探 姜伯勤 1963·4

唐代两税法研究 王仲荦 1963·6

唐代庄园制度质疑 邓广铭 1963·6

略论唐代的"钱帛兼行"　　　　　　　　　李　埏　1964·1

唐初政权与政争的性质问题

　　——唐初武德、贞观年间的阶级斗争

　　　　与统治阶级内部斗争　　　吴　泽　袁英光　1964·2

论唐宋封建庄园的特征

　　——与邓广铭同志商榷之一　　　　　郑昌淦　1964·2

读《道藏》札记　　　　　　　　汤用彤遗稿　1964·3

试论隋和唐初的政权

　　——与吴泽、袁英光两同志商榷　　　齐陈骏　1965·1

唐代汉藏两族人民的经济文化交流　　　　王　忠　1965·5

突厥法初探　　　　　　　　　　　　　蔡鸿生　1965·5

关于唐初政权性质的几个问题　　　　　梁森泰　1965·6

《蛮书校注》读后　　　　　　　　　　周维衍　1965·6

《蛮书校注读后》识语　　　　　　　　向　达　1965·6

"永贞革新"与《封建论》　　　　　　　汤　啸　1975·2

关于"永贞革新"的提法　　　　　　　杨　汰　1976·3

关于唐代韩柳之争的几个问题　　　　　胡如雷　1977·4

隋末农民战争与反佛浪潮　　　　　　　姜伯勤　1978·2

唐代潮汐学家窦叔蒙及其《海涛志》　　徐　瑜　1978·6

李白与碎叶　　　　　　　　　　　　　周生春　1978·7

关于武则天的几个问题　　　　　　　　何汝泉　1978·8

刘知几为武则天制造舆论吗?　　　　　黎　虎　1978·8

元稹家庭真相　　　　　　　　　　　　卞孝萱　1979·4

唐太宗平定高昌的历史意义　　　　　　王　讓　1979·4

唐代牛李党争研究　　　　　　　　　　胡如雷　1979·6

开皇二十年秦陇地震考释　　　　　　　王仁康　1979·7

略谈《隋书》的史论　　　　　　　　　瞿林东　1979·8

关于中国纸和造纸法传入印巴次大陆的

　　时间和路线问题　　　　　　　　　黄盛璋　1980·1

唐蕃会盟碑疏释　　　　　　　　　　　王　尧　1980·4

唐代户口的分布与变迁　　　　　　　　黄盛璋　1980·6

唐代两税法杂考　　　　　　　　　　　黄永年　1981·1

试论均田制中永业田的性质　　　　　　武建国　1981·3

《六韬》的成书及其内容　　　　　　　张　烈　1981·3

唐代前期的兵募　　　　　　　　　　　唐耕耦　1981·4

唐代监察制度述论　　　　徐连达　马长林　1981·5

唐代的手实、户籍与计帐　　　　　　　宋家钰　1981·6

一张有关印度制糖法传入中国的敦煌残卷　季羡林　1982·1

车书本一家

　　——订正一则有关唐代渤海史料的传讹　孙玉良　1982·1

阿波可汗是西突厥汗国的创始者

关于喀喇汗王朝的起源及其名称　　　　魏良弢　1982·2

　　——兼论突厥汗国的分裂与西突厥汗国的形成

　　　　　　　　　　　　　　　　　　王　谋　1982·2

对《一张有关印度制糖法传入中国的敦煌残卷》

　的一点补充　　　　　　　　　　　　季羡林　1982·3

唐代后期云南安抚司（南诏）地理考说　方国瑜　1982·3

中国禅僧东渡日本及其影响　　　　　　夏应元　1982·3

文成公主死于痘症　　　　　　　　　　王　尧　1982·4

唐代民族政策初探　　　　　　　　　　熊德基　1982·6

唐太宗民族政策的局限性　　　　　　　胡如雷　1982·6

隋唐之际地主阶级的局部更新　　　　　汪征鲁　1983·1

唐宋之际农民阶级内部构成的变动　　　葛金芳　1983·1

幽州刺史墓考略　　　　　　　　　　　刘永智　1983·2

科举制起源辨析　　　　　　　　　　　何忠礼　1983·2

喀喇汗王朝起源回鹘说补证　　　　　　魏良弢　1983·2

唐代课户、课口诸比例释疑　　　　　　唐耕耦　1983·3

对《唐宋之际农民阶级内部构成的变动》

  两条材料的辨正 　　　　　　　　　　　杨　明　1983·3

唐代藩镇类型及其动乱特点 　　　　　　　张国刚　1983·4

"度支使"与"支度使" 　　　　　　　　　齐勇锋　1983·5

隋唐金吾之职掌 　　　　　　　　　　　　杨鸿年　1983·5

租庸调法的"庸"何时制度化？ 　　　　　冯尔康　1983·5

唐代两京驿路考 　　　　　　　　　　　　王文楚　1983·6

古代印度沙糖的制造和使用 　　　　　　　季羡林　1984·1

唐代的书仪与中日文化关系 　　　　　　　周一良　1984·1

隋唐五代的书法

  ——《隋唐五代史》之一章 　　　　　王仲荦　1984·1

泛论唐末五代的私兵和亲军、义儿 　　　　谷霁光　1984·2

关于唐代登科记的考索 　　　　　　　　　傅璇琮　1984·3

突骑施汗国的兴亡 　　　　　　　　　　　薛宗正　1984·3

隋代均田制研究 　　　　　　　　　　　　翁俊雄　1984·4

论《通典》的方法和旨趣 　　　　　　　　瞿林东　1984·5

敦煌藏文写卷 P·T·1083、1085 号研究

  ——吐蕃占有敦煌时期的民族关系探索

　　　　　　　　　　　　　　王尧　陈践　1984·5

关于科举制起源的几点意见 　　　　　　　周东平　1984·6

《科举制起源辨析》之商榷 　　　　　　　金旭东　1984·6

解井田制之谜 　　　　　　　　　　　　　田昌五　1985·3

唐代户等与田产 　　　　　　　　　　　　杨际平　1985·3

唐代定户等赀中包括土地 　　　　　　　　李晓路　1985·3

唐玄宗崇道浅论 　　　　　　　　　　　　高世瑜　1985·4

唐律渊源辨 　　　　　　　　　　　　　　刘俊文　1985·6

"量出制入"与两税法的制税原则 　　　　陈明光　1986·1

高昌火祆教论稿 　　　　　　　　　　　　王素　1986·3

张损之并非隋代进士 　　　　　　　　　　何忠礼　1986·3

| | | |
|---|---|---|
| 唐代进士考试科目和录取标准的变化 | 吴宗国 | 1986·4 |
| 《通典·州郡门》所载唐代州县建置 | | |
| 　与户口数字系年考 | 翁俊雄 | 1986·4 |
| 唐宋之际统治集团内部矛盾的地域特征 | 任 爽 | 1987·2 |
| 唐代婚姻的开放风气 | 牛志平 | 1987·4 |
| 论高昌"俗事天神" | 林悟殊 | 1987·4 |
| 论均田制土地授受方式 | | |
| 　——兼论均田制实施范围 | 武建国 | 1987·5 |
| 读三本李世民传记 | 黄约瑟 | 1987·5 |
| 也论高昌"俗事天神" | 王 素 | 1988·3 |
| 柳宗元史论的理论价值和历史地位 | 瞿林东 | 1988·4 |
| 唐宋时期商人社会地位的演变 | 林立平 | 1989·1 |
| 唐代中央集权之变化与方镇的产生 | 李晓路 | 1989·3 |
| 科举制度与盛唐知识阶层的命运 | 任 爽 | 1989·4 |
| 高丽王朝田柴科土地制度研究 | 朱 寰 | 1989·5 |
| 南汉主刘氏族属为俚僚 | 刘美崧 | 1989·5 |
| 唐代府兵渊源与番役 | 张国刚 | 1989·6 |
| 隋唐时期自然环境的变迁及与人为作用的关系 | | |
| | 史念海 | 1990·1 |
| 唐代道教外丹 | 金正耀 | 1990·2 |
| 从中唐到北宋钱荒问题的考察 | 乔幼梅 | 1990·2 |
| 唐代户部使司与原户部司异同辩 | 杜 梭 | 1990·2 |
| 从判文看唐代市籍制的终结 | 姜伯勤 | 1990·3 |
| 唐代蕃坊考略 | 范邦瑾 | 1990·4 |
| 汉唐科举异同论 徐连达 | 楼 劲 | 1990·5 |
| 渤海国货币经济初探 刘晓东 郝思德 | 杨志军 | 1991·2 |
| 唐初安西四镇的弃置 | 王小甫 | 1991·4 |
| 开元、天宝之际的逃户 | 翁俊雄 | 1991·4 |
| 唐前期三省地位的变化 | 罗永生 | 1992·2 |

中国纸和造纸法传入印巴次大陆的路线　　李晓岑　1992·2
唐代德两朝党争和两税法　　郑学檬　1992·4
唐代后期并存着两个户部司吗
　　——对《唐代户部使司与原户部司异同辩》
　　的质疑　　陈明光　1992·6
隋唐儒释道论议与学风流变　　张弓　1993·1
谈谈"吐蕃"一词　　吕一飞　1993·1
关于契丹婚姻制度的商榷　　席岫峰　1993·2
唐宋时期典身性质的变化及其意义　　李天石　1993·3
"大唐商人"李延孝与九世纪中日关系　　黄约瑟　1993·4
甘州回鹘成立史论　　荣新江　1993·5
李唐出于赵郡李氏说　　张金龙　1993·5
唐碛西节度使的置废　　薛宗正　1993·6
唐代西域的练价与货币兑换比率　　赵丰　1993·6
唐"开元之治"时期宰相政治探微　　胡如雷　1994·1
唐前期的杂徭与色役　　杨际平　1994·3
唐后期民户大迁徙与两税法　　翁俊雄　1994·3
吐蕃刍议　　田晓岫　1994·3
隋代江南士人的浮沉　　王永平　1995·1
白糖问题　　季羡林　1995·1
隋代的输籍定样法　　李燕捷　1995·2
唐代户部使的产生　　何汝泉　1995·3
论唐代荐举　　宁欣　1995·4
唐宋时期的中枢秘书官　　张东光　1995·4
《隋书·流求传》辨析　　米庆余　1995·6
有关达靼族属的若干问题　　周良霄　1995·6
租调征收方法和"输籍定样"
　　——与李燕捷先生商榷　　郑佩欣　1996·1
《南诏统治者蒙氏家族属于彝族之新证》质疑　　杨瑞华　1996·1

唐代的新罗侨民社区　　　　　　　　　陈尚胜　1996·1

隋朝统一新探　　　　　　　　　　　　胡如雷　1996·2

两唐书职官志"招讨使"考　　　　　　　宁志新　1996·2

从敦煌文书谈晚唐五代的"地子"　　　　刘进宝　1996·3

渤海纪年再考订　　　　　　　　　　　刘晓东　1996·4

唐代团结兵问题辨析　　　　　　　　　张国刚　1996·4

唐初甲骑具装衰落与轻骑兵兴起之原因　王朝援　1996·4

唐宋间敦煌粟特人之汉化　　　　　　　陆庆夫　1996·6

唐代秀才科考论　　　　　　　　　　　余子侠　1997·5

唐代西北少数民族人口初探　　　　　　崔明德　1997·5

周齐军阶散官制度异同论　　　　　　　阎步克　1998·2

唐代的市舶使与市舶管理　　　　　　　黎　虎　1998·3

Zaitun 非"刺桐"而是"缎子"　　　　　李金明　1998·4

再论唐代秀才科的存废　　　　　　　　刘海峰　1999·1

唐朝使职若干问题研究　　　　　　　　宁志新　1999·2

从士族郡望看牛李党争的分野　　　　　李　浩　1999·4

试释唐代诸帝多饵丹药之谜　　　　　　王永平　1999·4

契丹贵族大会钩沉　　　　　　　　　　李桂芝　1999·6

唐《开元二十五年令·田令》研究　　　戴建国　2000·2

《唐律疏议》结构及书名辨析　　　　　钱大群　2000·4

地域分野难以界说党派之争

　　——《从士族郡望看牛李党争的分野》商榷

　　　　　　　　　　　　　　　　　　王力平　2000·4

"关中郡姓"辨析　　　　　　　　　　　李　浩　2000·5

科举制的起源与进士科的起始　　　　　刘海峰　2000·6

敦煌曹氏族属与曹氏归义军政权　　　　冯培红　2001·1

敦煌归义军曹氏统治者为粟特后裔说　　荣新江　2001·1

唐代中书门下体制下的三省机构与职权

　　——兼论中古国家权力运作方式的转变　刘后滨　2001·2

"黑貂之路"质疑

    ——古代东北亚与世界文化联系之我见　　王小甫　2001·3

唐代长安一个粟特家庭的景教信仰　　　　葛承雍　2001·3

中央、地方的矛盾与长安三年括户　　　　孟宪实　2001·4

契丹族源传说借自回鹘论　　　　　　　　杨富学　2002·2

唐代进士科"止试策"考论

    ——兼及"三场试"之成立　　　　　陈　飞　2002·3

唐代道制的改革与三级制地方行政体制的形成　郭　锋　2002·6

《贞观政要》的版本和佚文　　　　　　　彭忠德　2002·6

也谈中央与地方的矛盾和长安三年括户

    ——与孟宪实先生商榷　　　　　　耿　虎　2003·1

再论晚唐五代的"地子"　　　　　　　　刘进宝　2003·2

南北朝隋唐士族向城市迁徙与社会变迁　　韩　昇　2003·4

科举制定义再商榷　　　　　祖　慧　龚延明　2003·6

### （五）宋辽金元

论元末农民起义的社会背景　　　　　　　王崇武　1954·1

元代畏兀儿文契约二种　　　　　　　　　冯家昇　1954·1

论元末农民起义的发展蜕变及其在历史上所起的

    进步作用　　　　　　　　　　　　王崇武　1954·4

哈喇契丹说

    ——兼论拓拔改姓和元代清代的国号　陈　述　1956·2

朝天围与文天祥　　　　　　　　　　　　刘佐泉　1956·11

宋代雇佣关系的初步探索　　　　　　　　柯昌基　1957·2

宋代户口　　　　　　　　　　　　　　　袁　震　1957·3

试论宋元明三代棉纺织生产工具发展的历史

    过程　　　　　　　　　　　　　　史宏达　1957·4

论"资治通鉴"

    ——与聂崇岐、王崇武两先生商榷　陈千钧　1957·7

元代地契　　　　　　　　　　　　　　施一揆　1957·9
关于宋代以王小波李顺及张余等为首的农民
　起义的几个问题　　　　　　　　　　蒋逸人　1958·5
赵匡胤论　　　　　　　　　　　　　　张家驹　1958·6
关于"宋代户口"一文辽代部分的意见　费国庆　1958·8
唯物主义者王安石　　　　　侯外庐　邱汉生　1958·10
宋代民营手工业的社会经济性质　　　　王方中　1959·2
关于元代的驿传　　　　　　　　　　　潘念慈　1959·2
十至十三世纪中国科学的主要成就　　　洪焕椿　1959·3
中央政府管理西藏地方的制度的发展　　王　忠　1959·5
元朝中央政府是怎样管理西藏地方的　　韩儒林　1959·7
"关于元代的驿传"一文的资料问题　陈得芝　施一揆　1959·7
辽代铁州地址考　　　　　　　　　　　宋延英　1959·8
关于"西域""回回"和"阿维森纳"问题　宋大仁　1959·12
论叶适思想　　　　　　　　　　　　　吕振羽　1960·1
关于宋代的客户问题　　　　　　　　　华　山　1960·1
从宋代的商税和城市看中国封建社会的自然
　经济　　　　　　　　　　　　　　　蒙文通　1961·4
论成吉思汗　　　　　　　　　　　　　韩儒林　1962·3
关于成吉思汗　　　　　　　　　　　　周良霄　1962·4
论西夏的兴起　　　　　　　　　　　　王　忠　1962·5
南宋对金斗争中的几个问题　　　　　　邓广铭　1963·2
评理查逊《西藏简史》关于明代西藏地方历史
　的谬说　　　　　　　　　　　　　　王　忠　1963·5
关于北宋赋役制度的几个问题　　　　　孙毓棠　1964·2
契丹的部落组织和国家的产生　　　蔡美彪　1964·5-6
元代农村社制研究　　　　　　　　　　杨　讷　1965·4
论李商隐的《无题》诗　　　　　　梁　效　闻军　1975·2

略谈钟相杨么农民起义的革命纲领

                开封制药厂　开封师范学院宋史组　1975·5

忽必烈平大理国是否引起泰族大量南迁

                     杜玉亭　陈吕范　1978·2

关于沈括的《熙宁使虏图抄》　　　　　　陈得芝　1978·2

《辍耕录》中的"扶箕诗"不是农民军的口号　杨 讷　1978·2

元代的海外贸易　　　　　　　　　　　　陈高华　1978·3

论苏轼政治思想的发展　　　　　　　　　朱靖华　1978·8

朱熹是投降派、卖国贼吗？　　　　　　　朱瑞熙　1978·9

也谈《辍耕录》中的扶箕诗　　　　　　　叶显恩　1978·9

宋代纲运与阶级矛盾　　　　　　　　　　王瑞明　1978·10

《资治通鉴》述论　　　　　　　　　　　陈光崇　1978·11

宋慈及其《洗冤集录》　　　　　　　　　诸葛计　1979·4

再谈"扶箕诗"　　　　　　　　　　　　杨 讷　1979·4

论方腊起义与摩尼教的关系　　　　　　　朱瑞熙　1979·9

《容斋逸史》献疑　　　　　　　　　　　杨渭生　1979·9

宋明理学与宗法思想　　　　　　　　　　邱汉生　1979·11

岳飞之死　　　　　　　　　　　　　　　王曾瑜　1979·12

南宋时期杭州的经济与文化　　　　　　　林正秋　1979·12

元察罕脑儿行宫今地考　　　　　　　　　陈得芝　1980·1

南宋中叶马球衰落和文化的变迁　　〔美〕刘子健　1980·2

关于马可波罗在扬州的时间　　　　　　　彭 海　1980·2

《〈容斋逸史〉献疑》质疑　　　　　　　陈 振　1980·2

唆里迷考　　　　　　　　　　耿世民　张广达　1980·2

宋代四川地区的茶业和茶政　　　　　　　贾大泉　1980·4

元代圆牌两种之考释　　　　　　　　　　蔡美彪　1980·4

谈辽金元"烧饭"之俗　　　　　　　　　陈 述　1980·5

论契丹族的婚姻制度　　　　　　　向 南　杨若薇　1980·5

辽代契丹和汉族及其他民族的经济文化联系　岑家梧　1981·1

元好问与蒙古国关系考辨　　　　　　　　黄时鉴　1981·1

元代诈马宴新探　　　　　　　　　　　　韩儒林　1981·1

金代女真"牛头地"问题研究　　　　　　张博泉　1981·4

论阻卜与鞑靼之异同　　　　　　　　　　余大钧　1981·6

两宋户籍制度问题　　　　　　　　　　　穆朝庆　1982·1

关于北宋官田私田化政策的若干问题　　　葛金芳　1982·3

金代女真族俗述论　　　　　　　　　　　宋德金　1982·3

宋金贸易中争夺铜币的斗争　　　　　　　乔幼梅　1982·4

《西夏史稿》读后　　　　　　　　　　　蔡美彪　1982·4

一册珍贵的辽文总集：《全辽文》　　　　宋德金　1982·6

元代的重要蒙文文献：《十善福白史册》　纳古单夫　1982·6

辽金"二税户"研究　　　　　　　　　　张博泉　1983·2

《宋书》《氐胡传》与《萧思话传》记时辨误

　　　　　　　　　　　　　　　　　　　杨耀坤　1983·2

论宋元地方志书　　　　　　　　　　　　黄　苇　1983·3

《旧五代史》辑补　　　　　　　　　　　张　凡　1983·4

宋代女口考辨　　　　　　　　　　　　　李德清　1983·5

三十卷本《陈龙川文集》补阙订误发覆　　邓广铭　1984·2

宋元和明初的马球　　　　　　　　　　　陈高华　1984·4

《宋会要辑稿》的前世现世和来世　　　　陈智超　1984·4

论元代的吏员出职制度　　　　　　　　　许　凡　1984·6

《宋书·百官志》考异　　　　　　　　　苏晋仁　1985·2

论宋代相权　　　　　　　　　　　　　　王瑞来　1985·2

西辽时期汉文化对中亚的影响　　　　　　魏良弢　1985·4

五代时期长江流域及江南地区的农业经济　郑学檬　1985·4

宋代官田包佃述论　　　　　　　　　　　杨康荪　1985·5

二进制数学创始史通辨　　　　徐志锐　尹焕森　1985·5

试论宋代"婚姻不问阀阅"　　　　　　　张邦炜　1985·6

宋代的茶叶生产　　　　　　　　　　　　周　荔　1985·6

西夏学研究的回顾与展望
　　——兼评《文海研究》　　　　　　　　贾敬颜　1986·1
辽朝"籾"之探讨　　　　　　　　　　　　杨若薇　1986·1
宋代商人的社会地位及其历史作用　　　　　朱瑞熙　1986·2
宋代婚姻论财　　　　　　　　　　　　　　方建新　1986·3
论司马光主编《资治通鉴》　　　　　　　　施　丁　1986·4
宋太祖誓约辨析　　　　　　　　　　　　　徐　规　1986·4
北宋文官磨勘制度初探　　　　　　　　　　邓小南　1986·6
金元真大道教史补　　　　　　　　　　　　陈智超　1986·6
宋太宗论　　　　　　　　　　　　　　　　张其凡　1987·2
《宋史·龟兹传》补正
　　——兼论高昌回鹘王国中的双王制　　　程溯洛　1987·3
两宋说话人讲史的史学意义　　　　　　　　舒　焚　1987·4
宋代佃客法律地位再探索　　　　　　　　　朱瑞熙　1987·5
两宋的农村专业户　　　　　　　　　　　　许惠民　1987·6
论宋代折钱租与钱租的性质　　　　　　　　包伟民　1988·1
北宋的州县学　　　　　　　　　　　　　　郭宝林　1988·2
米芾为西域人后裔考　　　　　　　　　　　罗绍文　1988·2
元朝中央政府对西藏的统治　　　　　　　　沈卫荣　1988·3
论辽朝的政治体制　　　　　　　　　　　　李锡厚　1988·3
宋代两浙路的粮食生产及流通　　　　　　　方如金　1988·4
论宋代皇权　　　　　　　　　　　　　　　王瑞来　1989·1
舍儿别与舍儿别赤的再探讨　　　　　　　　陈高华　1989·2
徐铉其人与宋初"贰臣"　　　　　　　　　周　军　1989·4
商品经济观念的历史转化
　　——立足于宋代的考察　　　　　　　　叶　坦　1989·4
广平淀"当中京、上京之北"说有误　　　　友　梅　1989·4
正统观与金代文化　　　　　　　　　　　　宋德金　1990·1

宋元的时文

  ——八股文的雏形 　　　　　　　朱瑞熙　1990·3

科举制度与宋代文化 　　　　　　　　　何忠礼　1990·5

元代南海测验在临邑考

  ——郭守敬未到中、西沙测量纬度　曾昭璇　1990·5

宋代中央官府吏制述论 　　　　　　　　穆朝庆　1990·6

司马氏与中国佛教传播日本 　　　　　　韩　昇　1990·6

宋代粮食生产的地域差异 　　　　　　　程民生　1991·2

元代的吉普赛人——啰哩回回 　　　　　杨志玖　1991·3

北宋钱荒：从币制到流通体制的考察　　袁一堂　1991·4

宋代四川茶产量考辨 　　　　　　　　　林文勋　1991·5

宋代官吏的管理制度 　　　　　　　　　龚延明　1991·6

北宋东京四城制及其对金中都的影响　　孔庆赞　1991·6

试破宋太宗即位大赦诏书之谜 　　　　　邓广铭　1992·1

宋代经济生活中的市侩 　　　　　　　　李伟国　1992·2

范仲淹集团与庆历新政

  ——读欧阳修《朋党论》书后 　　　漆　侠　1992·3

论宋代的货币地租

  ——与包伟民商榷　　　　高聪明　何玉兴　1992·5

元代人口考实 　　　　　　　　　　　　王育民　1992·5

论宋代的资格法

  ——兼论中国古代任官资格制度 　　曾小华　1992·6

宋代的财产遗嘱继承问题 　　　　　　　邢　铁　1992·6

以"大断事官"制到中书省

  ——论元初中枢机构的体制演变 　　姚大力　1993·1

《通制条格》新探 　　　　　　　　　　方龄贵　1993·3

试说辽耶律氏萧氏之由来 　　　　　　　蔡美彪　1993·5

中国烧酒起始探微 　　　　　　　　　　李华瑞　1993·5

宋代人口新证 　　　　　　　　　　　　葛剑雄　1993·6

金朝户口分类制度和阶级结构　　　　　　　王曾瑜　1993·6

从对《辽史》列传的分析看辽国家体制　　　漆　侠　1994·1

元代饮茶习俗　　　　　　　　　　　　　　陈高华　1994·1

辽代后族与辽季后妃三案　　　　　　　　　蔡美彪　1994·2

西夏的职官制度　　　　　　　　　　　　　史金波　1994·2

再论马可波罗书的真伪问题　　　　　　　　杨志玖　1994·2

宋代官吏的俸禄　　　　　　　　　　　　　何忠礼　1994·3

北宋的市籴与民间货币流通　　　　　　　　袁一堂　1994·5

辽金时期契丹及女真族社会性质的演变　　　李锡厚　1994·5

中国烧酒名实考辨　　　　　　　　　　　　王赛时　1994·6

宋代"千文架阁法"辨析　　　　　　　　　王金玉　1994·6

耶律大石北奔年代考　　　　　　　　　　　柴　平　1994·6

略论宋代地域文化　　　　　　　　　　　　程民生　1995·1

从《老乞大》《朴通事》看元与高丽的
　　经济文化交流　　　　　　　　　　　　陈高华　1995·3

元代粮食亩产探析　　　　　　　　　　　　陈贤春　1995·4

千仓渠科条碑记与宋代农田水法　　　　　　周宝珠　1995·6

成吉思汗生年问题补正　　　　　　　　　　李治安　1996·1

金朝的民族政策与民族歧视　　　　　　　　刘浦江　1996·3

英山毕昇考　　　　　　　　　　　　　　　曹　之　1996·5

契丹四楼源流说　　　　　　　　　　　　　任爱君　1996·6

北宋榷茶制度下官府与商人的关系　　　　　李　晓　1997·2

也论宋代官员的俸禄　　　　　　　　　　　张全明　1997·2

宋朝"火运"论略
　　——兼谈"五德转移"政治学说的终结　刘复生　1997·3

马可波罗到过中国
　　——对《马可波罗到过中国吗?》的回答　杨志玖　1997·3

元代行省制的特点与历史作用　　　　　　　李治安　1997·5

试论北宋变法派军事改革的成功　　　　　　赵涤贤　1997·6

元朝的土地登记和土地籍册　　　　　　　　　陈高华　1998・1

试论宋代市舶司官制的演变　　　　　　　　　廖大珂　1998・3

再论元朝中央政府对西藏的统治

　　——兼与沈卫荣商榷　　　　　　　　　王献军　1998・3

北宋台谏制度与党争　　　　　　　　　　　　沈松勤　1998・4

关于金朝开国史的真实性质疑　　　　　　　　刘浦江　1998・6

拉施特《史集》所记阿合马案释疑　　　　　　蔡美彪　1999・3

宋代户口的汇总发布系统　　　　　　　　　　吴松弟　1999・4

宋代户部人口统计考察　　　　　　　　　　　何忠礼　1999・4

宋代乡里两级制度质疑　　　　　　　　　　　王　棣　1999・4

辽代斡鲁朵探析　　　　　　　　　　　　　　武玉环　2000・2

金代理学发展初探　　　　　　　　　　　　　魏崇武　2000・3

马廷鸾、马端临与咸淳减赋及其思想史意义　　王培华　2003・3

《湛然居士文集》中"杨行省"考　　　　　　陈高华　2000・3

试析熙丰之际御史台的畸形状态　　　　　　　刁忠民　2000・4

洛阳与汴梁：文化重心与政治重心的分离

　　——关于 11 世纪 80 年代理学历史与思想的

　　　考察　　　　　　　　　　　　　　　葛兆光　2000・5

《元史・刘黑马传》"七万户"蠡测　　　　　赵文坦　2000・6

《金朝军制》评议

　　——兼评王曾瑜先生的辽金史研究　　　　刘浦江　2000・6

北宋枢密院长贰出身变化与以文驭武方针　　　陈　峰　2001・2

《光明之城》伪书考　　　　　　　　　　　　黄时鉴　2001・3

元代旅华的西方人

　　——兼答马可波罗到过中国吗？　　　　　周良霄　2001・3

辽朝国号考释　　　　　　　　　　　　　　　刘浦江　2001・6

关于秦桧归宋的讨论　　　　　　　　　　　　王曾瑜　2002・3

十至十四世纪的中国合伙制　　　　　　　　　刘秋根　2002・6

中国经济史的空间与制度：宋元闽南个案的启示

　　　　　　　　　　　　　　　　　　苏基朗　2003·1

双陆与民族文化的交流和融合　　　　　宋德金　2003·2

辽朝横帐新考　　　　　　　　　　　　王善军　2003·2

宋代乡村基层组织衍变的基本趋势

　　——与《宋代乡里两级制度质疑》一文商榷

　　　　　　　　　　　　　　　　　　夏维中　2003·4

关于秦桧归宋问题的再讨论

　　——兼与王曾瑜先生商榷　　何忠礼　何兆泉　2003·5

## （六）明清

俄国人第一次环球航行与中国　　　　　丁则良　1954·5

明初社会生产力的发展　　　　　　　　吴　晗　1955·3

明末城市经济发展下的初期市民运动　　刘　炎　1955·6

明代的工匠制度　　　　　　　　　　　陈诗启　1955·6

明代后期一条鞭法的研究　　　　　　　田继周　1956·3

鸦片战争前云南铜矿业中的资本主义萌芽　王明伦　1956·3

关于中国资本主义萌芽问题的考察　　　黎　澍　1956·4

关于大顺军领袖李自成被害地点的考证　金毓黻等　1956·6

关于中国资本主义萌芽问题的讨论　　　杜　真　1956·7

对黎澍同志"关于中国资本主义萌芽问题的考察"

　　一文的几点意见　　　　　　　　　韩大成　1956·7

从万历到乾隆

　　——关于中国资本主义萌芽时期的一个论证　邓　拓　1956·10

嘉靖甲寅倭变纪略　　　　　　　　　　无　根　1956·10

关于刘仪顺的史料　　　　　　　　　　唐嘉弘　1956·10

宋应星的"天工开物"

　　——"元素发现史"增释之一　　　张资珙　1956·11

张献忠在蜀事迹考察　　　　　　　　　孙次舟　1957·1

明政府镇压矿工起义告示牌的发现 赵人俊 1957·1

与蔡牵活动有关的一个传说 吕玉珊 1957·3

十三行与屈大钧广州竹枝词 汪杼庵 1957·6

方以智—中国的百科全书派大哲学家（上篇） 侯外庐 1957·6

方以智—中国的百科全书派大哲学家（下篇） 侯外庐 1957·7

"伯尔尼游记"的再评价 张荫桐 1957·7

明代苏松地区的官田与重赋问题 周良霄 1957·10

再论十七至十九世纪中叶中国帆船业的发展 田汝康 1957·12

对邓拓同志"从万历到乾隆"一文的商榷与补充

　　——并试论处理和运用实地调查材料的方法

　　　　　　汤明檖　李龙潜　张维熊 1958·1

关于徐一夔"织工对" 郑天挺 1958·1

李贽先世考 叶国庆 1958·2

乾隆苏州元长吴三县"议定纸坊条议章程碑" 刘永成 1958·2

论阿古柏政权 包尔汉 1958·3

论袁崇焕与东林党的关系 刘伯涵 1958·4

对苏州"织造经制记"碑文的看法 刘永成 1958·4

试论明代后期农民阶级斗争的性质和特点 戎笙 1958·10

评尚钺同志关于明清社会经济结构的若干观点

　　中国人民大学中国历史教研室近代现代史组 1958·12

葡萄牙殖民者侵占澳门前在中国的侵略活动 胡代聪 1959·3

明代军屯制度的历史渊源及其特点 王毓铨 1959·6

李贽的进步思想 侯外庐 邱汉生 1959·7

有关中国资本主义萌芽问题的二三事 尚钺 1959·7

明代的军户 王毓铨 1959·8

十六世纪中国的进步的哲学思潮概述 侯外庐 1959·10

尚钺"有关中国资本主义萌芽问题的二三事"

　一文中的二三谬误 孙文良 1960·4

明代中叶的雇佣劳动是资本主义性质的吗？ 罗耀九 1961·1

论康熙 　　　　　　　　　　　　　　　刘大年　1961·3

我对于明代中叶以后雇佣劳动的再认识 　　傅衣凌　1961·3

论清代旗地的形成、演变及其性质 　　　　左云鹏　1961·5

王船山与李卓吾 　　　　　　　　　　　　嵇文甫　1961·6

十七世纪中国人民反抗荷兰侵略的斗争

　　——纪念郑成功收复台湾三百周年 　　朱杰勤　1962·1

有关明末清初农民起义作用资料的札记 　　谢国桢　1962·3

再论明朝万历年间雇佣劳动的性质 　　　　罗耀九　1962·4

论清代雇佣劳动 　　　　　　　　　　　　刘永成　1962·4

明末均田口号质疑的质疑 　　　　　　　　刘重日　1962·5

清入关前满洲族的社会性质 　　　　　　　郑天挺　1962·6

明黔国公沐氏庄田考 　　　　　　　　　　王毓铨　1962·6

从古文字学方面来评判清代文字、声韵、训诂

　　之学的得失 　　　　　　　　　　　　于省吾　1962·6

林文忠公家书考伪 　　　　　　　　　　　胡思庸　1962·6

校对一条史料 　　　　　　　　　　　　　经君健　1962·6

由郑成功银币的发现说到郑氏经济政策的转变　郭沫若　1963·1

再谈有关郑成功银币的一些问题 　　　　　郭沫若　1963·2

从明代官营织造的经营方式看江南丝织业生产

　　的性质 　　　　　　　　　　　　　　彭泽益　1963·2

清代旗地的性质及其变化 　　　　　　　　杨学琛　1963·3

读《校对一条史料》 　　　　　　　　　　许大龄　1963·3

清初至甲午战前东北官田旗地的

　　经营和民佃以及民地的发展 　　　　　孔经纬　1963·4

清代前期江南织造的研究 　　　　　　　　彭泽益　1963·4

论清代前期的土地占有关系 　　　　　　　李文治　1963·5

明清时代佃农的农奴地位 　　　　　　　　魏金玉　1963·5

中国封建社会内资本主义萌芽诸问题 　　　从翰香　1963·6

泰州学派的杰出思想家李贽 　　　　　　　丘汉生　1964·1

试论王船山思想的几个问题　　　　　　　　　曹道衡　1964·4

李岩述论　　　　　　　　　　　　　　　　　曹贵林　1964·4

明代水西彝族的奴隶制度　　　　　　　　胡庆钧　1964·5−6

论大顺政权的性质

　　——与孙祚民先生商榷　　　　　　　　　曹贵林　1965·1

关于清代皇庄的几个问题　　　　周远廉　杨学琛　1965·3

王船山历史观研究　　　　　　　　　　　　　曹伯言　1965·5

评价海瑞的根本分歧　　　　　　　　　　　　张兆麟　1965·6

再论不要美化封建反动文人

　　——评《金圣叹是封建反动文人吗?》　　　公　盾　1965·6

历史的见证

　　——明代奴儿干永宁寺碑文考释　　　　　钟民岩　1974·1

历史真相不容歪曲

　　——关于《中俄尼布楚条约》的几个问题　钟　锷　1975·2

清入关前对东北的统一

　　——驳苏修篡改中俄东段边界史的谎言　　纪　平　1975·2

八路兵马总指挥王聪儿（农民起义女英雄小传）

　　　　　　　　　　　　　　　　　　　　　石　力　1975·4

明末南方的"佃变"、"奴变"　　　　　　　　傅衣凌　1975·5

戚继光的治军思想　　　　　　　　　　　　　洪　城　1975·6

清朝政府平定准噶尔部叛乱与抵御沙俄侵略的

　斗争　　　　　　　　　　　　　　　　　　庆　思　1976·2

明末李自成起义军中的两条路线

　　　　　　　　　曹贵林　沈定平　何龄修　1976·3

一个反法的"法家"——王夫之　　　　　　　张岂之　1977·3

清代农业资本主义萌芽问题的一个探索

　　——江西新城《大荒公禁栽莰约》一篇史料的

　　　分析　　　　　　　　　　　　　　　　傅衣凌　1977·5

葱岭上的乾隆纪功碑　　　　　　　　　　　　肖之兴　1977·6

李自成自何处入豫？　　　　　　　　　　　姚雪垠　1978·5

李岩质疑　　　　　　　　　　　　　　　　　顾　诚　1978·5

明清之际山海关战役的真相考察　　　　　　　商鸿逵　1978·5

清初农民军的联明抗清问题　　　　　　　　　洪焕椿　1978·5

顾祖禹生卒年辨正　　　　　　　　　　　　　仓修良　1978·5

一六四六年郑成功海上起兵经过　　　　　　　陈碧笙　1978·8

乌兰布通考　　　　　　　　　　　　　　　　袁深波　1978·8

台湾历史地理中的几个问题　　　　　　　　　周维衍　1978·10

论朱元璋农民政权的"给民户由"　　　　　　冯尔康　1978·10

清初的抗清斗争和农民军的联明抗清策略　　　林铁钧　1978·12

清代新疆卡伦述略　　　　　　　　　　　　　于福顺　1979·4

清代的几个新疆　　　　　　　　　　　　　　肖之兴　1979·8

"古元真龙皇帝"试释　　　　　　　　　　　顾　诚　1979·8

关于清代的"逃人法"

　　——兼论满族阶级斗争的特点和作用　　　杨学琛　1979·10

从清初的吏治看封建官僚政治　　　王思治　金成基　1980·1

夏燮与《明通鉴》研究　　　　　　　　　　　袁英光　1980·1

关于中国农业中资本主义萌芽问题　　　　　　尹　进　1980·2

西方近代科学传来中国后的一场斗争

　　——清初汤若望和杨光先关于天文历法的论争　林　健　1980·2

清代前期押租制的发展　　　　　　　　　　　江太新　1980·3

清代各省的政治制度　　　　　　　　　　　　赵希鼎　1980·3

《清史稿》中几条陨石资料的错漏　　禣锐光　夏晓和　1980·3

清律的继承和变化　　　　　　　　　　　　　瞿同祖　1980·4

《明史纪事本末》一勘　　　　　　　　　　　刘毅翔　1980·5

论明清之际云南"废贝行钱"的原因　　　　　杨寿川　1980·6

徐光启研究农学历程的探索　　　　　　　　　胡道静　1980·6

《明史·赵南星传》勘误一则　　　　　　　　赵云林　1980·6

噶尔丹"服毒自杀"说辨伪　　　　　　　　　吕一燃　1980·6

| | | | |
|---|---|---|---|
| 韩山童、刘福通首义颖州考 | | 邱树森 | 1980·6 |
| 也谈素可泰国王来访问题 | | 尚 芳 | 1981·1 |
| 明中叶东南地区徭役制度的变革 | | 唐文基 | 1981·2 |
| 清代目录学成就浅述 | | 来新夏 | 1981·2 |
| 西学在封建末期的中国与日本 | 吕万和 | 罗澍伟 | 1981·3 |
| 清代著名皇商范氏的兴衰 | 韦庆远 | 吴奇衍 | 1981·3 |
| 明初全国土地面积考 | | 王其榘 | 1981·4 |
| 吴明炫和吴明（烜） | | 闵承启 | 1981·4 |
| 《明史·袁崇焕传》勘误二则 | | 颜 燕 | 1981·4 |
| 明清封建专制政权对资本主义萌芽的阻碍 | | 洪焕椿 | 1981·5 |
| 袁崇焕籍贯考 | | 阎崇年 | 1982·1 |
| 火佃新探 | | 刘重日 | 1982·2 |
| "台湾"名称由来考略 | | 邵 秦 | 1982·2 |
| 大顺用兵北京试论 | | 李宝臣 | 1982·3 |
| 明初空印案发生年代考 | | 陈梧桐 | 1982·3 |
| "三保太监"名号的由来 | | 范中义 | 1982·4 |
| 十五至十七世纪中西航海贸易势力的兴衰 | | 杨翰球 | 1982·5 |
| 明代徽商程锁家世考述 | | 刘和惠 | 1982·5 |
| 范文程简论 | | 金成基 | 1982·5 |
| 清初垦荒政策及地权分配情况的考察 | | 江太新 | 1982·5 |
| 清廷对吉林边疆少数民族地区的统治 | 杨余练 | 关克笑 | 1982·6 |
| 利玛窦在中国的活动与影响 | | 林金水 | 1983·1 |
| 论清代前期我国国内市场 | | 吴承明 | 1983·1 |
| 清代福建人口向台湾的流动 | 林仁川 | 王蒲华 | 1983·2 |
| 鸦片战争前广州新兴的轻纺工业 | | 彭泽益 | 1983·3 |
| 乌兰布通之战考察 | | 袁森坡 | 1983·4 |
| 台湾与大陆大小租契约关系的比较研究 | | 杨国桢 | 1983·4 |
| 明代徽州田契研究 | 刘和惠 | 张爱琴 | 1983·5 |
| 明代的铺户及其买办制度 | | 唐文基 | 1983·5 |

论郦学研究及其学派的形成与发展　　　　　陈桥驿　1983·6

明清时期"六经皆史"说的社会意义 仓修良　夏瑰琦　1983·6

清代前期小农经济的再生产　　　　　　　　方　行　1984·5

《东华录》作者新证　　　　　　　　　　　傅贵九　1984·5

清代前期福建地主经济的若干特点　　　　　林祥瑞　1985·1

关于方以智和中国传统哲学思想的讨论

　　　　　　　　　　　　杨向奎　冒怀辛　1985·1

清政府与义和团关系辨　　　　　　　　　　林华国　1985·2

明代流人在东北　　　　杨旸　孙与常　张　克　1985·4

清初剃发令的实施与汉族地主阶级的派系斗争　陈生玺　1985·4

明代诸王分封制度述论　　　　　　　　　　张德信　1985·5

从明清之际的早期启蒙文化到近代新学　　　冯天瑜　1985·5

从"三言"看明代奴仆　　　　　　　　　　南炳文　1985·6

明清时代的地租　　　　　　　　　　　　　李文治　1986·1

论徽商与封建宗族势力　　　　　　　　　　唐力行　1986·2

明代官绅优免和庶民"中户"的徭役负担　　张显清　1986·2

清代前期海外贸易的发展　　　　　　　　　黄启臣　1986·4

乌兰布通之战的胜败问题　　　　　　　　　张羽新　1986·5

明代及清初吐鲁番统治者世系

　　——兼述东察合台汗国之变迁　　　　　魏良弢　1986·6

"倭"、"倭人"辨析　　　　　　　　　　　沈仁安　1987·2

明清时期的民间秘密宗教　　　　　　　　　喻松青　1987·2

大清国建号前的国号、族名与纪年　　　　　蔡美彪　1987·3

清末税务处的设立和海关隶属关系的改变　　陈诗启　1987·3

十六世纪中英政治制度比较　　　　　　　　戚国淦　1987·4

清代帐局初探　　　　　　　　　　　　　　黄鉴晖　1987·4

清代前期农村市场的发展　　　　　　　　　方　行　1987·6

明朝徭役审编与土地　　　　　　　　　　　王毓铨　1988·1

明初全国人口考　　　　　　　　　　　　　王其榘　1988·1

《转天图经》新探 喻松青 1988·2

清前期的粮食调剂 吴 慧 葛贤惠 1988·4

重农抑商试析 阎守诚 1988·4

清代闭关自守问题辨析 张之毅 1988·5

论清代纲盐制度 萧国亮 1988·5

《四库全书总目》批评方法论 周积明 1988·5

历史上苏南多层次的工业结构 段本洛 1988·5

四库全书和法国百科全书

　　——为纪念法国大革命二百周年而作 戴 逸 1989·2

明帝国的疆土管理体制 顾 诚 1989·3

戴东原哲学思想分析 杨向奎 1989·5

蒋氏《东华录》作者补证 傅贵九 1989·6

朴学家的理性探求

　　——论王鸣盛史学 陈其泰 1990·1

明代海防述略 范中义 1990·3

《明初全国人口考》质疑 王育民 1990·3

关于明代田土管理系统问题 张德信 林金树 1990·4

略论明代御史巡按制度 王世华 1990·6

明清徽州的家庭与宗族结构 唐力行 1991·1

清代前期北方的小农经济 方 行 1991·2

苏禄国王访明的几个问题 冯兴盛 1991·2

明代的社与会 陈宝良 1991·5

上海地区明清时期的望族 吴仁安 1992·1

明清时期华北庙会研究 赵世瑜 1992·5

清代“广州体系时期”中外商人之间的竞争 彭泽益 1992·5

神光寺公案辨析 郦永庆 1992·6

明清江南儒士群体的历史变动 周学军 1993·1

明清之际士大夫与中西礼仪之争 林金水 1993·2

胤禛与抚远大将军王奏档 王锺瀚 1993·2

一场得不偿失的战争

——论乾隆朝金川之役　　　　华　立　戴　逸　1993·3

清代前期政府官员的实习培训制度　　　吕元聰　1993·6

康熙与理学　　　　　　　　　　　　　王锺翰　1994·3

明清时代会馆的演进　　　　　　　　　王日根　1994·4

论明朝西藏归属与领主制的演变　　　　刘　忠　1994·5

经济史研究的科学化追求与人文关怀

——读《市场机制与社会变迁——18世纪

广东米价分析》　　　　刘志伟　郑振满　1994·5

明清时期的皇木采办　　　　　　　　　蓝　勇　1994·6

"满汉全席"名实考辨　　　　　　　　赵荣光　1995·3

明代外国官生在华留学及科考　　　　　黄明光　1995·3

清代前期的粮食运销和市场　　　　　　邓亦兵　1995·4

女真族系源流考异　　　　　　　　　　赵振绩　1995·5

明后期长城沿线的民族贸易市场　　　　余同元　1995·5

清代救灾的制度建设与社会效果　　　　李向军　1995·5

明清时期孔府的继承制度　　　　　　　邢　铁　1995·6

清代社学与中国古代官办初等教育体制　陈剩勇　1995·6

对明代初年田土数的新认识

——兼论明初边卫所辖的民籍人口　曹树基　1996·1

《明后期长城沿线的民族贸易市场》考误　曹永年　1996·3

明代军事思想简论　　　　　　　　　　范中义　1996·5

鼠疫流行与华北社会的变迁（1580—1644年）曹树基　1997·1

从柳山方氏看明代徽州宗族组织的扩大〔韩〕朴元熇　1997·1

清朝前期与末季区域人才的变化

——以引见官员、鼎甲、翰林为例　冯尔康　1997·1

朱元璋惩贪"剥皮实草"质疑　　　　　王世华　1997·2

古代香港历史的新发现　　　　　　　　邓　聪　1997·3

清代中央财政与地方财政的调整　　　　陈　锋　1997·5

《明代外国官生在华留学及科考》质疑　　　　　郭培贵　1997·5

施琅进军澎湖几个问题的考订　　　　　　　　　施伟青　1997·6

清代西教在华之环境

　　——康雍乾道咸朝若干稀见文献考释　　　　王庆成　1997·6

清初内扎萨克旗的建立问题　　　　　　　　　　达力扎布　1998·1

明代黄册人口登载事项考略　　　　　　　　　　栾成显　1998·2

《无圈点老档》及乾隆抄本名称诠释　　　　　　阎崇年　1998·3

明初耕地数额考察　　　　　　　　　　　　　　田培栋　1998·5

沈万三及其家族事迹考　　　　　　　　　　　　顾　诚　1999·1

天一阁藏明抄本《官品令》考　　　　　　　　　戴建国　1999·3

关于义门大家庭分布和发展的几个问题

　　——与黎小龙先生商榷　　　　　　　　　　王善军　1999·5

从碑刻看明清以来苏州社会的变迁

　　——兼与徽州社会比较　　　　　　　　　　唐力行　2000·1

明清时期徽州妇女在土地买卖中的权利与地位

　　　　　　　　　　　　　　　　　　　　　　阿　风　2000·1

从祁门县"谢氏纷争"看明末徽州的土地丈量

　　与里甲制　　　　　　　　　　　〔韩〕权仁溶　2000·1

明代徽州的民事纠纷与民事诉讼　　　　　　　　卞　利　2000·1

徽州文书与徽学.　　　　　　　　　　　　　　周绍泉　2000·1

清代前期奏销制度与政策演变　　　　　　　　　陈　锋　2000·2

明代中后期岭南的地方社会与家族文化　　　　　叶汉明　2000·3

清代403宗民刑案例中的私通行为考察　　　　　郭松义　2000·3

清季民族主义与黄帝崇拜之发明　　　　　　　　孙隆基　2000·3

宗族与地方社会的国家认同

　　——明清华南地区宗族发展的意识形态基础

　　　　　　　　　　　　　　〔英〕科大卫　刘志伟　2000·3

黑山会的故事：明清宦官政治与民间社会

　　　　　　　　　　　　　　　　赵世瑜　张宏艳　2000·4

明代流刑考                                          吴艳红   2000·6

清代中期婚姻行为分析

    ——立足于 1781—1791 年的考察        王跃生   2000·6

英国模式、江南道路与资本主义萌芽       李伯重   2001·1

也谈"剥皮实草"的真实性            罗元信   2001·4

明清徽州书院的官学化与科举化         李琳琦   2001·6

清代江南疫病救疗事业探析

    ——论清代国家与社会对瘟疫的反应     余新忠   2001·6

楚材晋用：中国水转大纺车与英国阿克莱水力

    纺纱机                                  李伯重   2002·1

由放料到工厂：清代前期苏州棉布字号的经济

    与法律分析                          邱澎生   2002·1

清代江南棉布字号探析             范金民   2002·1

钓鱼岛及其附属岛屿归属考

    ——从明代陈侃《使琉球录》谈起      米庆余   2002·3

澳门外文称谓 Macao 渊源考         邓景滨   2002·3

明清人的"奢靡"观念及其演变

    ——基于地方志的考察             钞晓鸿   2002·4

地域社会与文化的结构过程

    ——珠江三角洲研究的历史学与人类学对话 刘志伟   2003·1

世界经济史中的近世江南：比较与综合观察

    ——回应黄宗智先生 〔美〕彭慕兰著 史建云译 2003·4

乡村故事与社区历史的建构

    ——以东凤村陈氏为例兼论传统乡村社会

       的"历史记忆"

                                  陈春声   陈树良   2003·5

明与清前期海外贸易政策比较

    ——从万明《中国融入世界的步履》一书谈起

                                      陈尚胜   2003·6

### （七）其他

莫高窟记（敦煌史料之一）　　　　　　　　王重民　1954·2

中国蚕丝输入印度问题的初步研究　　　　　季羡林　1955·4

古代云南用贝币的大概情形　　　　　　　　李家瑞　1956·9

改正法国汉学家沙畹对印度出土汉文碑的误解

　　　　　　　　　　　　　　　　　　　　周达甫　1957·6

落花生并非"外来"　　　　　　　　　　　徐守成　1958·12

中国与阿拉伯的医药交流　　　　　　　　　宋大仁　1959·1

对宋大仁先生"中国和阿拉伯的医疗交流"

　一文的意见　　　　　　　　　　　　　　郭庆昌　1959·6

关于西藏史实的几个问题之商榷　　　　　　一　厂　1959·9

从春秋到明末的历法沿革　　　　　　　　　钱宝琮　1960·3

论肥水源与"江淮运河"　　　　　　　　　刘彩玉　1960·3

古代中国与尼泊尔的文化交流　　　　　　　陈翰笙　1961·2

关于古代中国与尼泊尔的文化交流　　　　　黄盛璋　1962·1

中国穆斯林的历史传统　　　　　　　　　　白寿彝　1962·2

中国封建社会前期的不同哲学流派及其发展　侯外庐　1964·1

中国历代尺度概述　　　　　　　　　　　　曾武秀　1964·3

鄂伦春族马匹私有制的产生与发展　　　　　蔡家麒　1965·2

论"王法"　　　　　白寿彝　何兹全　瞿林东　1966·1

渤海湾西岸考古调查和海岸线变迁研究

　　　　　　　　　　　天津市文化局考古发掘队　1966·1

不断加强各族人民的团结

　　　　克尤木·买提尼牙　孜木海　买买提朱玛　1975·1

为维护祖国的统一和各民族的团结而战斗　　加　央　1975·1

《十大经》初论　　　　　　　　　高　亨　董治安　1975·1

火长　　　　　　　　　　　　　　　　　　黄时鉴　1978·3

方志——史料的宝库　　　　　　　　　　　傅振伦　1978·5

科技史上三大发明的重大意义　　　　　　杜石然　林文照　1978·6

中国和伊朗历史上的友好关系　　　　　　　　朱杰勤　1978·7

两千年来中柬人民的友好关系　　　　　　　　陈显泗　1978·9

儒学的变迁　　　　　　　　　　　　　　　　丁伟志　1978·12

"昆明"的由来　　　　　　　　　　　　　　　宁　超　1979·1

左右史分职说质疑　　　　　　　　　　　　　景　爱　1979·1

论"支那"一词的起源与荆的历史和文化　　　苏仲湘　1979·4

"万岁"考　　　　　　　　　　　　　　　　　王春瑜　1979·9

鲸川之海考　　　　　　　　　　　　　　　　景　爱　1979·9

十九世纪以前中国和印度尼西亚关系考略　　　陈造福　1980·3

西洋医学在中国的传播　　　　　　　　　　　赵璞珊　1980·3

我国历史上铁农具的改革及其作用　　　　　　杨　宽　1980·5

十三种《食货志》介绍　　　　　　　　　　　梁方仲　1981·1

"狼沟浦"考订　　　　　　　　　　　　　　　陈金渊　1981·1

从制糖史谈石蜜与冰糖　　　　　　　　　　　李治寰　1981·2

关于"考证"文章的意见　　　　　　　　　　陈忠龙　1981·3

中国和日本棉纺织业资本主义萌芽的

　　比较研究　　　　　　　　　　　　　　　徐新吾　1981·6

观测实践与我国古代立法的演进　　　　　　　陈美东　1983·4

河南浚县大伾山西部古河道考　　　　　　　　史念海　1984·2

自贡盐业的发展及井灶经营的特点　　　　　　彭泽益　1984·5

中国古代生产技术在日本的传播和影响

　　　　　　　　　　　　　　　戴　禾　张英莉　1984·5

太平革命以前中国经济、社会、政治的分析

　　　　　　　　　　　　　　　吴玉章　林伯渠　1984·6

古代中国与柬埔寨的海上交通　　　　　　　　赵和曼　1985·6

中国井盐开发史二三事

　　——《中国科学技术史》补正　　　　　　吴天颖　1986·5

中国人口的国际迁移之历史考察　　　　　　　朱国宏　1989·6

文化性格与历史发展
　——评《河殇》关于中国传统文化性格的
　　错误观点　　　　　　　　　　　　　林甘泉　1990·1
评《河殇》的学风　　　　　　　　　　　瞿林东　1990·1
书仪源流考　　　　　　　　　　　　　　周一良　1990·5
俗传中国史朝代起迄纪年匡谬　　　　　　谭其骧　1991·6
关于世纪和年代的一点补充　　　　　　　汤韵萍　1992·4
巴蜀古代城市的起源、结构和网络体系　　段　渝　1993·1
关于茶在北亚和西域的早期传播　　　　　黄时鉴　1993·1
中国历史上的皇权和忠君观念　　　宁　可　蒋福亚　1994·2
古代磁性指南器源流及有关年代新探　吕作昕　吕黎阳　1994·4
"买东西"考　　　　　　　　　　　　　陈　江　1996·6
《"买东西"考》献疑　　　　　　　　　徐时仪　1998·2
中国历代职官别名研究　　　　　　　　　龚延明　1998·6
招魂研究　　　　　　　　　　　　　　　金式武　1998·6
刺桐与缎子　　　　　　　　　　　　　　杨志玖　1999·4
古代中国人足迹和地理知识的北至　　　　张　箭　1999·6
中国古代遗嘱继承制度质疑　　　　　　　魏道明　2000·6
传统历书以二十八宿注历的连续性　　　　邓文宽　2000·6
中古时期北方地区畜牧业的变动　　　　　王利华　2001·4
中国古代世系学研究　　　　　　　　　　钱　杭　2001·6
中国古代非"户绝"条件下的遗嘱继承制度　姜　密　2002·2

# 三　中国近、当代史

## （一）政治

俄国一九〇五年革命对中国的影响　　　　荣孟源　1954·2
一九〇五年四月中国工人反抗帝国主义资本家
　的斗争　　　　　　　　　　　　　　　邵循正　1954·2

论社会主义在中国的传播　　　　　　　　黎　澍　1954·3

金田起义事实考　　　　　　　　　　　　罗尔纲　1954·3

辛亥革命前五十年间外国侵略者和中国买办化

　军阀官僚势力的关系　　　　　　　　　邵循正　1954·4

论东捻军的抗清斗争　　　　　　　　　　江　地　1954·5

拜上帝会成立前金田地区的阶级斗争

　　　　　　　　广西省太平天国文史调查团　1955·5

"中国农村的社会主义高潮"序言　　　　毛泽东　1956·1

一九二四年孙中山的北伐与广州商团事变　徐嵩龄　1956·3

太平天国太阳河码头渡船规条碑跋　　　　丁云青　1956·7

慈禧太后摧残学生爱国运动的"懿旨"　　恭　轩　1956·9

从民谣看太平天国的政策制度　　　　　　瞿静涵　1956·10

略论蒙古一九二一年的革命运动　　　　　张　磊　1957·3

关于太平天国革命特点的形成问题

　　——评郭毅生著论新兴市民等级在太平天国

　　革命中的作用　　　　　　　　　　　刘佐泉　1957·3

关于"咸丰十年庚申大乱记"　　　　　　王　二　1957·3

关于李文成起义的几个问题

　　——就正于范、尚、李三位先生　　　孔宪易　1957·7

太平天国革命的性质问题

　　——对郭毅生"论新兴市民等级在天平天国

　　革命中的作用"一文的看法　　　　　贾熟村　1957·8

关于天平天国革命的性质问题

　　——兼评郭毅生"略论太平天国革命的性质"

　　一文　　　　　　　　　　　　　　　袁定中　1957·8

石达开回师广西的斗争及其和大成国的关系　梁任葆　1957·9

关于"天父诗"　　　　　　　　　　　　吴良祚　1957·9

十月革命对中国革命的影响

　　　　　　　丁守和　殷叙彝　张伯昭　1957·10

对于李蓝起义某些问题的商榷　　　王文才　邹知白 1957·10

介绍太平天国门牌的新史料　　　　　　　刘永长 1957·10

十月革命对中国先进分子的影响　　　　　陈慧生 1957·11

试论清光绪末年的广西人民大起义　　　　来新夏 1957·11

十月革命和中国工人运动　　　　　　　黎　澍 1958·2

太平天国乡官的阶级成份　　　　　　　王天奖 1958·3

一八八四年香港罢工运动　　　　　　　李明仁 1958·3

义和团的前身是祖师会　　　　　　　　胡珠生 1958·3

戊戌变法运动中康有为所提出的政治纲领　刘仁达 1958·4

中国第一个红色政权——海陆丰苏维埃　　杨丙昆 1958·8

关于巴中县苏维埃政府禁烟布告　　　　黄自敬 1958·8

关于戊戌变法　　　　　　　　　　　　刘仁达 1958·9

第一次国内革命战争时期的广东农民运动　余炎光 1958·9

马克思主义在中国　　　　　　　　　　姜椿芳 1958·12

十九世纪末湖南的维新运动　　　　　　邓潭洲 1959·1

辛亥革命前后的中国工人运动　　　　　赵　亲 1959·2

关于中华民国工党的性质问题　　　　　梁玉魁 1959·6

辛亥革命时期东三省革命与反革命的斗争　李时岳 1959·6

我不认为"天朝田亩制度"的性质是反动的　徐夕明 1959·9

中华人民共和国的十年　　　　　　本刊编辑部 1959·10

中华人民共和国成立十年来在解决国内民族

　　问题方面的成就　　　　　　　　常新民 1960·1-2

关于"天朝田亩制度"的几个问题　　　杜德凤 1960·1-2

1937—1949年间国民党统治区工人阶级的状况　宫韵史 1960·3

五一国际劳动节的起源、发展及其在中国的四十年

　　　　　　　　　　　　　　　　　宫韵史 1960·5

关于中国革命的发生和胜利的原因　　　黎　澍 1960·6

中国革命夺取国家政权的过程

　　——纪念巴黎公社起义九十周年　　吴　江 1961·2

广学会的西学与维新派　　　　　　　　何兆武　1961・4

辛亥革命与反满问题　　　　　　　　　　刘大年　1961・5

辛亥革命五十周年学术讨论会开幕词　　　李　达　1961・6

在辛亥革命五十周年学术讨论会上的讲话　吴玉章　1961・6

试论内蒙古四十年来两条道路的斗争　　　史　筠　1961・6

五四运动是否就是新民主主义革命　　　　朱务善　1962・4

对我国藏族、维吾尔族和傣族部分地区解放前
　农奴制度的初步研究　　林耀华　陈永龄　宋蜀华
　　　　　　　　　　王辅仁集体讨论　宋蜀华执笔　1962・5

辛亥革命前资产阶级革命派和改良派的斗争
　　　　　　　　　　　　　　张　枬　王忍之　1962・6

为什么说五四运动是新民主主义革命的开始
　　　　　　　　　　路尔铭　桑咸之　李义彬　1963・2

关于五四运动的几个问题　　　　　　　　李龙牧　1963・3

论太平天国和捻军起义的关系　　　　　　江　地　1963・3

论清末的铁路风潮　　　　　　　　　　　祁龙威　1964・2

关于旧中国买办阶级的研究　　　　　　　黄逸峰　1964・3

中国新民主主义革命时期的农民问题　　　群　策　1964・3

帝国主义侵略中国的一个重要支柱——买办阶级
　　　　　　　　　　　　　　　　　　　黄逸峰　1965・1

五卅运动中的大资产阶级　　　　　　　　黄逸峰　1965・3

五卅运动的历史意义和经验教训　　　　　齐　武　1965・3

人民战争胜利万岁
　——纪念中国人民抗日战争胜利二十周年　林　彪　1965・4

国家主义派的形成及其在第一次国内革命战争
　时期的反动活动　　　　　　　　　　　李义彬　1965・5

平家疃人民的革命斗争　　　　汤钰卿　毕　克　1965・5

决定性的历史转变
　——纪念遵义会议四十周年　　　昆　骏　时　达　1975・1

民族团结是革命胜利的保证

　　——十九世纪中叶云南李文学起义的历史经验

　　　　　　　　　　　　　　　云南省历史研究所　1975·2

太平天国关于团结问题的历史经验　　　　　洪　城　1975·3

第一次国内革命战争时期的湖南农民运动

　　　　　湖南省哲学社会科学研究所现代史组　1976·6

三大法宝是夺取革命胜利的主要武器

　　——学习《〈共产党人〉发刊词》　丁守和　陈铁健　1976·6

"四·一二"反革命叛变与资产阶级　　　　　谟　研　1977·2

从此风雷遍九陔

　　——纪念南昌起义五十周年　　冯建辉　孙向祝　1977·4

一封初次发表的太平军紧急文书　荣孟源　黄光宇　1977·4

中国各党派的斗争　　　　　　　　　　　　列　宁　1978·2

致格·瓦·契切林　　　　　　　　　　　　列　宁　1978·2

太平天国思想散论　　　　　　　　　　　李泽厚　1978·7

关于"天父天兄天王太平天国"　　　　　王庆成　1978·9

论同盟会的性质及其内部分歧　　　　　　章开沅　1978·11

论中国近代历史上的封建顽固派　　　　　李　侃　1978·11

从抗战结束到内战全面爆发期间的几个

　　历史问题　　　　　　　　　　姚　旭　徐　燕　1978·11

打破党史禁区　　　　　　　　　　　　　李洪林　1979·1

"四五"运动和无产阶级专政的历史经验　丁伟志　1979·2

重评洋务运动　　　　　　　　　　黄逸峰　姜　铎　1979·2

平江起义　　　　　　湖南哲学社会科学研究所　1979·2

对"天京事变"几个有关问题的探讨

　　——兼与郭毅生同志商榷　　　　　　周自生　1979·3

试论我党"八大"的伟大历史意义　　　　黎　洪　1979·4

论"五四"时期的反封建思想革命　徐宗勉　朱成甲　1979·5

巴黎和会与五四运动　　　　　　　　　　俞辛焞　1979·5

从长江中下游地区农村经济的变化看太平天国
　革命的历史作用　　　　　　　　　刘　耀　1979·6
二十世纪初中国资产阶级革命派思想论纲　李泽厚　1979·6
关于参加共产国际第一、二次代表大会的中国
　代表　　　　　　　　　　　　　　李玉贞　1979·6
再论阿古柏政权　　　　　　　　　　包尔汉　1979·8
试论我国建设社会主义时期反封建残余的斗争
　　　　　　　　　　　　李银河　林　春　1979·9
《龙华会章程》探微　　　杨天石　王学庄　1979·9
太平天国革命推动中国资本主义发展的问题
　有待进一步探索　　　　　　　　林增平　1979·10
辛亥革命时期的岳王会　　　　　　　沈　寂　1979·10
西安事变初探　　　　　　　　　　　李　新　1979·11
评戚本禹的《爱国主义还是卖国主义?》左步青　章鸣九　1979·12
全国农民代表大会究竟开过没有　　　吴家林　1979·12
封建蒙昧主义与义和团运动　　　　　王致中　1980·1
关于党的民主革命总路线基本思想的形成　郭德宏　1980·1
上海商团与辛亥革命　　　沈渭滨　杨立强　1980·3
论清政府与义和团的关系　　　　　　廖一中　1980·3
也评洋务运动　　　　　　　　　　　徐泰来　1980·4
巴西会议是什么时候召开的?　　　　王廷科　1980·5
中国近代史上的革命与改良　　　　　陈旭麓　1980·6
民元前后的江亢虎和中国社会党　　　曾业英　1980·6
要恰当地评价洋务运动的积极作用
　　——答徐泰来同志　　　黄逸峰　姜　铎　1980·6
武汉工人纠察队交枪事件的考察
　　　　　　　刘继增　毛　磊　袁继成　1980·6
关于义和团的"奉旨造反"及其他
　　——与王致中同志商榷　　　　　孙祚民　1981·1

义和团几个问题的辨析 陈振江 1981·1

关于中共"二大"代表和中央委员名单的考证 徐世华 1981·2

"太平玉玺"的读法 王庆成 1981·2

新发现的太平天国告谕三件 郭存孝 1981·2

关于新发现的太平天国三件告谕的考释 郭存孝 1981·2

第一次国共合作统一战线的形成 肖 甡 姜华宣 1981·2

辛亥革命史研究中的一个问题 章开沅 1981·4

关于白区的党和群众工作 刘少奇 1981·4

上海光复和沪军都督府 吴乾兑 1981·5

论我国农业的社会主义改造 刘裕清 1981·5

辛亥革命与江浙资产阶级 章开沅 1981·5

辛亥革命中的反帝、民主、工业化问题 胡 绳 1981·5

改组派初探 刘建皋 1981·6

湘鄂西苏区土地革命政策的几个特点 古 堡 1982·2

《中国新民主主义革命史》（多卷本）序言和
　　第一卷结束语 李 新 陈铁健 1982·5

太平天国上帝的"大家庭"和"小家庭" 王庆成 1982·6

试论八七会议到"六大"的工作转变 金再及 1983·1

试析咸丰帝拒绝"借师助剿"的原因 茅家琦 1983·3

《中华民国临时约法》起草人辨正 张亦工 1983·3

土地革命中阶级政策的变化与共产国际的关系
　　　　　　　　赵增延 赵效民 李炳俊 1983·3

二十世纪初期中国资本主义发展的概况与特点
　　　　　　　　　　　　　　樊百川 1983·4

略论中国现代资产阶级民主运动 王金铻 1983·4

吴禄贞组织的"立宪军"一词的出处 董方奎 1983·6

再论《天朝田亩制度》 罗尔纲 1984·1

同盟会领导的武装起义二题 金冲及 1984·1

北伐纪实 肖劲光 1984·3

失败者的探索
　　——1913—1915 年间关于中国如何实现民主
　　　政治的讨论　　　　　　　　　　　徐宗勉　1984・4
正气会及其《会序》三题　　　　　　　　胡珠生　1984・6
第一届国会的建立及阶级结构　　　　　　张亦工　1984・6
《洋务运动史论文选》序　　　　　　　　黎　澍　1985・2
中国抗日战争在第二次世界大战中的地位和
　　作用　　　　　　　　　　　　　　　齐世荣　1985・4
戊戌维新派政治纲领的再探讨　　　　　　宋德华　1985・5
"九一八"与"一二九"学生运动比较研究　孙思白　1985・6
论抗日战争　　　　　　　　　　　　　　李　新　1986・1
护国运动中的几种政治力量　　　　　　　金冲及　1986・2
云南护国起义的酝酿与发动　　　　　　　曾业英　1986・2
论洋务思潮　　　　　　　　　　　　　　刘学照　1986・3
革命派、改良派的离合与清末民初政局　　林增平　1986・3
中英宪法史上的一个共同问题　　　　　　马克垚　1986・4
冠县梨园屯教案与义和拳运动　　　　　　路　遥　1986・5
太平天国修改印书的事实和意义　　　　　王庆成　1986・5
中国近代社会、近代资产阶级和资产阶级革命
　　　　　　　　　　　　　　　　　　　汪敬虞　1986・6
近代中国反侵略斗争中的四个层次五种力量　苏双碧　1986・6
西安事变和平解决原因新探　　　　　　　侯雄飞　1987・2
土地改革中的阶级路线　　　　　　　　　杜　敬　1987・2
湖北军政府"谋略处"考异　　　　　　　张海鹏　1987・4
台湾建省方案形成过程的考察　　　　　　陈在正　1987・5
兴浙会和保浙会是两个团体　　　　　　　胡珠生　1988・1
关于以西方之新复中国之旧的思考　　　　唐振常　1988・2
"三大政策"与黄埔军校　　　　　〔日〕狭间直树　1988・2
戊戌维新与学习西方　　　　　　　　　　汤志钧　1988・4

晚清洋务派与教案 　　　　　　　　　　　　赵春晨　1988·4

自立会历史新探 　　　　　　　　　　　　　胡珠生　1988·5

清末政坛变化的写照

　——宣统年间《汪荣宝日记》剖析 　　　　王晓秋　1989·1

五卅运动中的上海总商会 　　　　　　　　　何毅亭　1989·1

继承五四　超越五四 　　　　　　　　　　　庞　朴　1989·2

关于五四运动的几个问题 　　　　　　　　　丁守和　1989·3

论五四时期的理性精神 　　　　　　　　　　彭　明　1989·3

洋务派的历史任务及其他 　　　　　　　　　李时岳　1989·4

法国大革命与辛亥革命 　　　　　　　　　　章开沅　1989·4

萍浏醴会党起义檄文辨伪 　　　王学庄　周秋光　1989·5

维新派政治纲领的演变 　　　　　　　　　　房德邻　1989·6

论军阀的分化及结局 　　　　　　　　　　　李　新　1990·1

清末苏州商会的历史特点 　　　　　　　　　朱　英　1990·1

《五条誓文》若干用语析义 　　　　　　　　宋成有　1990·3

清末新政时期的禁烟运动 　　　　　　　　　王宏斌　1990·4

太平天国"推行神权政治"说质疑 　　　　　朱东安　1990·5

近代商会的法人社团性质 　　　　　　　　　虞和平　1990·5

1946年国共两党斗争与马歇尔调处 　　　　　杨奎松　1990·5

太平天国的悲喜剧 　　　　　　　　　　　　陈旭麓　1991·1

民初同盟会人的几种社会政治方案 　　　　　金冲及　1991·1

义和团运动的发生与特点 　　　　　　　　　阮芳纪　1991·3

民国初年的民主党 　　　　　　　　　　　　曾业英　1991·5

清末湖北立宪党人的议政实践 　　　　　　　吴剑杰　1991·6

辛亥革命与上海国货运动 　　　　　　　　　潘君祥　1992·1

商民协会初探 　　　　　　　　　　　　　　张亦工　1992·3

中山舰事件之后 　　　　　　　　　　　　　杨天石　1992·5

早期马克思主义者对社会主义与民主关系的

　认识 　　　　　　　　　　　　　　　　徐宗勉　1992·5

略论清末资政院议员 罗华庆 1992·6

庚子保皇会的勤王谋略及其失败 桑兵 1993·1

太平天国与晚清政治 郭汉民 1993·3

论辛亥革命时期的广东军政府 周兴樑 1993·3

四川保路同志会未设会长副会长 鲜于浩 1993·4

从元典的忧患意识到近代救亡思潮 冯天瑜 1994·2

沦陷时期的上海工运 黄美真 1994·4

"拜上帝会"子虚乌有考 杨宗亮 1995·1

华北事变和抗日救亡高潮的兴起 金冲及 1995·4

《"拜上帝会"子虚乌有考》质疑 吴善中 1995·5

甲午战后台湾内渡官绅与庚子勤王运动 桑兵 1995·6

萍浏醴起义史料的真伪问题
——与《萍浏醴会党起义檄文辨伪》一文商榷
饶怀民 1995·6

抗战胜利后国民党东北决策研究 汪朝光 1995·6

影响中国前途的一次空运 牛大勇 1995·6

沦陷时期上海的保甲制度 张济顺 1996·1

国民政府与台湾光复 左双文 1996·5

说《神助拳，义和团》揭帖 张守常 1997·3

抵制美货运动时期中国民众的"近代性"
〔韩〕金希教 1997·4

30年代初期国民党内部的反蒋抗日潮流
——读台湾所藏胡汉民资料之一 杨天石 1998·1

力行社与西安事变 徐有威 1998·1

苏共与中国共产党人民民主专政理论的确立 刘建平 1998·1

地方自治与直隶"四局" 魏光奇 1998·2

胶州湾危机与维新运动的兴起 孔祥吉 1998·5

爱国运动中的"合理"私利：1905年抵货运动
夭折的原因 王冠华 1999·1

民国时期县长的群体构成与人事嬗递

    ——以 1927—1949 年长江流域省份为中心　　王奇生　1999·2

美苏冷战的起源及对中国革命的影响　　　　杨奎松　1999·5

太平天国诏书衙考辨　　　　　　　　　　　朱从兵　1999·5

澳门历史的新结构　　　　　　　　　　　　邓　聪　1999·6

两种清末宪法草案稿本的发现及初步研究　　俞　江　1999·6

国民党六届二中全会研究　　　　　　　　　邓　野　2000·1

中国近代民族主义的兴起与抵制美货运动.　 王立新　2000·1

重评共产国际指导中国大革命的路线.　　　 唐宝林　2000·2

太平天国幼天王、干王等未刊供词中

    的新史料及辨证　　　　　　　　　　　王庆成　2000·5

从劝导到禁罚：清季四川反缠足努力述略　　杨兴梅　2000·6

1946 年早春中国民主化进程的顿挫

    ——以政协会议及国共关系为中心的研究　汪朝光　2000·6

义和团、基督徒和神

    ——从宗教战争角度看 1900 年的义和团斗争

                   〔美〕柯　文　2001·1

义和团运动期间直隶省的天主教教民　〔法〕巴斯蒂　2001·1

东北问题与四平决战　　　　　　　　　　　邓　野　2001·4

重评五四运动期间上海总商会"佳电"风波　朱　英　2001·4

战后国民党对共政策的重要转折

    ——国民党六届二中全会再研究　　　　汪朝光　2001·4

南京谈判与第二次国共合作的终结　　　　　邓　野　2002·2

广州商团与商团事变

    ——从商人团体角度的再探讨　　　　　邱　捷　2002·2

一九〇八年第十三世达赖喇嘛晋京朝觐考　　索文清　2002·3

西藏革命党与中国国民党关系考　　　　　　陈谦平　2002·3

自由主义知识分子与马克思主义：《独立评论》

    对中国共产党的态度　　　　　　　　　张太原　2002·4

义和团民与天主教徒在华北的武装冲突 〔德〕狄德满 2002·5

冠、威义和拳举事口号考证 王如绘 2002·5

走向"三二〇"之路 杨奎松 2002·6

南京政府行政督察专员制废止时间考 翁有为 2003·1

上海银行公会改组风波（1929—1931） 吴景平 2003·2

论一九二八年的东北易帜 曾业英 2003·2

国民党中央委员的权力嬗蜕与派系竞逐 王奇生 2003·5

### （二）经济

中日甲午战争前外国资本在中国经营的近代

　工业 孙毓棠 1954·5

旧中国发行公债史的研究 千家驹 1955·2

中国资本主义生产因素的萌芽及其增长 尚钺 1955·3

十七世纪至十九世纪中国帆船在东南亚洲航运

　和商业上的地位 田汝康 1956·8

清代广东洋行制度的起源 彭泽益 1957·1

太平天国后期土地制度的实施问题 龙盛运 1958·2

试论太平天国的土地制度 吴雁南 1958·2

太平天国杂税考 曹国祉 1958·3

解释几个有关行会的碑文 刘永成 1958·9

甲午战前中国农村手工棉纺织业的变化和

　资本主义生产的成长 陈诗启 1959·2

苏杭甬铁路借款和江浙人民的拒款运动 赵金钰 1959·9

试论清代苏州手工业行会 刘永成 1959·11

鸦片战后十年间银贵钱贱波动下的中国经济与

　阶级关系 彭泽益 1961·6

关于中国民族资本的原始积累问题 从翰香 1962·2

中国手工业在外国资本主义侵入后的遭遇和

　命运 樊百川 1962·3

关于中国资本原始积累的几个问题　　　　　马伯煌　1963·1
中国洋务运动与日本明治维新在经济发展上的
　　比较　　　　　　　　黄逸峰　姜　铎　1963·1
从轮船招商局看洋务派经济活动的历史作用　汪　熙　1963·2
关于中国封建社会后期经济发展的
　　若干问题的考察　　　　　　　　　　　傅衣凌　1963·4
十九世纪外国在华银行势力的扩张及其对中国
　　通商口岸金融市场的控制　　　　　　　汪敬虞　1963·5
关于太平天国的土地政策　　　　　　　　　龙盛运　1963·6
十九世纪后半期中国钱庄的买办化　　　　　张国辉　1963·6
从美商旗昌轮船公司的创办与发展看买办的
　　作用　　　　　　　　　　　　　　　　聂宝璋　1964·2
中国近代煤矿企业中的官商关系与资本主义
　　的发生问题　　　　　　　　　　　　　张国辉　1964·3
十九世纪后期中国城市手工业商业行会
　　的重建和作用　　　　　　　　　　　　彭泽益　1965·1
一九三五年上海白银风潮概述　　　　　　　谢菊曾　1965·2
十九世纪外国侵华企业中的华商附股活动　　汪敬虞　1965·4
论旧中国刘鸿生企业发展中的几个问题　　　马伯煌　1980·3
论清季轮船招商局的性质　　　　夏东元　杨晓敏　1980·4
论中国近代海关行政的几个特点　　　　　　陈诗启　1980·5
关于十九世纪三十年代鸦片进口和白银外流的
　　数量　　　　　李伯祥　蔡永贵　鲍正廷　1980·5
如何看待太平天国的平均主义　　　　　　　戎　笙　1981·3
《天朝田亩制度》的经济背景及其性质
　　——关于农民平均主义的评价问题　　　郭毅生　1981·3
论清代后期江浙皖三省原太平天国占领区
　　土地关系的变化　　　　　　　　　　　李文治　1981·6

论土地革命战争时期我党对私营工商业政策
　的演变过程　　　　　　　　　　　　何秉孟　1982·1
武昌首义中的武汉商会和商团　　　　　皮明庥　1982·1
《兴国土地法》对《井冈山土地法》的一个
　原则改正　　　　　　　　　　　　　金普森　1982·2
试论川路租股　　　　　　　　　　　　鲜于浩　1982·2
太平天国失败后江南农村经济变化的再探讨　刘耀　1982·3
论外国资本对洋务企业的贷款　　　　　张国辉　1982·4
土地革命战争时期党的地权政策的演变　陈文桂　1982·4
十九世纪中日资本主义现代化成败原因浅析
　　　　　　　　　　　　丁日初　杜恂诚　1983·1
试论大革命时期的土地斗争　　郭德宏　梁尚贤　1983·2
二十世纪初期中国资本主义发展的概况与特点　樊百川　1983·4
再论中国资本主义和资产阶级的产生　　汪敬虞　1983·5
论晚清的国家资本主义　　　　丁日初　沈祖炜　1983·6
试论洋务派官督商办企业的性质与作用　汪　熙　1983·6
略论中国资本主义产生的历史条件　　　汪敬虞　1984·2
我国半殖民地半封建国内市场　　　　　吴承明　1984·2
汉冶萍公司所借日债补论　　　　　　　代　鲁　1984·3
买办与洋务企业　　　　　　　丁日初　杜恂诚　1984·5
十九世纪六十年代外国在华洋行势力的扩张　聂宝璋　1984·6
十九世纪后半期中国票号业的发展　　　张国辉　1985·2
洋务派不能承担发展中国资本主义的历史任务　汪敬虞　1985·4
试论大生纱厂的市场基础　　　　　　　林　刚　1985·4
略论洋务企业的性质　　　　　　　　　姜　铎　1985·6
十九世纪后半期上海商业的演变　潘君祥　陈立仪　1986·1
中国新式企业的发动和封建势力的阻挠　张国辉　1986·2
苏州工商各业公所的兴废　　　　　　　唐文权　1986·3
民初"服制改革"对苏州丝织业的影响　　王　翔　1986·4

试论中国银行与北洋政府的矛盾　　　　　　　　邓先宏　1986·4

周学熙资本集团的垄断倾向　　　　　　　　　　盛　斌　1986·4

近代徐州利国驿煤矿剖析　　　　　　　　　　　余明侠　1986·5

太平天国的租赋关系　　　　　　　　　　　　　杨天宏　1987·5

建省前后的台湾经济　　　　　　　　　　　　　汪敬虞　1987·5

从1883年上海金融风潮看中国资产阶级的产生　杜恂诚　1987·6

清末商会"官督商办"的性质与特点　　　　　　朱　英　1987·6

旧中国苏浙皖三省的租佃关系　　　　　　　　　乌廷玉　1987·6

帝国主义入侵对近代中国经济发展的影响

　　——对西方学者一些观点的评介　　　　　周广远　1988·4

近代中国资本主义的发展与不发展　　　　　　　汪敬虞　1988·5

1933年的中美棉麦借款　　　　　　　　　　　郑会欣　1988·5

晚清苏州丝织业"账房"的发展　　　　　　　　王　翔　1988·6

广州通商制度与鸦片战争　　　　　　　　　　　顾卫民　1989·1

北洋政府时期国家资本主义的中断　　　　　　　杜恂诚　1989·2

北洋时期官僚私人投资与天津近代工业　　　　　宋美云　1989·2

张謇与南通"近代化"模式　　　　　　　　　　伍贻业　1989·2

"税专"与中国海关的人事制度　　　　　　　　赵淑敏　1989·2

近代中国家庭棉纺织业的多元分解　　　　　　　陈惠雄　1990·2

近代汉口钱庄研究　　　　　　　　　　　　　　姚会元　1990·2

试论近代中国的买办阶级　　　　　　　　　　　汪敬虞　1990·3

从总税务司职位的争夺看中国近代海关的作用　陈诗启　1991·2

海关与中国近代化的关系

　　——论中国海关驻伦敦办事处　　　　　　夏良才　1991·2

北洋时期中国新式银行在对外贸易中的作用　　杜恂诚　1991·3

鸦片战争后通商口岸行会的近代化　　　　　　　虞和平　1991·6

从开滦煤矿联营看近代煤矿业发展状况　　　　　张国辉　1992·4

广东与长野器械缫丝业比较研究

　　——兼论两地的原始工业化　　　　　　　王新生　1993·3

中国近代经济史研究中的若干理论问题　　王　翔　1993·4

论清末的经济法规　　朱　英　1993·5

租界与中国近代房地产业的诞生　　赵　津　1993·6

清末广州外贸与地区经济　　杨瑞贞　1993·6

十九世纪外国在华金融活动中的银行与洋行　　汪敬虞　1994·1

论二元经济　　吴承明　1994·2

抗日战争时期工厂内迁的考察　　黄立人　1994·4

日本对华北经济的统制和掠夺　　居之芬　1995·2

外国在华金融活动中的银行与银行团

（1895—1927）　　汪敬虞　1995·3

南京政府的关税行政改革　　陈诗启　1995·3

论晚清的铁路建设与资金筹措　　芮坤改　1995·4

商事裁判与商会

　　——论晚清苏州商事纠纷的调处　　马　敏　1996·1

日伪华北交通股份有限公司及其交通统制　　王士花　1996·3

关于近代中国外债史研究对象的若干思考　　吴景平　1997·4

近代中国金融活动中的中外合办银行　　汪敬虞　1998·1

深入探讨抵制美货运动的新思路

　　——读《抵制美货运动时期中国民众的

　　"近代性"》　　朱　英　1998·1

清季首批自开商埠考　　杨天宏　1998·2

扬子电气、淮南矿路两公司的创立与国有企业

　　私营化　　郑会欣　1998·3

近代中国手工业行会的演变　　王　翔　1998·4

中国建设银行公司股份的演变　　郑会欣　1999·3

英国与中国的法币平准基金　　吴景平　2000·1

清末武汉劝业奖进会述略　　朱　英　2000·4

近代江南农村的工价及其影响

　　——兼论小农与经营式农场衰败的关系　　胡　成　2000·6

近代中国第一批股份制企业　　　　　　　　朱荫贵　2001·5

关于民国时期工业生产总值的几个问题　〔日〕久保亨　2001·5

近代中国茶叶国际贸易的衰减

　　——以对英国出口为中心　　　　　　林齐模　2003·6

### （三）军事

中国工农红军长征概述　　　　　　　　　　缪楚黄　1954·2

关于一八六〇年七月华尔攻陷松江的经过　　祁龙威　1958·2

关于乍浦镇江之役的旗军　　　　　　　　　高鸿志　1958·6

关于"道光洋艘征抚记"的作者问题　　　　姚薇元　1959·12

"道光洋艘征抚记"作者问题的再商榷　　　师道刚　1960·4

铜墙铁壁——记焦庄户地道战

　　　　　　　　北京市顺义县人民武装部

　　　　　　　北京师范大学中共党史系　1975·4

回顾中央红军长征在川南的革命事迹　　　　宣　军　1975·5

秋收起义和向井冈山进军　　湖南哲学社会科学研究所　1977·4

红军从游击战到运动战的伟大战略转变

　　——毛主席伟大革命实践回忆之一　　郭化若　1977·5

长征的胜利是毛主席革命路线的壮丽凯歌　　林　田　1975·6

横扫七百里的辉煌胜利

　　——毛主席伟大革命实践回忆之二　　郭化若　1978·1

王聪儿是八路兵马总指挥吗？　　　　　　　冯佐哲　1978·1

马汉的海上实力论　　　　　　　冯承柏　李元良　1978·2

毛主席指挥我们打胜仗

　　——回顾解放华北的峥嵘岁月　　　　杨得志　1978·2

八里桥究竟在哪里？　　　　　　　　　　　郑一奇　1978·4

关于"八一"南昌起义若干史实的考证　　　王年一　1979·7

粉碎蒋介石亲自指挥的第三次"围剿"

　　——毛主席伟大革命实践回忆之三　　郭化若　1979·9

太平天国前期战争的战略问题　　　　　　　张一文　1979·10

丰岛海战　　　　　　　　　　　　　　　　李平子　1980·4

红军长征几个史实的考证　　　　　　　　　王廷科　1981·1

东、西捻军究竟于何时何地分军?　　　　　郭豫明　1981·2

再论《道光洋艘征抚记》的祖本和作者　　　姚薇元　1981·4

中央苏区第四次反"围剿"战争始末

　　　　　　　韩荣璋　肖裕声　杜魏华　1981·4

太平军二破江南大营战役研究　　　　　　　沈渭滨　1982·3

评太平军二次西征的"最佳方略"　　　　　苑书义　1982·3

强渡大渡河的红军勇士是多少个?　　　　　杨得志　1982·4

鸦片战争时期的中英兵力　　　　　　　　　茅海建　1983·5

关于忠王宝剑的若干问题

　　　——与罗尔纲先生商榷　　　〔英〕柯文南　1985·1

中国近代兵书概论　　　　　　　毛振发　刘　庆　1987·2

中国近代军事史研究述评　　沈渭滨　夏林根　朱学成　1987·2

淮军初建的几个问题　　　　　　　　　　　贾熟村　1988·4

中国正面战场对日战略的演变　　　　　　　余子道　1988·5

中国行会史研究的几个问题　　　　　　　　彭泽益　1988·6

清末海洋观与海军建设　　　　　　　　　　李国华　1990·5

定海之战考实　　　　　　　　　　　　　　茅海建　1990·6

太平天国北伐军数考　　　　　　　　　　　张守常　1991·6

北洋海军覆灭原因再探讨　　　　　杨志本　许　华　1992·4

从徐建寅禀看丁汝昌的指挥失误　　　　　　苏小东　1994·6

抗战时期中国共产党对日军事战略方针的演变　杨奎松　1995·4

试论中国抗日战争的西线战场　　　　　　　曾景忠　1996·2

《请缨日记》辨误　　　　　　　　　　　　廖宗麟　1996·2

孙中山的西北军事计划及其夭折

　　　——国民党谋求苏俄军事援助的最后尝试　杨奎松　1996·3

"先打黄维"决策过程考辨　　　　　　　　朱宗震　2001·4

### （四）思想文化与学术

记新发现的"湘江评论" 方 回 1954·2

记巩珍西洋番国志 方 回 1954·2

西洋"汉学"与胡适 周一良 1955·2

清除胡适思想在历史考据中的恶劣影响 田余庆 1955·2

看看胡适的"历史的态度"和"科学的方法" 范文澜 1955·3

阶级斗争是历史发展的动力

　　——论胡适派反动的历史观及其流毒 蔡美彪 1955·3

胡适不是研究历史，而是歪曲和捏造历史

　　——在批判胡适历史观点讨论会上的发言 梁从诫 1955·3

批判胡适的多元历史观 嵇文甫 1955·4

论胡适在禅宗史研究中的谬误 任继愈 1955·5

绍兴太平天国壁画调查记 罗尔纲 1956·2

南京如意里太平天国壁画考证 罗尔纲 1956·5

太平天国壁画能画人物的一个佐证 孔宪易 1956·11

"□馀琐闻" 孔宪易 1956·11

关于"新时代"和湖南自修大学 刘　堃 1957·7

戊戌时代的思想解放 戴　逸 1958·9

五四新文化运动 丁守和 殷叙彝 1959·4

论"五四"新文化运动及其统一战线 李龙牧 1962·2

魏源的变易思想和历史进化观点 吴　泽 1962·5

试论五四文化革命的分期及其前后期的转化 孙思白 1963·2

太平天国有一个"革命哲学思想体系"吗？

　　——兼评哲学史研究中的一种思潮 黄　彦 1978·12

关于《庶民的胜利》的发表和

　　《Bolshevism 的胜利》的写作 朱乔森 黄　真 1980·4

近代西方科技的引进及其影响 叶晓青 1982·1

《社会主义神髓》的最早中译本 蒋逸人 戴孟桃 1982·4

论"中体西用"　　　　　　　　　　　陈旭麓　1982・5
新知书店的战斗历程　　　　　　　　　徐雪寒　1982・5
西学输入和中国传统文化　　　　　　　叶晓青　1983・1
戊戌维新与中国近代思想文化史　　　　李　侃　1983・5
清末士大夫思想演变的缩影
　　——读《忘山庐日记》　　　　　　李　侃　1984・2
中国传统文化在近代　　　　　　　　　叶晓青　1985・1
近代中国文化结构的变化　　　　　　　龚书铎　1985・1
近代经学的发展和消亡　　　　　　　　汤志钧　1985・3
洋务运动后期进步知识分子的改革思想　章鸣九　1985・6
鸦片战争后的"开眼看世界"思想　　　潘振平　1986・1
林乐知与《中国教会新报》　　　　　　陈　绛　1986・4
道光咸丰年间的经世实学　　　　　　　冯天瑜　1987・4
晚清"西学源于中学"说　　　陶飞亚　刘天路　1987・4
近代湖湘文化试探　　　　　　　　　　林增平　1988・4
《刘永福历史草》的史料价值　　　　　廖宗麟　1988・5
湖南时务学堂考实　　　　　　　　　　迟云飞　1988・6
五四时期民主思想的演变　　　　　　　王桧林　1989・3
"赛先生"与新文化运动
　　——科学社会史的考察　　　　　　樊洪业　1989・3
中西文化问题　　　　　　　　　　　　黎　澍　1989・3
传教士与近代中西文化交流　　　　　　顾长声　1989・3
重评"文化论调和论"　　　　　　　　丁伟志　1989・4
五四运动前夜俄国政治、文化对中国的若干影响
　　　　　　〔苏联〕谢尔盖・齐赫文斯基　1989・4
辛亥革命与文化　　　　　　　　　　　龚书铎　1989・5
《俱分进化论》的忧患意识　　　　　　章开沅　1989・5
清末兴学热潮与社会变迁　　　　　　　桑　兵　1989・6
近代西方传教士在华教育活动的专业化　史静寰　1989・6

19 世纪香港西式学校历史评价 　　　　　　　　刘蜀永　1989·6

清末留日学生中的女性 　　　　　　　　　　　　周一川　1989·6

近代中国科学观发展三形态 　　　　　　　　　　段治文　1990·6

戊戌时期的科技近代化趋势 　　　　　　　　　　李恩民　1990·6

30 年代关于文化问题的论争 　　　　　　　　　　陈　崧　1991·2

近代经世思潮的演变 　　　　　　　　　　　　　陈振江　1991·3

太平天国对《圣经》态度的演变 　　　　　　　　夏春涛　1992·1

"心学"与辛亥风云 　　　　　　　　　　　　　吴雁南　1992·4

晚期国粹派的文化观 　　　　　　　　　　　　　郑师渠　1992·6

《校邠庐抗议》与中国文化近代化 　　　　　　　丁伟志　1993·5

"中体西用"论在戊戌维新时期的嬗变 　　　　　丁伟志　1994·1

中国新文化的源流及其趋向 　　　　　　　　　　耿云志　1994·2

1842 至 1860 年西学在中国的传播 　　　　　　　熊月之　1994·4

王学及其现代命运 　　　　　　　　陈铁健　黄道炫　1994·4

太平天国与四书五经 　　　　　　　　　　　　　王庆成　1995·3

《大同书》起稿时间考

　　——兼论康有为早期大同思想 　　　　　　房德邻　1995·3

近代中国的文化民族主义 　　　　　　　　　　　郑师渠　1995·5

五四时期学者对史学功能的认识 　　　　　　　　刘俐娜　1996·3

近代中国留学生发言位置转换的学术意义

　　——兼析近代中国知识样式的转型 　　　　章　清　1996·4

《曾文正公年谱》作者考辨 　　　　　　　　　　王澧华　1996·4

晚清公羊学的发展轨迹 　　　　　　　　　　　　陈其泰　1996·5

晚清民国时期的国学研究与西学 　　　　　　　　桑　兵　1996·5

传教士与近代中西文化竞争 　　　　　　　　　　罗志田　1996·6

"社学即官办初等教育"说质疑 　　　　　　　　王日根　1996·6

太平天国壁画人物论 　　　　　　　　　　　　　郭毅生　1996·6

五四时代知识分子的平民意识与共产主义运动

　　的兴起 　　　　　　　　　　　　　　　　朱志敏　1997·2

民国时期的佛学与科学思潮　　　　　　李少兵　1997・4

伯希和与近代中国学术界　　　　　　　桑　兵　1997・5

晚清学部的酝酿产生　　　　　　　　　关晓红　1998・2

五四时期张东荪的中西文化观　　　　　左玉河　1998・3

马希曼、拉沙与早期的《圣经》中译　　马　敏　1998・4

戊戌时期的学会运动　　　　　　　　　张玉法　1998・5

关于梁启超称颂"王学"问题　　〔日〕狭間直樹　1998・5

京师大学堂的科学教育　　　　　　〔法〕巴斯蒂　1998・5

思想观念与社会角色的错位：戊戌前后湖南

　　新旧之争再思

　　——侧重王先谦与叶德辉　　　　　罗志田　1998・5

从科学与人生观之争看后五四时期对五四基本

　　理念的反思　　　　　　　　　　　罗志田　1999・3

近代中国学术的地缘与流派　　　　　　桑　兵　1999・3

五四新文化运动与儒学：误解及其他　欧阳军喜　1999・3

解读《辟韩》

　　——兼论戊戌时期严复与李鸿章张之洞的关系

　　　　　　　　　　　　　　　　　　王宪明　1999・4

《哈佛燕京学社》补正　　　　陶飞亚　梁元生　1999・6

大纲与史：民国学术观念的典范转移　　罗志田　2000・1

《张之洞家书》辨伪　　　　　　　　　秦进才　2000・2

史料的尽量扩充与不看二十四史

　　——民国新史学的一个诡论现象　　罗志田　2000・4

东方考古学协会述论　　　　　　　　　桑　兵　2000・5

新旧能否两立：二十年代《小说月报》对于

　　整理国故的态度转变　　　　　　　罗志田　2001・3

近代学术转承：从国学到东方学

　　——傅斯年《历史语言研究所工作之旨趣》解析

　　　　　　　　　　　　　　　　　　桑　兵　2001・3

《刘向歆父子年谱》的学术背景与初始反响　　刘　巍　2001·3

抵制东瀛文体：清季围绕语言文字的思想论争　罗志田　2001·6

二十世纪早期西方合作主义在中国的传播和

　　影响　　　　　　　　　　　　　　　　陈意新　2001·6

"学术社会"的建构与知识分子的"权势网络"

　　——《独立评论》群体及其角色与身份　章　清　2002·4

斯宾格勒的"文化形态史观"在华之最初传播

　　——吴宓题英文本《斯宾格勒之文化论》手迹

　　读后　　　　　　　　　　　　　　　　王敦书　2002·4

《新史学》之后

　　——1929年的中国历史学界　　　　　葛兆光　2003·1

光影中的沉思

　　——关于民国时期电影史研究的回顾与前瞻　汪朝光　2003·1

由爱乡而爱国：清末广东乡土教材的国家话语　程美宝　2003·4

清末群学辨证

　　——以康有为、梁启超、严复为中心　　姚纯安　2003·5

横看成岭侧成峰：学术视差与胡适的学术地位　桑　兵　2003·5

（五）社　会

论新兴市民等级在太平天国革命中的作用　　郭毅生　1956·3

对百年前上海是一片荒凉渔村说法的疑义　　陈德昌　1957·1

十九世纪下半纪中国的秘密会社　　　　　　王天奖　1963·2

祠堂族长族权的形成及其作用试说　　　　　左云鹏　1964·5–6

尚贤堂与孔孟之道　　李宗一　曾业英　郑则民　1976·3

明清以来北京的工商行会　　　　　　　　　李　华　1978·4

华侨对越南经济文化发展的贡献　　　　　　秦钦峙　1979·6

十九世纪后期中国人在美国开发中的作用及

　　处境　　　　　　　　　　　　　　　　朱杰勤　1980·1

关于上海小刀会"义兴公司"的性质　　　　谭彼岸　1980·3

| | | | |
|---|---|---|---|
| 在美国的华裔妇女 | 沈璦璱 | 史　崙 | 1981·2 |
| 广州十三行续探 | | 彭泽益 | 1981·4 |
| 光华医专不是帝国主义办的 | | 陈智超 | 1981·5 |
| 近代华工在南非 | | 艾周昌 | 1981·6 |
| 武昌起义后的农村变动 | | 李喜所 | 1982·2 |
| 民间宗教与义和团揭帖 | | 程　歗 | 1983·2 |
| 从福建侨乡族谱看南洋华侨史的若干问题 | | 林金枝 | 1984·4 |
| 护国运动时期商人心理研究 | | 莫世祥 | 1986·4 |
| 传统的家庭认同心理探析 | | 王玉波 | 1988·4 |
| 清末灾荒与辛亥革命 | | 李文海 | 1991·5 |
| 辛亥革命前的农会 | | 朱　英 | 1991·5 |
| 辛亥革命前的人口状况 | | 行　龙 | 1992·1 |
| 20 世纪 20 年代劳资纠纷问题初探 | | 徐思彦 | 1992·5 |
| 中国近代绅士阶层的社会流动 | | 王先明 | 1993·2 |
| 20 世纪 30 年代前期农民离村问题 | | 王文昌 | 1993·2 |
| 论太平天国的城市政策 | | 赵德馨 | 1993·2 |
| 中国非基督教运动（1922—1927） | | 杨天宏 | 1993·6 |
| 甲午战争与灾荒 | | 李文海 | 1994·6 |
| 徽州方氏与社会变迁 | | | |
| 　　——兼论地域社会与传统中国 | | 唐力行 | 1995·1 |
| 晚清乡村社会的洋教观 | | | |
| 　　——对教案的一种文化心理解释 | 程　歗 | 张　鸣 | 1995·5 |
| 晚清长江上游地区公共领域的发展 | | 王　笛 | 1996·1 |
| 晚清士绅基层社会地位的历史变动 | | 王先明 | 1996·1 |
| 沦陷时期上海的保甲制度 | | 张济顺 | 1996·1 |
| 十九世纪在华基督教的两种传教政策 | | 王立新 | 1996·3 |
| 关于晚清市民社会研究的思考 | | 朱　英 | 1996·4 |
| 清末民初的两次户口人口调查 | | | |
| 　　米　红 | 李树茁 | 胡　平　王　琼 | 1997·1 |

太平天国天历干支、礼拜提前一天原因考　　　吴善中　1998・1

义门大家庭的分布与宗族文化的区域特征　　　黎小龙　1998・2

略论民国时期的人力资源开发　　　　　　　　虞和平　1998・2

二战期间在日本的中国劳工　　　　　　　　　陈景彦　1998・2

太平天国战争对苏南人口的影响　　　　　　　曹树基　1998・2

南京国民政府禁止妇女缠足的努力及其成效　　杨兴梅　1998・3

宣统年间的人口调查

　　——兼评米红等人论文及其他有关研究　　侯杨方　1998・6

大众文化研究与近代中国社会

　　——对近年美国有关研究的述评　　　　　王　笛　1999・5

也论近代农民离村原因——兼与王文昌同志

　　商榷　　　　　　　　　　　　　　　　　彭南生　1999・6

民国时期全国人口统计数字的来源　　　　　　侯杨方　2000・4

近代华北农村人口消长及其流动

　　——兼论黄宗智"没有发展的增长"说　　行　龙　2000・4

抗战时期浙江省的人口迁移与地域分布　　　　张根福　2000・4

中国历代更改重复地名及其现实意义　　　　　华林甫　2000・4

社区精英群的联合和行动

　　——对梨园屯一段口述史料的解说　　　　程　歗　2001・1

"绅商"词义考析　　　　　　　　　　　　　　谢　放　2001・2

"绅商"词义及其内涵的几点讨论　　　　　　　马　敏　2001・2

清末文献中的广东"绅商"　　　　　　　　　　邱　捷　2001・2

工人、资本家与国民党

　　——20世纪30年代一例劳资纠纷的个案分析

　　　　　　　　　　　　　　　　　　　　　王奇生　2001・5

二十世纪初的茶馆与中国城市社会生活

　　——以成都为例　　　　　　　　　　　　王　笛　2001・5

晚清及民国时期华北村庄中的乡地制

　　——以河北获鹿县为例　　　　　　　　　李怀印　2001・6

近代中国的鼠疫应对机制

　　——以云南、广东和福建为例　　　　李玉尚　2002·1

耶稣家庭与中国的基督教乌托邦　　　　陶飞亚　2002·1

密勒氏报"中国当今十二位大人物"

　　问卷调查分析　　　　　　　　　　杨天宏　2002·3

国中的"异乡"：二十世纪二三十年代旅外川人

　　认知中的全国与四川　　　　　　　王东杰　2002·3

晚清华北村镇人口　　　　　　　　　　王庆成　2002·6

麻风隔离与近代中国　　　　　　　　　梁其姿　2003·5

华北农民家庭人口生存条件分析

　　——对 20 世纪 30—40 年代冀南农村的考察　王跃生　2003·6

### （六）中外关系

美帝国主义攫占三都澳的阴谋与所谓"海军

　　借款"　　　　　　　　　　　　　孙毓棠　1954·2

戊戌变法与日本　　　　　　　　　　　沈镜如　1954·6

一九〇五年俄国革命和中国　　　　　　黎　澍　1955·1

近代亚洲民族解放斗争的三次高涨与中国　丁则良　1955·4

十九世纪末帝国主义瓜分中国铁路利权的阴谋

　　活动（一八九八——一八九九）　　胡　滨　1956·5

中俄两国人民友好关系三百年　　　　　余元安　1957·11

甲午战争前三十年间反洋教运动　　　　李时岳　1958·6

中国第一次革命战争时期的美日勾结

　　（一九二三——一九二八）　　　　邵鼎勋　1958·8

关于在 1924—1933 年期间德国人民支援中国

　　革命的一些事实　　　　　　　　　周允隆　1959·9

帝国主义侵略中国领土西藏的罪恶历史

　　　　　　　　　丁名楠　张振鹍　1959·5

一九〇〇年内蒙古西部地区各族人民的反帝斗争　戴学稷　1960·6

论义和团反帝国主义斗争　　　　　　　　史思群　1960·6

一九三一至一九四五年间日本帝国主义移民我国

　　东北的侵略活动　　　　　　　　　　　孔经纬　1961·3

辛亥革命时期帝国主义列强的侵华政策　　余绳武　1961·5

从对外关系看太平天国的悲剧

　　——纪念太平天国革命运动一百一十周年　石力成　1961·1

川江航权是怎样丧失的?　　　　　　　　聂宝璋　1962·5

中古人民友谊的发展　　　李希泌　徐楚影　陆宏基　1964·1

美国侵华"专使"顾盛在中国　　　　　　陈　原　1964·4

帝国主义对中国的侵略与中国人民反对帝国

　　主义的斗争　　　　　　　　　　　　刘大年　1964·4

西方殖民者在河套鄂尔多斯等地的罪恶活动

　　——帝国主义利用天主教侵略中国的一个实例

　　　　　　　　　　　　　　　　戴学稷　1964·5-6

驳谎言制造者

　　——关于中苏边界的若干问题　　　　史宇新　1974·1

"新土地的开发者",还是入侵中国的强盗?

　　　　　　　　　　　　　谭其骧　田汝康　1974·1

柳条边的历史和苏修的谬论　　　　　　纪　实　1975·3

沙俄的侵华工具——俄国东正教布道团　方　秀　1975·3

雅克萨战争是中国抗击沙俄侵略的正义战争

　　——驳苏修歪曲雅克萨战争性质的谬论　群　哲　1975·4

涅维尔斯科依

　　——十九世纪中叶沙俄侵略黑龙江地区的急先锋

　　　　　　　　　　　　　　　志　力　钟　锷　1975·4

血腥的征服

　　——驳苏修所谓"中亚自愿归并俄国"的谬论

　　　　　　　　　　　　　　　　　刘存宽　1975·5

谎言改变不了历史
　——驳苏修篡改我国准噶尔部历史的无耻谰言
　　　　　　　　　内蒙古大学蒙古史研究室　1976·2
中俄《瑷珲条约》与苏修霸权逻辑　　　钟　锷　1976·4
老沙皇侵略我国西藏的罪行是掩盖不住的　李绍明　1977·1
一封揭露沙皇独占东三省野心的电报　　　　　　1977·5
"西原借款"与日皖勾结　　　　　　　章伯锋　1977·6
鸦片战争中镇江抗英的史料　　　　　　骆承烈　1978·4
沙俄在甲午战争中充当了什么角色　　　米庆余　1979·8
海兰泡惨案死难人数究竟有多少？　　　薛衔天　1980·1
关于赫德致金登干的书信　　　　　黄光域　1979·12
第二次鸦片战争时英军所掠广州各官衙档案的
　下落　　　　　　　　　　　　　黄光域　1980·3
中俄《布连斯奇界约》的换文日期　　　郑人瑞　1980·4
关于苏俄两次对华宣言和废除中俄不平等条约问题
　——兼答苏联学者　　　　　　　　方　铭　1980·6
对十九世纪五十年代中外关系的一点看法
　——太平天国失败原因辨析　　　　茅家琦　1981·4
库页岛在历史上的归属问题　　　　　　薛　虹　1981·5
中国与墨西哥的首次立约建交及其影响
　　　　　　　　　　　　沙　丁　杨典求　1981·6
司徒雷登一九四六至一九四八年致美国国务卿的
　若干电文　　　　　　　　　　叶笃义译注　1982·2
满铁史概述　　　　　　　　　　　　苏崇民　1982·5
西原借款与寺内内阁的对华策略　　　裴长洪　1982·5
皖系军阀与日本帝国主义的关系　　　章伯锋　1982·6
"商队茶"考释　　　　　　　　　　蔡鸿生　1982·6
关于中法战争几个问题的初步探索　　　丁名楠　1984·2

"四·一二"反革命政变与帝国主义关系再探讨

沈　予　1984·4

中国和拉丁美洲的早期贸易关系　　沙　丁　杨典求　1984·4

从"九·一八"到"八·一三"国民党政府

对日政策的演变　　　　　　　　　郭大钧　1984·6

美国对华政策与"四·一二政变"的关系

——兼与沈予同志商榷　　　　　牛大勇　1985·4

苏联"阴谋"文证《致驻华武官训令》辨伪　习五一　1985·2

二十世纪上半叶日本在中国大陆的国策会社　张祖国　1986·6

抗日战争期间国共两党的对美政策　　　　章百家　1987·3

1945—1949 年中国共产党对美政策的演变　何　迪　1987·3

新中国成立前后的美国对华政策观　　　　袁　明　1987·3

清代"俄罗斯佐领"考略　　　　　　　　吴　洋　1987·5

"田中外交"的对华政策　　　　　沈　予　谢雪桥　1988·1

英国与 1935 年的中国货币改革　　　　　吴景平　1988·6

试论 20 世纪 30 年代德国对华政策　　　　李兰琴　1989·1

抗战前期日本"民间人士"和蒋介石集团的

秘密谈判　　　　　　　　　　　杨天石　1990·1

美国与 1945 年的中苏会谈　　　　　　　吴景平　1990·1

也谈中法战争起于何时　　　　　　　　唐上意　1990·1

英国与对华门户开放政策的缘起　　　　牛大勇　1990·4

从档案看鸦片战争期间清政府的对外政策

——兼论统治集团内部的斗争问题　郦永庆　1990·2

抗战期间中苏关系恶化原因初探　　　　王　真　1990·4

南京国民政府的联苏制日方针　　　　　李义彬　1991·1

太平天国的对外关系和国际观念　　　　王庆成　1991·1

庚子围攻使馆事件考　　　　　　　　　林华国　1991·3

西方宗教势力在长江上游地区的拓展　隗瀛涛　王　笛　1991·3

英国对华政策与国民革命的危机　　　　牛大勇　1991·4

日本侵华的"以战养战"政策　　　　　　　　单冠初　1991·4

南京国民政府对"一二八"事变的方针　　　　金再及　1992·3

鸦片战争与不平等条约　　　　　　　　　　茅海建　1992·4

宁案与中美外交　　　　　　　　　　　　　郭曦晓　1992·5

论抗日战争期间日蒋的"和平交涉"　　　　　沈　予　1993·2

日中、日俄（苏）关系与新疆　　　　　　　　王　柯　1993·3

1917—1924 年的苏俄中东铁路政策　　　　　才家瑞　1993·4

1949—1950 年美国对华政策与承认问题　　　陶文钊　1993·4

苏联与西安事变　　　　　　　　　　　　　李义彬　1993·5

1943 年中英废除不平等条约的谈判和香港问题

　　　　　　　　　　　　　　　　　　　李世安　1993·5

新发现的"天王御照"和"天海关照会"

　　——1861 年春太平天国和英国的交往　　王庆成　1994·1

旧金山会议中国代表团组成问题　　　　　　邓　野　1994·3

太平洋战争期间的香港问题　　　　　　　　陶文钊　1994·5

苏联出兵中国东北：目标和结果　　　　　　沈志华　1994·5

华德事件与新中国对美政策的确定　　　　　杨奎松　1994·5

1949—1950 年英国对新中国的承认　　　　　金光耀　1994·5

近代中国的战争赔款总值　　　　　　　　　王年咏　1994·5

抗战初期中苏在苏联参战问题上的分歧　　　王　真　1994·6

论乙未割台的历史背景　　　　　　　　　　戚其章　1994·6

华北开发株式会社与日本政府和军部　　　　张利民　1995·1

三元里抗英史实辨正　　　　　　　　　　　茅海建　1995·1

《江南善后章程》及相关问题　　　　　　　郭卫东　1995·1

关于《田中奏折》若干问题的再探讨　　　　沈　予　1995·2

1933—1941 年的中德关系　　　　　　　　　张北根　1995·2

二战爆发前国民政府外交综论　　　　　　　王建朗　1995·4

抗战时期中美租借关系述评　　　　　　　　吴景平　1995·4

日军第十六师团南京中山门外屠杀真相　　　高兴祖　1995·4

抗日战争时期中国损失调查及赔偿问题　　　　郭希华　1995·5

开罗会议是美国对华政策的转折点吗？　　　　陶文钊　1995·6

中法战争期间清政府的抗法保台策略　　　　　季云飞　1995·6

济南事件与中美关系的转折　　　　　　　　　罗志田　1996·2

论日本对华新政策下的日汪关系　　　　　　　石源华　1996·2

1943年中英关于西藏问题的交涉　　　　　　　陈谦平　1996·4

《〈江南善后章程〉及相关问题》辨正　　　　朱树谦　1996·5

《江华条约》与清政府　　　　　　　　　　　王如绘　1997·1

1949年以前中国政府收复香港的尝试 刘存宽　刘蜀永　1997·3

美国的香港政策（1942—1960）　　于　群　程舒伟　1997·3

关于中印边界东段的几个问题　　　　　　　　吕昭义　1997·4

中国废除不平等条约的历史考察　　　　　　　王建朗　1997·5

近代中印西段边界史略　　　　　　　　　　　房建昌　1997·5

1927年蒋介石与田中义一密约述实　　　　　　周颂伦　1998·3

甲午战争赔款问题考实　　　　　　　　　　　戚其章　1998·3

侵华日军慰安妇制度略论　　　　　　苏智良　陈丽菲　1998·4

九一八事变后日本的对华外交及战略意图

　　　——兼论南京国民政府的对策　　　　　熊沛彪　1998·4

琉球漂民事件与日军入侵台湾（1871—1874）　米庆余　1999·1

戊戌维新前后的中日关系

　　　——日本军事顾问与清末军事改革　　　李廷江　1999·2

国家利益：苏俄对在华合作者的选择　　　　　杨雨青　1999·4

新中国外交的形成及主要特征　　　　　　　　牛　军　1999·5

葡萄牙占领澳门的历史过程　　　　　　　　　邓开颂　1999·6

中日甲午战争史研究的世纪回顾　　　　　　　戚其章　2000·1

论中英两国政府处理林维喜事件的手法与态度

　　　　　　　　　　　　　　　林启彦　林锦源　2000·2

"照会"与中国外交文书近代范式的初构　　　郭卫东　2000·3

1934—1936年间中美关系中的白银外交　　　　任东来　2003·3

国民党在美国的游说活动

  ——以顾维钧为中心的讨论     金光耀 2000·4

四一二前后的蒋介石与列强     申晓云 2000·6

华盛顿体系与中国国民革命：二十年代中美

  关系新探        王立新 2001·2

中法《黄埔条约》交涉

  ——以拉萼尼与耆英之间的来往照会函件为中心

           张建华 2001·2

中苏条约谈判中的利益冲突及其解决   沈志华 2001·2

英国与近代中外贸易"法治"的建立    王立诚 2001·2

国民革命时期的反帝问题

  ——济南惨案后的反日运动与国民政府的对策

        〔韩〕裴京汉 2001·4

中苏国家利益与民族情感的最初碰撞

  ——以《中苏友好同盟互助条约》签订为背景

           杨奎松 2001·6

一九四五年至一九四九年的美苏国共关系   牛军 2002·2

张作霖与"二十一条"交涉     王海晨 2002·2

"文化侵略"与"文化帝国主义"：美国传教士

  在华活动两种评价范式辨析    王立新 2002·3

日本与国民政府的"革命外交"：对关税自主

  交涉的考察       王建朗 2002·4

南京大屠杀中的日军屠杀令研究    程兆奇 2002·6

鸦片战争期间搁浅台湾英船性质考  〔韩〕李永玉 2003·2

英藏清军镇压早期太平天国地图考释   华林甫 2003·2

"蒙古问题"与冷战初期美国对华政策   刘晓原 2003·3

中印边界冲突与苏联的反应和政策    戴超武 2003·3

1962：中国对外政策"左"转的前夜    牛军 2003·3

新疆苏联侨民问题的历史考察（1945—1965） 李丹慧 2003·3

苏俄在华发表的第一个文件
中国关于战后越南问题的认识与实践（1942—1946）

　　　　　　　　　　　　　　　　　　罗　敏　2003·5
陶德曼调停新论　　　　　　　　　　　陈仁霞　2003·6

　　（七）人物

彭湃烈士与一九一九年五月七日中国留日学生
　　东京示威游行运动　　　　　　　　方　回　1954·2
鲁迅和历史科学　　　　　　　　　　　李瑞良　1955·6
批判梁漱溟反动的历史观点及其复古主义　侯外庐　1956·1
批判胡适派对于世界史的反动唯心观点　齐思和　1956·6
论孙中山的"民生主义"思想
　　——纪念中山先生九十生辰　　　　李泽厚　1956·11
对邹知白"李永和蓝朝鼎起义始末"一文的
　　商榷及补充　　　　　　　　　　　李祖桓　1956·12
章炳麟与印度民族解放斗争
　　——兼论章氏对亚洲民族解放斗争的一些看法

　　　　　　　　　　　　　　　　　　丁则良　1957·1
关于忠王李秀成自传原稿真伪问题的再商榷　金毓黻　1957·1
李大钊轶文"此日"考　　　　　　　　刘　埜　1957·1
孙中山的哲学思想及其同政治思想的联系　侯外庐　1957·2
关于李秀成自传原稿的真伪问题　　　　孙观圻　1957·4
太平天国北征将领林凤祥　　　　　　　蔡起贤　1957·4
李大钊同志和五四时期马克思主义思想的宣传　李龙牧　1957·5
关于洪大全的历史问题　　　　　　　　彭泽益　1957·9
对太平天国时代白齐文评价的商榷　　　马振文　1958·5
那拉氏反动的一生　　　　　　　　　　袁定中　1958·10
恽代英在五四运动期间的日记　　　　　张岂之　1958·11
五四时期的胡适其人　　　　　　　　　张若达　1959·6

"五四"时期李大钊同志反对资产阶级改良主义的
　斗争　　　　　　　　　　高全朴　张岂之　1959·6
李大钊与新文化运动　　　　　　　　张俊彦　1959·8
再论康有为的《大同书》　　　　　　汤志钧　1959·8
论康有为《大同书》的思想实质　　　汤志钧　1959·11
论洪仁玕的"资政新篇"　　　　　　李竞能　1959·12
第一次国内革命战争时期陈独秀的右倾机会主义
　剖析　　　　　　　　　　　　　　陈哲夫　1960·1-2
论孙中山革命思想的形成和兴中会的成立
　　　　　　　　　　　　　金冲及　胡绳武　1960·5
毛泽东思想开辟了中国历史科学发展的道路　邓拓　1961·1
悼念杜国庠同志　　　　　　　　　　侯外庐　1961·1
辛亥革命时期章炳麟的政治思想　胡绳武　金冲及　1961·4
论宋教仁　　　　　　　　　　　　　陈旭麓　1961·5
论章炳麟思想的阶级性　　　　　　　蔡尚思　1962·1
论黄兴　　　　　　　　　　金冲及　胡绳武　1962·3
谭嗣同思想述评　　　　　　　　　　张德钧　1962·3
魏源的变易思想和历史进化观　　　　吴泽　1962·5
孙中山的民权主义　　　　　　　　　李光灿　1962·6
五四时期的李大钊和陈独秀　　　　　彭明　1962·6
洪秀全和太平天国革命　　　　　　　沈元　1963·1
论张謇的矛盾性格　　　　　　　　　章开沅　1963·3
评李秀成自述
　　——并同罗尔纲、梁岵庐、吕集义等先生商榷

　　　　　　　　　　　　　　　　　戚本禹　1963·4
关于我写李秀成自述考证的几点说明　罗尔纲　1963·4
魏源《海国图志》研究
　　——魏源史学研究之二　　　吴泽　黄丽镛　1963·4
悼嵇文甫同志　　　　　　　　　　　尹达　1963·5

嵇文甫同志简历　　　　　　　　　　　　　　　1963·5

有关杜文秀对外关系的几个问题　　　　　田汝康　1963·4

论章炳麟的政治思想　　　　　　　　　　赵金钰　1964·1

悼念汤用彤先生　　　　　　　　　　　　任继愈　1964·3

怎样对待李秀成的投降变节行为？　　　　戚本禹　1964·4

忠王李秀成苦肉缓兵计考　　　　　　　　罗尔纲　1964·4

略论李秀成　　　　　　　　　苏寿桐　吴雁南　1964·4

关于李秀成的战绩及评价问题　　　　　　余明侠　1965·2

论谭嗣同　　　　　　　　　　　　　　　孙长江　1965·3

论"防鬼反为先"

　　——驳李秀成问题讨论中的几种论调

　　　　　　　　冯元魁　李茂高　沈渭滨　1965·5

鲁迅对《水浒》的评论　　　　　　　　　　　　1975·5

陈独秀的投降主义与马日事变

　　　　湖南省哲学社会科学研究所现代史组　1975·6

铁人传　　　　　　　　　　　　　　　　海　陆　1975·6

林祥谦烈士传　　　　福建师范大学历史系理论组　1976·1

略论洪秀全的农民革命路线　　　　　　　钟纪周　1976·1

李秀成——修正主义和投降派的一面镜子　张海鹏　1976·1

论鲁迅世界观的伟大转变　　　　　　　　张　琢　1976·3

鲁迅论"无名氏"　　　　许怀中　孙腾芳　刘再复　1976·3

第二次国内革命战争时期鲁迅在文化战线上的

　　斗争　　　　　　文学研究所近代文学组　1976·4

一个投降派的典型——汪精卫　　　丁贤俊　闻少华　1976·4

历史的巨轮决不停息

　　——学习鲁迅对革命事业的坚定信心

　　　　　　　　　　　　再　赴　张　哲　1976·5

鲁迅战斗在广州——瀚若　　　　　　　　　　　1976·5

伟大的战士，火热的斗争
　　——回忆周恩来总理在西安事变到抗战胜利
　　　期间国共斗争几次重大事件中的光辉事迹

　　　　　　　　　　　　　　　　　颜太龙　1977·1
周恩来同志的早期革命活动　丁江海　刘仙元　廖永武　1977·1
学习鲁迅在斗争中改造世界观　五一一六七部队林文森　1977·1
论严复　　　　　　　　　　　　　李泽厚　1977·2
伟大的会师　　　　　　　　　　　何长工　1977·3
跟随朱总司令的片断回忆　　　　　李树槐　1977·3
回忆朱总司令　　　　　　　　　　何其芳　1977·3
忆董老　　　　　　　　　　　　　许涤新　1977·3
章太炎给谭献的一封信　　　　　　　　　　1977·3
革命的摇篮
　　——回忆毛主席在广州主办农民运动讲习所　王首道　1977·4
大革命时期毛泽东在武汉
　　　　　　　　武汉市革命文物管理办公室
　　　　　　　　华中师范学院历史系　1977·5
毛泽东同志主办的中央农民运动讲习所
　　　　　　武昌农讲所纪念馆　武汉大学历史系　1977·5
创业艰难百战多
　　——回忆陈毅同志在赣粤边坚持三年游击战争
　　　　　　　　　　　　　　　　　杨尚奎　1977·6
论章太炎　　　　　　　　　　　　唐振常　1978·1
章太炎的一副对联　　　　　　　　王益知　1978·1
鲁迅与历史遗产　　　　　　　　　李鸿然　1978·2
汪士铎思想剖析　　　　　　　　　胡思庸　1978·2
领导中国革命的伟大起点
　　——毛主席早期在湖南的革命活动
　　　　　　湖南省哲学社会科学研究所　1978·3

章太炎剖析　　　　　　　　　　　　　　　李泽厚　1978·3

领导中国革命的伟大起点（续完）

　　——毛主席早期在湖南的革命活动

　　　　　　　　湖南省哲学社会科学研究所　1978·4

华侨与辛亥革命　　　　　　　　　　　　　孙　健　1978·4

辛亥"三·二九"起义中牺牲的华侨烈士　　孙　健　1978·4

兼资文武此全才

　　——忆陈总领导上海工作片断　　　　许涤新　1978·5

洪秀全与《劝世良言》　　　　　　　　　　戎　笙　1978·7

深切悼念郭沫若同志

　　　　中国社会科学院历史研究所副所长侯外庐　1978·7

贺龙同志在湘鄂西和湘鄂川黔的革命斗争

　　　　　　湖南省哲学社会科学研究所现代史组

　　　　　　人民解放军铁道兵政治学院政治教研室　1978·8

在毛主席伟大旗帜下战斗的光辉一生

　　——忆罗荣桓同志　　　　　　总政治部理论组　1978·9

翦伯赞同志十年祭

　　——驳戚本禹对翦伯赞同志的诬陷　　李洪林　1978·9

关于李大钊同志的生年月日问题　　　　　李义彬　1978·9

扼杀历史科学的恶霸行径

　　——再驳戚本禹对翦伯赞同志的诬陷　李学昆　1978·10

忆杨闇公同志　　　　吴玉章遗作　李新整理　1978·10

秋瑾出生年代初考　　　　　　　　　邵　雯　1978·11

杨杏佛与中国民权保障同盟　　　　　杨小佛　1978·12

实事求是是毛泽东思想的灵魂

　　——纪念毛泽东同志诞辰八十五周年

　　　　　　　　　　解放军政治学院林然昌　1978·12

青年毛泽东的思想方向　　　　　　　李　锐　1979·1

怎样评价李秀成及其《自述》　　　　李　晴　1979·1

文化大革命中的陈毅同志　　　　　　　　　童怀周　1979·2

石达开参与诛杨密议质疑　　　　　　　　　苏双碧　1979·2

章太炎与《高桥杜氏祠堂记》　　　　　　　陈铁健　1979·2

重评《多余的话》　　　　　　　　　　　　陈铁健　1979·3

陈永福投闯抗清事迹评述　　　　　　　　　张守常　1979·3

建党初期的陈独秀　　　　　　　　　　　　冯建辉　1979·4

五四运动中的青年毛泽东　　　　　　　　　李　锐　1979·5

陈独秀和《新青年》　　　　　　　　　　　丁守和　1979·5

胡适与"五四"时期的新文化运动　　　　　耿云志　1979·5

陈独秀书信　　　　　鲁迅研究室供稿　陆品晶注释　1979·5

读新发表的陈独秀四封书信手稿　　　　　　陆品晶　1979·5

天德王洪大全问题的补充证据　　　　　　　罗尔纲　1979·6

关于洪大全的身份　　　　　　　　　　　　蔡少卿　1979·6

梁启超王国维简论　　　　　　　　　　　　李泽厚　1979·7

建党前后的李达同志

　　　　　李其驹　陶德麟　熊崇善　段启咸　曾勉之　1979·8

论洪秀全的早期思想及其发展（上）　　　　王庆成　1979·8

论洪秀全的早期思想及其发展（下）　　　　王庆成　1979·9

关于《重评〈多余的话〉》的两封信　　　　沈雁冰　1979·9

立三路线时期的一个问题

　　——试论毛泽东同志对立三路线的认识和抵制

　　　　　　　　　　　　　　　　　　　　田　园　1979·10

关于李大钊在北京大学任职的时间　　　　　李义彬　1979·10

谈笑凯歌旋

　　——忆毛泽东同志到重庆谈判

　　　　　　　　　　　　　　　　　　　　许涤新　1979·11

论蔡锷　　　　　　　　　　　　　　　　　谢本书　1979·11

应当全面评价瞿秋白　　　　　　王维礼　杜文君　1979·12

秋瑾出生年代　　　　　　　　　　　　　　王士伦　1979·12

论孙中山的民权主义　　　　　　　　　　　张　磊　1980·1

重评《天津讲话》　　　　　　　　叶梧西　邵云瑞　1980·2

关于张闻天同志的早年活动　　　　　　　　程中原　1980·2

孙中山在临时政府时期的斗争　　　　胡绳武　金冲及　1980·2

论"和平民主新阶段"

　　——斥林彪、"四人帮"对刘少奇同志的诬陷

　　　　　　　　　　　　　　　　　　　　王年一　1980·2

论孙中山的"平均地权"　　　　　　　　　　谢　刚　1980·4

订正一条张闻天早年活动的史料　　　　　　程中原　1980·4

青年毛泽东世界观的转变　　　　　　汪澍白　张慎恒　1980·5

介绍孙中山《致郑藻如书》　　　　　　　　黄　彦　1980·6

黎元洪是怎样被拥立为都督的?　　　　　　皮明麻　1981·1

盛宣怀档案中关于"东南互保"的资料　　　　　　　1981·1

论"滦州兵谏"和"士官三杰"　　　　　　　董方奎　1981·1

悼念顾颉刚先生　　　　　　　　　　　　　白寿彝　1981·2

虞洽卿简论　　　　　　　　　　　丁日初　杜恂诚　1981·3

菲律宾华侨将军刘亨赙生平事迹考　　周南京　郑炳山　1981·3

吴玉章自传　　　　　　　　　　　　　　　　　　1981·4

从邯郸刻石看胜保招降的历史伪案　　　　　程绍海　1981·4

孙中山的革命活动与日本

　　——兼论宫崎寅藏与孙中山的关系　　　周一良　1981·4

孙中山对外关系中的几件史料　　　　　张振鹍辑译　1981·4

方伯谦被杀是一桩冤案吗?

　　——与季平子同志商榷　　　　　　　　戚其章　1981·6

史学大师王国维　　　　　　　　　　　　　周传儒　1981·6

试论陈独秀与托派的关系　　　　　　　　　唐宝林　1981·6

论郑官应　　　　　　　　　　　　　　　　汪　熙　1982·1

从戊戌到辛亥梁启超的民主政治思想　　　　王好立　1982·1

黄兴在辛亥武昌首义以后　　　　　　黄　乃　安琳　1982·2

战士·学者·良师

    ——悼念尚钺同志　　　　　　　　戴　逸　1982·2

吴禄贞是"立宪派"吗?　　　　　　　　吴忠亚　1982·3

对《史学大师王国维》一文的几点补正　　冯佐哲　1981·6

李鸿章和轮船招商局　　　　胡　滨　李时岳　1982·4

读孙中山《祭陈其美文》　　　　　　　朱宗震　1982·4

关于章炳麟政治立场转变的几篇佚文　　骆宝善　1982·5

蔡锷与"二次革命"　　　　　　　　　曾业英　1983·1

陶行知生年考　　　　　　　　　　　周洪宇　1983·2

曾国藩洋务思想的形成、性质和作用　　王少普　1983·2

中法战争中的张之洞　　　　　　　　唐上意　1983·5

斯人离世去　业绩在人间

    ——悼念尹达同志　　杨向奎　张政烺　1983·5

毛泽东与中国历史学　　　刘茂林　陈耀辉　1983·6

李大钊对袁世凯的认识过程　　　　　朱成甲　1983·6

论郭嵩焘　　　　　　　　　　　　钟叔河　1984·1

一位辛勤耕耘的史学家

    ——纪念吴晗诞生七十五周年、逝世十五周年

    　　　　　　　　　苏双碧　王宏志　1984·3

李鸿章与维新运动　　　　　　　　苑书义　1984·5

从《商务叹》看郑观应对官督商办的态度　徐元基　1984·5

梁启超对历史发展规律的探索　　　刘振岚　1984·5

论张元济　　　　　　　　　　　　李　侃　1985·1

杨杏佛简论　　　　　　　　　　　陈　崧　1985·2

章太炎是小资产阶级思想家　　　　林庆元　1985·4

王国维的学问、思想及死因　　　　蔡尚思　1985·4

论杨度

    ——《杨度集》代序言　　　　　刘晴波　1985·4

焦达峰、陈作新被杀一案析疑　　傅志明　成晓军　1985·6

辛亥革命时期孙中山的对外态度 　　　　　　　王　笛　1986·2

《龙云传》序言 　　　　　　　　　　　　　　黎　澍　1986·2

九一八事变后的胡汉民 　　　　　　　　　　　陈红民　1986·3

邓拓与历史科学 　　　　　　　　　戴　逸　李　华　1986·3

孙中山与传统儒学 　　　　　　　　　　　　　李　侃　1986·5

孙中山让位于袁世凯原因新议 　　　　　　　　韩　明　1986·5

龚自珍暴卒考辨 　　　　　　　　　　　　　　孙文光　1986·5

论孙中山伟人品质 　　　　　　　　　　　　　马　敏　1986·6

孙中山的民权主义与辛亥革命的结局 　　　　　耿云志　1986·6

论孙中山的社会主义思想 　　　　　　　　　　胡　绳　1987·1

孙中山民主革命思想的形成 　　　　　　　　　林增平　1987·1

从离异到回归

　　——孙中山与传统文化的关系 　　　　　章开沅　1987·1

孙中山让位于袁世凯的历史环境 　　　　　　　胡绳武　1987·1

试论孙中山晚年的道路 　　　　　　　　　　　金冲及　1987·1

梁启超多变论 　　　　　　　　　　　　　　　黄　坤　1987·4

重考"洪宣娇"从何而来 　　　　　　　　　　罗尔纲　1987·5

何天炯与孙中山

　　——宫崎滔天家藏书札研究 　　杨天石　狭间直树　1987·5

曾国藩简论 　　　　　　　　　　　　　　　　杨国强　1987·6

盛宣怀与袁世凯 　　　　　　　　　　　　　　夏东元　1987·6

二次革命时期孙中山的反袁策略与日本的关系　俞辛焞　1988·1

孙中山的民生主义与摩里斯·威廉的《社会史观》

　　　　　　　　　　　　　　　　　　夏良才　1988·1

哲人个萎，风范长存

　　——悼念侯外庐同志 　　　　　　　　　林甘泉　1988·1

杜月笙其人 　　　　　　　　　　朱　华　苏智良　1988·2

孙中山上书李鸿章事迹考辨 　　　　　　　　　黎　澍　1988·3

张謇与淮南盐垦公司 　　　　　　　　　　　　严学熙　1988·3

论孙中山民元让位　　　　　　　　　　　　丁贤俊　1988·6

梁启超的法国大革命观　　　　　　　　　　许明龙　1989·2

回忆黎澍二三事　　　　　　　　　　　　　丁守和　1989·2

痛定思黎澍　　　　　　　　　　　　　　　唐振常　1989·2

孙中山早期思想和活动的几个问题　　　　　耿云志　1989·5

论李鸿章的变法思想　　　　　　　　　　　章鸣九　1989·6

论清末海关兼管常关　　　　　　　　　　　戴一峰　1989·6

宋教仁与阳明心学　　　　　　　　　　　　习五一　1990·1

王韬的近代舆论意识和《循环日报》的创办　夏良才　1990·2

民国时期孙中山与会党关系研究　　　　　　陈剑安　1990·2

略论李鸿章的对日观　　　　　　　　　　　刘学照　1990·3

康有为严复变革思想比较　　　　　　　　　李双璧　1990·3

唐绍仪与辛亥南北议和　　　　丁贤俊　陈　铮　1990·3

孙中山对日态度再认识　　　　　　　　　　俞辛焞　1990·3

孙中山与梁启超关于中国现代化的选择　　　耿云志　1990·5

林则徐与澳门　　　　　　　　　　　　　　方志钦　1990·6

从《困学丛书》看史学家罗尔纲　　　　　　刘君达　1990·6

孙中山和自立军　　　　　　　　　　　　　汤志钧　1991·1

"孙中山劝李鸿章革命"说质疑　　　　　　苑书义　1991·2

张之洞从清流派到洋务派的思维转变

　　　　　　　　　　　　冯天瑜　何晓明　1991·3

陈垣与桑原骘藏　　　　　　　〔日〕竺沙雅章　1991·3

梁启超与中国近代化　　　　　　　　　　　李华兴　1991·3

康有为《中日和约书后》的写作时间　　　　张锡勤　1991·3

评1913年孙中山访日　　　　　　　　　　段云章　1991·4

1924年孙中山北上与日本的关系　　　　　　刘曼容　1991·4

孙中山的平均地权论与宫崎民藏的土地均享思想

　　　　　　　　　　　　〔日〕伊原泽周　1991·4

慈禧与洋务运动　　　　　　　　　　　　　姜　铎　1991·4

| | | | |
|---|---|---|---|
| 孙中山社会主义思想研究评说 | | 张海鹏 | 1991·5 |
| 张之洞经济思想散论 | 陈 钧 | 任 放 | 1991·5 |
| 辛亥革命前后宋教仁与日本的关系 | | 习五一 | 1991·6 |
| 程德全与民初政潮 | | 朱宗震 | 1991·6 |
| 宋子文论纲 | | 吴景平 | 1991·6 |
| "宋案"后孙中山对袁世凯的态度 | | 周兴樑 | 1991·6 |
| 略论王国维与陈寅恪 | | 袁英光 | 1992·1 |
| 胡适整理国故平议 | | 耿云志 | 1992·2 |
| 福泽谕吉与梁启超近代化思想比较 | | 高力克 | 1992·2 |
| 马尚德——谭嗣同熟识的英国传教医师 | | 邝兆江 | 1992·2 |
| 陈寅恪文化历史主义通观 | | 尚 定 | 1992·4 |
| 青帮和国民党政权：杜月笙对上海政治的作用 | | | |
| （1927—1937） | 〔澳〕Brian G·Martin | | 1992·5 |
| 张作霖"讨赤"与田中内阁 | | 〔日〕伊原泽周 | 1992·5 |
| 张之洞与清末立宪别论 | | 孔祥吉 | 1993·1 |
| 黄兴与武昌首义 | | 张海鹏 | 1993·1 |
| 洪秀全"登极"史实辨正 | | 姜 涛 | 1993·1 |
| 1923 年后孙中山与日本的关系 | | 段云章 | 1993·2 |
| 黄郛与塘沽协定善后交涉 | | 杨天石 | 1993·3 |
| 崔述与顾颉刚 | | 路新生 | 1993·4 |
| 张之洞经济伦理思想探真 | 陈 钧 | 任 放 | 1993·4 |
| 孙中山宪法思想刍议 | | 耿云志 | 1993·4 |
| 康有为大同思想的东方文化色彩 | | 任 军 | 1993·6 |
| 康有为的海外活动和保皇会前期评价 | | 汤志钧 | 1994·2 |
| 梁启超的民权观与卢梭主权在民说 | | 宝成关 | 1994·3 |
| 自立军起义前后的容闳与康梁 | | 容应萸 | 1994·3 |
| 戊戌时期章太严与康有为经学思想的歧异 | | 张 勇 | 1994·3 |
| 孙中山致威尔逊的三封电函 | | 高鸿志 | 1994·4 |
| 从何香凝为蒋介石证婚说起 | | 周兴樑 | 1994·4 |

孙中山对俄国二月革命和十月革命的反应　　李玉刚　1994·6

蒋介石与前期北伐战争的战略策略　　　　　杨天石　1995·2

袁世凯上翁同龢说帖述论　　　　　　　　　孔祥吉　1995·3

林纾的认同危机与民初的新旧之争　　　　　罗志田　1995·5

李鸿章家书辨伪　　　　　　　　　　　　　刘学照　1996·2

戊戌政变前后的康有为　　　　　　　　　　邝兆江　1996·5

晚清知识分子的悲剧
　　——从陈鼎和他的《校邠庐抗议别论》谈起
　　　　　　　　　　　　　　　　　　　　孔吉祥　1996·6

陈寅恪的"晚清情结"与他同胡适的关系　　　何建明　1996·6

洪仁玕签驳《李秀成供》文书的发现和研究　王庆成　1997·1

孙中山张作霖的关系与《孙文越飞宣言》　　邱　捷　1997·2

孙中山香港之行
　　——近代香港英文报刊中的孙中山史料研究
　　　　　　　　　　　　　　　　　　　　莫世祥　1997·3

刘永福并未任职台湾民主国　　　　　　　　廖宗麟　1997·4

顾维钧与华盛顿会议　　　　　　　　　　　金光耀　1997·5

张之洞与戊戌政制改革　　　　　　　　　　谢　放　1997·6

中外矛盾与国内政争：北伐前后章太炎的
　　"反赤"活动与言论　　　　　　　　　罗志田　1997·6

张学良反蒋问题之探讨　　　　　　　　　　杨奎松　1997·6

陈寅恪与清华研究院　　　　　　　　　　　桑　兵　1998·4

筹划庚子勤王运动期间梁、孙关系真相　　　郭世佑　1998·5

入城与修约：论叶名琛的外交　　　　　　　茅海建　1998·6

梁启超民元临时工商会议演说词平议　　　　朱　英　1998·6

高山仰止
　　——徐中舒先生百年诞辰纪念　　　　　彭裕商　1998·6

黄兴首次赴日时间及其思想转变小考　　　　萧致治　1999·1

也论戊戌政变前后的康有为　　　　　　　　汪荣祖　1999·2

程璧光与护法运动　　　　　　　　　　　　　赵立人　1999·3

略论梁启超谋救光绪皇帝的活动

　（1898 年 9 月—1900 年 9 月）　　　　　　耿云志　1999·4

李鸿章字号辨识　　　　　　　　　　　　　　刘建臻　1999·4

陈寅恪"种族与文化"观辨微　　　　　　　　　彭　华　2000·1

梁启超佚函中的绑架刘学询方案　　　　　　　郭世佑　2000·2

张之洞与晚清学部　　　　　　　　　　　　　关晓红　2000·3

陈寅恪与牛津大学　　　　　　　　　　　　　程美宝　2000·3

试论冯玉祥及国民军在 1925—1927 年的

　政治态度　　　　　　　　　　刘敬忠　王树才　2000·5

杜重远和《新生》周刊　　　　　　　　　　　金冲及　2000·5

再论康有为与今文经学　　　　　　　　　　　汤志钧　2000·6

清帝退位前夕梁启超与袁世凯关系　　　　　　李永胜　2000·6

陈寅恪与中国中古史研究　　　　　　　　　　胡　戟　2001·4

张汤交谊与辛亥革命　　　　　　　　　　　　章开沅　2002·1

张之洞与《江楚会奏变法三折》　　　　　　　李细珠　2002·2

胡绳史论二题——读书笔记　　　　　　　　　徐宗勉　2002·3

胡绳晚年对新民主主义与过渡时期总路线的

　思考拾零　　　　　　　　　　　　　　　林蕴晖　2002·3

章太炎晚年北游讲学的文化象征　　　　　　　桑　兵　2002·4

戊戌变法期间光绪帝对外观念的调适　　　　　茅海建　2002·6

紧张而丰富的心灵：林同济思想研究　　　　　许纪霖　2003·4

陶模与清末新政　　　　　　　　　　　　　　关晓红　2003·6

四一二政变前夕的吴稚晖

　——近世名人未刊函电过眼录　　　　　　　杨天石　2003·6

## （八）其他

《双林镇志》中的《兵燹记》　　　　　　　　　朱子爽　1957·6

《钦定士阶条例》逸文　　　　　　　　　　　张惠泉　1957·8

长沙购书记

　　——关于"长沙文化书社"的资料　　　　王　火　1957·10

红安县建苏社的发展史

　　　华中师范学院工农业文化教育考察团历史系分团　1959·1

金沙水拍云崖暖

　　——记中央红军巧渡金沙江时遵纪爱民的事迹

　　　　　　　　　　　云南省楚雄军分区郑轩　1975·5

《中华民国史》第一编序言　　　　　　　　李　新　1981·4

# 四　世　界　史

## （一）古代

从租佃制度与隶属农民的身分探讨古巴比伦社会

　　的性质　　　　　　　　　　　　　　童书业　1956·5

朝鲜的古印刷　　　　　　　　　　　　　张秀民　1957·3

论新罗国家的社会经济结构的性质

　　——以 M·H·朴同志的论文为中心　〔朝〕韩吉彦 1957·11

匈牙利哈玛塔教授"关于阿提拉时期匈人社会"

　　的论文　　　　　　　　　　　　　　齐思和　1958·1

史诗"吉尔伽美什和阿伽"与军事民主问题　日　知　1961·5

原始佛教的历史起源问题　　　　　　　　季羡林　1965·3

古代印度的种姓制度　　　　　　　　　　崔连仲　1977·4

印加帝国的灭亡　　　　　　　　　　　　严中平　1977·4

略论罗马法的发展及其历史影响　　　　　沈宗灵 1978·12

关于古代日本称中国六朝为吴　　　　　　韩长耕　1979·2

亚洲农耕的起源问题　　　　　　　　　　孔令平　1979·6

死海古卷的发现及研究　　　　　　　　　孔令平 1979·12

达契亚文明与达契亚国家的形成　　　　　陆象淦　1980·5

试论西欧从奴隶社会向封建社会的过渡

  ——与胡玉堂先生商榷　　　　程　纯　沈敏华　1981·1

罗马和汉代奴隶制比较研究　　　　　　　马克垚　1981·3

日本古代部民的性质

  ——兼论日本未经历奴隶制社会　　　王金林　1981·3

古代印度的种姓制度与奴隶

  ——与崔连仲同志商榷　　　　　　　张　毅　1982·1

谈玛雅文明的起源　　　　　　　　　　　胡春洞　1983·1

日本早期封建制的几个特点　　　　　　　刘　毅　1983·3

斯巴达早期土地制度考　　　　　　　　　王敦书　1983·6

莫斯科国家封建土地制度的变革　　　　　朱　寰　1984·2

《乌尔纳姆法典》和乌尔第三王朝早期社会

  　　　　　　　　　　朱承思　董为奋　1984·5

新巴比伦神庙经济中的"喜尔库"　　　　彭小瑜　1988·2

古埃及的早期城市　　　　　　　　　　　刘文鹏　1988·3

维金时代：冲突与交融　　　　　　　　　沈　坚　1989·5

古代巴西印第安人历史新探　　　　　　　方迥澜　1990·1

阿富汗与古代东西方文化交往　　　　　　彭树智　1994·2

希腊城邦社会的农业特征　　　　　　　　黄　洋　1996·4

论雅典奴隶制民主政治的形成　　　　　　顾銮斋　1996·4

拜占廷军区制和农兵　　　　　　　　　　陈志强　1996·5

托勒密时期埃及奴隶制评析　　　　　　　颜海英　1996·6

论古代非专制政治地区发展的差异　　　　易建平　1998·6

拜占廷《农业法》研究　　　　　　　　　陈志强　1999·6

古凯尔特人初探　　　　　　　　　　　　沈　坚　1999·6

从家庭和私人生活看古雅典妇女的地位　　裔昭印　2000·2

纳尔迈调色板和古代埃及统一　　　　　　郭丹彤　2000·5

希腊城邦的公共空间与政治文化　　　　　黄　洋　2001·5

从古法到神法

　——中古后期南德农民法律意识的变化　　侯树栋　2001·5

酋邦与专制政治　　　　　　　　　　　　易建平　2001·5

古色雷斯人透视　　　　　　　　　　　　沈　坚　2002·2

雅典首席将军考辨　　　　　　　　　　　晏绍祥　2002·2

重论"咸为成汤说"　　　　　　　　　　陈　絜　2002·2

希腊城邦的公共空间与政治文化　　　　　黄　洋　2002·5

民主政治诞生 2500 周年？

　——当代西方雅典民主政治研究　　　　黄　洋　2002·6

古埃及"只娶不嫁"的外交婚姻　　　　　王海利　2002·6

部落联盟还是民族

　——对摩尔根和恩格斯有关论述的再思考　易建平　2003·5

## （二）中世纪

从中世纪前期西欧的法律和君权说到日耳曼

　马克公社的残存　　　　　　　　　　　吴于廑　1957·6

论中国和日本的史料对于研究苏联远东区自

　上古至十七世纪历史的价值

　　〔苏联〕В·В·多马舍夫斯基　В·Г·谢班科夫　1957·12

中世纪时期阿塞拜疆与中国的经济和文化关系

　　　　　　　　　　〔苏联〕А·С·В·寇瑟　1958·2

十七世纪前半期的中俄关系　〔苏联〕В·Г·谢班科夫　1958·5

中英两国最早的接触　　　　　　　　　　张轶东　1958·5

中国与阿拉伯之间的历史关系

　　　　　　　　　　〔阿联〕卡米勒尔·雅德　1958·11

文单国——老挝历史地理新探　　　　　　黄盛璋　1962·5

英国封建土地所有制形成的过程　　　　　齐思和　1964·1

殖民主义海盗哥伦布　　　　　　　　　　严中平　1977·1

墨西哥帝国的被征服　　　　　　　　　　严中平　1977·2

文艺复兴的时代、巨人和科学　　　　刘明翰　张志宏　1978·5
西欧从奴隶社会向封建社会过渡中的几个问题　胡玉堂　1980·1
中泰关系史上的一个疑案
　　——关于素可泰国王坤兰甘亨
　　　　是否访问过中国的问题　　　　　　邹启宇　1980·5
近代欧洲汉学家的先驱马尔蒂尼　　　　　　马　雍　1980·6
文艺复兴时期西欧的史学　　　　　　　　　郭圣铭　1981·2
七世纪中大食进兵阿姆河北的年代　　　　　宋　岘　1981·3
中世纪西欧的政权、教权与封建制度　　　　胡玉堂　1981·5
日耳曼农村公社的瓦解与自由农民农奴化　　尹　曲　1982·2
论日本奴隶制向封建制的过渡　　　张玉祥　禹硕基　1982·2
论麦哲伦　　　　　　　　　　　　　　　　严中平　1982·3
应如何理解西欧"封建化"问题　　　　　　马克尧　1982·4
试述日本讨幕派　　　　　　　　　　　　　伊文成　1982·6
西欧封建社会延续时间较短的根本原因　　　庞卓恒　1983·1
扶桑国猜想与美洲的发现　　　　　　　　　罗荣渠　1983·2
关于中世纪英国农民生活状况的估算　　　　马克尧　1983·4
应对封建社会农民状况多做具体估算　　　　庞卓恒　1983·4
世界历史上的农本与重商　　　　　　　　　吴于廑　1984·1
试论法国历史上的圈地运动　　　　　　　　尤天然　1984·4
封建社会历史比较研究的几个问题　　　　　庞卓恒　1985·1
西欧封建城市初论　　　　　　　　　　　　马克尧　1985·1
评麦哲伦　　　　　　　　　　　　孙光圻　唐胜德　1985·2
英国1290年买地法令的某些问题　　　　　　张云鹤　1985·3
日本江户时代的农民境况　　　　　　　　　孙义学　1985·5
法国封建社会农民的生活状况与社会发展的
　　关系　　　　　　　　　　　　　　　　王渊明　1985·5
中世纪英国农村的行政、司法及教区体制与
　　农民的关系　　　　　　　　　　　　　徐　浩　1986·1

中世纪英国农民个人力量的增长与自然经济的
  解体 侯建新 1987・3

十六至十七世纪西方历史思想的更新 谭英华 1987・4

罗马教皇与罗马文艺复兴 程显煜 1988・1

佛罗伦萨市民人文主义者的实践与"积极生活"
  思想 郑群 1988・6

马丁・路德的转变 孔祥民 1990・1

试论西欧中世纪城市与封建主的关系 金志霖 1990・4

中世纪英国行会和雇佣工人
  ——兼论雇佣工人与生产资料的关系 金志霖 1990・6

英国中世纪的法律结构与法制传统 徐浩 1990・6

"文艺复兴"研究的新趋势 王挺之 1991・1

都铎王朝对教会地产的剥夺及其意义 王晋新 1991・2

从伊斯兰改革主义到阿拉伯民族主义 彭树智 1991・3

英国农村封建生产关系向资本主义的转变 徐浩 1991・5

英国王权的发展及文化与社会内涵 钱乘旦 1991・5

《亨莱农书》的学术价值 李躬圃 1991・5

15世纪中西航海发展取向的对比与思索 罗荣渠 1992・1

两个世界文明汇合与北美印第安人的历史命运 李剑鸣 1992・1

巴西的发现与开拓对欧洲的影响 周世秀 1992・1

哥伦布航海技术初探 孙光圻 1992・1

16世纪西班牙美洲殖民地天主教传教活动的
  政治作用 王亚平 1992・5

马萨诸塞政治体制的确立 满运龙 1992・5

印度中世纪早期国王赐赠土地与封建制的产生 黄思骏 1992・5

中世纪西欧城市的商业垄断 张冠增 1993・1

近代外交原则的历史思考
  ——论马基雅维里主义 王挺之 1993・3

奥尔弗斯教及其主要影响 杨巨平 1993・4

中世纪的远程贸易和德国城市的兴起　　　　王亚平　1993·5

论意大利文艺复兴的文化基础　　　　　　　孙锦泉　1993·5

乡村工业发展：英国资本主义成长的主要道路　刘景华　1993·6

论中世纪晚期英国农村生产要素市场　　　　徐　浩　1994·3

中英早期茶叶贸易

　　　——写于马戛尔尼使华 200 周年之际

　　　　　　　　　　　　　　萧致治　徐方平　1994·3

麦地那国家土地关系初探　　　　　　　　　哈全安　1994·5

中世纪晚期的商品化与现代化启动　　　　　侯建新　1994·5

英国农业近代化的主要动因　　　　　　　　毕道村　1994·5

都铎王朝的经济立法与英国近代议会民主制的

　　起源　　　　　　　　　　　　　　　　刘新成　1995·2

从古希腊罗马史看奴隶占有制社会的若干问题　廖学盛　1995·5

1520—1526 年德国基督教社区宗教改革　　朱孝远　1995·5

"谏言书之争"与神权政治　　　　　　　　刘　城　1995·5

意大利文艺复兴时期的城市宗教生活　　　　王挺之　1996·5

中古前期英国封建王权与世俗贵族的关系　　孟广林　1997·1

西欧中世纪教会法中的婚姻与性　　　　　　林中泽　1997·4

中世纪欧洲的教皇权与英国王权　　　　　　刘　城　1998·1

14—16 世纪英国租地农场的历史考察　　　黄春高　1998·3

《撒利克法典》在法国中世纪后期的复兴和演化

　　　　　　　　　　　　　　　　　　　陈文海　1998·6

地主与英国农村现代化的启动　　　　　　　徐　浩　1999·1

西欧法律传统与资本主义的兴起　　　　　　侯建新　1999·2

中世纪西欧教会法对教会与国家关系的理解

　　和规范　　　　　　　　　　　　　　　彭小瑜　2000·2

中世纪前期的英国封建王权与基督教会　　　孟广林　2000·2

中世纪法兰西王室徽章研究

　　　——百合花象征主义的神学渊源及内涵　陈文海　2000·5

中世纪晚期和近代早期欧洲的寡妇改嫁　　　俞金尧　2000·5
中古教廷财政收入动态考察　　　　　　　　龙秀清　2001·1
论中古西欧"上帝的和平"运动　　　　　　施　诚　2001·1
西方汉学的奠基人罗明坚　　　　　　　　　张西平　2001·3
宗教与世俗的平衡及其相互制约
　　——意大利人文主义者的宗教观　　　赵立行　2002·2
英国教会：从双重纳税义务走向单一纳税义务　刘　城　2002·6
日本历史上的养子制及其文化特征　　　　　官文娜　2003·2
东欧"再版农奴制"庄园经济的性质问题
　　——与美洲奴隶种植园经济的初步比较　何顺果　2003·4
乱伦禁忌：中世纪基督教会对世俗婚姻的限制　薄洁萍　2003·6

### （三）近代

一九〇五年至一九〇七年第一次俄国革命的
　国际意义　　　〔苏联〕安·米·潘克拉托娃院士　1954·6
一八四八年巴黎无产阶级的六月起义　　　　杨立文　1956·7
美国资产阶级对日本的初期掠夺
　（一七九一——一八六六）　　　　　　邵鼎勋　1956·9
"西伯利亚"名称的由来　　　　包尔汉　冯家昇　1956·10
试论一八五七——一八五九年印度大起义的
　起因、性质和影响　　　　　　　　　　季羡林　1957·5
关于一八五七年印度大起义中的封建势力和这次
　起义的性质问题
　　——兼评杜德同志对一八五七年印度大起义的
　　　性质的看法　　　　　　　　　　丁则良　1957·5
法国侵占下的阿尔及利亚（一八三〇——
　一九五七）　　　　　　　　　　　　翟象乾　1958·6
有关1857—59年印度民族起义的几个问题　汪　熙　1959·8
日本维新时代美国的远东政策　　　　　　　邵鼎勋　1960·1

巴黎公社的原则是永存的 　　　　　　　　刘宗绪　1961・2
巴黎公社和国际主义 　　　　　　　　　　张子凡　1961・2
巴黎公社和马克思主义战略和策略思想的发展

　　　　　　　　　　　　　　　　　　　李光灿　1961・2
巴黎公社和法国社会各阶级 　　　　　　　谢琏造　1961・2
十九世纪中期在印度尼西亚的契约华工 　　朱杰勤　1961・3
关于巴黎公社的几个问题

　　——与谢琏造同志商榷 　　　　　　　关勋夏　1961・4
巴黎公社工资政策的研究 　　　　　　　　陈叔平　1962・6
十九世纪盛行的契约华工制 　　　　　　　陈泽宪　1963・1
门罗主义的起源和实质

　　——美国早期扩张主义思想的发展 　　罗荣渠　1963・6
沙皇俄国从不改变的目的——世界霸权 　　史　兵　1975・1
沙皇俄国海上霸权主义的彻底破产 　　　　唐　思　1975・1
英国资产阶级革命与土地所有制的变革

　　　　　　　　　　武汉港务局工人理论小组

　　　　　　　武汉大学历史系世界史教研室　1975・3
沙皇俄国和两次海牙国际和平会议 　　　　石立唢　1976・5
拿破仑帝国是法国资产阶级革命的最后阶段　李元明　1975・5
《拿破仑法典》与法国资本主义所有制的巩固

　　和发展 　　　　　　　　　　　　　薛　实　1975・5
从英国皇家学会的早期历史看自然科学领域的

　　阶级斗争 　　　　　　　　　　　　赵红州　1976・3
沙俄对我国西部地区的早期侵略 　　　　　希　达　1976・3
从英美烟公司看帝国主义的经济侵略 　　　汪　熙　1976・4
沙皇俄国是三次瓜分波兰的罪魁　史　兵　葆　斌　1976・4
沙皇俄国对罗马尼亚的侵略扩张

　　与比萨拉比亚问题 　　　　　　　　陆象淦　1976・4
波兰抗俄民族英雄——科希秋什科 　　　　程人乾　1976・4

资本主义发展史上最黑暗的一章
　　——西方殖民者奴役和贩卖黑人的血腥罪行
　　　　五二九七七部队理论组　南开大学美国史研究室　1976·6
彼得一世的对外侵略扩张　　　　　　　形心　史兵　1977·1
光辉的斗争篇章
　　——罗马尼亚独立一百周年　　　　　陆象淦　1977·2
法国资产阶级革命与近代科学　　　　　赵庆和　1977·5
南非种族主义的形成和发展　　　　　　雅飞　1977·5
揭开华俄道胜银行的内幕　　　　　　　金世铸　1977·6
沙俄武装侵占我国帕米尔地区的历史真相　郑史　1977·6
近代德国的统一与沙俄霸权　　　　　　丁建弘　1977·6
十八世纪外交史内幕（第五、六章）　　马克思　1978·1
揭露英国政府纵容老沙皇扩张主义的光辉文献
　　——马克思《十八世纪外交史内幕》简介　东志　1978·1
苏丹人民反殖斗争史上的光辉一页
　　——一八八一年至一八八五年的马赫迪武装起义
　　　　　　　彭坤元　秦晓鹰　梅伟强　1978·3
一八四八年匈牙利革命与沙俄的反革命武装镇压
　　　　　　　　　　韩承文　徐云霞　1978·3
帝国主义是怎样瓜分非洲的　　　　　　张文淳　1978·4
拿破仑是"坚持进步，反对倒退"的吗？　赫忱　1978·4
明治政府的教育改革和日本资本主义工业化　朱守仁　1978·6
巴黎公社原则与按劳分配　　　　陈叔平　薛汉伟　1978·8
重视革命史编写工作的典范
　　——恩格斯晚年为马克思及其战友作传的事迹
　　　　　　　　　　　　　　　王兴斌　1978·10
关于共产主义同盟第一次代表大会的若干史实
　　　　　　　　　　　　　　　王先恒　1978·10
罗得西亚的种族主义是怎样产生的　　　陆庭恩　1978·11

略论英布战争的性质　　　　　　　丁建弘　周南京　1978·11

"自由、平等、博爱"口号究竟是何时提出？陈崇武　1978·12

巴黎公社和无产阶级民主　　　　　　　　陈汉楚　1979·1

论拿破仑法典　　　　　　　　　　　　　李元明　1979·2

阿古柏对新疆的入侵及其复灭　　　　　　纪大椿　1979·3

论拿破仑专政和法国资产阶级强化国家机器的

　　历史教训　　　　　　　　　　　　罗荣渠　1979·6

论日本近代产业革命的政策和措施　　　　刘天纯　1979·7

试论热月政变的性质　　　　　　　　　　刘宗绪　1979·7

关于"西洋"　　　　　　　　　　　　　范中义　1979·7

欧洲两次伟大的思想解放运动　　　　　　邢贲思　1979·8

关于"打碎资产阶级国家机器"的结论是根据

　　巴黎公社经验得出的吗？　　　　　　何晋瑞　1979·9

柬埔寨独立前土地制度的演变　　　　　　朱昌利　1979·10

巴黎公社的薪金措施是社会主义原则吗？　冯天才　1979·10

评罗伯斯比尔　　　　　　　　　　　　　陈崇武　1979·10

"波士顿茶会"及其汉译名之辨正　　　　杨宗遂　1979·10

"东方问题"的产生与俄国的黑海—巴尔干政策　王　新　1980·2

略论托马斯·杰弗逊的民主思想　　　　　刘祚昌　1980·4

幕末日本人西洋观的变迁　　　　　　　　王家骅　1980·6

日本反封建思想家安藤昌益　　　　　　　米庆余　1981·1

论俾斯麦在德国统一中的作用　　　　　　丁建弘　1981·2

评研究克伦威尔的史学　　　　　　　　　王觉非　1981·3

十九世纪中叶东方国家的上层改革活动　　何芳川　1981·4

意大利汉学家卫匡国墓地考　　　　　　　徐明德　1981·4

美国殖民地时代的议会制度　　　　　　　刘祚昌　1982·1

法国大革命在近代世界历史上的地位

　　——比较研究　　　　　　〔法〕阿尔贝·索布尔　1982·4

论幸德秋水　　　　　　　　　　　　　　杨孝臣　1982·4

再谈"波士顿茶会" 杨宗遂 1982·5

英国最早完成资产阶级革命决定于经济结构 周广远 1982·6

清末英国为南非金矿招募华工始末 彭家礼 1983·3

一九一〇年墨西哥革命的性质 冯秀文 1983·5

论印度柴明达尔地权制度 黄思骏 1983·5

工业革命与英国社会的近代化 潘润涵 张执中 1983·6

十八世纪法国的启蒙运动 王养冲 1984·2

加尔文的"预定论"与资产阶级

　　——兼与马丁·路德"唯信称义"说比较 于 可 1985·1

略论丹东 张芝联 1985·2

罗伯斯庇尔早期生活研究 陈崇武 1985·2

十七世纪英国革命中平等派对选举权的主张 王觉非 1985·3

加利福尼亚金矿的发现及其历史意义 何顺果 1987·3

佛罗伦萨的公众庆典仪式与文艺复兴 王挺之 1987·5

美国独立前后政治体制的演变 余志森 1987·5

拿破仑与法国天主教的复兴 王敏华 1988·2

波兰资本主义工业发展的道路 刘祖熙 1988·2

人的理性和法的精神

　　——法国大革命的历史启示 刘宗绪 1989·2

美国的总统制 黄绍湘 1989·3

美国移民政策的演变及其动用 邓蜀生 1989·3

俄罗斯馆与《资本论》中的王茂荫 蔡鸿生 1989·3

近40年来法国传统的大革命史学的发展及其

　　遇到的挑战 王养冲 1989·4

1793年法国旺代农民叛乱原因新探 许 虹 1989·4

美国革命对法国大革命的影响 黄 震 方英义 1989·4

魏尔事件辨证 杨 豫 1990·3

墨西哥大庄园制的形成及其经济结构 韩 琦 1990·5

墨西哥的土地改革 冯秀文 1990·5

| | | |
|---|---|---|
| 林肯新论 | 刘祚昌 | 1991·3 |
| 论英国贵族政治权势在近代的延续 | 阎照祥 | 1991·4 |
| 资本主义萌芽的最初形态与雇佣工人 | | |
| ——再论雇佣工人与生产资料的关系 | 金志霖 | 1992·3 |
| 近代英国城市化初探 | 王章辉 | 1992·4 |
| 论美国联邦制的确立及其历史作用 | 张定河 | 1992·6 |
| 略论美国的"立国精神" | 何顺果 | 1993·2 |
| 从殖民地走向独立的弗吉尼亚 | 张敏谦 | 1993·2 |
| 美国印第安人保留地制度的形成与作用 | 李剑鸣 | 1993·2 |
| 日本知识阶层在吸收外来文化中的作用及心态 | | |
| | 武安隆 | 1993·3 |
| 关于美国 1787 年西北法令的评价问题 | 张友伦 | 1993·4 |
| 论近代晚期英国内阁权力的扩张 | 阎照祥 | 1993·4 |
| 杰斐逊与美国现代化 | 刘祚昌 | 1994·2 |
| 汉密尔顿"工商立国"与杰斐逊"农业立国" | | |
| 之争 | 张少华 | 1994·6 |
| 近代英国"大农业"体制新论　　徐正林 | 郭豫庆 | 1995·3 |
| 英国殖民统治时期印度农业的商品化 | 黄思骏 | 1995·3 |
| 从《贫富论》看 18 世纪初俄国的重商主义 | | |
| 王松亭 | 张乃和 | 1995·6 |
| 外国资本与俄国工业化 | 张广翔 | 1995·6 |
| 植木枝盛的自由民权思想与儒学 | 王家骅 | 1996·3 |
| 论明治宪法体制的内在结构 | 武　寅 | 1996·3 |
| 论近代英国政党制度的形成与特征 | 许洁明 | 1997·4 |
| 美国革命时期黑奴制合法地位的确立 | 梁茂信 | 1997·6 |
| "殖民主义"与"新殖民主义"考释 | 高　岱 | 1998·2 |
| 美国政教分离制度的历史思考 | 董小川 | 1998·4 |
| 明治时期的日本人的自我认识 | 杨宁一 | 2000·3 |
| 19 世纪与 20 世纪之交的日本亚洲主义 | 盛邦和 | 2000·3 |

美国独立战争爆发前的政治辩论及其意义　　　　李剑鸣　2000·4

英法殖民地行政管理体制特点评析（1850—1945）

　　　　　　　　　　　　　　　　　　　高　岱　2000·4

英国历史传统与北美奴隶制的起源　　　　　　高春常　2001·2

近代早期英国流民问题及流民政策　　　　　　尹　虹　2001·2

美国西部野马的驯养使用与保护　　　周　钢　田吉贡　2001·3

十九世纪美国的德意志和爱尔兰移民之比较

　　　　　　　　　　　　　　　刘文涛　杨成良　2001·3

英国的殖民地政策与北美独立运动的兴起　　　李剑鸣　2002·1

论十七、十八世纪英国政府的济贫问题　　　　尹　虹　2003·3

美国国家认同的形成及其对美国外交的影响　　王立新　2003·4

以《路标》为界：俄国自由主义知识分子的

　　思想波澜　　　　　　　　　　　　　　张建华　2003·5

英国对北美殖民地的重商主义政策及其影响　　王晓德　2003·6

## （四）现代

美日帝国主义在武装干涉苏维埃远东时期的矛盾

　　和斗争（一九一七——一九二二年）　　　邵鼎勋　1957·8

"苏俄与资本主义世界"　　　　　　　　　　马克垚　1958·2

从历史上看阿拉伯东方各国人民的解放斗争　　群　力　1958·7

马克思和恩格斯反对机会主义的斗争　丁守和　殷叙彝　1958·7

在第一国际时期马克思和恩格斯反对巴枯宁主义

　　的斗争　　　　　　　　　　　　　　　杨威理　1958·10

可耻的慕尼黑事件　　　　　　　　　　　李学勤　1958·12

俄国民粹主义对同盟会的影响　　　　　　　谭彼岸　1959·1

匈牙利苏维埃革命和中国人民的革命斗争　　　姜椿芳　1959·5

第二次世界大战与非洲的觉醒　　　　　　　顾章义　1963·5

列宁和民族解放运动　　　　　　　　　　　丁守和　1964·2

威尔逊与中国　　　　　　　　　　　　　　邓楚川　1964·2

日本明治维新以来一条错误的外交路线　　　　　王芸生　1965·2

一九二九至三三年资本主义世界经济危机

　　　　　　　　　　　　　　子愚　为民　1975·1

凯恩斯主义（资料）　　　　　　　　　　柏劲　1975·1

沙皇俄国对巴尔干的侵略扩张　　　史兵　葆斌　1975·6

第一次世界大战前大国在巴尔干的争霸　　　甘力　1975·6

第二国际的投降主义　　　北京第二机床厂工人理论组

　　　　　　　法学研究所华志石　黎先　1976·4

希特勒德国的崛起和第二次世界大战的爆发　施鉴思　1976·5

一场惊心动魄的搏斗

　　——列宁病重期间和逝世以后斯大林为首的联共党中央

　　　　同托洛茨基派篡党夺权阴谋活动的斗争

　　　　　　　　北京部队炮兵理论组　1977·2

一九三九年的德波战争

　　——帝国主义发动突然袭击一例　　　程人乾　1978·2

关于第二次大战前夕美国的绥靖政策　　　冯承柏　1978·8

《田中奏折》的真伪问题　　　　　　　章伯锋　1979·2

美国对日政策与太平洋战争的爆发　俞辛焞　王敦书　1979·12

巴西是怎样赢得独立的　　　　　　　方迥澜　1980·3

试论第二次世界大战的起因

　　——哪种类型的帝国主义国家是最危险的

　　　　战争策源地　　　　　　　包奕诚　1980·4

凯末尔和凯末尔主义　　　　　　　彭树智　1981·5

但泽危机和英德关系　　　　　　　陈石　1982·2

论太平洋战前美国远东战略及其演变

　　　　　　　　　　王斯德　李巨廉　1982·6

美英在拉美的争夺与门罗宣言的产生　　　王玮　1983·3

青年阿富汗派的历史作用　　　　　　彭树智　1983·4

一九三七至一九四一年美国的对德政策　　　陈兼　1983·4

五十年代初期美国的对华政策

　　——杜勒斯的外交权术与吉田信件的由来

　　　　　　　　　　　　　　　　〔美〕田　浩　1983·5

三十年代英国的重整军备与绥靖外交　　　　齐世荣　1984·2

关于开辟第二战场的一些浅见　　　　　　　石　磊　1984·2

西进在美国经济发展中的作用　　　　　　　何顺果　1984·3

评价美国西进运动的几个问题　　　　　　　张友伦　1984·3

美国工厂制确立年代质疑　　　　　　　　　冯承柏　1984·6

关于1942年能否开辟第二战场之我见

　　——与石磊、金重远同志商榷　　　　　阎来恩　1984·6

论战后日本农地改革　　　　　　　　　　　邹有恒　1985·3

纳粹党的崛起与德国小资产阶级　　张继平　吴友法　1985·4

甘地思想的整体性和独特性　　　　　　　　彭树智　1985·6

战后日本公务员制度的形成　　　　　　　　田　桓　1985·6

美日的私人议和活动与《日美谅解案》的形成

　　　　　　　　　　　　　　　丁则勤　丁克迅　1986·5

"克莱夫登集团"和英国绥靖政策　　　　　徐　洛　1986·5

关于美国国内市场形成问题　　　　　　　　何顺果　1986·6

战后日本产业结构调整的进程与政策　　　　刘天纯　1987·5

"奇怪战争"不奇怪

　　——第二次世界大战初期"西线无战事"说

　　质疑　　　　　　　　　　　　　　张继平　1987·6

第二次世界大战爆发前后的南斯拉夫对外政策　罗志刚　1987·6

意大利法西斯运动的阶级性质　　　　　　　陈祥超　1988·4

日本的军部政治化与法西斯主义的确立　　　徐　勇　1988·4

十月革命与历史的选择性　　　　　　　　　柳　植　1988·5

苏联新经济政策时期农村的雇佣关系　　　　黄立茀　1988·5

第一次世界大战到新政初期美国的合作自由主义

　　　　　　　　　　　　　　　　　　　韩　铁　1988·6

太平洋战争前美国在美日谈判第一阶段的

　远东政策　　　　　　　　　丁则勤　丁克讯　1989·1

富有生机的美国城市经理制　　　　　　王　旭　1989·3

1933—1940 年希特勒德国在东南欧的经济扩张　罗志刚　1990·2

"奇怪战争"时期的法国战略　　　　　　周以光　1990·2

富兰克林·罗斯福与联邦最高法院斗争的性质

　　　　　　　　　　　　　　　　　　刘绪贻　1990·4

共和修正派与当代美国思想史学　　　　满云龙　1990·4

美国外交政策史三论

　　——为《美国外交政策史》所作的导言　杨生茂　1991·2

论当代美国黑人文化的复兴　　　　　　时春荣　1991·2

德国纳粹主义的若干历史特征　　　　　杨玉生　1991·6

意大利法西斯主义职团制　　　　　　　陈祥超　1991·6

美国与吴庭艳独裁政权的确立　　　　　时殷弘　1991·6

论日本近代家族国家　　　　　　　　　武　寅　1992·3

美国国家安全委员会第 132 文件形成探微　崔　丕　1992·3

美国西部城市的起源及其类型　　　　　何顺果　1992·4

美国西部的开发与城市化　　　　　　　王　旭　1992·4

评 1941 年英美参谋会谈　　　　　　　徐　蓝　1992·6

现代墨西哥社会持久稳定的原因　　　　夏立安　1993·6

二次大战后美国工人阶级结构的变化

　　——兼评美国学者关于阶级的理论　张友伦　1994·2

从《继承愚思录》看日本业主家族经营传统思想　李躬圃　1994·3

评 1938 年初英格索尔的伦敦之行　　　徐　蓝　1994·4

布雷顿森林体系的兴衰　　　　　　　　王在帮　1994·4

日不落帝国的崩溃

　　——论英国非殖民地化的"计划"问题　李安山　1995·1

20 世纪英国政治制度的继承与变异　　　钱乘旦　1995·2

美国关于日本战争赔款的演变　　　　　崔　丕　1995·4

美国对德绥靖的"韦尔斯计划"　　　　　　　　金卫星　1995·4

剧变后俄罗斯的卫国战争史（1941—1945）　　吴恩远　1995·6

美国国家安全委员会152号文件的形成　　　　于　群　1996·1

新历史发展观与东亚的现代化进程　　　　　　罗荣渠　1996·5

从"橙色"计划到"彩虹"计划

　　——太平洋战争前美国的战略演变　　　　徐　蓝　1996·6

美国国家安全委员会第811号文件形成问题研究

　　　　　　　　　　　　　　崔　丕　侯文富　1996·6

战后美国犹太人民族凝聚力的盛衰　　　　　　李晓岗　1997·2

英法两国现代化模式中的世俗化过程及其特征　尤天然　1997·2

加拿大魁北克省分离运动的历史渊源　　　　　杨令侠　1997·2

美国对外关系的文化探源　　　　　　　　　　王晓德　1997·3

工业城市发展的周期及其阶段性特征

　　——美国中西部与中国东北部比较　　　　王　旭　1997·6

试论务实传统对美国外交的影响　　　　　　　王晓德　1998·4

日本"百万户移民"国策评析　　　　　　　　高乐才　1999·3

1948年苏南冲突起因的历史考察

　　——来自俄国及东欧国家解密档案的新证据　沈志华　1999·4

冷战起源刍议

　　——兼论意识形态在国际关系中的作用　　霜　木　1999·4

英国与冷战的起源　　　　　　　　　　　　　李世安　1999·4

斯大林的战后世界体系观与冷战起源的关系　　叶　江　1999·4

权力欲望与改革尝试：贝利亚在1953年　　　时殷弘　1999·5

美国对中苏同盟的认识与反应　　　　　　　　张小明　1999·5

新加坡中华总商会与亚洲华商网络的制度化　　刘　宏　2000·1

雅尔塔体制的形成与苏联势力范围的确立　　　张盛发　2000·1

美国经济遏制战略与高新技术转让限制　　　　崔　丕　2000·1

关于1940年美英"驱逐舰换基地"协定的

　　历史考察　　　　　　　　　　　　　　　徐　蓝　2000·4

纳粹经济纲领与德意志"经济改革派" 李工真 2001·4
意埃战争爆发后法英在对意制裁问题上的
　　合作与分歧 梁占军 2001·4
当代美国大都市区中心城市的困境 梁茂信 2001·6
从白色革命到伊斯兰革命
　　——伊朗现代化的历史轨迹 哈全安 2001·6
论伊朗现代伊斯兰政治模式 李春放 2001·6
论英国对意大利的外交政策
　　（1936年7月—1938年11月） 齐世荣 2002·1
对美国大都市区化历史地位的再认识 王　旭 2002·3
美国《共同防卫援助统制法（1951）》的
　　形成及其影响 崔　丕 2002·3
俄罗斯重新评价斯大林 吴恩远 2003·5
战后英国关于殖民地公职人员的政策
　　（1945—1965） 张顺洪 2003·6

## （五）其他

悼两位马克思主义历史学家 张芝联 1958·2
列宁著作集的出版 杨威理 1958·7
苏联中国学的发展和任务 张　华 1959·5
德国工人运动的传统 〔德〕〇·施律德尔 1960·3
列宁著作中译文年表 张允侯 1960·4
马克思恩格斯论天地会 文　起 1960·5
论世界历史发展的形势 周谷城 1961·2
关于苏联历史科学的新工作
　　　　　　　　〔苏〕谢尔盖·斯卡兹金 1961·2
从东非史上看中非关系 张铁生 1963·2
《"新边疆"是美帝国主义侵略扩张政策的产物》
　　一文读后 张小辰 1966·1

沙俄向外扩张的工具
　——论俄国泛斯拉夫主义的反动实质　　李显荣　1977·4
新沙皇的一支招魂曲
　——评苏修叛徒集团为巴枯宁翻案
　　　　　　曹特金　阚思静　秦晓鹰　宋效忠　1977·5
美国历史资料的搜集与管理　　　　　　李世洞　1979·11
关于中美关系史和美国史研究中的一些问题　罗荣渠　1980·3

五　述评、动态

中国科学院哲学社会科学学部报告　　　　潘梓年　1955·4
最近几年来历史科学的新成就　弗·尼·尼基甫洛夫　1956·7
中国人民大学第六次科学讨论会上关于
　"中国近代史分期问题"的讨论　　　　杨遵道　1956·7
北京大学科学讨论会中有关历史科学论文的
　讨论情况　　　　　　　　　北京大学历史系　1956·7
北京师范大学第一次科学讨论会中关于
　历史科学论文的讨论　　　　　　　　陈继民　1956·7
山东大学历史科学论文的宣读讨论会　　　洛　洋　1956·7
四川大学科学讨论会关于历史科学论文的讨论　嘉　弘　1956·7
中国自然科学史第一次科学讨论会　　　　　湖　1956·8
教育部召开师范院校中国古代史及中世纪史教学
　大纲讨论会　　　　　　　　　　　　　　　1956·8
复旦大学历史系的教学与科学研究概况　　戴学稷　1956·8
中央民族学院一九五六年科学讨论会关于
　少数民族历史问题的讨论　　　　　中央民族学院　1956·8
综合大学文史教学大纲审定会简况　　　　祚　新　1956·9
山东大学历史系一九五六年上半年度的教学
　与科学研究工作　　　　　　　　　　宋锡民　1956·9

东北师范大学历史系教师的科学研究工作　姜德昌　1956·9
调查、搜集有关中国近代资本主义萌芽资料
　的建议（读者来信）　1956·9
苏联民族学近年来的成就　林耀华　1956·10
高师文史教学大纲讨论会关于历史科目教学大纲
　讨论情况的简介　陈继民　1956·10
西北大学历史系科学研究动态　文暖根　1956·10
南京大学历史系近况　王移　1956·11
上海史学工作者座谈筹建历史研究所　戴学稷　1956·11
第九次青年汉学家会议纪要　翦伯赞　1956·12
记南开大学第二次科学报告讨论会
　历史学分会情况　陈枬　1956·12
中央民族学院研究部研究计划
　　　　　中央民族学院院刊编辑室　1956·12
华东师范大学历史系教师科学研究概况　陈善学　1956·12
中山大学历史系一九五六年度的教学和
　科学研究工作　李锦全　1957·1
中山大学历史系三年级同学的生产实习情况　李锦全　1957·1
四川大学历史系关于中国古代史分期问题的
　讨论　嘉弘　1957·1
西北大学历史系第二届科学讨论会　文暖根　1957·2
复旦大学历史系中国上古中古史教研组座谈
　"中国古史分期"的一些意见　余肖　1957·2
福建师范学院第一次科学讨论会关于历史论文
　的讨论　习在榕　1957·3
中央民族学院举行民族学对象、任务的报告
　讨论会　沈家驹　1957·4
四川大学第二次科学讨论会历史系分会概况　嘉弘　1957·4
介绍国际历史科学委员会（简称国际史学会）　张芝联　1957·6

一九五六——一九五七年法国高等学院所开的

　汉学课程一览　　　　　　　　　　　张芝联　1957·6

武汉大学历史一九五六年的教学与科学研究工作

　　　　　　　　　　　　　　　　　　李　涵　1957·6

民族学在历史科学中的地位

　——中央民族学院第二次民族学科学讨论会纪要

　　　　　　　　　　　　　　　　　　陈雪白　1957·6

苏联史学界重新评价伊万四世的讨论　　潘润涵　1957·7

中国史学会上海分会动态汇报　　　　　学　稷　1957·7

厦门大学历史系第二次科学讨论会　　　粘尚友　1957·7

迈进中的越南民主共和国的历史科学　　陈玉龙　1957·8

法国史学家整理法国外交部所藏有关中国和

　中法关系的档案（一七三五——一九一〇）　张芝联　1957·8

山东大学历史系中国古史分期问题的讨论　宋锡民　1957·8

苏联和民主德国签订两国历史学家科学

　合作协定　　　　　　　　　　　　　张芝联　1957·9

关于中苏关系的一批新发现文件　　　　罗荣渠　1957·9

悼念苏联历史学家安娜·米哈伊洛夫娜·

　潘克拉托娃　　　　　　　　　　　　张蓉初　1957·10

厦门大学历史系一九五六年——一九五七年的

　教学与科学研究工作　　　　　　　　粘尚友　1957·11

苏联历史学家对于拜占廷史研究的卓越贡献　齐思和　1957·11

介绍"苏联历史"杂志创刊号　　　　　潘润涵　1957·11

苏联"历史问题"杂志上对

　德国一九一八年十一月革命问题的讨论　潘润涵　1957·12

朝鲜科学院历史科学研究动态　　　　　李启烈　1957·12

杰出的俄国汉学家——雅金夫·比丘林

　　　　　　　　　　〔苏联〕B·纳武莫夫　1958·1

最近发现的马克思夫人和长女燕妮的一批信件　张芝联　1958·1

马克思恩格斯著作集的出版　　　　　　　　杨威理　1958·5

一年来越南的史学研究工作　　　　　　　　何廷庆　1958·5

印度尼西亚历史问题研究会议的召开　　　　荒　村　1958·5

中国共产党人领导举行的第一次"五一"劳动节

　　纪念大会　　　　　　　　　　　　　　　国　1958·6

各国共产党和工人党党史研究所和委员会的

　　国际会议　　　　　　　　　　　　张芝联　1958·6

科学院历史研究所第一所研究工作五年

　　跃进规划的制订　　　　　历史一所情报小组　1958·7

跃进中的科学院历史研究所第二所　　　　郦家驹　1958·7

科学院历史研究所第三所的跃进指标　　三所通讯小组　1958·7

南京史料整理处对历史档案的搜集整理和利用　王可风　1958·7

战后日本东方学研究概况　　　　　　　　田　舍　1958·7

介绍苏联新近出版的"历史科学"丛刊　　　克　凡　1958·7

介绍波兰史学季刊"来自战场"　　　　　　刘祖熙　1958·8

中国人民大学中国历史教研室讨论科学研究工作

　　大跃进的情况　　　　　　　　　　　杨遵道　1958·8

中国近代经济史资料丛刊的编纂　　　　　陈质之　1958·8

复旦大学历史系教学与科学研究的跃进　　陈匡时　1958·9

大字报集锦（11 则）　　　历史研究所 一、二、三所　1958·9

厦门大学历史系在跃进中　　　　　　　　李祖弼　1958·10

良好的开端　　　　　　　　　　南开大学 历史系　1958·10

中山大学历史系批判资产阶级学术思想的情况

　　　　　　　　　　　　　　　　　李锦全　1958·10

西北大学历史系整风运动后科学研究中的新气象

　　　　　　　　　　　　　　　　　文暖根　1958·10

华东师范大学历史系科学研究在大跃进中

　　　　　　　　　　　　华东师范大学历史系　1958·11

吉林大学历史系学生在本省进行文物普查　柳春藩　1958·11

第四次国际党史会议　　　　　　　　　　　姜椿芳 1958·11

第八届波兰历史学家代表大会　　　　刘祖熙　程人乾 1958·11

在门头沟结合生产劳动进行历史研究的经验总结

　　　　　　　　　　　　北京师范大学历史系 1958·11

捷克斯洛伐克共和国建国四十周年

　　　　　　　〔捷〕尤利·克尔日热克 1958·12

跃进中的华中师范学院历史系　　　　　　汤建英等 1958·12

南京大学历史系教学改革及科学研究的新途径

　　　　　　　　　　　　　　　　施一揆 1958·12

华中师范学院历史系在红安调查工农文教事业的

　　收获

　　　华中师范学院工农业文化教育考察团历史系分团　1959·1

教育部和历史三所联名召开的中国现代史工作

　　讨论会概况　　　　　　　　　　　孙思白　1959·1

明清档案馆历史档案整理工作在大跃进中

　　　　　　　　　　　　傅子凌　宋秀元 1959·1

塔乌班什拉格教授和波兰的纸草学研究　　克凡 1959·2

介绍西冈虎之助和服部之总监修的日本历史地图

　　　　　　　　　　　　　　　　田　舍 1959·3

国外史学简讯（3 则）　　　　　　　　　　　　1959·3

武汉大学历史系为编写地方党史进行调查研究

　　　　　　　　　　　武汉大学历史系通讯组 1959·4

苏联科学院历史科学学部科学研究计划（1959 年）

　　　　　　　　　　　　　　　　克凡 1959·4

社会主义国家历史学界的科学联系近况　　克凡 1959·4

匈牙利苏维埃共和国四十周年纪念

　　学术报告会情况　　　　　　　　　姜椿芳 1959·4

武汉哲学社会科学研究所历史组的研究活动

　　　　　武汉哲学社会科学研究所历史组 1959·6

复旦大学历史系掀起了新的教学
　与科学研究高潮　　　　　　　　　吴瑞武　1959·6
苏联科学院东方学研究所和中国学研究所
　一年来的工作情况　　　　　　　　张　华　1959·6
苏联和德意志民主共和国历史学家对
　第二次世界大战历史的研究　　　　朱忠武　1959·6
厦门大学等院校历史系的教学与研究　孔永松等　1959·7
苏联"军事史杂志"创刊号　　　　　陈　敏　1959·7
苏联史学界加强研究世界近代现代史　王　和　1959·7
国外史学出版简讯　　　　　　　　　克　凡　1959·7
波兰人民共和国十五年来历史科学的成就
　　　　　　　〔波兰〕然娜·柯尔曼诺娃　1959·8
四川大学历史系调查革命史料
　　　　　　　　　　四川大学历史系调查队　1959·8
广州哲学社会科学研究所历史研究室的
　科学研究活动　　　　　　　　　　卢　权　1959·8
吉林大学历史系科学研究近况　　　　柳春藩　1959·8
泉州海外交通史博物馆正式开幕
　　　　　　　　　　泉州海外交通史博物馆　1959·8
罗马尼亚人民共和国历史科学的发展
　　　　　　罗马尼亚人民共和国驻华大使馆新闻处　1958·9
中山大学历史系争取以更多更好的科学研究成绩
　向国庆节献礼　　　　　　　　　　刘玉遵　1959·9
关于第二十五届国际东方学家代表大会
　　　　　　　　　　苏联驻华大使馆新闻处　1959·9
厦门大学历史系科学研究成绩辉煌　陈群哲　1960·1-2
关于中国农民战争发展规律问题的一场热烈争论
　　　　　　　　　　　天津师大历史系　1960·1-2
杭州师范学院历史系积极开展科学研究活动　蔡润楠　1960·1

合肥师范学院历史系科学研究的跃进情况　张海鹏　1960·1－2

南京大学历史系 1959 年掀起的

　三次科学研究高潮　　　　　　　　水　共　1960·1－2

西北大学历史系 1959 年科学研究工作简况　文暖根　1960·1－2

山东大学历史系科学研究中的新气象　　陆景琪　1960·1－2

国外史学动态（2 则）　　　　　　　　　　　1960·1－2

国内史学动态（1 则）　　　　　　　　　　　1960·3

国外史学动态（5 则）　　　　　　　　　　　1960·3

国内史学动态（2 则）　　　　　　　　　　　1960·4

国外史学动态（3 则）　　　　　　　　　　　1960·4

国内史学动态（2 则）　　　　　　　　　　　1960·5

国外史学动态（4 则）　　　　　　　　　　　1960·5

关于中国封建社会分期问题的讨论　　　史绍宾　1960·6

关于中国封建社会农民革命战争问题的讨论　史绍宾　1960·6

国内外史学动态（3 则）　　　　　　　　　　1960·6

广东历史学会 1960 年年会关于若干学术问题

　讨论意见的综述　　　　　　　广东历史学会　1961·1

北京市历史学会成立　　　　　　　　　梁英明　1961·1

广西、南京等地史学界纪念太平天国起义

　一百一十周年　　　　　　　　　　　　　　1961·1

关于苏联苏维埃时期史学史分期问题的讨论　陈启能　1961·1

国外史学简讯（5 则）　　　　　　　　　　　1961·1

国内史学动态（6 则）　　　　　　　　　　　1961·2

天平天国研究述评　　　　　　　　　　靳一舟　1961·2

国外史学动态（5 则）　　　　　　　　　　　1961·2

国内史学动态（17 则）　　　　　　　　　　　1961·3

国外史学动态（7 则）　　　　　　　　　　　1961·3

国外史学动态（9 则）　　　　　　　　　　　1961·4

外国史学文摘（6 篇）　　　　　　　　　　　1961·5

国外史学动态（8 则） 1961·4

国内史学动态（4 则） 1961·5

国外史学动态（5 则） 1961·5

外国史学文摘（10 篇） 1961·6

国内史学动态（10 则） 1961·6

辛亥革命五十周年学术讨论会的一些问题 1961·6

国外史学动态（8 则） 1961·6

外国史学文摘（6 篇） 1962·1

国内史学动态（5 则） 1962·1

国外史学动态（6 则） 1962·1

国外史学动态（8 则） 1962·2

国内史学动态（8 则） 1962·3

国外史学动态（11 则） 1962·3

国内史学动态（8 则） 1962·4

国外史学动态（10 则） 1962·4

国内史学动态（11 则） 1962·5

国外史学动态（9 则） 1962·5

国内史学动态（10 则） 1962·6

国外史学动态（7 则）： 1962·6

解放前凉山彝族社会性质研究述评 胡庆钧 1963·2

罗马尼亚史学界迎接祖国独立一百周年 水 金 1977·2

叙利亚发现四千多年前的王宫档案库 张芝联 1977·3

日本史学界关于西乡隆盛的争论 童 斌 1977·3

罗马尼亚举行独立一百周年国际学术会议 陆象淦 1977·4

日本史学界关于明治维新的争论 童 斌 1977·5

英国学者论印度农民起义 黄思骏 1977·5

国外出版和展出一批中国古地图资料 冯佐哲 1978·2

日本发掘研究一万八千年前的陶器 童 斌 1978·4

近年来外国拿破仑史学的一些动态 端木正 1978·6

对"四人帮"的历史学界"一片黑暗"论的
    有力批驳
    ——建国以来十七年间太平天国史工作的成就
                                    罗尔纲　1978·7
丹麦新发现史前人类遗骨　　　　　　王敬之　1978·10
日本发现绳纹时期的水田遗址　　　　禹硕基　1978·10
冲破"禁区"百家争鸣
    ——中国古代史分期问题学术讨论会综述
        《历史研究》《社会科学战线》记者　1978·12
《历史学》季刊创刊启事　　　　　　　　　　1978·12
日本发现五世纪的铁剑铭文　　　　　王家骅　1979·8
湖北鄂城发现一百万字的太平天国资料
                        皮明麻　孔宪凯　1980·1
全国妇联征集中国妇女运动历史资料启示　　1980·1
美国的中国近代史研究　　〔美〕保罗·阿·科恩　1980·2
中国史学会重新建立　　　　　　　　阮芳纪　1980·4
东北地区中日关系史讨论会简介
            关捷　孙克复　董守义　1981·1
四川省积极开展地方史研究　　　　　　王青　1981·2
栏目的设置、文章的评价及其他　　　米庆余　1982·2
中国史学会首次学术年会筹备工作会议纪要　1981·3
中国封建社会长期延续原因讨论撮述　田居俭整理　1982·1
洋务运动研究的回顾　　　　　章鸣九　徐泰来　1982·4
中华民国史研究简况　　　　　　　　朱信泉　1982·4
《史学概论》年底出版　　　　　　　瞿林东　1982·4
《历史科学概论》印出试用本　　　　　　　1982·4
关于原始社会一些问题的讨论　　　　段启增　1982·4
美国史研究会举行第三届年会　　　徐以骅　倪亭　1982·4
《世界史纲》在编写中　　　　　　李植枏　安长春　1982·4

中国先秦史学会成立　　　　　　　　　　　陈　力　1982・5

中国封建主义研究方法论问题讨论会综述

　　　　　　　　《历史研究》《晋阳学刊》记者　1982・5

辽金史研究会举行第一次学术讨论会　　　　景　爱　1982・5

山西票号学术讨论会在太原举行　　　　　金科言　1982・5

满铁史资料及其研究概况　　　　　　　　石　学　1982・5

国外报刊译载《历史研究》发表的论文　　段启增　1982・5

"郑成功研究"学术讨论会述评　　　　　　孔　立　1982・6

日本京都大学的五四运动研究　　　　　　张契尼　1982・6

全国清史学术讨论会在北戴河举行　　　　薛瑞录　1982・6

中国日本史学会在沈阳举行第二次年会　　姜　伟　1982・6

新编《中国资本主义萌芽问题论文集》即将

　　出版　　　　　　　　　　　　　　　骆宏路　1982・6

中国现代史学会一九八二年年会学术讨论综述　须　立　1983・1

全国洋务运动史学术讨论会简况　　　　　魏伍祖　1983・1

三年来楚史研究简介　　　　　　　　　　雷维鼎　1983・1

宋史研究会举行第二次年会　　　　　　　古　言　1983・1

上海将影印出版《徐光启遗著》　　　　　施宣圆　1983・1

《近三百年人物年谱知见录》即将出版　　敬　一　1983・1

国外有关中国资产阶级研究概述

　　　　　　张仲礼　潘君祥　李荣昌　钱小明　1983・3

国内史学界关于近代中国资产阶级的研究

　　　　　　本刊编辑部近现代史编辑室整理　1983・4

当前西方史学界研究中国地方史的趋势　〔美〕艾　恺　1983・4

"近代中国资产阶级研究"讨论会综述

　　　　　　　　　　　　　　杨立强　沈渭滨　1983・6

"中国封建地主阶级研究"学术讨论会述要

　　　　　　　　　　　　　　宋元强　高世瑜　1984・3

本刊举行茶会庆祝创刊三十周年　　　　　任　简　1984・4

唐代士卒、庶族问题讨论会综述 阎守诚　赵和平整理　1984・4

三十五年来我国史学界关于印度史若干重大问题
　的争论　　　　　　　　　　　　　　　　黄思骏　1984・6

中国抗日根据地历史国际学术讨论会综述
　　　　　　　　　　　　　张洪祥　左志远整理　1985・1

中国近代文化史首次学术讨论会纪要　史革新　吴　杰　1985・2

近几年国内关于洋务运动的研究　　章鸣九　张亦工　1985・3

国外洋务运动研究概述
　　　　　　张仲礼　潘君祥　李荣昌　钱小明　1985・3

中国宋史国际学术讨论会述要　蒋寿康　黄山松整理　1985・5

中外封建社会劳动者生产生活状况
　比较研究讨论会概述　　　　　　许　好　左　衡整理　1985・5

洋务运动史第三次讨论会综述　　王　劲　张克非　1985・6

四十年代后期中美关系史研究的动向　　　　袁　明　1985・6

关于历史创造者问题的讨论　　　　徐思彦整理　1986・2

关于抗日战争史研究的若干问题
　——中国现代史学会学术讨论会综述　王廷科整理　1986・2

关于汪伪政权问题学术讨论会综述　蔡德金　李惠贤　1986・5

中国商会研究综述　　　　　　　　　　　　徐鼎新　1986・6

中国社会史研究综述
　　　　　　　南开大学历史系中国社会史研究室　1987・1

开拓研究领域　促进史学繁荣
　——中国社会史研讨会述评　　　　　　　宋德金　1987・1

"世界近代史上资本主义国家现代化与
　资产阶级的历史作用"讨论会纪要　　海　林整理　1987・1

首届中国沿海城市经济史讨论会综述　　刘海岩整理　1987・1

成一家之言
　——评白寿彝著《中国史学史》第一册　　施　丁　1987・2

1945—1955年中美关系史学术讨论会述评　章百家　1987・3

商会档案整理情况介绍　　　　　　　　章鸣九　1987·4

帝国主义问题学术讨论会综述　　　张镇强整理　1988·1

向明史研究深度和广度前进的讨论会　林金树整理　1988·2

第四届洋务运动史讨论会综述　　　　　赵春晨　1988·2

民国档案与民国史学术讨论会述略　　　张宪文　1988·2

美国关于中国对外关系史研究的问题与前景

　　　　　　　　　　　　〔美〕迈克尔·亨特　1988·3

美国关于中国近现代史研究的趋势与特点　程　洪　1988·4

纪念陈寅恪国际学术讨论会综述　　　　林亚杰　1988·6

中国史学界第四次代表大会综述　　　　正　平　1988·6

近几年国内近代中国资产阶级研究述评　沈祖炜　1989·2

近年来国外近代中国资产阶级研究评述

　　　　　　　杨立强　胡礼忠　王立诚　1989·2

上海学术界座谈黎澍学术思想纪要　许　敏　李天纲　1989·3

近百年来中国的法国革命史学（1889—1989）　张芝联　1989·4

第二届中国社会史学术研讨会评述　　　李良玉　1989·4

意大利中国学研究之现状　　　　　　　张雪慧　1989·6

全国第五届洋务运动史学术讨论会综述

　　　　　　　　　　　　李平生　李　岫　1990·2

世界现代史研究会学术讨论会综述　　　张晓校　1990·6

中国社会史第三次研讨会综述　　　宋德金　高世瑜　1991·1

中国海关史第二次国际学术研讨会综述　薛鹏志　1991·2

第17届国际历史科学大会关于人物传记的讨论

　　　　　　　　　　　　　　　　　齐文颖　1991·3

周学熙实业集团与中国近代化国际学术讨论会

　综述　　　　　　　　　　　　　　周俊旗　1991·5

中国比较史学讨论会述要　　　　　　　孟广林　1991·5

全国首次青年史学工作者学术会议综述　潘振平　1992·1

近四十年来史论关系研究综述　　　蒋大椿　李洪岩　1992·2

"科技发展与世界现代历史"学术讨论会述要　　张　象　1992·2

日本辛亥革命研究会　　　　　　　　　　　　吴　杰　1992·2

近代中国城市史研究的回顾与展望　　　　　刘海岩　1992·3

城市研究与上海研究国际学术讨论会综述

　　　　　　　　　　　　张济顺　朱　弘　1992·3

近代中国社会演变问题国际讨论会综述　　　吴心伯　1992·6

第六届全国洋务运动史讨论会述评　　　　　涂文学　1992·6

中国近代社会史研究述评　　　虞和平　郭润涛　1993·1

西方社会史学术讨论会述要　　　李运明　姚玉民　1993·1

史学理论研究的回顾与展望

　　——史学理论研究座谈会综述　　　　　仲伟民　1993·1

启动·中断·复兴

　　——中国家庭·家族史研究述评　　　　王玉波　1993·2

海峡两岸宋史研究动向　　　　　　　　　　黄宽重　1993·3

美国的中国学研究述评　　　　　　　　　　王晴佳　1993·6

戊戌后康梁与维新派学术研讨会综述　　　　宋德华　1994·3

甲午战争100周年国际学术讨论会评述　　　孙占元　1994·6

中国社会史研究的新趋向

　　——"地域社会与传统中国"国际学术会议

　　综述　　　　　　　　　周天游　葛承雍　1995·1

民国史研究述评　　　　　　　　　　　　　张宪文　1995·2

中华民国史国际学术讨论会综述　　陈红民　陈谦平　1995·2

胡适与中国新文化国际学术研讨会综述　　　徐思彦　1995·5

近年美国关于近代中国城市的研究　　　　　王　笛　1996·1

中国海外交通史研究的回顾与展望　　　　　陈高华　1996·1

二十世纪的中国历史学　　　　　　　　　　林甘泉　1996·2

海峡两岸纪念刘铭传逝世一百周年学术研讨会

　　综述　　　　　　　　　　　翁　飞　方　英　1996·2

社会转型与文化变迁国际学术研讨会综述　　马　敏　1996·3

二十世纪的中国边疆史地研究　　　　　　　　马大正　1996·4

美国企业史研究　　　　　　　　　　　　　　王锦瑭　1996·4

中国古代人口史研究回顾与展望　　袁祖亮　延　胜　1996·5

二十世纪的中国政治制度史研究　　　　　　　白　钢　1996·6

中国社会史研究十年　　　　　　　　　　　　常建华　1997·1

"区域社会比较"国际学术研讨会综述

　　　　　　　　　　　　　　　　李禹阶　代继华　1997·2

洋务运动研究的回顾　　　　　　　　　　　　姜　铎　1997·2

近年美国关于近代中美关系的研究　　　　　　王　笛　1997·2

美国史研究百年回顾　　　　　　　　　　　　张友伦　1997·3

宋史研究的回顾和展望　　　　　　　　　　　王曾瑜　1997·4

"胡绳青年学术奖"在京设立　　　　　　　　　　　　1997·5

胡绳青年学术奖励基金章程　　　　　　　　　　　　1997·5

对《中国海外交通史研究的回顾与展望》一文

　　的补充　　　　　　　　　　　　　　　史春林　1997·5

中国的英国史研究　　　　　　　　　　　　　钱乘旦　1997·5

二十世纪的中国文化史研究　　　　　　　　　周积明　1997·6

敦煌文献与历史研究的回顾和展望　　　　　　郝春文　1998·1

西域史研究的回顾与展望　　　　　　　　　　荣新江　1998·2

中国的法国史研究　　　　　　　　　　　　　陈崇武　1998·3

二十世纪中国辽金史研究　　　　　　　　　　宋德金　1998·4

俄国档案文献：保管、解密和利用　　　　　　沈志华　1998·5

陈智超先生给本刊编辑部的来信　　　　　　　陈智超　1998·5

戊戌维新一百周年国际学术讨论会综述　　　　王晓秋　1998·6

首届商会与近代中国国际学术讨论会综述

　　　　　　　　　　胡光明　宋美云　任云兰　1998·6

日本在中国接受西方近代思想中的作用

　　——梁启超个案国际研讨会述评　　　　　桑　兵　1999·1

第五届近百年中日关系史国际研讨会综述　　　李　晔　1999·1

"家庭·社区·大众心态变迁"国际学术研讨会

　　述评　　　　　唐力行　吴建华　徐茂明　1999·1

妇女口述史国际学术研讨会综述　　　　　杨　洁　1999·2

二十世纪的中国明史研究　　　　　　　　南炳文　1999·2

二十世纪的中国古代经济史研究　　　　　李根蟠　1999·3

五四运动研究历程回顾与检视座谈会综述　欧阳军喜　1999·3

关于改进审稿办法的声明　　　　　本刊编辑部　1999·3

二十世纪的中俄关系史研究　　　　　　　黄定天　1999·4

近代科技传播与中西文化交流国际学术研讨会

　　综述　　　　　　　　　　　　　　何建明　1999·5

中国二十世纪文献辨伪学述略　　　　　　刘重来　1999·6

聚焦于明清以来的中国

　　——明清以来的中国社会国际学术讨论会综述

　　　　　　　　　　　　　　常建华　邓丽兰　2000·1

经济发展与社会变迁国际学术研讨会综述

　　　　　　　　　　　　　　严昌洪　彭南生　2001·2

中国社会形态及相关理论问题学术研讨会述评

　　　　　　　　　　　　张分田　张荣明执笔　2000·2

二十世纪的太平天国史研究　　　　　　　夏春涛　2000·2

纪念陈寅恪教授国际学术研讨会述评　桑　兵　林悟殊　2000·2

中国"慰安妇"问题国际学术研讨会综述

　　　　　　　　　　　　　　陈丽菲　苏智良　2000·3

中国拉丁美洲史研究回顾　　　　　王晓德　雷泳仁　2000·5

欧美学者对抗战时期中国沦陷区的研究　　王克文　2000·5

网络结构：探讨中国经济史的新视野

　　——第三届中国商业史国际学术研讨会述评　朱　英　2000·5

经济组织与市场发展国际学术研讨会综述　　朱　英　2000·6

二十世纪的中国科举制度史研究　　　　　何忠礼　2000·6

顾维钧与中国外交国际学术讨论会综述　　金光耀　2000·6

中国文明起源与早期国家学术研讨会纪要　　　　王冠英　2001·1

中国古代赋役制度史研究的回顾与展望

　　　　　　　　　　陈明光　郑学檬　2001·1

义和团运动 100 周年国际学术讨论会综述

　　　　　　　　　　刘天路　苏位智　2001·1

第四次中华民国史国际学术讨论会述评

　　　　　　　陈谦平　陈红民　张　生　2001·1

中国中古社会变迁国际学术讨论会综述　　王利华　2001·2

《二十世纪的中国科举制度史研究》的一点补充

　　　　　　　　　　　　　　陈高华　2001·3

马可波罗与十三世纪中国国际学术讨论会综述

　　　　　　　　　　王晓欣　邓晶龙　2001·4

我的一点说明　　　　　　　　　　曹树基　2001·3

近代中国经济与社会学术讨论会综述　吴景平　陈　雁　2001·4

"思想与社会"学术讨论会综述　　张分田　王利华　2001·5

中国商会史研究之回顾与反思　　　　　冯筱才　2001·5

基督宗教来华与中西文化交流学术研讨会述评　何建明　2001·6

《历史研究》关于文献引证标注方式的规定　　　2001·6

二十世纪中国社会史研究的回顾与思考

　　　　　　　　　　赵世瑜　邓庆平　2001·6

近年来美国的冷战史研究　　　　　　白建才　2002·1

关于亚洲冷战的中美对话国际学术讨论会综述　顾　宁　2002·2

唐宋妇女史研究与历史学国际学术研讨会综述

　　　　　　　　　　许　曼　易素梅　2002·2

中国交通史研究一百年　　　　　　　王子今　2002·2

二十世纪中国历史地理研究　　　葛剑雄　华林甫　2002·3

古代两河流域文明史年代学研究的历史与现状　吴宇虹　2002·4

近代法国的史学研究与政府的政治行为　　张庆海　2002·4

二十世纪明清市镇经济研究　　　　　　任　放　2002·5

中国家庭史国际学术讨论会述评　　　　　王利华　2002・6
国家、地方、民众的互动与社会变迁
　　国际学术研讨会综述　　唐力行　吴建华　张翔凤　2003・1
中国近代思想史研究方法学术讨论会综述　　邹小站　2003・1
东亚基督教的再诠释：近代东西文化交流
　　国际学术讨论会述评　　　　　　　　陶飞亚　2003・1
中国需要什么样的新史学
　　——纪念梁启超《新史学》发表100周年
　　学术研讨会综述　　　　　　　　　　刘焕性　2003・1
二十世纪的中国秦汉史研究　　周天游　孙福喜　2003・2
中国行会史研究的回顾与展望　　　　　　朱　英　2003・2
美国的亚洲移民史研究　　　　　　　　　王　铭　2003・2
冷战中的中国与周边关系国际学术研讨会综述
　　　　　　　　　　　　　　　　　　戴超武　2003・3
20世纪的辛亥革命史研究　　　严昌洪　马　敏　2003・3
二十世纪的清史研究　　　　　钞晓鸿　郑振满　2003・3
二十年来中国近代乡村经济史的新探索
　　　　　　　　　　　　　　李金铮　邹晓昇　2003・4
中国疾病、医疗史探索的过去、现实与可能　余新忠　2003・4
第二次中华民国史中青年学者国际学术研讨会
　　综述　　　　　　　　　　　　　　张　生　2003・4
二十世纪简帛的发现与研究　谢桂华　沈颂金　邹文玲　2003・6
五十年来中国的法国大革命史研究　　　　楼均信　2003・5

## 六　图书评介

关于范文澜中国通史简编修订本第一册座谈会的
　　记录　　　　北京大学历史系中国古代史教研室　1954・2
介绍金承化著美国侵朝史　　　　　　　　丁名楠　1954・3

关于美国简明史的几点意见　　　　　　　　程秋原　1954・4

读范著中国通史简编修订本第一册　　　　　赵光贤　1954・6

关于范著中国通史简编修订本第一册的几点意见

　　　　　　　　　　　　　　　　　　　　王玉哲　1954・6

对范文澜中国通史简编修订本第一编的意见

　　　　　　　　　　　　　　　中山大学历史系　1955・1

对尚钺主编"中国历史纲要"的一些意见

　　　　　　　　　　　　　贵阳师范学院历史系　1956・3

评"中国历史概要"　　　王思治　林敦奎　贾　岩　1956・8

从学术源流方面评杨荣国著"中国古代思想史"

　　　　　　　　　　　　　　　李学勤　杨　超　1956・9

读卿汝楫"美国侵华史"第二卷　　　　　　　余绳武　1956・10

"瓦德西拳乱笔记"的译注问题　　　　　　　赵捷民　1956・10

关于宗族、宗部的商榷

　　——评"魏晋南北朝史论丛"　　　　　　贺昌群　1956・11

评李亚农同志关于拓跋族社会历史的著作　　田　远　1956・11

评"中国历史纲要"　　　张我德　邓春阳　何　志　1957・1

对束著"洪秀全"一书的意见　　　　　　　　梁任葆　1957・1

"中国历史纲要"讨论会纪录

　　　　　　　　北京大学历史系中国古代史教研室　1957・4

读赵光贤先生"释蔑历"　　　　　　　　　　于省吾　1957・4

外国新书介绍　　　　　　　　齐思和　张芝联　1957・6

外国新书介绍　　　　　　　　齐思和　袁　觉　1957・7

评"中国历史概要"内"近代中国"部分　　　吴徽心　1957・8

外国新书介绍　　　　　　　　齐思和　张芝联　1957・8

外国新书介绍——"一位国际无产阶级战士的

　　回忆录"　　　　　　　　　　　　　　　罗荣渠　1957・9

介绍"中国海关与中法战争"

　　——近代史工作者的一本重要参考书　　张振鹍　1957・9

外国新书介绍——"法兰西第二帝国的崩溃和
　第三共和国的产生"　　　　　　　　潘润涵 1957·10
评向达的"唐代长安与西域文明"　　　邓广铭 1957·11
潘克拉托娃主编:《十九世纪俄国工人运动文献》
　汇编介绍　　　　　　　　　　　　何肇发 1957·11
新书介绍:"巴黎的长裤汉"
　——一七九三至九四年人民运动史资料 张芝联 1957·12
关于尚钺同志为"明清社会经济形态的研究"
　一书所写的序言　　　　　　　　　刘大年 1958·1
苏联《世界文化史杂志》　　　　　　张芝联 1958·4
外国新书介绍——"新编波兰史"(四卷) 程人乾 1958·5
读"亚洲各国史纲要"　　　　　　　　亦 祥 1958·7
对"中国历史纲要"元代部分的意见　　汪槐龄 1958·7
"古代东方与希腊罗马古典时期的生产关系" 费 路 1958·8
批判吴枫的"隋唐五代史"　　　　　　唐 星 1958·9
评谢国桢著"南明史略"　　　　　　　柳义南 1958·9
关于苏联出版的"外交史"　　　　　　克 凡 1958·9
关于何心隐的著作　　　　　　　　　怀 辛 1958·9
介绍一部世界文化史巨著"西亚民族志" 田 舍 1958·10
"国史旧闻"应该批判　　　　　　　　蔡美彪 1958·11
关于朝鲜史的若干问题(评王辑五著
　"亚洲各国史纲要"朝鲜部分)　　　李启烈 1958·11
介绍《瓜分中国的斗争和美国的门户开放政策
　(1895—1900 年)》　　　　　　　杨诗浩 1958·11
"敦煌资料"第一辑内容介绍
　　　　　　　历史研究所第一、二所第二组 1958·11
介绍"苏联的中国学"杂志　　　　　　克 凡 1958·12
批判钱穆的"国史大纲"　　　天津师范大学历史系 1959·2

评傅衣凌著明清时代社会经济史研究论文集两种

　　　　　　　　　　　　　　　　　　胡　嘉　1959·3
读"忠王李秀成自传原稿笺证"增订本　　　赵矢元　1959·3
评李有义先生研究西藏的论著中有关历史部分　汪　钦　1959·4
评"中国瓷器史论丛"　　　　　　　　　　史学通　1959·4
读戴逸同志编著的"中国近代史稿"（第一卷）来新夏　1959·5
评郑家相著"中国古代货币发展史"　　　　朱　活　1959·5
"第二次世界大战（1939—1945年）"　　　许　久　1959·5
评"中国国家与法的历史参考书"第一分册　缪文远　1959·7
介绍朝鲜两部历史新著　　　　　　　　　　松　涛　1959·8
评"中外历史年表"　　　　　　　　　　　杜汉鼎　1959·8
介绍《1941—1945年苏联伟大卫国战争史》　孙剑晨　1959·9
读"中国近代史稿"（第一卷）　　　　　　赵德馨　1959·12
评"景德镇陶瓷史稿"　　　　　　　　　　童书业　1959·12
评"明代黄册制度"　　　　　　　　　　　王思治　1962·3
读"新中国的考古收获"　　　　　　　　　史　明　1962·3
读"府兵制度考释"书后　　　　　　　　　何兹全　1962·6
评《秦汉农民战争史》　　　朱大昀　卢显宗　金自强　1963·4
论《七略》在我国目录学史上的成就和影响　王重民　1963·4
关于《世界通史》（苏联科学院编）有关朝鲜
　　的叙述的严重错误

　　　　　　　〔朝〕金锡亨　金熙一　孙英钟　1963·5
郭沫若同志关于《资本论》一处译文的信　　郭沫若　1964·3
评《魏晋南北朝隋初唐史》上册

　　　　　　黄　烈　高志辛　虞明英　周年昌　1964·4
试论编写和研究"四史"的重大意义
　　——编选《北京四史丛书》的几点体会

　　　　　　　　　　　　赵有福　黎　凯　1965·1
评蒋孟引著《第二次鸦片战争》　　　　　南　木　1965·5

略评《南朝经济试探》 张泽咸 1965·5

是"咎亡"不是"咎在"

——关于《订孔》一九〇五年版中的一个错字

靳 砺 1975·4

大俄罗斯沙文主义的活标本

——评齐赫文斯基主编的《中国近代史》 宋 斌 1975·5

霸权主义的"杰作"

——评莫斯科出版的《中国近代史》 吴寅年 1975·2

向资产者发射的最厉害的炮弹

——纪念《资本论》第一卷问世一百一十周年

厦门大学经济系王锦涛 1977·1

只有社会主义能够救中国

——学习《毛泽东选集》第五卷关于

农业合作化问题的光辉论述 苏 星 1977·2

无产阶级专政下继续革命的指路明灯

——纪念毛主席光辉著作《关于正确处理

人民内部矛盾的问题》发表二十周年 廖盖隆 1977·3

我国资本主义工商业的社会主义改造

——学习《毛泽东选集》第五卷的有关

光辉论述 朱光熙 1977·3

《孙子兵法》评介 郭化若 1977·3

日本出版《图说中国历史》 冯佐哲 1978·6

评《隋末农民战争与反佛浪潮》 杨 讷 1978·7

评恩格斯关于《家庭、私有制和国家的起源》

的若干修改 林加坤 1979·3

怎样理解郭沫若同志的古代史分期学说

——兼评金景芳先生的《中国古代史

分期商榷》 侯绍庄 1979·8

世界古代史研究的新成果
　　——评介《世界上古史纲》上策的几个新观点
　　　　　　　　　　　　　　　孔令平　1980·1
勇于探索　不囿成说
　　——评傅筑夫著《中国经济史论丛》　张作耀　1980·1
康有为的一部未刊印的重要著作
　　——《日本变政考》评介　　　　　王晓秋　1980·3
独辟蹊径　大醇小疵
　　——评介胡如雷著《中国封建社会形态研究》
　　　　　　　　　　　　　　　田居俭　1980·4
一部新出的拿破仑传记
　　——评介让·蒂拉尔的《拿破仑》　端木正　1980·5
关于中世纪阿拉伯文化的几个问题
　　——兼评苏联科学院《世界通史》的有关章节
　　　　　　　　　　　　　　　方卓然　1981·1
一本内容充实形式新颖的历史地图集
　　——《中国史稿地图集》上册评介 刘寅年　卢运祥　1981·1
《六十年来中国与日本》第五卷勘误一则　石　楠　1981·2
一则史实的订正——读《俄国在满洲》新译本 杨诗浩　1981·3
翻译外国著作要认真校订
　　——《帝国主义在满洲》汉译本读后　元　望　1981·4
介绍《孙中山全集》第一卷　　　　　　黄　彦　1981·5
建国以来出版的辛亥革命史资料述略 刘德麟　何双生　1981·5
有特色析有新意
　　——评赵光贤著《周代社会辨析》　张作耀　1981·6
王著《魏晋南北朝史》评介　　　　　　袁英光　1982·1
请为《介绍〈孙中山全集〉第一卷》勘误数处 黄　彦　1982·2
勇于探索不尚空谈
　　——评介《世界上古史纲》（下册）　安长春　1982·2

《探微集》述略

　　——纪念郑天挺先生　　　　　　杨志玖　冯尔康　1982·3

驳卡尔·魏特夫的《东方专制主义》　　　　　　吴大琨　1982·4

《西夏史稿》读后　　　　　　　　　　　　　　蔡美彪　1982·4

清史研究的新成果:《清朝开国史研究》　　　　思　斌　1982·4

一本研究北洋舰队的专史:《北洋舰队》　　　　张　明　1982·4

严谨探研的硕果:《中国史探研》　　　　　　　王恒杰　1982·5

充实郑观应研究的一本著作:《郑观应传》　　　乔还田　1982·5

一部有价值的资料书:《辛亥革命时期期刊介绍》

　　(第一集)　　　　　　　　　　　　　　　吕　涛　1982·6

《羌族史稿》序　　　　　　　　　　　　　　　徐中舒　1983·1

富有年鉴学派特色的《旧制度法国历史词典》　　端木正　1983·2

《中国古代史分期讨论五十年》读后　　　　　　项观奇　1983·6

读《越史丛考》　　　　　　　　　　　　　　　陈玉龙　1983·6

历史地理学的巨大成果　　　　　　　　　　　　蔡美彪　1984·6

《中国经济史长编》序言　　　　　蔡元培　马寅初　1985·1

评介《拿破仑评传》　　　　　　　　　　　　　王养冲　1985·2

深入开展戊戌维新运动史研究

　　——部分史学工作者座谈《戊戌变法史》

　　　　　　　　　　　　　张亦工　徐思彦整理　1985·5

评《西欧封建经济形态研究》　　　　　　　　　张云鹤　1985·6

柯文新著《在中国发现历史》评介　　　　　　　林同奇　1986·1

为《吴虞集》出版说几句话　　　　　　　　　　唐振常　1986·1

评台湾修订本《清代通史》　　　　　　　　　　江　地　1986·3

《美国著名妇女人物辞典》简介　　　　　　　　文　颖　1986·3

读《埃及近代史》　　　　　　　　　　　　　　徐葆初　1986·5

评介《华北的小农经济与社会变迁》　　　　　　叶显恩　1986·6

评苏联新编《原始社会史》　　　　　　　　　　孔令平　1987·1

中国封建贵族史的开山之作

  ——评《清代八旗王公贵族兴衰史》　　　阎崇年　1987·2

反思中的探索

  ——评《再思集》关于发展中国历史学的见解

                                 傅白芦　1987·3

《中国近代民主思想史》评介　　　　　　　丁凤麟　1987·3

评《高级印度史》　　　　　　范铁成　闵光沛　1987·3

评《中国奴隶社会史》　　　　　　　　　　吕绍纲　1987·4

《蔡元培传》读后　　　　　　　　　　　　李　侃　1987·4

《明末农民战争史》简评　　　　　　　　　诸葛计　1987·5

评《剑桥中国晚清史》的文化观

           冯天瑜　唐文权　罗福惠　1988·1

应该怎样研究上古的神话与历史

  ——评《诸神的起源》　　　　　　　王震中　1988·2

他山之石　可以攻玉

  ——评《剑桥中国晚清史》　　　　　李华兴　1988·2

区域社会经济史研究的新进展　　　　　　宋元强　1988·3

评林赛的《宗教改革史》（上册）　　　　孔祥民　1988·3

档案利用与晚清史研究

  ——评《剑桥中国晚清史》　　　　　孔祥吉　1988·3

评黄烈著《中国古代民族史研究》　　　　周伟洲　1988·4

在开拓中探索

  ——评《武汉国民政府史》　　　　　陈文桂　1988·5

新视角下的得与失

  ——评《剑桥中国晚清史》有关辛亥革命部分

           刘望龄　唐文权　罗福惠　1989·1

评《中国现代思想史论》　　　　　　　　邓　野　1989·1

五帝史研究的方法问题

  ——评骆宾基《金文新考》　　　　　彭　林　1989·3

《吴越文化新探》读后　　　　　　　　　　李学勤　1989·3

评《北京历史地图集》　　　　　　　　　　陈桥驿　1989·5

为近代中国革新派巨人画像

　　——评《康有为大传》　　　　　　　　沈渭滨　1990·2

评《上海史》　　　　　　　沈渭滨　许　敏　1990·4

美国对华政策新解

　　——评《从赫尔利到马歇尔》　　　　　章百家　1990·4

简评《从分散到整体的世界史》（上古分册）晏绍祥　1990·5

读陈垣编《道家金石略》书后　　　　　　　蔡美彪　1991·3

读《奕䜣慈禧政争记》　　　　龚书铎　黄兴涛　1991·4

评《从分散到整体的世界史》（现代分册）曾醒时　1991·4

读《法国通史简编》　　　　　陈　崇　宋培荃　1991·4

中世纪晚期英国农村的变迁与现代化的启动

　　——评《现代化第一基石》　史　铭　徐　浩　1992·3

太平天国史研究的一座丰碑

　　——评罗尔纲著《太平天国史》　　　　郭毅生　1992·4

汉译史学名著《旧制度与大革命》评介　　　张芝联　1992·4

一部成一家之言的中国古代社会经济史

　　——读何兹全先生《中国古代社会》书后刘家和　1992·4

评《哥伦布的确信：近年的某些研究》　　　张云鹤　1992·5

评刘宗绪主编的《世界近代史》　　　　　　楼均信　1992·6

中印两国在近代觉醒过程中的经验教训

　　——评《东方的觉醒》　　　　　　　　黄思骏　1993·1

《周礼》成书年代的成功探索

　　——评彭林著《〈周礼〉主体思想与成书

　　年代研究》　　　　　　　　　　　　　赵世超　1993·1

评田余庆著《东晋门阀政治》　　　　　　　祝总斌　1993·1

精审赅备的《孙中山年谱长编》　　　　　　陈　铮　1993·1

中国家族制度的系统研究　　　　　　　　　岳庆平　1993·2

家族组织宏观模式的新建构

    ——评《明清福建家族组织与社会变迁》　王日根　1993·2

对承唐启宋时代的探索与思考

    ——读郑学檬著《五代十国史研究》　　　张　弓　1993·3

评《跨出封闭的世界——长江上游区域

  社会研究》　　　　　　　　　　　　　吴　杰　1993·1

边界研究的可喜成果

    ——评《早期中俄东段边界研究》　　　刘存宽　1993·4

读《赵普评传》　　　　　　　　　　　　　朱瑞熙　1993·4

深入开展资产阶级主体研究

    ——《辛亥革命时期新式商人社团研究》评介　张亦工　1993·4

评《美国军事史纲》　　　　　　　　　　　郭沂纹　1993·4

《元代分封制度研究》读后　　　　　　　　韩志远　1993·5

简评《从分散到整体的世界史》（中古部分）　陈　勇　1993·5

评《中国早期资产阶级概论》　　　　　　　彭南生　1993·6

法国大革命的新阐释

    ——读《法兰西风格：大革命的政治文化》　段德智　1993·6

西方社会史名著：《失去的世界》　　　　　戚国淦　1994·3

读瞿林东著《中国史学散论》　　　　　　　魏明孔　1994·3

《士人与社会》（秦汉魏晋南北朝卷）评介　曹月堂　1994·3

评《共产国际、斯大林与中国革命》　　　　王安平　1994·3

抗战前后国共关系新解

    ——评《失去的机会》　　　　江　淳　侯样祥　1994·3

马克思主义史学的个案研究

    ——评《吕振羽和他的历史学研究》　　赵　俊　1994·4

于求实中创新

    ——读《元史研究论稿》　　　　　　　孟繁清　1994·4

清初学术发展规律的有益探索

    ——评《清初学术思辨录》　　王俊义　黄爱平　1994·4

读《近代留学生与中外文化》　　　　　　　　殷瑞远　1994·4

民族文化史研究的重要进展

　　——评《中国古代北方民族文化史》（民族文化卷）

　　　　　　　　　　　　　　　　　　　　周惠泉　1994·4

中国人口的昨天：一项有价值的研究

　　——读《中国近代人口史》　　　　　　　汪敬虞　1994·5

评《比较中的审视：中国早期现代化研究》　　田　彤　1994·5

《中国近代史学思潮与流派》读后　　　　　　许殿才　1994·5

评《冒险、失败与崛起——20世纪德意志史》

　　　　　　　　　　　　　　夏季亭　宋钟璜　1994·5

读《中国边疆民族管理机构沿革史》　　　　　陈梧桐　1994·6

评陈诗启著《中国近代海关史》　　　　　　　戴一峰　1994·6

《美国工人运动史》评介　　　　　　　　　　黄绍湘　1994·6

评《崩溃与重建中的困惑——魏晋风度研究》　周国林　1995·1

读《文化的抉择与发展——日本吸收外来文化史说》

　　　　　　　　　　　　　　　　　　　　王金林　1995·1

读《隋唐文化史》　　　　　　　　　　　　　余　仁　1995·2

评《北方移民与南宋社会变迁》　　　　　　　朱瑞熙　1995·2

读周良霄、顾菊英著《元代史》　　　　　　　杨德华　1995·2

美国与现代中国

　　——《中美关系史（1911—1950）》评析　时殷弘　1995·2

读《秦汉交通史稿》　　　　　　　　　　　　周苏平　1995·3

评《辽夏金经济史》　　　　　　　　李锡厚　王曾瑜　1995·3

评王锺翰主编《中国民族史》　　　　　　　　周用宜　1995·4

评赵世瑜著《吏与中国传统社会》　　　　　　韩晓燕　1995·4

马植杰著《三国史》读后　　　　　　　　　　张秀平　1995·4

评吴怀祺著《宋代史学思想史》　　　　　　　叶显良　1995·4

评《清代皇族人口行为和社会环境》　　　　　吴承明　1995·4

评《清代的边疆政策》　　　　　　　　　　　刘存宽　1995·4

评《工业社会的勃兴：欧美五国工业革命

　　比较研究》　　　　　　　　　　　　张云鹤　1995·5

深化社会结构史研究

　　——《中国社会结构的演变》读后　　王玉波　1995·6

评《契丹族文化史》　　　　　　　　　　张国庆　1996·1

读《资治通鉴疑年录》　　　　　　　　　王子今　1996·1

评李兴盛著《中国流人史》　　　　　　　修朋月　1996·2

姜鸣《中国近代海军史事日志》评介　　　王家俭　1996·2

评《香港当代史学研究》　　　　　　　　蒋大椿　1996·2

《香港历史问题资料选评》读后　　　　　曾业英　1996·2

何兹全著《三国史》读后　　　　　　　　蒋福亚　1996·3

读张其凡著《五代禁军初探》　　　　　　牟发松　1996·3

评《近代中国海军》　　　　张一文　皮明勇　1996·4

读《中国古代人口史专题研究》　　　　　朱和平　1996·4

评《中国东北农业史》　　　　　　　　　李　帆　1996·4

读《敌对与冲突的由来——美国对新中国的

　　政策与中美关系（1949—1950）》　　罗志田　1996·4

评《富兰克林·D·罗斯福时代》　　　　李剑鸣　1996·4

评《满族的部落与国家》　　　　　　　　李鸿彬　1996·5

读《英国政治制度史》　　　　　　　　　郭沂纹　1996·5

读《中国古代北方民族文化史》专题文化卷　陈永宏　1996·6

评《商品经济与战国社会变迁》　　　　　朴　民　1996·6

海洋思维：认识中国历史的新视角

　　——评杨国桢主编"海洋与中国丛书"

　　　　　　　　　　　　王日根　宋　立　1999·6

评《晚清经济政策与改革措施》　　　　　罗福惠　1996·6

西安事变简论

　　——读《西安事变新探》札记　　　　陈铁健　1997·1

评《中华民国史》第二编第五卷　　彭　明　王续添　1997·1

《古代希腊土地制度研究》读后 　　　　　　廖学盛　1997·1

必须遵守学术规范

　　——从"强国之梦"系列丛书说起　　　　浩　力　1997·2

读《赵俪生史学论著自选集》　　　　　　　王桂琴　1997·2

评马敏著《官商之间——社会巨变中的

　　近代绅商》　　　　　　　　　　　　　王先明　1997·2

读周积明著《纪昀评传》　　　　　　　　　葛承雍　1997·2

中国中古政治史研究的新收获

　　——汪征鲁著《魏晋南北朝选官体制（系统）

　　　研究》综评　　　　　　　　　　　　毛汉光　1997·3

评《西安历史地图集》　　　　　　　　　　陈桥驿　1997·3

《解开〈宋会要〉之谜》读后　　　　　　　杨渭生　1997·3

评《乡土之链：明清会馆与社会变迁》　　　刘永华　1997·3

评《美国对亚太政策的演变，1776—1995》

　　　　　　　　　　　　　　　　宋　强　秦　志　1997·3

攻瑕批谬意在求全

　　——评《司马光日记校注》　　　　　　高纪春　1997·4

关于《隋代江南士人的浮沉》的来信　林绍权　丘济川　1997·4

《逸周书校补注译》评介　　　　　　　　　斯维至　1997·4

评《南越国史》　　　　　　　　　　　　　刘汉东　1997·4

《敦煌吐鲁番文书与丝绸之路》读后　　　　许序雅　1997·4

丁日初著《近代中国的现代化与资本家阶级》沈祖炜　1997·5

李孝聪著《欧洲收藏部分中文古地图叙录》　纽仲勋　1997·5

仓修良、叶建华著《章学诚评传》　　　　　陈鹏鸣　1997·5

朱瀛泉著《近东危机与柏林会议》　　　　　任东来　1997·5

刘家和著《古代中国与世界》　　　　　　　徐松巍　1997·6

张岂之主编《中国近代史学学术史》　　　　罗福惠　1997·6

一部将南明史研究推向新水平的佳作

　　——评顾诚著《南明史》　　　　　　　陈梧桐　1998·1

是学术创新，还是低水平的资料编纂？

　　——评杨子慧主编《中国历代人口统计资料研究》

　　　　　　　　　　　　　　葛剑雄　曹树基　1998·1

不可多得的历史文献

　　——写在《翁同龢文献丛编》出版之前　孔祥吉　1998·1

萨哈罗夫等新编《俄国通史》（前二卷）评述　刘祖熙　1998·1

荣新江著《归义军史研究——唐宋时代敦煌

　　历史考索》　　　　　　　　　　　　　李正宇　1998·1

陈久金著《回回天文学史研究》　　　　　　杜升云　1998·1

《捻军史稿》评介　　　　　　　　　　　　张一文　1998·2

关于传教士与晚清现代化关系的思考

　　——评《美国传教士与晚清中国现代化》　李喜所　1998·2

李廷江著《日本财界与辛亥革命》　　　　　姚玉民　1998·2

梁茂信著《美国移民政策研究》　　　　　　戴超武　1998·2

龚延明著《宋代官制辞典》　　　　　　　　邓小南　1998·2

吴仁安著《明清时期上海地区的著姓望族》　唐力行　1998·2

韩光辉著《北京历史人口地理》　祝　卓　周继中　1998·3

胡适研究的深层次探索

　　——评罗志田著《再造文明之梦——胡适传》　马　敏　1998·3

吴怀祺著《中国史学思想史》　　　　　　　陈鹏鸣　1998·4

任爽著《南唐史》　　　　　　徐松巍　史小云　1998·4

王晓秋著《近代中日关系史研究》　　　　　李长莉　1998·4

张弓著《汉唐佛寺文化史》　　　　　　　　谢重光　1998·5

丁鼎著《牛僧孺年谱》　　　　　　　　　　岳纯之　1998·5

陈尚胜著《“怀夷”与“抑商”：明代海洋

　　力量兴衰研究》　　　　　　　　　　　李金明　1998·5

朱英著《转型时期的社会与国家——以近代

　　中国商会为主体的历史透视》　　　　　刘家峰　1998·5

金毓黻著《静晤室日记》书后　　　　　　　佟柱臣　1998·6

汪圣铎著《两宋财政史》 包伟民 1998·6

马新著《两汉乡村社会史》 安作璋 1999·1

后现代主义与中国研究：《怀柔远人》的
　　史学启示 罗志田 1999·1

走出部落联盟
　　——读谢维扬著《中国早期国家》 王 和 1999·1

戚其章著《晚清海军兴衰史》 王家俭 1999·2

到底是谁在制造伪证？
　　——驳田中正明著《南京大屠杀之虚构》
　　　对贝德士的诋毁 章开沅 1999·2

朝贡贸易体系与亚洲经济圈
　　——评滨下武志教授的《近代中国的国际契机》
　　　　　　　　　　　　　　　　　朱荫贵 1999·2

王素著《高昌史稿·统治编》 荣新江 1999·3

郭世佑著《晚清政治革命新论》 宝成关 田毅鹏 1999·3

时代 史家 史著
　　——读《新编剑桥世界近代史》 于 沛 1999·3

匡谬辨诬 端正学风
　　——答高纪春对《司马光日记校注》的批评
　　　　　　　　　　　　　　　　　李裕民 1999·3

读《周恩来家世》辨绍兴周氏族谱中的真伪问题
　　——兼谈如何科学使用古代族谱家乘 吴丽娱 1999·3

杨富学著《回鹘之佛教》 杜斗诚 1999·4

许檀著《明清时期山东商品经济的发展》 张海英 1999·4

郑大华著《张君劢传》 左玉河 1999·4

放宽中国近代史研究的视野
　　——评介《近世中国之传统与蜕变》 马 敏 1999·5

评郑海麟著《钓鱼台列屿之历史与法理研究》
　　　　　　　　　　　　　　　　　陈捷先 1999·6

黄启臣著《澳门通史》　　　　　　　　陈梧桐　1999·6

〔德〕迪特·海茵茨希著《走向联盟的艰难历程：

　1945—1950 年苏联与中共关系研究》

　　　　　　　　　　　陈之宏　陈　兼　1999·6

刘文涛著《伟大的解放者——林肯》　　郭沂汶　1999·6

《中外旧约章汇编》求疵一则　　　　　　李　玉　2000·5

《金朝军制》平议

　　——兼评王曾瑜先生的辽金史研究　刘浦江　2000·6

区域研究取向的探索

　　——评杨念群著《儒学地域化的近代形态》

　　　　　　　　　　　　　　　　　　程美宝　2001·1

重绘近代思想、社会与学术地图

　　——评罗志田著《权势转移：近代中国的

　　　思想、社会与学术》　　　　　　葛兆光　2001·1

试评六卷本《中国移民史》

　　——兼谈学术批评的规范问题　　　包伟民　2001·3

《中国移民史》的史料及史实问题　　　孟彦弘　2001·3

论清代移民台湾之政策

　　——兼评《中国移民史》之"台湾的移民垦殖"

　　　　　　　　　　　　　　　　　　李祖基　2001·3

"讲述老百姓自己的故事"

　　——评介艾尔松的《爱达荷华人往事》章开沅　2001·4

罗威廉著《救世：陈宏谋与十八世纪中国的

　精英意识》　　　　　　　　　　　　王　笛　2002·1

史景迁著《文字叛逆》　　　　　　　　陈意新　2002·1

林蔚著《从战争到民族主义：中国的转折点，

　1924—1925》　　　　　　　　　　　马　敏　2002·1

彭慕兰著《大分岔：欧洲，中国及现代世界

　经济的发展》　　　　　　　　　　　史建云　2002·2

路康乐著《满与汉：清末民初的族群关系与
政治权力，1861—1928》　　　　　王　笛　2002·4

发展还是内卷？十八世纪英国与中国
　　——评彭慕兰《大分流：欧洲，
　　　　中国及现代世界经济的发展》　〔美〕黄宗智　2002·4

梁启超的东学、西学与新学
　　——评狭间直树《梁启超·明治日本·西方》桑　兵　2002·6

民国教育史及其研究中的几个问题
　　——李华兴主编《民国教育史》读后
　　　　　　　　　　　　宋恩容　李剑萍　2003·3

据之于实情：建立中国史学新典范的若干启示
　　——以李伯重《江南的早期工业化
　　　　（1550—1850）》为例　　　马　敏　2003·1

史瀚波著《乱世中的信任：民国时期天津的
货币、银行与政府社会关系》　　　陶季邑　2003·4

张曙光著《经济冷战：美国对华经济禁运
和中苏同盟》　　　　　　　　　　陈　兼　2003·4

# 七　其　他

声讨胡风反革命集团　　　历史研究编辑委员会　1955·3

中华人民共和国的十年　　　本刊编辑部　1959·10

在斗争中培养壮大工农兵理论队伍　本刊评论员　1974·1

在斗争中努力学习马列著作和毛主席著作　本刊评论员　1976·5

伟大的革命斗争产生伟大的领袖　　本刊编辑部　1976·6

《历史研究》的遭遇和"四人帮"利用历史
反党的阴谋　　　　　　　　　　本刊编辑部　1976·6

痛打落水狗梁效、罗斯鼎　　　　本刊编辑部　1976·6

邀请学术工作者座谈儒法斗争问题　本刊编辑部　1977·4

只能忠实于事实　才能忠实于真理　　　本刊评论员　1979·7

都来重视造就史学新人（短评）　　　　本刊评论员　1981·3

努力开创历史研究的新局面　　　　　　本刊评论员　1983·1

把历史的内容还给历史　　　　　　　　本刊评论员　1987·1

纪念《历史研究》创刊三十五周年：

　三十五周年祝贺辞　　　　　　　　　　季羡林　1989·5

　坚持马克思主义推进百家争鸣　　　　　蔡美彪　1989·5

　重读《历史研究》发刊词　　　　　　　林甘泉　1989·5

　在历史研究中坚持实事求是　　　　　　丁守和　1989·5

　历史学家的过去与现在　　　　　　　　戴　逸　1989·5

　继承发扬史学界的好传统　　　　　　　任继愈　1989·5

　对历史研究的希望　　　　　　　　　　杨向奎　1989·5

　祝愿与断想　　　　　　　　　　　　　李　侃　1989·5

　加强世界通史的研究　　　　　　　　　齐世荣　1989·5

　献身甘作万矢的　论著求为百世师　　　章开沅　1989·5

　《历史研究》的历史行程　　　　　　　田居俭　1989·5

史学界的一项迫切任务　　　　　　　　本刊评论员　1989·6

纪念《历史研究》创刊四十周年：

　郭沫若关于《历史研究》的六封信　　　刘大年　1994·1

　我与《历史研究》　　　　　　　　　　罗尔纲　1994·1

　《历史研究》——我的良师益友　　　　张　磊　1994·1

　祝贺与希望　　　　　　　　　　　　　彭　明　1994·1

　创新扶青是《历史研究》的两大特色　　隗瀛涛　1994·1

　历史知识的提高和普及

　　——贺《历史研究》创刊40周年　　　何兹全　1994·1

　坚守阵地必有所获　　　　　　　　　　张芝联　1994·1

　《历史研究》杂志与孙中山研究　　　　陈锡祺　1994·1

　《历史研究》鼓舞了我的中国海关史研究　陈诗启　1994·1

　学习《历史研究》注意质量问题　　　　胡厚宣　1994·1

当代人应该写当代史　　　　　　　　　金冲及　1994·1

谈历史学与现实　　　　　　　　　　　夏东元　1994·1

历史学需要与发展学结合　　　　　　　庞卓恒　1994·1

展望二十一世纪史学的一点浮想　　　　罗荣渠　1994·1

《历史研究》四十年　　　　　　　　　宋德金　1994·1

本刊召开座谈会纪念创刊四十周年　　　本刊记者　1994·6

关于发行网络电子版和加入龙源电子期刊网的

　声明　　　　　　　　　　　　　　　本刊编辑部　1999·5

关于投稿的若干规定　　　　　　　　　本刊编辑部　1999·6

关于遵守学术规范的联合声明

　　　　　　　　　《历史研究》等七刊编辑部　2000·1

关于本刊专有版权和使用权的声明　　　本刊编辑部　2000·1

《历史研究》退出中国学术期刊网　　　本刊编辑部　2002·1

《历史研究》创刊50周年征文　　　　本刊编辑部　2002·2

《历史研究》关于英文文献标注引证方式的

　补充规定　　　　　　　　　　　　　本刊编辑部　2002·2

关于遵守学术规范的联合声明　　　　　本刊编辑部　2002·2

关于实行匿名审稿制度的申明　　　　　本刊编辑部　2002·2

关于投稿的若干规定　　　　　　　　　本刊编辑部　2002·2

《历史研究》创刊50周年征文　　　　本刊编辑部　2002·4

新世纪的中国历史学——挑战与思考　　本刊编辑部　2003·1

批判向达的反马克思主义的历史观点

　　　　　　　　　　　　　胡厚宣　杨向奎　1957·11

揭穿雷海宗反马克思主义反社会主义的谬论　孙定国　1957·11

批判荣孟源在对待史料上的恶劣作风

　　　　　　　　　樊百川　贾维诚　李　瑚　1957·11

揭穿荣孟源抄袭剽窃的丑恶面目　　　　尚明轩　1957·12

驳斥雷海宗反马克思主义反社会主义的谬论　吴　廷　1957·12

敢想敢说，边干边学　　　　　　　　　　吴廷才　1958·9

万紫千红、百花争妍　　　　　吴维能　施德福等　1958·9

批判雷海宗反动的历史观点　　　　　　　　戎　笙　1958·11

驳向达、潘光旦关于土家族历史的缪说　　　王　忠　1958·11

批判陶希圣"前资本主义社会论"的反动观点

　　　　　　　　　　孙家骧　曾宪楷　郑昌淦　1958·12

"战国策派"反动史学观点批判　　　　　　袁英光　1959·1

学习列宁的伟大遗产　　　　　　　　　　殷世伦　1959·11

高举列宁主义旗帜，保卫历史科学的党性原则

　　　　　　　　　　　　　　　　　　师东明　1960·4

"苦肉缓兵计"是主观唯心主义的典型　　李　侃　1964·5-6

周谷城在中国历史方面贩卖了什么货色？　史　青　1964·5-6

驳所谓"局限性"　　　　　　　　　　张　侠　1964·5-6

一个贫农的经历

　　——唐家义翻身史　　　中共巢县县委宣传部编

　　　　　　　　　　　安徽人民出版社供稿　1965·2

为革命而研究历史　　　　　　　　　　戚本禹　1965·6

牟二黑血腥发家录　　　　　中共栖霞县县委宣传部

　　　　　　　　　　　山东人民出版社供稿　1965·2

苦难的岁月

　　——一个妇女对旧社会的血泪控诉　　张允侯　1965·3

大地主卓廷懋家罪恶史　　　中共灵璧县县委宣传部编

　　　　　　　　　　　安徽人民出版社供稿　1965·4

"历史完形论"批判

　　——评周谷城先生的反动史学理论　　　林　弘　1965·1

评新编历史剧《海瑞罢官》　　　　　　姚文元　1965·6

必须把史学革命进行到底　　　　　　　尹　达　1966·1

史学工作者必须到工农群众中去　　　　石　松　1966·1

田汉的《谢瑶环》是一棵大毒草　　　　云　松　1966·1

《海瑞骂皇帝》和《海瑞罢官》是
　　反党反社会主义的两株大毒草　　关　锋　林　杰　1966·2
吴晗是胡适精心培养的接班人
　　　　　　北京新华印刷厂平印车间工人张士忠　1966·2
认识吴晗这个反面教员
　　　　　　北京新华印刷厂平印车间工人田秀琴　1966·2
吴晗讲的是黄世仁的话
　　北京市昌平县泰陵公社下口村大队党支部书记杨德兴　1966·2
与工农群众结合，批判吴晗的反动本质
　　　　　　　　北京大学历史系学生佟伟华　1966·2
吴晗的"古为今用"是反党反社会主义的
　　借古非今　　　　北京大学历史系研究生赵春晨　1966·2
吴晗所鼓吹的是反党反社会主义的"战斗精神"
　　　　　　　　　　　　　　　　施　庆　1966·2
历史的真实宣告"清官论"的破产
　　　　　　　　江西省赣州专区社联调查组　1966·2
评吴晗的反党反社会主义反马克思主义的历史
　　人物评价　　　　　　　　　　武任年　1966·2
粉碎资本主义复辟阴谋
　　　　　　北京新华印刷厂铅印车间工人卢永江　1966·2
用毛泽东思想作武器，和一切
　　反党反社会主义言行斗争到底
　　　　　　　　北京新华印刷厂李士仪　1966·2
评"三家村"
　　——《燕山夜话》《三家村札记》的反动本质
　　　　　　　　　　　　　　　姚文元　1966·3
吴晗的反革命面目　　　　　刘大年　1966·3
贫下中农不许吴晗反党反社会主义
　　　　　北京市东升人民公社马甸生产队贫下中农　1966·3

《海瑞骂皇帝》和《海瑞罢官》的反动实质是掩盖

  不了的        解放军某部李显春、肖德恩、孙树岑  1966·3

吴晗宣扬"清官"是"借古讽今"，污蔑党的领导和

  国家干部          解放军某部张声忠  1966·3

扯下吴晗所吹捧的"清官"的脸谱

                解放军某部王海良  1966·3

我们决心和吴晗这种不拿枪的敌人斗争到底

         解放军某部李明臣、张亭连  1966·3

要连根拔掉吴晗的"道德继承论"这株毒草

            北京新华印刷厂万道明  1966·3

彻底粉碎吴晗反毛泽东思想的罪恶阴谋

     北京师范大学历史系五年级学生 宋瑞芝  1966·3

吴晗所宣扬的"三勤"是他和党争夺青年的一张

  "王牌"

    北京师范大学历史系四年级学生曹屯裕、肖祥明  1966·3

坚决清除吴晗对我的严重毒害

        北京师范大学历史系四年级学生吴荣政  1966·3

有毒草就得进行斗争

        北京丰盛学校一部初中三年级学生王垠  1966·3

吴晗是一个披着羊皮的"狼外婆"

        北京丰盛学校一部高中三年级学生王丽勤  1966·3

复古主义是资本主义复辟的思想武器

  ——批判吴晗的反动历史观

        北京师范学院历史系学术批判小组  1966·3

评注吴晗胡适通信                   1966·3

为巩固无产阶级专政而研究历史（短评）      1974·1

从《论语》地位的演变看批孔斗争的长期性

                上钢五厂工人理论小组  1974·1

在斗争中培养壮大工农兵理论队伍      本刊评论员  1974·1

论张良政治立场的转变　　　　　　　　　康　立　1974·1

桑弘羊的哲学思想　　　　　　　　　　　杨荣国　1974·1

诸葛亮和法家路线　　　　　　　　　　　周一良　1974·1

论曹操的法治路线　　　安徽师范大学中文系写作组　1974·1

曹袁斗争和世家大族　　　　　　　　　　田余庆　1974·1

反霸斗争的锐利思想武器

　　——学习列宁关于帝国主义的论述

　　　　　　　　　　　北京二七机车厂理论组

　　　　　　　　　　　北京大学历史系批判组　1974·1

全局在胸　胜利在握

　　——学习《关于平津战役的作战方针》　竞　军　1974·1

集中优势兵力打歼灭战

　　——学习《中国革命战争的战略问题》的一点体会

　　　　　　　　　　　　　　　　　　　张　明　1974·1

农民战争的伟大历史作用

　　——学习《中国革命和中国共产党》的一点体会

　　　　　　　　　　　　　　　　　　　梁　效　1974·1

农民反孔斗争史话

　　　　　　天津市宝坻县小靳庄大队理论小组　1974·1

劳动人民反抗斗争和儒法斗争的关系

（座谈会报导）　　　　　　　　　　　　石　言　1974·1

七里营人民公社的诞生　《七里营人民公社史》编写组　1974·1

孔府的族权统治　　　　　　　　　　　　鲍雨立　1975·1

驳荀况为儒家说　　　　　　　　　　　　劲云戈　1975·1

必须加强无产阶级对资产阶级的专政

　　——读《国家与革命》　　　　　　　哲　军　1975·1

党的基本路线是我们的生命线

　　——学习《中华人民共和国宪法》的体会　吕　斌　1975·1

新生和巨变

　　——《上海南京路史话》片断

　　　　　　　　　　　　《上海南京路史话》编写组　1975·1

剖析林彪"六个战术原则"的反动本质　　　　沈　思　1975·1

喜谈史学战线的新变化　　　　　　　　　　唐长孺　1975·1

农民反孔斗争史话（续完）

　　　　　　　　天津市宝坻县小靳庄大队理论小组　1975·1

论陈胜吴广农民大起义的历史功勋　　　　　梁　效　1975·1

晁错抗击匈奴的战略思想　　解放军某部九连理论组　1975·1

论曹操法家路线的形成　　　　　　　　　　唐长孺　1975·1

曹操法家路线形成的历史条件

　　　　　　　　北京市总工会工人理论小组刘光　1975·1

对曹操屯田的几点看法

　　首钢机械厂工人历史研究小组　北京师范学院高军　1975·1

必须限制资产阶级法权

　　——学习《哥达纲领批判》的一点体会

　　　　　　　　　　北京市总工会工人理论小组

　　　　　　　　　北京师范学院工人理论学习小组　1975·2

货币的出现与原始社会公有制的瓦解　　　　柏　经　1975·2

列宁在十月革命后限制资产阶级法权的斗争　红　宣　1975·2

《孙膑兵法》初探　　　　　　　　　　　　詹立波　1975·2

明代广西大藤峡瑶族人民的反孔斗争　　　　莫世祥　1975·2

论战国时代齐国复辟的历史教训　　　　　　杨　宽　1975·2

"言谈者必轨于法"

　　——韩非关于在意识形态领域里的法治思想

　　　　　　　　　　　　　　　　靳　南　1975·2

论对资产阶级的全面专政　　　　　　　　张春桥　1975·2

论林彪反党集团的社会基础　　　　　　　姚文元　1975·2

昨天与今天　　　　　　　　　　　　　　史　星　1975·2

"子系中山狼，得志便猖狂" 石 言 1975・2

不断巩固农村社会主义阵地

　　　　　北京市大兴县红星公社大白楼大队 1975・2

回顾塔山阻击战 广州部队某部"塔山英雄团" 1975・2

从经济危机的不断深化看资本主义制度的必然

　灭亡 南 景 1975・2

等级制度与林彪复辟资本主义的阴谋 梁 效 1975・3

发扬"穷棒子"精神坚定地走社会主义道路

　——河北遵化县西铺村村史片断

　　　　北京师范学院《西铺村史》编写组 1975・3

井冈山精神永放光芒

　　　井冈山原暴动队长邹文楷　红军女战士马夏姬 1975・3

了解一点社会发展史

　　　　北京光学仪器厂、北京仪器厂理论组

　　　北京师范大学政治教育系政治经济学组 1975・3

韩非对《老子》思想的批判改造

　　　　上钢五厂第二中心试验室工人理论组

　　　　　　　　　复旦大学延风 1975・3

真假马克思主义的试金石

　——国际共产主义运动史上围绕无产阶级

　　专政问题的斗争（一）

　　　　　　中共天津市委党校理论组 1975・3

无产阶级专政是我们传家的法宝

　——《马克思、恩格斯、列宁论无产阶级专政》语录的

　　历史背景

　　　　　南京化学工业公司工人理论小组 1975・3

秦和汉初的地主阶级政权与封建所有制

　　　　　　　守 纲 李石叔 1975・3

道家与西汉儒法斗争 澜 思 1975・3

戳穿"董永行孝"的骗局

湖北孝感县老屋公社理论小组

华中师范学院历史系大批判组　1975·3

"安乐窝"呆不得

——读樊哙谏刘邦"出舍"　门登凯　宋志复　1975·3

中国古代史讲座：第一讲漫长的、无阶级的原始社会

大连红旗造船厂动力科历史研究组　1975·3

中国古代史讲座：第二讲奴隶社会的形成和发展

——夏、商、西周

中国人民解放军河北省承德军分区　1975·3

中国古代史讲座：第三讲奴隶制向封建制过渡的大变革时期

——春秋、战国

上海市重型机械制造公司工人历史研究小组　1975·4

中国古代史讲座：第四讲统一的中央集权

封建国家的建立和巩固

——秦、西汉

铁道部南口机车车辆机械厂工人理论组

北京大学历史系中国古代史教研组　1975·5

"仕途捷闻"析　闻军　1975·5

真假马克思主义的试金石

——国际共产主义运动史上围绕无产阶级

专政问题的斗争（二）

天津市委党校理论组　1975·4

试论先秦法家的战备思想　洪城　1975·4

宰予并非孔门叛逆者　吴汝煜　1975·4

苏修是怎样变社会主义所有制为资本主义所有制的

靳久　廉南景　1975·4

法家路线和汉初的安定局面　齐亮晓　1975·4

论诸葛亮安定南中　马曜　1975·4

游侠批判　　　　　　　　　　　　　　　　李思延　1975·4

发展经济巩固政权

　　——读晁错《论贵粟疏》

　　　　　中国人民解放军五二八七五部队理论小组　1975·4

谈周亚夫治军　　　　　　　　　　　　　　石　言　1975·4

资产阶级与孔孟之道　　　　　　　　　　　田　力　1975·4

不斗争就不能进步

　　——学习党内两条路线斗争史　　　　　　洪　城　1975·4

发扬南泥湾精神把革命工作做到底

　　　　　　　　中共八四八七部队委员会　1975·4

"以其昏昏　使人昭昭"　　　　　　　（小资料）1975·4

淮河今昔　　　　　　　　《淮河新篇》编写组　1975·4

中国共产党是抗日战争的领导者

　　——兼批林彪一篇投降主义的反党文章　　柯　史　1975·5

利用《水浒》识别投降派　　　　　　　　　洪广思　1975·5

《水浒》为什么这样塑造宋江　　　　　　　柏　青　1975·5

洋务运动与洋奴哲学　　　　　　　　　　　梁　效　1975·5

反贪官不反皇帝只能是投降　　　　　　　　石　言　1975·5

"替天行道"是对农民革命的反动

　　　　石源华　马俊民　韩明华　胡申生　1975·5

无耻的背叛

　　——斥齐赫文斯基之流对义和团运动的诽谤　石　岚　1975·5

论战国时期的食封贵族　　　　　　　工　岩　南　谷　1975·6

始终坚持对资产阶级的全面专政

　　——学习列宁关于无产阶级专政的理论和实践的体会

　　　　　　海军某部隋斌北京大学哲俊　1975·6

农民起义与投降主义路线　　林甘泉　宋家钰　许一雅　1975·6

农民起义的光辉历史不容歪曲

　　　　　　中共梁山县委《水浒》评论组　1975·6

《水浒》的成书及其社会背景

　　　　　　　　　　胡念贻　陈毓罴　徐公特　1975・6
纪律是执行路线的保证　　　　　　　　　武尔洪　1975・6
坚持团结　反对分裂
　　——批判张国焘右倾分裂主义路线　陇　军　时　达　1975・6
革命就是解放生产力
　　——读《商君书》札记　　　　　　　柏　青　1975・6
古老黄河展新容　　　　　　　　　　　　黄　伟　1975・6
中国古代史讲座：第五讲封建社会缓慢、曲折发展的时期
　　——东汉、三国、两晋南北朝
　　　　　　　　天津站业余大学南站车间历史班
　　　　　　　　南开大学历史系中国古代史组　1975・6
中国古代史讲座：第六讲封建社会的高度发展和
　　经济文化的繁荣
　　——隋、唐　　　北京市顺义县天竺公社理论组
　　　　　　　　　　北京师范大学历史系　1976・1
不要忘记马克思主义的最起码的常识
　　——学习列宁对布哈林折衷主义的批判
　　　　北京大学历史系世界史专业二年级工农兵学员　1976・1
做坚定的新生事物的促进派
　　——学习列宁《伟大的创举》等著作的体会
　　　　　　　　　　　　北京大学郑群　1976・1
满腔热情地支持革命的新生事物
　　——学习马克思对待巴黎公社的态度
　　　　　首钢石景山钢铁公司炼钢厂工人理论小组　1976・1
巴黎公社的可耻叛徒
　　——评苏修对巴黎公社历史经验的歪曲
　　　　　　　　　　　曹特金　张宏儒　1976・1
大寨在斗争中成长　　　　　昔阳县大寨史编写组　1976・1

太平天国与天地会

　　——谈金田起义时期的两条路线斗争

　　　　　　　广西桂平金田公社贫下中农理论组　1976·1

词两首——毛泽东　　　　　　　　　　　　　　1976·1

在继续革命的道路上奋勇攀登

　　——学习毛主席的词《水调歌头·重上井冈山》

　　　　　　　　　　　　　　　　　洪　城　1976·1

不可抗拒的革命洪流

　　——学习毛主席的词《念奴娇·鸟儿问答》

　　　　　　　　　北京部队炮兵葆斌　而　练　1976·1

教育革命的方向不容篡改

　　——北京大学、清华大学大批判组　　　　　1976·1

回击科技界的右倾翻案风

　　　　　　北京大学、清华大学大批判组　　　1976·1

要继续批孔　　　　　　　　　　　李　成　1976·1

反对投降派的锐利武器

　　——学习《无产阶级革命和叛徒考茨基》的体会

　　　　　　　　北京汽修五厂历史研究小组　1976·1

划清两种界限　坚持继续革命

　　——从《水浒》谈农民革命问题　　　田昌五　1976·1

教育战线今胜昔

　　——北大历史系以阶级斗争为纲，广泛发动群众，

　　回击右倾翻案风　《人民日报》通讯员、记者　1976·1

世上无难事　只要肯攀登　　上海重型机械制造公司　1976·1

研究儒法斗争和整个阶级斗争的历史占领

　　史学阵地　　　薛清泉　杜书玉　聂紫霞等　1976·1

中央中央关于华国锋同志任中共中央

　　第一副主席、国务院总理的决议　　　　　　1976·2

中国资本家是怎样起家的？　　　　朱光熙　1976·2

太平天国后期的反投降反分裂斗争
　　　　　　江苏清江棉纺织厂织布乙班青年理论小组　1976·2
"法令滋彰"还是"法物滋彰"?
　　——读帛书本《老子》札记　　　　　　　　砺　冰　1976·2
西汉王朝同刘濞等复辟势力的斗争　　　　　　史　众　1976·2
中共中央关于撤销邓小平党内外一切职务的决议　　　　1976·2
阶级斗争是纲　其余都是目　　　　　　　　　靳　南　1976·2
决不能同妄图勾销阶级斗争的人一道走
　　　　　　北京师范大学历史系七四级工农兵学员
　　　　　　　　　　　　　　　　　世界史组教师　1976·2
从我国农业合作化的历史　看唯生产力论的破产
　　　　　　　　　　　　　　　　　　　　　石　伟　1976·2
一所崭新的社会主义大学
　　——朝阳农学院简史　　　　　　朝农简史编写组　1976·2
中庸之道与折中主义　　　　　　　　　　　　杨宪邦　1976·2
孔丘是个阴谋家　　　　　　　　　　　　　　李思延　1976·2
"文景之治"辨　　　　　　　　　南京师范学院康民　1976·2
秦始皇时期的社会经济　　　　　　　曹永年　孟广耀　1976·3
《南郡守腾文书》与秦的法治路线　　　　　　石　言　1976·3
历代关于商鞅变法的两派论争　　　　　　　　洪善思　1976·3
三十六棚工人的抗俄斗争
　　——哈尔滨车辆工厂厂史片断
　　　　　　　　哈尔滨车辆工厂厂史编写组
　　　　　　　　哈尔滨师范学院历史系写作组　1976·3
江西共产主义劳动大学在斗争中前进
　　　　　　　　　　　　江西共大简史编写组　1976·3
革命是历史的火车头
　　——学习《一八四八年至一八五年的法兰西阶级斗争》
　　　　　　　　　　　　　　　　　田　军　1976·3

资产阶级民主派为什么会变成走资派？ 　　　燕　霄　1976・3

法国近代史上肯定和否定雅各宾专政的斗争　　施　进　1976・3

文化大革命永放光芒

　　　——纪念中共中央一九六六年五月十六日《通知》十周年

　　　《人民日报》、《红旗》、《解放军报》编辑部　1976・3

文化革命是阶级斗争　　　　　　　　　　　　昆　骏　1976・3

政治谣言与篡权复辟　　　国营七〇〇厂工人理论组　1976・3

在斗争中建设党

　　　《人民日报》、《红旗》、《解放军报》编辑部　1976・4

论孔丘的反动"仁学"　　　　　　　曲阜师范学院　1976・4

反修防修的锐利武器

　　　——学习毛泽东关于社会主义教育运动的

　　　一个批示　　　　　　　　　　　　方　道　1976・4

王阳明的反革命两手及其"心"学

　　　——揭露王阳明镇压广西瑶、壮族人民起义的罪恶面目

　　　　　　　　　　　　　　　　　　　庄　宁　1976・4

马尾船政局早期工人的生活与斗争

　　　　　　　　　福建师范大学历史系理论组　1976・4

中国共产党中央委员会　中华人民共和国全国人民

　　代表大会常务委员会　中华人民共和国国务院

　　中国共产党中央军事委员会告全党全军各国各

　　族人民书　　　　　　　　　　　　　　　　1976・5

在伟大的领袖和导师毛泽东主席追悼大会上中国

　　共产党中央委员会第一副主席、国务院总理

　　华国锋同志致悼词　　　　　　　　　　　　1976・5

关于建立伟大的领袖和导师毛泽东主席纪念堂的决定　1976・5

中共中央关于出版《毛泽东选集》和筹备出版

　　《毛泽东全集》的决定　　　　　　　　　　1976・5

亿万人民的共同心愿

　　　《人民日报》、《红旗》、《解放军报》社论　1976・5

论洋务派与洋奴哲学　　　　　　　　　　张国辉　1976・5

继承主席志　紧握农奴戟　　　　　　　　钟青生　1976・5

永远高举毛主席亲手点燃的革命火炬　邹文楷　马夏姬　1976・5

跟着毛主席走，就是胜利　　　　　　　　吴义生　1976・5

毛主席是我们的大救星　　雷治富　张步文　陈有马　1976・5

让毛主席升起的红旗永远飘扬　　　　天安门前警卫连　1976・5

是谁发明了造纸法

　　　　　　　上海市造纸木材工业公司工人写作组　1976・5

工人贵族是无产阶级队伍中的蛀虫

　　——十九世纪中叶英国工联主义对工人运动的危害

　　　　　　　天津港务局轮驳公司工人理论组

　　　北京大学历史系世界史专业七三级工农兵学员　1976・5

井冈山道路永放光芒

　　——学习《井冈山的斗争》等光辉著作

　　　　　　　　　　丁守和　陈铁健　1976・5

从民主革命转变到社会主义革命的伟大纲领

　　——学习《在中国共产党第七届中央委员会

　　　第二次全体会议上的报告》　　　纪　志　1976・5

具有世界历史意义的伟大贡献

　　——学习毛泽东关于无产阶级专政下继续革命

　　　的理论　　　　　　　　　　　　洪　城　1976・5

坚定不移地走自力更生奋发图强的道路

　　——大连机车车辆工厂简史

　　　　　　　　　　大连机车车辆厂厂史编写组　1976・5

唐山震区人民永远怀念毛主席

　　　　　　　开滦煤矿唐山矿　五二八五六部队　1976・5

史学领域的阶级斗争与“四人帮”的反革命复辟

　　野心　　　历史研究所《中国史稿》编写组　1976・6

从狄克到“四人帮”的狗头军师　　　　　何其芳　1976・6

辛亥革命是儒法斗争吗？　　　　　　　　　樊百川　1977·1

把"四人帮"杂志《学习与批判》押上审判台

　　——清算《学习与批判》攻击周总理的罪行

　　　　　　　　　　　　　　　　　　　　陈　中　1977·1

"四人帮"反革命丑史的可耻辩护

　　——评康立的《论张良政治立场的转变》　谷　斯　1977·1

驳"四人帮"在农民战争问题上的

　　反马克思主义谬论　　　　　　　　　　　诸葛计　1977·1

一个不折不扣的历史反革命

　　——张春桥三十年代反动文章剖析　王保生　张大明　1977·2

复辟狂唱出的"反复辟"高调

　　——批判梁效、康立歪曲西汉历史的谬论

　　　　　　　　　　　　　北京市财贸干校理论组　1977·2

引用资料要准确　　　　　　　　　　　　　程耀明　1977·2

"四人帮"对中国历史学的大破坏

　　——评所谓研究儒法斗争史的骗局　　　黎　澍　1977·2

"四人帮"在史学领域招摇的一面霸旗

　　——评罗思鼎《论秦汉之际的阶级斗争》

　　　　　　　　　　　　　　　刘泽华　王连升　1977·2

历史唯心主义的标本

　　——评《儒法斗争史概况》

　　　　　　　　　北京大学哲学系中国哲学史组　1977·2

覆灭前的哀鸣

　　——评梁效《论李商隐的〈无题〉诗》　谢　宏　1977·2

捧读《毛泽东选集》第五卷

　　——调寄《沁园春》　　　　　　　　　郭沫若　1977·3

中国近代"儒法斗争"驳议　　　　　　　　李　侃　1977·3

一桩异乎寻常的反党事件

　　——评"四人帮"伪造党史的罪恶活动　陈铁健　1977·3

"古为帮用"

　　——清算《学习与批判》利用历史反党的罪行

　　　　　　　　　　　　　　樊树志　王庆余　1977・3

中国近代"儒法斗争"驳议　　　　　　　　　　　1977・3

关于资产阶级法权理论的历史考察　吴敬琏　周淑莲　1977・4

评"四人帮"发言人梁效　　　　　　　陈石之　1977・4

评梁效某顾问　　　　　　　　王永江　陈启伟　1977・4

论生产力在历史发展中的作用　　　　　林　春　1977・5

论民主派

　　——驳"四人帮"在民主问题上制造的谬论　齐　江　1977・5

评"四人帮"的封建专制主义　　　　　黎　澍　1977・6

林彪反党集团故伎的重演

　　——评李时的一篇反党乱军黑文　刘元彦　诸葛计　1977・6

唐晓文吹捧"柳下跖"居心何在?　　　范若愚　1977・6

太平天国革命的反封建性质不容否定

　　——驳梁效、罗思鼎对太平天国历史的歪曲　王庆成　1977・6

唐晓文歪曲史料一例　　　　　　　陈蒲清　1977・6

评唐晓文的三篇代表作　　　　　　　傅　孙　1978・1

把颠倒了的历史再颠倒过来

　　　　　　　　　　中国人民解放军承德军分区　1978・1

从"四人帮"的假批孔看影射史学的破产　周振甫　1978・3

揭批"四人帮"是一场历史性大决战　李洪林　1978・3

驳"四人帮"的历史学界"一片黑暗"论　戴振海　1978・4

"四人帮"尊法丑剧的幕前幕后

　　　　　　　　《人民教育》《历史研究》编辑部　1978・5

也看庐山真面目

　　——评广东某"史学权威"　诸葛计　方式光　1978・5

"四人帮"是历史科学的敌人　　　　　丁伟志　1978・6

论"四人帮"的出现和灭亡　　　　　　宋振庭　1978・7

实事求是　勇于创新　　　　　　　　　　戴　逸　1978·8

砸碎枷锁　解放史学

　　——评"四人帮"的所谓"史学革命"　　刘泽华　1978·8

"四人帮"的影射史学与"洋为帮用"反革命阴谋

　　　　　　　　　　　　　陈启能　沈永兴　1978·9

"四人帮"——半殖民地半封建旧中国的招魂巫师

　　　　　　　　　　　　　周叔莲　吴敬琏　1978·7

"四人帮"是马克思主义哲学社会科学的死敌

　　　　　　　　　中国社会科学院写作组　1978·10

评林彪"捧杀"毛泽东思想的反革命策略　　王蕴桥　1978·10

## 《历史研究》五十年总目

编　　者／张永攀　舒建军

出　版　人／谢寿光
出　版　者／社会科学文献出版社
地　　　址／北京市东城区先晓胡同 10 号
邮政编码／100005
网　　　址／http：//www. ssap. com. cn
网站支持／（010）65269967
责任部门／编辑中心（010）65232637
电子信箱／bianjibu@ ssap. cn
项目经理／宋月华
责任编辑／鲁　颂
责任校对／段　青　孙鹏程
责任印制／同　非

总　经　销／社会科学文献出版社发行部
　　　　　　（010）65139961　65139963
经　　　销／各地书店
读者服务／市场部（010）65285539
法律顾问／北京建元律师事务所
排　　　版／北京中文天地文化艺术有限公司
印　　　刷／北京智力达印刷有限公司

开　　　本／889×1194 毫米　1/32 开
印　　　张／18
字　　　数／447 千字
版　　　次／2006 年 4 月第 1 版
印　　　次／2006 年 4 月第 1 次印刷

书　　　号／ISBN 7-80230-026-6/K·237
定　　　价／480.00 元（含光盘，包括前 6 卷 10 册内容）

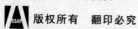